U0217226

「十三五」国家重点出版物出版规划项目

中国中药资源大典

1

黄璐琦 / 总主编
李晓瑾　贾晓光　徐建国　朱　军　王果平 / 主　编

北京科学技术出版社

图书在版编目（CIP）数据

中国中药资源大典. 新疆卷. 1 / 李晓瑾等主编.
北京 : 北京科学技术出版社, 2024. 6. -- ISBN 978-7
-5714-4016-9

Ⅰ. R281.4

中国国家版本馆CIP数据核字第2024SN3433号

责任编辑： 吕　慧　庞璐璐　吴　丹　李兆弟　侍伟
责任校对： 贾　荣
图文制作： 樊润琴
责任印制： 李　茗
出 版 人： 曾庆宇
出版发行： 北京科学技术出版社
社　　址： 北京西直门南大街16号
邮政编码： 100035
电　　话： 0086-10-66135495（总编室）　0086-10-66113227（发行部）
网　　址： www.bkydw.cn
印　　刷： 北京博海升彩色印刷有限公司
开　　本： 889 mm × 1 194 mm　1/16
字　　数： 1 148千字
印　　张： 51.75
版　　次： 2024年6月第1版
印　　次： 2024年6月第1次印刷
审 图 号： GS京（2023）1758号
ISBN 978-7-5714-4016-9

定　　价：490.00元

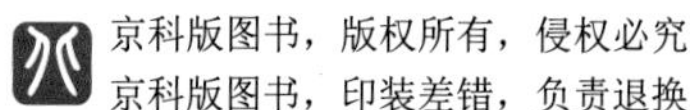

《中国中药资源大典·新疆卷》

编写委员会

总 主 编　黄璐琦

主　　编　李晓瑾　贾晓光　徐建国　朱　军　王果平

副 主 编　樊丛照　邱远金　赵亚琴　张际昭　石磊岭　宋海龙
阿依别克·热合木都拉　姜　林　贾月梅

编　　委　丁文欢　力瓦衣丁·买合苏提　马　宁　马占仓　王　超　王　茜
王　烨　王东东　王应林　王果平　王喜勇　尹林克
巴哈尔古丽·黄尔汗　艾比拜罕·麦提如则　石书兵　石明辉　石磊岭
田树革　史银基　兰　卫　地力努尔·吐尔逊江　朱　军　朱　君
任杉杉　伊永进　刘　冲　刘旭丽　刘宏炳　闫素雅　关永强　祁志勇
杜珍珠　李　洁　李晓瑾　杨美琳　杨淑萍　轩辕欢　邱远金　何　权
何　江　辛禄德　宋　骏　宋海龙　张　欢　张丽君　张际昭　张金汕
张雪佳　阿依别克·热合木都拉　陈向南　努尔巴依·阿布都沙力克
罗四维　金晓艳　孟　岩　赵　丽　赵亚琴　赵翡翠　段燕燕　侯翼国
姜　林　贾月梅　贾晓光　徐文斌　徐建国　徐倞倞　徐海燕　郭雄飞
黄　刚　黄红雨　曹　佩　曹红梅　康定明　阎　平　梁凤丽　逯永满
葛　亮　董俊俊　程　波　鲁　疆　童加强　满尔哈巴·海如拉
谭治刚　樊丛照　黎耀东　潘　兰　燕雪花　魏青宇

《中国中药资源大典·新疆卷》

编辑委员会

序言

新疆地处亚欧大陆腹地，地理环境、气候条件和生物资源多样，中药资源丰富、特色鲜明。在新疆阿尔泰山区、天山山脉、阿尔金山－昆仑山区以及伊犁河谷、准噶尔盆地、塔里木河流域等区域分布着大量特色中药资源，形成具有地域特色的中药资源宝库。

中药资源是中医药事业发展的物质基础，是国家重要的战略资源，在经济社会发展中具有重要作用。新疆作为首批启动实施第四次全国中药资源普查工作的省份之一，在各级政府部门的大力支持下、在全体普查伙计的共同努力下，出色地完成了新疆的中药资源普查工作。还对新中国成立后才被收回祖国的夏尔希里进行了专题调查，为新疆建设工作做出贡献。

《中国中药资源大典·新疆卷》以第四次全国中药资源普查工作成果为基础，全面展示了新疆的中药资源现状。该书内容丰富、图文并茂，专业性、科普性、实用性并存，是一部较为权威的具有参考价值的中药资源学著作。该书的出版可为中药专业的人士提供参考，也可为政府部门制定中药产业政策提供支撑，亦可为乡村振兴和推动新疆区域经济社会发展发挥积极作用，为助力新疆中医药事业发展贡献力量。

在该书付梓面世之际，仅书片言，乐为之序！

中国工程院院士
中国中医科学院院长
第四次全国中药资源普查技术指导专家组组长

2024 年 4 月

中药资源是国家战略性资源，是中医药传承、创新、发展的物质基础。新疆地处亚欧大陆腹地，其独特的地理位置和自然条件，孕育了独具特色的中药资源，诸如“峭壁悬崖绽雪莲，天山峰脉育芙娟”的天山雪莲，以及阿魏、紫草、伊贝母、一枝蒿等药材均为新疆特有的道地优势资源。

新疆第四次中药资源普查工作历时 10 年，完成了新疆（含新疆生产建设兵团在内）166 万 km^2 的中药资源普查，累计实地调查样地 3 502 个样方套 17 652 个，采集腊叶标本 15.1 万份、药材标本 2 710 份、种质资源 1 784 份，拍摄照片 322 116 张，调查蕴藏量 150 种；调查到药用植物 3 107 种，全面摸清了自第三次中药资源普查以来新疆 30 余年来的中药资源变迁情况；首次建立了新疆中药资源数据库管理系统，建立了种质资源保存体系（低温保存库、超低温保存库）、标本库、种子种苗繁育基地，开展了中药材生产区划和 30 种重点药材的生产适宜性分析，为新疆中药产业发展提供了最新的基础数据和系统的技术服务。

本书以新疆第四次中药资源普查成果为基础，收载新疆中药资源（含维吾尔医药、哈萨克医药等新疆少数民族医药）1 362 种。本书分为上篇、中篇、下篇，上篇为新疆中药资源概论，介绍了新疆的自然环境、第四次中药资源普查情况、中药资源发展现状，中篇介绍了新疆道地、大宗中药资源，下篇为新疆中药资源各论。该书首次系统、全面、客观地反映了新疆现有的中药资源情况，并配以高清彩图，增强了本书的可读性、科学性、实用性，可供中医药领域的研究者及爱好者参考。

宝剑锋从磨砺出，梅花香自苦寒来。新疆第四次中药资源普查工作克服了调查区域广、环境类型多样、物种差异大、学科领域多、技术人员断层严重等诸多困难，取得了丰硕的成果。《中国中药资源大典·新疆卷》的最终付梓亦非易事，本书的出版无不凝聚着新疆所有普查工作者的汗水。希望本书能为政府部门制定中药产业政策提供支撑，为推动新疆道地药材体系建设进程、加速现代中药产业转型、助力乡村振兴、推动新疆经济高质量发展贡献一份力量。

本书对于读者全面了解新疆中药资源现状具有重要的参考价值，但由于编者水平有限，书中难免有不妥之处，敬请广大读者批评指正，以便后期再版时修改、补充与完善。

编　者

2024 年 4 月

凡例

（1）本书共4册，分为上、中、下篇。上篇综述了新疆自然环境、第四次中药资源普查情况、中药资源发展现状；中篇论述了60种新疆道地、大宗中药资源；下篇共收录药用植物资源1 362种。

（2）本书下篇以中药资源名为条目名，下设药材名、形态特征、生境分布、资源情况、采收加工、功能主治、用法用量及附注等，其中资源情况、采收加工、用法用量、附注为非必要项，资料不详者项目从略。各项目编写原则简述如下。

1）条目名。该项记述中药资源物种及其科属的中文名、拉丁学名。其中蕨类植物、裸子植物、被子植物的名称主要参考《中国植物志》和《新疆植物志》。

2）药材名。该项记述中药资源的药材名、药用部位。凡《中华人民共和国药典》等法定标准收载者，原则上采用法定药材名；法定标准未收载者，主要参考《中华本草》《全国中草药名鉴》《中国中药资源志要》。

3）形态特征。该项简要描述中药资源的形态特征，突出鉴别特征。主要参考《中国植物志》和《新疆植物志》，并结合普查实际所获取的信息进行描述。

4）生境分布。该项记述中药资源在新疆的生存环境与分布区域。生存环境主要源于普查实际获取的生境信息，并参考相关志书的描述。分布区域主要介绍野生资源的分布情况，源于植物标本采集地，以“分布于新疆地市级行政区划（县级行政区划）/地市级行政区划/县级行政区划”的形式进行描述；栽培资源的分布区域以“地市级行政区划（县级行政区划）/地市级行政区划/县级行政区划有栽培”的形式进行描述。在新疆各地皆有野生者，记述为“新疆各地均有分布”；在新疆各地皆有栽培者，记述为“新疆各地均有栽培”。

5）资源情况。该项记述中药资源的蕴藏量情况，用丰富、一般、稀少来表示；并用“野生”或“栽培”记述药材的主要来源。

6）采收加工。该项记述药材的采收时间与加工方法。

7）功能主治。该项主要记述药材的功能和主治。

8）用法用量。该项主要记述药材的用法和用量。

9）附注。该项描述物种的濒危等级、其他医药相关用途等。

（3）附录。以名录形式收载中篇、下篇没有收载的新疆药用植物资源。

目录

Contents

第1册

新疆维吾尔自治区中药资源概论

新疆维吾尔自治区道地、大宗中药资源

下篇

新疆维吾尔自治区中药资源各论

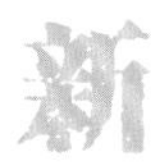

第 2 册

第3册

第4册

上篇

新疆维吾尔自治区中药资源概论

新疆维吾尔自治区自然环境

一、地形地貌

新疆地区在多种内营力、外营力的作用下，形成了丰富多彩的地貌。因海拔、降水量、干燥度等不同，地貌类型的组合也有差异。气候对于地貌的发育起到了重要的作用，成为影响现代地貌发育的主要因素之一。

（一）地形地貌特征

新疆的地形地貌特征主要分为 7 个方面。

①山系走向与新疆大断裂的方向一致。②山地与盆地高低悬殊。构造运动促使山地强烈上升、盆地下陷，形成了高耸的山脉和深陷的盆地。③山间盆地多。山体强烈隆升并沿断裂沉降和分裂强烈，于山区内部形成山间盆地和谷地。④山地层状地貌明显。山地经夷平作用，沿断裂做不等量抬升，形成了多级的梯级面。⑤沙漠面积广大，沙丘形态复杂，类型多样。新疆沙漠面积达 38.9 万 km^2，占新疆总面积的 23.6%。塔里木盆地与准噶尔盆地的腹地分别被塔克拉玛干沙漠和古尔班通古特沙漠占据，此外，天山的伊犁盆地、吐鲁番盆地、焉耆盆地、尤勒都斯盆地，以及昆仑山的库木库勒盆地和布伦口盆地等均有沙漠分布。⑥山地气候地貌的垂直分布带存在差异。各山地受气候水平地带性、垂直地带性和盆地封闭性，以及降水地域分配规律的影响，山地气候地貌类型的分布范围各有差异。⑦地貌类型组合呈环状。由于准噶尔盆地、塔里木盆地为山地环绕，山地到盆地的海拔高低悬殊，外营力分布各异，地貌类型组合恰好呈环状。

（二）地形地貌类型

地形地貌类型反映了地球表面形态单元的成因、物质组成等性质的客观内在逻辑关系。地表的任一部分都具有形态及其形成发展历史。不同时期作用于同一地表的营力的种类、方式、强度往往不同，同一时期作用于同一地表的营力也不止 1 种。各种营力对地表的继承、塑造、改造作用不同，不同组成物质和地表形态对各种营力的反应也各异，表现为不同规模、不同发育阶段的各种地表形态，就是不同的地貌类型。新疆的地貌轮廓为“三山夹二盆”，即高大的山脉与广阔的盆地相间排列，自北向南分别为阿尔泰山、准噶尔盆地、天山、塔里木盆地、昆仑山。天山横亘于新疆中部，将新疆分为两部分，即南疆和北疆。三大山系基本呈东西走向，山地内部有许多规模不等的山间盆地。准噶尔盆地西部有萨吾尔山、塔尔巴哈台山和巴尔鲁克山等东西走向、山势较低、断续相间的山脉，这些山脉所在地区统称为准噶尔西部山地。新疆的地势高低悬殊，昆仑山乔戈里峰海拔 8 611 m，为世界第二高峰；吐鲁番盆地最低处海拔 −154 m，是我国大陆最低点，新疆境内相对高为 8 765 m。

新疆地质构造与气候条件复杂，除海洋地貌以外，所有陆地上的地貌类型基本齐备。

1. 山地

山地为地壳上升地区受河流切割而成，是高度较大、坡度较陡的高地。表面形态多样，规模大小不同。按海拔可分为高山、中山和低山，按成因又可分为褶皱山、断层山、褶皱－断层山、火山、侵蚀山等。新疆山地主要有阿尔泰山、天山、昆仑山三大山系，三大山系又由很多山地组成。

2. 盆地

盆地是指四周高（山地或高原）、中间低（平原或丘陵）的盆状地表形态。在地壳运动的作用下，地下的岩层受到挤压或拉伸，变得弯曲或产生断裂，使有些部分隆起，有些部分下降，下降的部分被隆起的部分包围而形成盆地。新疆比较著名的盆地有准噶尔盆地和塔里木盆地，此外还有尤勒都斯盆地、布伦口盆地等。盆地以湖盆为中心呈环状展布，从山麓向湖盆分别为洪积扇带、冲积平原、沙漠带、泥漠带、湖区，洪积扇顶部多被风塑造成沙漠。

3. 沙漠

沙漠是地表在长期干旱的气候条件下形成的覆盖厚层细沙状物质的地理景观，地表被大面积的沙丘覆盖，一般以流动沙丘为主。沙漠形成的必要条件为干燥、少雨和丰富的沙源。新疆位于我国西北部的亚洲内陆腹地，四面距海遥远，且常年受西风带的控制，冬季受蒙古－西伯利亚高压带的影响，大陆性干旱气候明显。南疆、东疆大部分为暖温带气候，北疆大部分为温带气候。新疆 22%的面积分布有沙漠、戈壁和荒漠，高山区域有永久积雪和冰川。新疆沙漠主要分布在南北两大盆地的中心，分别为我国第一大沙漠塔克拉玛干沙漠和第二大沙漠古尔班通古特沙漠，东部有库木塔格沙漠，此外，吐鲁番盆地、焉耆盆地、伊犁河谷及东疆等地还有零星的沙丘地分布。

二、土地资源

（一）农用地

按照《土地利用现状调查技术规程》划分的大类，新疆土地资源可分为农用地、建设用地和未利用地 3 种。其中，农用地又分为耕地、园地、林地、牧草地、其他农用地。现对新疆的农用地情况进行概括性介绍。

2006 年，新疆 51.32 % 的农用地分布在北疆地区，面积为 3 236.82 万 hm^2；40.32 % 的农用地分布在南疆地区，面积为 2 543.51 万 hm^2；8.36 % 的农用地分布在东疆地区，面积为 527.28 万 hm^2；北疆地区和南疆地区成为新疆农业发展的主要地区。新疆农用地资源最为丰富的地区为阿勒泰地区（1 069.73 万 hm^2），约占新疆农用地面积的 16.96%；其次为巴音郭楞蒙古自治州（970.76 万 hm^2），占新疆农用地面积的 15.39%。新疆自治州（地区、市）的农用地情况见

表1-1-1。

1996—2006年，新疆农用地面积呈现缓慢增长趋势（见表1-1-2），10年间新疆净增加农用地92.25万 hm^2，增长率为1.48%。其中，南疆地区农用地净增加54.15万 hm^2，占农用地净增加总量的58.70%；北疆地区农用地净增加32.44万 hm^2，占农用地净增加总量的35.17%；东疆地区农用地净增加5.66万 hm^2，占农用地净增加总量的6.13%。农用地增加最多的地区分别是阿克苏地区和巴音郭楞蒙古自治州，增加量分别为18.80万 hm^2 和14.02万 hm^2。农用地减少的是克拉玛依市，共减少了0.72万 hm^2。增加的农用地主要是来源于退牧还林、退牧还耕的土地。

表1-1-1　2006年新疆自治州（地区、市）农用地情况汇总

自治州（地区、市）	农用地		自治州（地区、市）	农用地	
	面积/hm^2	比重/%		面积/hm^2	比重/%
乌鲁木齐市	90.84万	1.44	巴音郭楞蒙古自治州	970.76万	15.39
克拉玛依市	36.00万	0.57	阿克苏地区	542.32万	8.60
石河子市	3.48万	0.06	克孜勒苏柯尔克孜自治州	324.71万	5.15
昌吉回族自治州	602.85万	9.56	喀什地区	302.41万	4.79
伊犁哈萨克自治州直属县（市）	476.13万	7.55	和田地区	403.31万	6.39
塔城地区	765.26万	12.13	吐鲁番市	84.28万	1.34
阿勒泰地区	1 069.73万	16.96	哈密市	443.00万	7.02
博尔塔拉蒙古自治州	192.53万	3.05			

表 1-1-2 1996—2006 年新疆自治州（地区、市）农用地增减变化

自治州（地区、市）	1996 年农用地面积 / hm^2	2006 年农用地面积 / hm^2	净增减农用地面积 / hm^2	自治州（地区、市）	1996 年农用地面积 / hm^2	2006 年农用地面积 / hm^2	净增减农用地面积 / hm^2
乌鲁木齐市	90.21 万	90.84 万	0.63 万	巴音郭楞蒙古自治州	956.74 万	970.76 万	14.02 万
克拉玛依市	36.72 万	36.00 万	−0.72 万	阿克苏地区	523.52 万	542.32 万	18.80 万
石河子市	3.15 万	3.48 万	0.33 万	克孜勒苏柯尔克孜自治州	323.18 万	324.71 万	1.53 万
昌吉回族自治州	593.33 万	602.85 万	9.52 万	喀什地区	288.50 万	302.41 万	13.91 万
伊犁哈萨克自治州直属县（市）	471.26 万	476.13 万	4.87 万	和田地区	397.42 万	403.31 万	5.89 万
塔城地区	757.47 万	765.26 万	7.79 万	吐鲁番市	81.62 万	84.28 万	2.66 万
阿勒泰地区	1 062.94 万	1 069.73 万	6.79 万	哈密市	440.00 万	443.00 万	3.00 万
博尔塔拉蒙古自治州	189.30 万	192.53 万	3.23 万				

1. 耕地

截至 2008 年底，新疆的耕地面积已达 412.46 万 hm^2。

2. 园地

新疆的园地包括果园、桑园和啤酒花地。果园主要分布在吐鲁番 - 哈密盆地及库尔勒—阿克苏地区、喀什地区、和田地区、伊犁哈萨克自治州；桑园多分布在和田地区、喀什地区和阿克苏地区；啤酒花地主要分布在生产建设兵团团场。

3. 林地

2008 年统计数据显示，新疆林地面积 676.48 万 hm^2，占新疆土地总面积的 4.063%。山区林地集中分布在天山和阿尔泰山；平原林地主要分布在南疆农区和大河沿岸，塔里木河两岸保留着世界上面积最大的胡杨林区。新疆 2000—2013 年造林面积见表 1-1-3，新疆各自治州（地区、市）造林面积见表 1-1-4。

表 1-1-3　2000—2013 年新疆造林面积

单位：hm^2

年份	造林总面积	造林方式			林种用途				
		人工造林	飞机播种	无林地和疏林地新封	用材林	经济林	防护林	薪炭林	特种用途林
2000	64 173	63 793	380	—	1 605	44 564	16 512	1 012	480
2001	106 771	106 771	—	—	2 149	78 203	24 536	1 424	459
2002	216 924	216 924	—	—	3 034	78 302	134 723	706	159
2003	263 781	253 781	10 000	—	10 152	59 777	191 380	2 390	82
2004	176 540	176 540	—	—	3 897	73 103	96 897	2 638	5
2005	136 990	130 323	6 667	—	3 226	40 523	92 449	738	54
2006	97 424	97 424	—	—	1 780	38 495	56 548	588	13
2007	146 632	124 642	—	21 990	2 991	71 667	71 325	589	60
2008	239 951	217 429	—	22 522	8 744	136 046	94 820	341	—
2009	301 438	266 301	—	35 137	9 387	155 503	135 584	954	10
2010	199 629	156 964	—	42 665	1 996	104 527	90 546	2 298	262
2011	186 197	140 262	—	45 935	823	92 656	89 942	2 356	420
2012	187 321	114 287	—	73 034	3 702	51 435	128 692	3 309	183
2013	147 357	99 659	—	47 698	3 675	42 170	98 541	2 948	23

表 1-1-4　新疆各自治州（地区、市）造林面积

单位：hm^2

自治州（地区、市）	造林总面积	造林方式			林种用途				
		人工造林	飞机播种	无林地和疏林地新封	用材林	经济林	防护林	薪炭林	特种用途林
乌鲁木齐市	2 729	2 729	—	—	—	—	2 729	—	—
克拉玛依市	1 159	1 159	—	—	—	—	1 159	—	—
石河子市	93	93	—	—	—	—	93	—	—
吐鲁番市	3 994	2 994	—	1 000	7	1 709	2 278	—	—
哈密市	5 046	380	—	4 666	—	7	5 039	—	—
昌吉回族自治州	10 365	8 366	—	1 999	—	1 590	8 442	333	—
伊犁哈萨克自治州直属县（市）	18 368	11 034	—	7 334	2 604	3 916	11 848	—	—
塔城地区	19 403	7 203	—	12 200	627	1 429	17 083	245	19
阿勒泰地区	16 697	8 496	—	8 201	—	3 433	12 630	634	—

续表

自治州（地区、市）	造林总面积	造林方式			林种用途				
		人工造林	飞机播种	无林地和疏林地新封	用材林	经济林	防护林	薪炭林	特种用途林
博尔塔拉蒙古自治州	5 161	2 828	—	2 333	—	202	4 739	—	—
巴音郭楞蒙古自治州	14 400	8 268	—	6 132	—	4 655	9 578	—	—
阿克苏地区	9 614	8 614	—	1 000	—	4 599	4 508	—	—
克孜勒苏柯尔克孜自治州	6 593	4 593	—	2 000	435	—	5 988	—	—
喀什地区	21 411	20 745	—	666	2	14 721	6 644	40	4
和田地区	12 239	12 072	—	167	—	5 909	5 698	632	—
自治区直属单位（除石河子市）	85	85	—	—	—	—	85	—	—

4. 牧草地

2008 年统计数据显示，新疆牧草地面积约占新疆土地总面积的 30%。

（二）土地资源特征

1. 土地资源丰富，但质量低

新疆是我国面积第一大省区，土地资源丰富，人均土地占有量和耕地占有量均居全国首位。但土壤主要来自山区河流挟带的泥沙形成的冲积平原，土壤层比较薄，土壤有机物含量低，76% 的土壤缺锌，60% 的土壤缺锰，土壤盐碱化严重，盐碱地约占 1/3，风蚀严重、土壤板结、土层薄、自然肥力低、无灌溉条件的各类耕地约占 1/4。农田灌溉保证率不高，中低产田面积大，约占耕地总面积的 80%。

2. 土地荒漠化严重

新疆是我国土地荒漠化最严重的省区之一。土地荒漠化以风蚀为主。由于物质的空间移动和盐分的积累，地表群落物种结构和外貌发生更替，这种被动的物理过程和主动的生物过程共同推动了荒漠景观的变化；加之人类的干扰，使荒漠化的类型更为复杂多样。据统计，轻度荒漠化面积占新疆土地总面积的 5.69%，中度荒漠化面积占新疆土地总面积的 16.58%，重度荒漠化面积占新疆土地总面积的 33.19%，极重度荒漠化面积占新疆土地总面积的 21.61%。

3. 土地面积大，绿洲面积小

新疆土地面积大，人口相对稀少，人口密度约为 10 人 /km^2。然而，受到水资源的限制，新疆绿洲面积仅占新疆土地总面积的 8.5%，扣除天然绿洲，适合人类生产和生活的人工绿洲更少。

人工绿洲的面积只有620万 hm^2，占新疆土地总面积的3.72%，而集聚人口却占新疆总人口的95%以上，绿洲内的人口密度达280人/km^2以上。

4. 土地后备资源较多，可利用率低

目前新疆的土地利用率为38.64%，远低于全国土地利用率的平均水平（74.20%）。但如果盲目开采土地资源，可能会造成土地资源的严重破坏。因此，应严禁乱垦滥伐。

5. 土壤条件恶化

土地利用不合理、重用轻养、有机肥施用不足、养地作物面积小、不合理的轮作倒茬，都会导致土壤肥力下降。新疆耕地平均有机质含量为1.11%，其中南疆地区土壤有机质含量为0.89%，北疆地区土壤有机质含量为11.35%，速效磷含量平均为4.8 mg/kg。重灌轻排、灌排失调会造成土壤次生盐渍化。土壤次生盐渍化一直是制约新疆农业持续发展的主要因素之一，耕地中土壤盐渍化的总面积为126.3万 hm^2，其中高强度盐渍化土壤面积占盐渍化总面积的19%，中强度盐渍化土壤面积占盐渍化总面积的28%，轻度盐渍化土壤面积占盐渍化总面积的53%。

三、气候资源

新疆位于欧亚大陆腹地，东距太平洋2 500 ~ 4 000 km，西距大西洋6 000 ~ 7 500 km，北距北冰洋2 800 ~ 4 500 km，南距印度洋1 700 ~ 3 400 km。距离海洋较远，海洋水汽本就很难进入新疆，加之青藏高原直接阻挡了夏季印度洋的西南季风深入南疆（西南季风运行高度仅3 500 m），但大西洋的水汽可从为数甚少的山口和河谷进入北疆，因此南疆降水量较北疆显著减少，加之塔里木盆地的聚温作用，导致气候十分干旱。

新疆有丰富的光热资源，太阳辐射总量为5 000 ~ 6 600 MJ /（m^2·年），仅次于青藏高原。年日照时数2 470 ~ 3 380小时，居全国首位。日平均气温≥10 ℃的积温为2 800 ~ 5 400 ℃，吐鲁番市气温≥10 ℃的积温可高达5 500 ℃。南疆无霜期为180 ~ 220天，北疆无霜期为140 ~ 185天。新疆热量不稳定，年际变化大，因此春、秋季冷热变化剧烈。

新疆是干旱区，水资源分布不均匀，但相对稳定。北疆年降水量为150 ~ 250 mm，南疆年降水量不足100 mm；山区降水量多于盆地，且年际变化小。降水是新疆河水的主要来源。

新疆有丰富的风能资源，且具有开发应用潜力，平均有效风能为300 ~ 1 500 kw·h /（m^2·年），新疆年风能理论蕴藏量为3万亿 kw·h /（m^2·年）左右。

（一）气候资源特征

新疆远离海洋，西南季风、太平洋和印度洋湿气被高山阻隔，只有北冰洋和大西洋的部分气流经西部峡谷进入北疆，因此新疆干旱少雨、冬季寒冷，属于典型的温带大陆性干旱气候。新疆气候具有以下特征。

1. 冷热差异悬殊，气温年较差和日较差大

新疆气温最高的地方——吐鲁番盆地的最高气温为 47.7 ℃，为全国之最；新疆最寒冷的地方——富蕴县可可托海的最低气温可达 −51.5 ℃，仅次于黑龙江漠河市。南疆、北疆的气温差异悬殊，北疆的年平均气温为 2.5 ～ 5.0 ℃，南疆的年平均气温为 10 ～ 12 ℃，其中吐鲁番市的年平均气温较高，可达 14 ℃。1 月北疆的平均气温为 −15 ～ −10 ℃，阿勒泰地区东部的平均气温在 −20 ℃以下，富蕴县可可托海的平均气温为 −28.7 ℃；1 月南疆的平均气温一般在 −10 ℃以上，且末县塔中镇的平均气温最高，一般在 −5 ℃左右。7 月新疆平原区的平均气温在 22 ℃以上，北疆的平均气温在 23 ℃左右，南疆的平均气温在 26 ℃左右；其中吐鲁番市的平均气温最高，达 32.7 ℃以上，比长江流域被称为“三大火炉”的重庆、武汉、南京的平均气温高出 3 ～ 4 ℃。夏季北疆的平均最高气温达 25 ℃以上，南疆的平均最高气温达 35 ℃左右，吐鲁番市的平均最高气温为全国最高，达 39.9 ℃。

新疆气温日较差平均可达 12 ～ 15 ℃，最大值可达 30 ℃。气温日较差对农作物的有机物积累有明显的影响。气温日较差大的地区，农作物单产较高，品质也较好。北疆的年平均日较差为 12 ～ 15 ℃，南疆的年平均日较差为 14 ～ 16 ℃（华北与东北地区的年均日较差在 12 ℃左右，长江流域及其以南地区的年平均日较差不足 10 ℃）。新疆的气温年较差一般为 30 ℃以上，准噶尔盆地的气温年较差为 35 ～ 40 ℃；北疆的最大气温日较差一般为 40 ℃，南疆的最大气温日较差为 30 ℃以上，山区的最大气温日较差为 20 ～ 30 ℃。气温日较差的最大值出现在沙湾市，达 45 ℃。

2. 日照充足，热量分布不均

新疆全年日照时数为 2 470 ～ 3 380 小时，居全国之首。吐鲁番盆地≥ 10 ℃的积温为 4 500 ～ 5 390 ℃，塔里木盆地≥ 10 ℃的积温为 4 000 ℃以上。

无霜期的长短是农作物布局及品种选择的主要依据之一。新疆各地的无霜期差异明显，南疆长，北疆短；平原长，山地短。南疆无霜期为 180 ～ 220 天，北疆无霜期为 140 ～ 185 天。南疆从库尔勒市向西经阿克苏市、阿图什市及喀什地区到于田县的塔里木盆地边缘的半月形地区的无霜期在 200 天以上，其中阿图什市、库车市及吐鲁番盆地的无霜期达 220 天，塔里木盆地东部、东南部及腹地的无霜期为 200 天以下。北疆准噶尔盆地西部山地东麓的克拉玛依区至乌苏市、沙湾市一带以及伊犁河谷西部的无霜期为 180 天，北疆北部和西部的无霜期为 120 ～ 140 天。山区的无霜期较短，高山区基本没有无霜期。

3. 干旱少雨，降水分布极不均衡

新疆降水的特点是时空分布不均，北疆多于南疆，西部多于东部，山区多于平原和盆地，迎风坡多于背风坡。新疆大部分地区的年降水量只有 200 mm 左右，南疆降水更少，不足 100 mm；山体迎风坡降水量为 500 mm 以上，个别迎风坡可达 1 000 mm；准噶尔盆地中心也有 100 ～ 200 mm 的降水量，降水量自西向东逐渐减少。横亘于新疆中部的天山，平均山脊线海拔超过 4 000 m，东西延伸超过 1 000 km，是天然的气候分界线，对气流的阻挡作用明显，北坡年降水量为 500 ～ 700 mm，南坡年降水量为 200 ～ 400 mm。新疆降水的季节分布也极不平衡，大部分降水集中在夏季。

4. 风力资源丰富

新疆部分地区的特殊地貌，可产生狭管效应，从而使风力作用明显增强。准噶尔盆地西部山地、天山山地多有可产生狭管效应的山口和峡谷，该地区的年平均风速和大风日数大为增加。达坂城区位于天山山地内贯通准噶尔盆地与吐鲁番盆地的峡谷中，年平均风速高达 6.1 m/s，大风日数多达 148 天。阿拉山口是准噶尔盆地西部山地与北部天山之间的峡谷，年平均风速达 6 m/s，大风日数多达 164 天。作为塔城盆地与准噶尔盆地通道的老风口，吐鲁番盆地西北部的“三十里风区”，哈密市十三间房一带的“百里风区”，额尔齐斯河谷地、阿尔泰山与东天山之间的淖毛湖戈壁等，年平均风速通常超过 4 m/s，大风日数在 100 天以上。

（二）气候资源评价

1. 太阳辐射总量大，日照时数长

新疆太阳辐射十分丰富，年太阳辐射总量达 5 000 ～ 6 600 MJ／（m^2·年），最有利的利用季节是夏、秋两季。新疆全年太阳辐射总量中能被农作物吸收利用的光合有效辐射能比较丰富。新疆为我国日照丰富的地区之一，作物生长季节（4 ～ 9 月）日照时数为 1 400 ～ 1 940 小时，其中哈密市最多，和田地区最少，北疆比南疆多。作物生长季节的平均日照百分率大于全年平均值。充足的光照对新疆农业生产十分有利，在气候差异的影响下，形成了天山北麓山前平原西段和东段绿洲的棉花、粮食主产区，吐鲁番－哈密盆地绿洲的特色瓜果产区，天山南麓山前平原绿洲的优质长绒棉产区等，有利于新疆各绿洲特色经济的发展。

2. 积温丰富，气温日较差大

新疆作物生长季节积温除北疆北部略偏低外，其他地区都接近或高于我国同纬度地区，塔里木盆地和吐鲁番－哈密盆地热量充足，十分有利于种植业发展，适宜长绒棉及瓜果的种植，一般可一年两熟。新疆最热月平均气温比我国华北、东北地区及西欧、日本高，有利于喜温作物的生长。冬季温度较低，因此新疆越冬作物有限，不耐寒的果树则需埋土越冬。新疆春、秋季温度升降迅速：春季升温快，有利于早春作物和越冬作物迅速生长发育；秋季降温急，易发生低温危害，影响农作物的产量和品质。新疆昼夜温差比全国同纬度地区大，非常有利于光合产物的积累，因此新疆农产品质量较好，瓜果较甜。

四、植被资源

（一）森林资源

森林资源是地球上最重要的资源之一，不仅为人类提供了丰富多样的食物，为人类社会的生产提供了原材料，还能够调节气候，保持水土，减轻旱涝、风沙、冰雹等自然灾害，净化空气等。森林资源属于可再生的自然资源，合理开发利用森林资源是全球可持续发展战略的重要组成部分。

新疆多荒漠，森林植被的分布和发育受到极大的限制，天然森林覆盖率较低，且分布不均。在荒漠和草原地区，天然森林无法立足，只有在高大的山地和水量充沛的荒漠大河谷或有充分流动的地下水供应的地段，天然森林植被才能生长。所以，新疆的森林植被总是作为山地植被垂直带或非地带的隐域植被出现。

1. 森林资源分布

新疆共有林地面积 1 099.71 万 hm^2，其中森林面积 698.25 万 hm^2，活立木总蓄积量 3.87 亿 m^3，森林资源主要分布于山区。塔里木盆地中的胡杨林是我国面积最大的天然胡杨林，总面积 47.58 万 hm^2。新疆山地森林的面积较平原多，较茂密的森林集中分布在迎向暖湿气流的高峻山脉的山坡上，如阿尔泰山西南坡、天山北麓。处于雨影区的暖湿气流难以到达的山地、低矮的山地和荒漠性强的南疆地区的山地，森林植被大大退化，有的甚至完全消失。

山地森林垂直带的位置、垂直幅度与结构，依纬度和气候湿润程度的不同而表现出一定的生态地理分布规律。森林垂直带的高度界限一般是自北（冷）而南（温）、由西（湿）向东（干）升高；垂直幅度变窄，森林植被的类型和垂直带的结构也相应简化或旱生性加强。在阿尔泰山南坡，森林分布海拔为 1 100 ~ 2 300 m，在天山北坡则升高到海拔 1 400 ~ 2 800 m，垂直幅度为 1 000 ~ 1 200 m。在温暖湿润的伊犁谷地南坡出现了山地垂直带的复层结构——下部落叶阔叶林垂直亚带（海拔 1 500 ~ 2 700 m），与新疆大部分的大陆性山地森林垂直带的单一针叶林带结构相比，具有温带中纬度地带海洋性山地的特色。在天山南坡，森林在山地草原带中已分布到海拔 2 300 ~ 3 000 m 的地区，在西昆仑山上升到海拔 3 000 ~ 3 600 m，垂直幅度只有 600 ~ 700 m。

2. 森林资源特征

（1）具有明显的荒漠干旱林特征

新疆属典型的大陆性气候，荒漠气候占支配地位，这限制了森林的分布和发育，加之在复杂的地形、地貌导致的各种生态条件的综合作用下，森林、灌丛、草原、草甸、荒漠等都选择适合它们的范围生长。

（2）具有森林建群种区系成分复杂性特征

新疆地处多个植物地理区的交汇处，境内的自然条件在地质历史时期又几经变迁，植物区系的地理成分十分复杂。新疆森林群落的地理性质与组成独具特色。

3. 森林资源评价

①林龄组结构不够合理，后备资源不足。②森林覆盖率低，可采资源量少。新疆的自然地理条件，决定了森林分散且多属防护林，以涵养水源、防风固沙为主要目的，可采资源很有限；从保持良好的生态环境、满足新疆经济建设和人民生活需要的角度来看，新疆属少林省区，森林资源非常匮乏。③森林资源地理分布不均，北多南少。④疏林面积过大，生态脆弱，森林干旱化特征明显，山区或荒漠河岸都有大面积的疏林。新疆疏林面积达 100.04 万 hm^2，占疏林地与有林地总面积的 39.6%，天山北坡林区和阿尔泰山林区的疏林面积分别占这两个林区林业用地总面积的 22.0% 和 22.5%。⑤森林植被类型丰富多样，林分生长率较高。新疆的森林群落的地理性质与组成比较独特，有寒温带的针叶林、温带的落叶阔叶林（包括草原地带的河谷阔叶林和荒漠地带的河岸阔叶林），森林植被类型丰富多样。新疆的森林植被处在荒漠之中。在水分条件较好的地区，丰富的光热资源为森林植被的生长发育提供了良好的生态条件，林分生长率较高。⑥森林资源消耗大，木材综合利用率低。新疆是一个典型的内陆干旱风沙区，天然植被稀疏，自然灾害频繁，生态系统脆弱。森林是自然生态系统的主体，具有多种功能和效益。新疆的森林资源除了提供木材和大量林副产品外，主要起到涵养水源、保持水土、调节水分、防风固沙、改善地方气候、保护农牧业生产和人民生活等作用，具有极其重要的意义。

（二）天然草地资源

天然草地资源是新疆发展畜牧业最基本和最主要的生产资料。新疆自古以来就是我国重点草原牧区之一，以草地为资源经营的畜牧业是新疆农业的基本组成部分。据估计，目前新疆超过 70% 的畜产品来自天然草地。

1. 天然草地资源的分布

新疆的草地资源具有鲜明的特色。草地植被垂直带的位置和分布，通常依温度和湿度的不同而发生相应的变化。一般来说，自北而南随着温度的升高，各山地草原带的海拔有显著上升的趋势。如在阿尔泰山西南坡草原带的下限为海拔 500 ~ 900 m，天山北坡草原带的下限为海拔 1 000 ~ 1 200 m，天山南坡草原带的下限为海拔 1 700 ~ 2 000 m，昆仑山北坡草原带的下限则上升到海拔 2 700 ~ 3 000 m。受大气环流的影响，新疆由西到东山脉草原带的分布也呈现明显的差异。北疆阿尔泰山和天山北坡的草原垂直带的下限海拔随着西面湿润气流的减弱和东面蒙古干旱气流的加强，由西向东呈现显著上升趋势；与此相反，南疆天山南坡因处于雨影区，特别是西部受汗腾格里峰的影响，变得更为干旱，草原垂直带的下限海拔由东向西逐渐升高。

新疆山地北坡的草原类型较丰富。通常在森林草甸带以下由下而上有荒漠草原、真草原、草甸草原，森林带以上的亚高山和高山带仅在局部有寒生草原。但在阳坡，干旱程度加剧，荒漠草原下限海拔更高，真草原易发生旱化。随着山地海拔的上升，草原受到寒冷、干旱的影响，在亚高山和高山带又变为寒生草原，由下而上呈现荒漠草原 – 真草原 – 寒生草原的带谱。在气候条件

极为严酷的昆仑山，草原被迫上升到亚高山和高山带中较为适宜的地段，表现为寒生草原类型，并具有显著的特征。

2. 天然草地资源特征

受阿尔泰山、天山、昆仑山、喀喇昆仑山和阿尔金山山体的影响，新疆天然草地具有鲜明的垂直地带性分布规律。在不同纬度、经度和海拔，因水热组合比例不同，形成不同的草地类型。以上因素使新疆草地在利用上具有鲜明的季节性特点。

（1）草地面积大，类型多，资源丰富

新疆天然草地辽阔，仅次于内蒙古自治区、西藏自治区，居全国第三位。新疆地形地貌复杂多样，境内既有高山、丘陵、盆地、谷地，又有平原、绿洲、戈壁和沙漠，在这种条件下，发育形成了包括荒漠、草原、草甸、沼泽在内的丰富的草地类型。全国 18 个草地大类中，新疆有 11 个。同时根据大地貌、土壤基质和植被的差异划分出 25 个亚类 131 个组 687 个草地型。新疆不仅有水平分布的平原荒漠草地、隐域性的低地草甸草地，还有垂直分布的各种山地草地类型。在利用方式上，新疆既有放牧地，又有割草地和刈牧兼用草地。

除荒漠草地外，新疆草地的牧草产量一般较高，尤其是山地草甸草地和平原低地草甸草地，一般每公顷鲜草产量都在 3 000 kg 以上。伊犁哈萨克自治州天山西部的天然草地平均每公顷鲜草产量为 6 158 kg，其中山地草甸的鲜草产量每公顷高达 11 701 kg。新疆每公顷鲜草产量在 1 500 kg 以上的草地为数不少，这为新疆草地畜牧业的发展提供了优越的生态环境和物质条件。

（2）牧草种类丰富，优良牧草多

《新疆维吾尔自治区土地资源及利用》记载，新疆的高等植物有 108 科 687 属 3 270 种，可供饲用的高等植物有 2 930 种（含水生植物），其中在草地中分布数量多、饲用价值高、重要和常见的优良牧草植物有 382 种。世界上公认的羊茅、苇状羊茅、梯牧草、无芒雀麦、鸭茅、草地早熟禾、鹅观草、紫花苜蓿、红车轴草和西伯利亚驴食豆等优良牧草在新疆都有大面积分布。

新疆的天然草地不仅有数量多、营养价值高、适口性好的优良牧草，还有适应不同的自然地理条件、不同的利用季节、不同的利用方式及适合不同家畜食用的牧草。如羊茅、针茅、冰草、梯牧草、无芒雀麦、鸭茅、高山黄花茅、草地早熟禾、鹅观草、大看麦娘、红车轴草、西伯利亚驴食豆等禾本科、豆科植物和多种薹草都广布于天山、阿尔泰山及准噶尔盆地西部山地等各大山系的草地中，是夏牧场、春秋牧场和部分冬牧场牲畜的优良牧草。其中无芒雀麦、鸭茅、红车轴草、西伯利亚驴食豆还是人工草地的主要栽培牧草。苜蓿品种尤为丰富，大叶苜蓿（和田苜蓿）、中叶苜蓿（北疆苜蓿）、紫花苜蓿广泛栽培于南疆、北疆平原绿洲的农田和人工草地。适应平原低地盐化草甸的豆科牧草有甘草、疏叶骆驼刺，禾本科牧草有芨芨草、赖草、芦苇、碱茅、小獐毛等；平原和山地荒漠中的优良牧草有博洛塔绢蒿、新疆绢蒿、白茎绢蒿、纤细绢蒿、高山绢蒿、木地肤、驼绒藜等；在沙质荒漠上的优良牧草还有沙漠绢蒿、沙蒿和内蒙古旱蒿等。优良牧草蛋白质、脂肪含量均较高，矿物质成分也较丰富，是冬春牧场牲畜的良好饲草。

新疆优良牧草的种类多，故草场的质量好，等级也较高。新疆中等以上的草地面积占新疆草地总面积的65.86%，占新疆草地有效利用面积的69.06%，载畜量占新疆草地总载畜量的83.07%；优良草地面积占新疆草地总面积的36.14%，载畜量占新疆草地总载畜量的47.14%。

（3）四季牧场齐全，为草原畜牧业的发展提供了得天独厚的条件

新疆的南疆与北疆、山地与平原、沙漠与戈壁自然条件的差异，使之在草地利用上形成了适应自然规律的季节轮换放牧的方法，即不同季节均有适宜放牧的草场，这是新疆草地畜牧业的显著特色。北疆夏牧场的利用时间为6月中旬至9月上旬，共70～90天，此时正值牧草生长季节，山区降雨多，水草丰茂，气候凉爽，是各类牲畜抓膘的时候。夏秋牧场的利用时间较长，一般150～190天。冬牧场和冬春牧场主要分布在各大山系的中低山地的逆温层区，具有冬季气温较高、背风向阳等特点，草质也较好，是优良牧场；其次，沙漠及平原河谷也是重要的冬牧场。春秋牧场为春秋两季在同一地块放牧利用的草地，其利用时间一般为130～150天，最长可达180天。全年草场为四季均在同一地区放牧利用的草地，占草地总面积的16.2%。冬春秋牧场仅占草地总面积的6.5%，利用时间较长，一般为270～290天。

（4）夏牧场资源丰富，载畜能力强，发展潜力大

夏牧场是新疆草地之精华，具有草质优良、生产力高、载畜量大的优势。虽然仅占草地总面积的12.1%，但载畜能力超过冷季牧场（冬牧场、冬春牧场）1倍以上。

（5）有较好的灌溉农业基础，农牧业结合潜力大

新疆有近333.3万hm^2的农田，而且与冷季牧场紧密相邻，可生产大量的饲草、饲料，是发展畜牧业的坚强后盾。据调查，新疆每年提供的农作物秸秆、糠、麸等饲料，可养畜1 231.7万绵羊单位，占新疆载畜量的23.8%。随着农业生产结构的调整和“两高一优”农业的不断发展，新疆有更多的饲料粮来发展畜牧业。

3. 天然草地类型

天然草地类型是在一定时空范围内，具有相同的自然和经济特征的草地单元，是对天然草地中不同生境条件的饲用植物群体以及这些群体的不同组合的高度抽象和概括。草地类型的形成与发展，受许多自然因素和社会因素的影响。新疆草地类型丰富，按草地植被型组归纳，新疆草地有荒漠、草原、草甸和沼泽4个类组。

（1）荒漠草地

荒漠草地是草原植被的3个亚型中最旱生的类型。植被以强旱生丛生小禾草为主，并常混生有数量不等的强旱生小半灌木或灌木。荒漠草地在新疆面积最大，包括温性草原化荒漠、温性荒漠和高寒荒漠三大类草地。

1）温性草原化荒漠类草地

温性草原化荒漠类草地主要分布在北疆的平原，新疆的山地也有零星分布，但面积都不大。在北疆平原集中分布于准噶尔盆地沙漠北缘至阿尔泰山山前倾斜平原，在博乐谷地、塔城盆地、伊犁盆地也有分布并延伸到低山带。天山南坡海拔 2 000 ~ 2 400（~ 2 600） m、昆仑山海拔 2 800 ~ 3 000 m 也有成带分布的温性草原化荒漠类草地。除伊犁哈萨克自治州外，新疆各地都有该类草地分布，其中哈密市和阿勒泰地区分布最多，合计约占新疆该类草地面积的 60%。根据土壤基质，温性草原化荒漠类草地可分为砂砾质、土质和砾石质 3 个亚类。

2）温性荒漠类草地

温性荒漠类草地是新疆地带性草地类型，分布于平原和山地。平原温性荒漠类草地在北疆分布于准噶尔盆地中部及山前洪积 – 冲积平原、伊犁谷地、博乐谷地、塔城盆地；在南疆分布于塔里木盆地边缘及山前倾斜平原的上部。该类草地分布面积最大的是阿勒泰地区，阿勒泰地区、昌吉回族自治州和塔城地区的面积之和约占新疆该类草地面积的 60%。温性荒漠类草地分为砂质、砂砾质、砾石质、土质和盐土质 5 个亚类。

3）高寒荒漠类草地

高寒荒漠类草地分布于帕米尔高原、昆仑山内部山区、库木库勒盆地西部山区、阿尔金山西部高山区。该类草地分布地域有限，只见于南疆各地州，其中喀什地区面积最大，占新疆该类草地面积的 60%。该类草地分为高原高寒荒漠亚类和高原高寒草原化荒漠亚类。高原高寒荒漠亚类含蒿类半灌木组、垫状半灌木组等 3 个草地组及 4 个草地型；高原高寒草原化荒漠亚类只含蒿类半灌木从生禾草组及 2 个草地型。

（2）草原草地

草原草地包括温性荒漠草原、温性草原、温性草甸草原、高寒草原和高寒荒漠草原 5 类。除阿尔泰山南麓冲积扇上部和天山北麓山前倾斜平原存在平原荒漠草原片段外，其他草原草地类都分布在山地。

1）温性草甸草原类草地

温性草甸草原类草地主要位于山地草原垂直带上部，分布在天山分水岭以北各山地的中山带，即山地针叶林带下缘，或镶嵌于山地草甸的阳坡和山地干草原阳坡，宽幅 100 ~ 200 m，大多不呈连续带状分布。该类草地主要分布在伊犁哈萨克自治州、塔城地区、阿勒泰地区、博尔塔拉蒙古自治州和昌吉回族自治州等地的山地，其中伊犁哈萨克自治州和塔城地区的面积最大，南疆喀什地区、和田地区和克孜勒苏柯尔克孜自治州因山地旱化强烈，缺少该类草地分布。

2）温性草原类草地

温性草原类草地在新疆山地分布极广，是新疆各山地主要的草地类型。该类草地在新疆各地均有分布，分布面积最大的是塔城地区、伊犁哈萨克自治州和阿勒泰地区，合计占新疆该类草地面积的 2/3，其次为巴音郭楞蒙古自治州、哈密市和博尔塔拉蒙古自治州。

3）温性荒漠草原类草地

温性荒漠草原类草地在新疆分布较广泛，分布于北疆部分山前平原至中低山带、南疆中山带和亚高山带，分布面积最大的是哈密市，其次是塔城地区和克孜勒苏柯尔克孜自治州。

4）高寒草原类草地

高寒草原类草地分布于昆仑山、帕米尔高原、天山和阿尔泰山的亚高山带和高山带，多分布于南疆，分布面积最大的是巴音郭楞蒙古自治州，几乎占新疆该类草地面积的 50%，喀什地区、和田地区、克孜勒苏柯尔克孜自治州的该类草地面积也占新疆该类草地面积的 50%。该类可分为高寒草原和高寒荒漠草原 2 个亚类。

（3）草甸草地

新疆草甸草地分布在平原和山地，面积仅次于荒漠草地和草原草地。草甸草地包括低平地草甸类、山地草甸类和高寒草甸类 3 类。

1）低平地草甸类草地

低平地草甸类草地是在极度干旱的平原地区依靠地下水和地表水发育而成的草地，分布于河漫滩、宽谷地、湖滨周围、盆湖洼地和沙丘间洼地。该类草地在新疆各地均有分布，其中巴音郭楞蒙古自治州分布面积最大，约占新疆该类草地面积的 30%；其次为阿克苏地区和喀什地区，约占新疆该类草地面积的 30%。

2）山地草甸类草地

山地草甸类草地集中分布在天山分水岭以北各山地的中山带和亚高山带，零星分布在天山南坡的亚高山带，包含山地草地和亚高山草甸 2 个亚类。该类草地在伊犁哈萨克自治州、阿勒泰地区、塔城地区的面积之和占新疆该类草地面积的 80%以上。

3）高寒草甸类草地

高寒草甸类草地是在高山寒冷、湿润的气候条件下发育起来的，广泛分布于天山、阿尔泰山和准噶尔盆地西部山地等高山冰雪带或高山垫状植被下部，零星分布在昆仑山高山谷地和阴坡。由于地形的变化，在高山谷地、盆湖边缘和排水不良的地段及地表潮湿或有积水的地方还有以薹草为建群种的高寒沼泽化草甸。除克拉玛依市外，该类草地在新疆各地均有分布，分布面积最大的是巴音郭楞蒙古自治州，其面积超过新疆该类草地面积的 30%，阿勒泰地区和伊犁地区两地的面积均超过新疆该类草地面积的 10%。

（4）沼泽草地

沼泽草地是在地表有积水、土壤过湿的环境中发育形成的隐域性草地，分为低位沼泽和高位沼泽 2 个亚类。新疆该类草地面积不大，巴音郭楞蒙古自治州面积最大，占新疆该类草地面积的 70%以上；其次为阿勒泰地区，占新疆该类草地面积的 16%。

新疆天然草地总面积 5 725.88 万 hm^2，占新疆土地总面积的 34.44%。在天然草场中，温性荒

漠类草地所占比例最大，占天然草地总面积的 37.26%；低平地草甸类草地居第 2 位，温性荒漠草原类草地居第 3 位，两者面积均超过新疆草地总面积的 10%。按草地类组统计，荒漠草地占新疆天然草地总面积的 46.93%，草原草地占新疆天然草地总面积的 29.0%，草甸草地占新疆天然草地总面积的 23.6%，沼泽草地占新疆天然草地总面积的 0.47%，具体见表 1-1-5。

表 1-1-5 新疆各类天然草地面积及比例

草地类型	总面积		可利用面积		可利用面积占总面积的比例 /%
	面积 /hm^2	占天然草地总面积的比例 /%	面积 /hm^2	占天然草地总面积的比例 /%	
温性草原化荒漠类	441.85 万	7.72	356.63 万	7.43	80.71
温性荒漠类	2 133.19 万	37.26	1 609.99 万	33.54	75.47
高寒荒漠类	111.75 万	1.95	80.48 万	1.68	72.02
温性荒漠草原类	629.86 万	11.00	580.97 万	12.10	92.24
温性草原类	480.77 万	8.40	442.25 万	9.21	91.99
高寒草原类	433.19 万	7.57	386.09 万	8.04	89.13
低平地草甸类	688.58 万	12.03	603.62 万	12.57	87.66
山地草甸类	287.06 万	5.01	265.70 万	5.53	92.56
高寒草甸类	376.37 万	6.57	341.90 万	7.12	90.84
沼泽类	26.66 万	0.47	24.44 万	0.51	91.67

4. 草地区划

新疆草地属于全国 9 大区组之一的新甘宁温带荒漠区组。新疆草地可分为 2 个区 13 个亚区 25 个分区，见表 1-1-6。

表 1－1－6　新疆草地区划（方案）

区	亚区	分区
北疆温性荒漠 - 山地草地区	阿尔泰山地 - 准噶尔盆地北部草原畜牧业亚区	哈巴河 - 富蕴分区 青河 - 北塔山分区
	准噶尔盆地西部山区草原畜牧业亚区	吉木乃 - 和布克赛尔分区 塔城分区
	天山北坡西段山地与山间谷地草原畜牧业亚区	昭苏 - 尼勒克分区 伊宁 - 霍城分区
	天山北坡中段山地 - 准噶尔盆地南部草原畜牧业亚区	精河 - 温泉分区 乌苏 - 乌鲁木齐分区 米东 - 木垒分区
	天山北坡东段山地与山间盆地草原畜牧业亚区	巴里坤 - 伊吾分区
	准噶尔盆地南部绿洲边缘草地 - 农区畜牧业亚区	奎屯 - 石河子分区
南疆暖温荒漠 - 山地草地区	天山南坡东段山地与山间盆地草地 - 农田养畜业亚区	哈密分区 吐、善、托分区
	天山南坡中段高山盆地草原畜牧业亚区	巴音布鲁克分区
	天山南坡中段山地与山间盆地草地 - 农田养畜业亚区	焉耆分区
	天山南坡山地 - 塔里木盆地北缘草原畜牧业亚区	轮台 - 温宿分区 乌什 - 乌恰分区
	塔里木盆地绿洲边缘草地 - 农区畜牧业亚区	库尔勒 - 尉犁分区 沙雅 - 柯坪分区 巴楚 - 泽普分区
	帕米尔高原草原畜牧业亚区	塔什库尔干 - 阿克陶分区
	昆仑山山地 - 塔里木盆地南缘草原畜牧业与草地 - 农田养畜业亚区	叶城 - 皮山分区 墨玉 - 于田分区 民丰分区 且末 - 若羌分区

五、自然保护区

《自然保护区类型与级别划分原则（GB/T 14529—1993）》对自然保护区的定义为：“国家为了保护自然环境和自然资源，促进国民经济的持续发展，将一定面积的陆地和水体划分出来，并经各级人民政府批准而进行特殊保护和管理的区域。”或者说，自然保护区是指法律上确认的、为达到特定保护目的而划定的区域。在这片区域内，有政府专设的管理机构负责实施各种保护、建设与管理。其目的在于保护地表基本的生态过程和生态系统（森林生态系统、草原及草地生态

系统、沿海和淡水生态系统、农田生态系统等），保存物种遗传基因的多样性，保留自然历史遗迹，保证物种和生态系统的永久利用。

在科学技术高度发达的现代，自然保护区占国土面积比重的大小，已成为衡量一个国家文明程度高低的重要标志之一。自然保护区的规划与建设，则是环境保护和国土整治工作的一个重要组成部分，是保护生物多样性的主要措施。自然保护区已经成为保护动物、植物、微生物及其遗传基因和它们赖以生存的各种生态系统的骨干基地。位于欧亚大陆腹地的新疆，土地面积占我国土地总面积的 1/6，加之大部分地区位于我国极端干旱区，其自然保护工作的水平，将直接对我国自然生态环境保护工作产生重要的影响。从全国来看，新疆自然保护区的建设起步较晚，但发展很快。截至 2014 年年底，新疆共建成各类自然保护区 52 个，总面积 23.1 万 km^2，占土地总面积的 13.91%，已建自然保护区的面积仅次于西藏，位居我国第二。此外，有些县市也建立了一些自然保护区，如和布克赛尔蒙古自治县建立了梭梭保护区，玛纳斯县、阜康市等建立了红柳灌木林保护区，米东区建立了荒漠植被生态保护区，克拉玛依市建立了白杨沟胡杨林自然保护区及荒漠自然保护区，沙雅县建立了胡杨林及动物保护区，和田地区成立了西昆仑地区藏羚羊繁殖地自然保护区，一些沙漠边缘的农垦团场在周围也建立了生态保护区。此外，伊犁哈萨克自治州成立了新疆伊犁黑蜂自然保护区，塔城盆地建立了塔城黑蜂保护区，目的只是防止其他蜂群进入，不属于自然保护区，由自治区农业农村厅管理。按国家分类标准，新疆现有 6 种类型自然保护区，分别是森林生态系统类型、草原与草甸生态系统类型、荒漠生态系统类型、内陆湿地和水域生态系统类型、野生动物类型和野生植物类型。

（一）新疆罗布泊野骆驼国家级自然保护区

该保护区位于罗布泊北部的戈壁荒漠带和阿尔金山北麓，地理坐标为东经 89° 00′ ~ 93° 30′，北纬 38° 42′ ~ 42° 25′。保护区呈向西开口的凹字形，面积为 6.12 万 km^2，为我国第三大自然保护区。核心区面积 1.31 万 km^2，缓冲区面积 1.64 万 km^2，实验区面积 3.17 万 km^2。该保护区建立于 2000 年，2003 年被国务院批准为国家级自然保护区。保护区位于巴音郭楞蒙古自治州（若羌县）、哈密市和吐鲁番市（鄯善县），是我国建立最早的以保护野骆驼及其生存的荒漠景观和其他珍稀动植物、奇特的雅丹地貌、盐泉及古代丝绸之路上的历史文化遗迹为主的自然保护区。

保护区内的地带性土壤类型为典型的棕漠土和山地棕漠土，在沙漠地带分布有流动风沙土，在低洼地分布有零散的龟裂土，湖周低地及盐泉附近分布有盐土。阿克奇谷地及盐泉旁分布有盐化草甸土和沼泽盐土，罗布泊古湖盆地及周围小湖盆中分布有 2 ~ 10 m 厚的岩盐层。在阿尔金山和库鲁克塔格山海拔 2 000 m 以上的高海拔地区分布有山地棕钙土。噶顺戈壁的广大低山丘陵，以及阿尔金山北麓的部分低海拔丘陵带，则多为寸草不生的裸岩带，像火星一样荒凉。

（二）阿尔金山国家级自然保护区

该保护区位于新疆东南部的若羌县阿尔金山南侧的东昆仑山库木库勒盆地，地理坐标为东经87° 10′ ~ 91° 18′，北纬36° 00′ ~ 37° 49′。保护区东部与青海省的柴达木盆地西南边缘的山区相接，北部为祁曼塔格山，南部毗邻藏北高原，西部大部分以且末县与若羌县行政区线为界。保护区属青藏高原的北缘山区，面积为4.5万km^2。由于水热、地貌条件的差异，该保护区具有高寒荒漠、高寒草原、高寒草甸草原、高寒水域等不同的生态系统类型。

1. 地质地貌

该保护区在大地构造上属于阿尔金山大断裂以南的东昆仑地槽褶皱带，现代地貌的基本特征与地质构造条件相关。其基本轮廓是东昆仑山2条支脉与被环绕的封闭性高海拔山间盆地。自北向南依次有东昆仑山北支脉－祁曼塔格山、库木库勒盆地、东昆仑山中支脉－阿尔格山3个大地貌单元。

在地貌垂直结构上，该保护区属于以东昆仑山为主体的高海拔及极高海拔山地，地面平均高度4 600 m以上。全区最高点木孜塔格峰海拔6 973 m，最低点阿雅克库木湖水面海拔3 376 m，相差近3 600 m。保护区南缘的高原面十分宽阔平坦，湖盆、宽谷、缓坡和低丘陵连在一起，波状起伏。高原面比较稳定，海拔一般为4 800 ~ 5 200 m，山地南侧为构成保护区南部屏障的木孜塔格峰、新青峰、巍雪山等高峰。

2. 植物资源

阿尔金山自然保护区内，高寒垫状植物种类很多，已知有高等植物240多种，隶属于27科96属，其中优势科依次是禾本科（17属33种）、菊科（11属37种）、十字花科（16属29种）、豆科（5属30种）、毛茛科（7属17种）和莎草科（3属18种）。另外，蔷薇科植物也较多。保护区的高原植被多为低矮植物，以适应寒冷和风大的环境条件，植株高度不超过50 cm，即便在草原带，草层高度也为10 ~ 30 cm。保护区的植物以高寒垫状植物为主，盖度为20% ~ 50%。

（三）塔里木胡杨国家级自然保护区

新疆塔里木河胡杨林是世界上面积最大的、荒漠区唯一原生的、未受破坏的胡杨林，仅保护区面积就超过40 hm^2。保护区地处塔克拉玛干沙漠北缘、塔里木河中游的北岸区，在巴音郭楞蒙古自治州尉犁县、轮台县境内。1983年10月被批准成立新疆塔里木省级自然保护区，2006年2月晋升为国家级自然保护区。保护区内地势平坦，海拔800 ~ 940 m，为冲积洪积平原和沙漠。冲积洪积平原包括塔里木河两岸的河漫滩，常年洪水积水洼地、阶地，古老的河道河床，间歇性的河道干沟、平原湖泊周围和沙漠边缘地带等，这些地貌单元为胡杨林及柽柳等灌丛的生长发育及其演替提供了很好的生长地。

保护区分布有许多具有重要科研、经济、文化价值的珍稀濒危野生动植物。植物有34科84属130种，其中肉苁蓉为国家二级保护植物，并被列入《濒危野生动植物物种国际贸易公约》附录Ⅱ。

保护区属典型的河流湿地，是多种鸟类的繁殖地、迁徙停歇地和越冬地，对以鸟类为主的野生动物的生存繁衍起着至关重要的作用。

保护区内的塔里木胡杨林国家森林公园总面积 100 km^2，位于塔克拉玛干沙漠东北边缘的塔里木河中游、巴音郭楞蒙古自治州轮台县城南沙漠公路 70 km 处，是新疆面积最大的原始胡杨林公园，也是整个塔里木河流域原始胡杨林最集中的区域。

（四）艾比湖湿地国家级自然保护区

该保护区位于博尔塔拉蒙古自治州境内，东为塔城地区乌苏市，北为塔城地区托里县，南部与西部以北疆铁路绿色长廊规划区为界。地理坐标为东经 82° 36′ ~ 83° 50′，北纬 44° 37′ ~ 45° 15′。保护区总面积 2 671 km^2，其中核心区 1 619 km^2，缓冲区 556 km^2，实验区 496 km^2。2000 年经新疆维吾尔自治区人民政府批准建立。保护对象为艾比湖水体及其四周的滩涂、湖滨荒漠林地、草地及野生动植物所构成的自然生态系统，包括陆生、水生野生动物，及其繁殖地、越冬地和停歇地。

艾比湖是新疆残存的第一大咸水湖，也是浅水湖，一年四季湖面变化较大。现湖水面积 540 km^2 左右，在丰水年可达 1 000 km^2 以上。艾比湖洼地三面环山，南有天山支脉婆罗努克山、科古琴山，西有阿拉套山，北有玛依勒山，仅东北面与古尔班通古特沙漠相连接，西北部是我国与哈萨克斯坦接壤的著名大风口——阿拉山口，整个洼地处在阿拉山口大风的通道区。气候为典型的大陆性气候，年降水量仅 100 mm 左右，年蒸发量则大于 3 000 mm，全年西风不止。

近几十年来，艾比湖急剧干缩，湖面已由中华人民共和国成立初期的 1 070 km^2 缩小到 540 km^2 左右。由于水位下降，盐分升高，湖周植被恶化，在阿拉山口大风的侵袭下，荒漠化加剧，生态环境急剧恶化，西部超过 500 km^2 的干涸湖底已成为我国沙尘暴的最初发源地，直接影响整个北疆地区经济的发展和亚欧大陆桥的正常营运。

（五）哈纳斯国家级自然保护区

该保护区位于伊犁哈萨克自治州阿勒泰地区布尔津县北部，地理坐标为东经 86° 45′ ~ 88° 11′，北纬 48° 23′ ~ 49° 11′，总面积 2 202 km^2。该保护区是我国唯一的北冰洋水系分布区，最终流入北冰洋的额尔齐斯河的主要支流——布尔津河及哈巴河均发源于此。该保护区也是我国唯一的古北界欧洲－西伯利亚动植物区系分布区，是新疆针叶树种和野生动物种数最多、人类影响最小、原始自然状况保存最为完整的地区。

保护区位于阿尔泰山主峰群迎风坡上，年降水量 600 ~ 800 mm，森林带中上部降水量最大。由于地形被强烈切割，高差很大，垂直自然景观带非常明显，往往在一个山坡上就可饱览阿尔泰山 6 ~ 7 个垂直自然景观带的真貌。海拔 800 ~ 1 200 m 处为山地寒温带灌木草原－栗钙土带；山谷中海拔 1 200 ~ 1 500 m 的向阳坡和台地是山地寒温带针叶林－灰黑土及漂灰土带，漂灰土主要分布在海拔 1 800 m 以上的阴暗针叶林中；在森林带上部海拔 1 800 ～ 2 500 m 处呈锯齿状分布有亚高山寒冷草甸－黑毡土带，锯齿向下为高山寒冷草甸－草毡土带；海拔 2 650 ～ 3 100（～ 3 200）m 处为高山寒冻垫状植被、苔藓、地衣－冰沼土带；再往上为永久冰雪和裸岩带。多样的垂直自然景观带环境，为多种动植物创造了复杂的生境条件。

该保护区的植物是西伯利亚种在第四纪冰川期，北方植物沿山向南延伸形成的，喀纳斯成了西伯利亚植物的避难所。因此，该保护区是西伯利亚区系植物在我国分布的典型代表地区，也是西伯利亚泰加林南延的极限位置。保护区内植物种类丰富，珍稀特有种多，共有植物 83 科 298 属 798 种。其中木本植物 23 属 66 种（乔木 12 种，灌木 54 种），草本植物 273 种，新疆新记录植物 8 种（全国新记录亚种 1 种）。塔形的西伯利亚云杉、秀丽的西伯利亚冷杉、苍劲的西伯利亚红松、挺拔的西伯利亚落叶松构成了保护区漫山遍野的原始阴暗针叶林。林中枯朽的倒木层层叠叠，朽木及地表枯枝落叶层上长满了鹿蹄草、越橘及苔藓植物等，形成了林区的最下层。蔷薇、刺毛忍冬及栒子属灌木，构成了林区的中层。20 ～ 30 m 高的乔木层多以混交林的形式出现，其树种组成因地形的变化而有异：森林带的上部常有红松的纯林，在海拔 1 700 ～ 2 000 m 的阴坡则有时有阴暗的冷杉纯林，河谷中多为云杉，落叶松有较强的适应性，整个森林均可见到。该保护区是西伯利亚冷杉、西伯利亚红松、小叶桦、北极柳、黄花柳等 10 余种珍稀树种在我国的唯一产区，有的则是阿尔泰山的特有种，西伯利亚花楸和西伯利亚接骨木也是亟待保护的珍稀树种。

喀纳斯自然保护区是进行遗传和育种研究的优良地区，栽培作物中的亚麻、芹菜、百合、葱、蒜、草木樨、苜蓿及某些禾本科作物等，均在此处有其野生种；供观赏的花卉种类更多，如赤芍、郁金香、堇菜、金莲花等。

（六）巴音布鲁克天鹅国家级自然保护区

该保护区位于巴音郭楞蒙古自治州和静县，地理坐标为东经 83° 37′ ～ 84° 22′，北纬 42° 40′ ～ 42° 45′。面积 1 487 km^2。1980 年经新疆维吾尔自治区人民政府批准建立，1983 年成为国家级自然保护区。保护对象为天鹅等水禽及其生存环境。核心区位于大尤勒都斯盆地的沼泽地，总面积约 1 000 km^2。在小尤勒都斯盆地，沿开都河长约 120 km 的狭长盆地散布着片状的沼泽地，海拔 2 500 ～ 2 600 m，总面积约 300 km^2。该地夏季凉爽，冬季严寒，年平均气温 −4.7 ℃，年降水量 276 mm，全年无霜期不到 12 天。沼泽地水源由周围雪峰冰雪融水汇集而成，因地势十分平缓，从盆地中穿过的开都河河曲发育，形成了大量的牛轭湖，还有众多的泉水、湖沼。保护区生长着水麦冬、酸模等挺水植物及狸藻、眼子菜等沉水植物，构成了天鹅的优生环境。植株在水面以上高达 30 ～ 50 cm，适于天鹅觅食和隐蔽。沼泽地的高地分布着禾本科杂类草甸草原，天鹅有时在此活动。保护区内还有灰鹤、蓑羽鹤、斑头雁、赤麻鸭等大量涉禽和游禽及玉带海雕、紫翅椋鸟、毛脚燕等猛禽和鸣禽，鸟类总数达 23 科 77 种。此外，还有鱼类 2 科 4 种，两栖类 2 科 2 种，爬行类 2 科 4 种，兽类 12 科 24 种。

（七）托木尔峰国家级自然保护区

该保护区位于阿克苏地区温宿县北部与伊犁哈萨克自治州昭苏县的交接地带，地理坐标为东经 79° 50′ ~ 80° 54′，北纬 41° 40′ ~ 42° 04′。总面积 2 376 km^2。保护对象为高山冰川、森林、草原及动植物。1980 年经新疆维吾尔自治区人民政府批准建立。

1. 冰川景观

托木尔峰即维吾尔语“铁峰”之意，海拔 7 435.3 m，是天山的最高峰，现在是我国与吉尔吉斯斯坦的界峰。周围海拔 6 000 m 以上的高峰有 10 余座，终年为冰雪所覆盖。托木尔峰地区共有冰川 829 条，总面积 3 849.5 km^2，总储量约 50 526 m^2，其中超过 2/3 的冰川在我国境内。最长的冰川是托木尔峰北部的汗腾格里冰川，长达 60.8 km，是世界八大山谷冰川之一。

2. 温泉景观

托木尔峰地区还有许多远近闻名的温泉，位于北木扎尔特河谷东侧的阿拉善温泉，便是其中之一。阿拉善温泉的泉水呈季节性变化，冬春基本干涸，6 ~ 8 月泉水量最大。温泉中含有微量的硫化物和苏打等矿物质，对很多疾病有一定的疗效。托木尔峰南北雪线以下，动植物资源非常丰富，有北山羊、盘羊、马鹿、雪豹、棕熊等国家保护动物及狍、狐、野猪等。有些动物数量下降，不但是因受到人类的直接影响，也间接受到生态食物链的影响。托木尔峰地区还是药用植物资源的宝库。据调查，该地区有药用植物 80 多种，在草原和森林草原带有伊贝母、紫草、天仙子、黄精、荆芥、益母草、大黄等；云杉林中有党参、野蔷薇；亚高山草甸带分布着金莲花；雪线附近的乱石堆中分布着雪莲花。托木尔峰地区仅发现的禾本科植物就达 55 种，其中很多是优良的牧草，如紫羊茅、草地早熟禾、垂穗披碱草、西伯利亚三毛草、沙生针茅、野燕麦、野黑麦等，还有豆科的紫苜蓿、草木樨等。

（八）巴尔鲁克山国家级自然保护区

该保护区位于新疆塔城地区裕民县境内，面积 1 150 km^2，是 1980 年经新疆维吾尔自治区人民政府批准建立的新疆第一个自然保护区，原名为野巴旦杏自然保护区，2005 年 1 月 18 日被批准扩大面积并更名为“新疆巴尔鲁克山自然保护区”。2014 年成为国家级自然保护区。主要保护对象为巴尔鲁克山森林生态系统及野巴旦杏等濒危物种。

由于塔城盆地呈向西开口的袋状，保护区接受了较丰富的西风环流带来的大气降水，年降水量可达 300 ~ 500 mm，年平均气温 5.5 ~ 6.5 ℃，1 月平均气温 −7.1 ℃，7 月平均气温可达 19 ℃，全年不低于 10 ℃的积温为 2 800 ℃左右，很适于巴旦杏生长。在寒冷的冬季，保护区有稳定的积雪，可保护巴旦杏地面枝条不受冻害。这里的土壤为黄土，土层深厚，发育着肥沃的山地栗钙土，为巴旦杏的生长提供了良好的条件。

在保护区中，巴旦杏的伴生植物种类很多，仅蔷薇科植物就有 25 种以上，其中小乔木有红果山楂、黄果山楂、新疆野苹果、天山花楸、天山樱桃、稠李，灌木有刺蔷薇、宽刺蔷薇、大叶绣线菊、金丝桃叶绣线菊等，草本植物有水杨梅、天山羽衣草、托里贝母等。巴旦杏在土质条件差的多砾石、较干旱的地带也能顽强生长，在夏季裸露地表 50 ℃时也不会死亡，植株较矮而丛小，高仅 20 ~ 50 cm，从幅 20 cm × 30 cm，常与樱桃、麻黄等共生。在海拔较高的地带，植株也较高，且盖度较大；在以忍冬和蔷薇为主的灌丛中，巴旦杏则逐渐减少。保护区鸟兽种类很多，常见的鸟类有草原雕、金雕、乌鸦、喜鹊、椋鸟等，兽类有雪豹、棕熊、盘羊、赤狐、艾鼬、虎鼬、草兔及多种啮齿类动物，总数在 50 种以上，其中 18 种属国家保护动物。

（九）甘家湖梭梭林国家级自然保护区

该保护区位于新疆博尔塔拉蒙古自治州精河县和塔城地区乌苏市的北部交接带，地理坐标为东经 83° 20′ ~ 84° 07′，北纬 44° 50′ ~ 45° 05′。总面积 547 km^2。1983 年经新疆维吾尔自治区人民政府批准建立，1998 年成为国家级自然保护区。主要保护对象为梭梭林和白梭梭林及其荒漠生态环境。

甘家湖梭梭林保护区地处奎屯河和四棵树河下游，四棵树河在保护区北部汇入奎屯河，奎屯河向西 40 km 流入艾比湖。保护区因位于河流冲积平原上，地形平坦，覆盖着第四纪黄土为主的沉积物。山口吹来的大风，造就了一些新月形沙丘和垄状沙丘，高数米到 10 余米，分布于保护区的西部和东部。但沿河地区因地下水位较高，分布有一定面积的盐渍化土壤。除在沿河谷一带分布有小面积的胡杨林外，保护区被梭梭林为主的荒漠植被所覆盖。保护区年降水量约 140 mm，土壤主要为风沙土、龟裂状灰漠土、荒漠化草甸土、盐化草甸土等。

梭梭林荒漠在我国仅分布于西北干旱区，总面积 1 167 万 hm^2，而其中的 68.2%分布于准噶尔盆地。我国大部分梭梭林荒漠覆盖度在 10%左右，但甘家湖地区的梭梭林覆盖度则在 30%以上，局部地带还可达到 50% ~ 60%。有的梭梭林高度可达 9 ~ 10 m，这充分说明梭梭林保护区在我国保护珍稀植物梭梭中的重要地位。保护区内的梭梭林主要有沙拐枣 − 白梭梭林、枇杷柴 − 白刺 − 梭梭林和短命植物 − 梭梭林 3 种类型。保护区内分布有鹅喉羚、赤狐、沙狐、兔狲、草原雕、鸢、长耳鸮等保护动物，还有狼及数量庞大的子午沙鼠、大沙鼠、小沙鼠等啮齿动物。

（十）西天山国家级自然保护区

该保护区位于伊犁哈萨克自治州巩留县，在中天山支脉那拉提山的北坡。地理坐标为东经 82° 51′ ~ 83° 06′，北纬 43° 03′ ~ 43° 15′，总面积为 312 km^2。1983 年经新疆维吾尔自治区人民政府批准建立，原名为雪岭云杉保护区，1999 年成为国家级保护区。保护对象主要为雪岭云杉及其生境。

保护区所在的那拉提山海拔 4 000 m 以上，基岩由古生代和中生代石炭纪为主的变质岩组成，在海拔 2 500 m 以下的中山及前山丘陵覆盖着较厚的风成黄土层，为雪岭云杉的生长提供了良好的条件。保护区下部河谷海拔 1 300 ~ 1 500 m，与那拉提山顶的相对高差超过 2 600 m，因此该保护区也有着典型的垂直自然景观带，自上而下有 7 个带，分别为：高山永久冰雪裸岩带、高山寒冻垫状植地衣－原始土带、高山寒冷草甸－高山草甸土带、亚高山寒冷草甸－亚高山草甸土带、中山寒温带针叶林－淋溶灰褐色森林土带、低山温带阔叶林灰褐色森林土带、山地温带草甸－黑钙土带。

该保护区是以保护雪岭云杉为主的自然保护区，雪岭云杉是第三纪森林植物中的孑遗植物，是亚洲中部山地的特有种，在我国仅分布于新疆。由于气候湿润，加之冬季逆温带的存在和良好的地貌土壤条件，保护区发育了全国最为茂密的针叶林，胸围 4 ~ 5 m、树高 60 m 以上的巨型雪岭云杉的生长密度很大，每公顷蓄积量可高达 2 000 m^3。保护区还有其他高等植物 300 种以上，国家保护植物还有新疆野苹果、野杏、野核桃等。保护区内分布的兽类约有 10 科 25 种，鸟类 15 科 40 种；其中国家一级保护动物有雪豹、北山羊、金雕，二级保护动物有马鹿、棕熊、草原雕、暗腹雪鸡、苍鹰等。

保护区位于伊犁谷地，气候、水热条件最适于雪岭云杉生长，因此保存了世界上罕见的雪岭云杉林。

（十一）新疆中昆仑山自然保护区

该保护区位于巴音郭楞蒙古自治州且末县且末河上游地区，地理坐标为东经 84° 20′ ~ 87° 40′，北纬 35° 15′ ~ 37° 26′。总面积 3.2 万 km^2。2001 年经新疆维吾尔自治区人民政府批准成立，保护对象为以藏羚羊为主的高原珍稀动物及其生态环境。

保护区东部与阿尔金山国家级自然保护区紧邻，南部与西藏羌塘国家级自然保护区相接，海拔 6 973 m 的木孜塔格峰为 3 个保护区的界峰。保护区包括且末河上游支流乌苏河、金水河、喀拉米兰河及安迪尔河上游的塔什库勒苏巴什河流域，是昆仑山中段的高原河谷山区，也是青藏高原的北缘。这里平均海拔 4 000 m，生态环境现状与阿尔金山国家级自然保护区近似，但高寒草原面积较小，高寒荒漠面积很大，因此，野生动物种群数量较少。该保护区和阿尔金山国家级自然保护区一样，都是夏季藏羚羊的产羔区。保护区气候寒冷，没有四季之分，只有冷季和暖季，全年降水以固态降水为主。保护区内小型湖泊较多，有长虹湖、永丰湖、鲸鱼湖、朝勃湖、半西湖、黄草湖等咸水湖。

保护区有鸟类 40 种，兽类 25 种以上。动物种群中藏羚羊种群数量较大，此外有藏野驴、野牦牛、岩羊、盘羊、雪豹、猞猁、西藏棕熊、兀鹫、藏雪鸡、猎隼、红隼等 20 多种国家珍稀保护动物。以薹草属、棘豆属植物等为主的低矮的高寒草原和垫状植物群落组成了该保护区的植被景观。

（十二）卡拉麦里山有蹄类野生动物自然保护区

该保护区位于昌吉回族自治州吉木萨尔县和奇台县的北部及阿勒泰地区富蕴县、青河县的南部交接带。1982 年经新疆维吾尔自治区人民政府批准建立。总面积为 1.59 万 km^2，其中核心区

4 894 km^2，缓冲区 5 720 km^2，实验区 5 285 km^2。主要保护对象为野马、亚洲野驴、鹅喉羚、赛加羚羊、盘羊、雪豹、猞猁等有蹄类动物以及该保护区的其他野生动物和植物的生存环境。

卡拉麦里山，哈萨克语为“黑油油的山”之意，是由中生代岩层组成的残蚀低山丘陵区，由于山头岩石多为黑色岩层而出名。这里海拔 800 ~ 1 500 m，山头、谷地高差最大超过 300 m，一般均在 100 m 以下，越向北部越趋平缓，多形成片状的龟裂地。这些龟裂地也叫黄泥滩，在春季融雪期和夏秋雨季常被来自周围高地的水淹没，成为野生动物主要的饮水源。在山地西南部，侏罗系地层显出以赤红、暗紫、焦黄为主的颜色，据考察这是原富含煤的地层燃烧所致，故而有“火烧山”之地名。保护区东南部则为雅丹地貌，分布有大面积的硅化木。雅丹地貌区有许多风蚀洞穴及各种形状的风蚀残丘。硅化木有的直径 1 m 以上，长达 30 余米，横七竖八地倒在地上，也有些基干还“站”在原地，景观十分特殊。硅化木说明在 1.5 亿年前该地区是一片茂密的森林。挖掘出的长 32 m 的准噶尔恐龙化石，为世界恐龙之最。

卡拉麦里山南部、海拔 1 000 m 以下的地区以沙漠和戈壁为主，年降水量只有 100 ~ 150 mm。该地区植被稀疏，有以枇杷柴、梭梭、猪毛菜等为主的荒漠植被，覆盖度仅有 10% ~ 30%，有些地带几乎寸草不生而成为光板地，土壤为风沙土和龟裂状灰漠土。卡拉麦里山北部，由于海拔较高，雨量较多，降水量在 200 ~ 300 mm，出现了以蒿属植物为主的半荒漠草原和以禾本科及棘豆属植物等为主的干草原，植被盖度 40% ~ 60%，土壤为棕钙土和淡栗钙土，地面起伏不大，视野宽广，成为草食性有蹄类动物生存的优良生境，而使卡拉麦里山自然保护区保存了较多数量的野生动物。

保护区内大约有 3 000 头亚洲野驴和 2 万只鹅喉羚，还分布有雪豹、赤狐、兔狲、草原斑猫等食肉有蹄类保护动物及狼、虎、鼬等。鸟类中属于保护动物的除苍鹰、秃鹫外，还有胡鹫、玉带海雕、草原雕、红隼、燕隼、猎隼、纵纹腹小鸮等 10 余种猛禽。保护区内分布有白梭梭、梭梭、肉苁蓉等国家保护植物。

（十三）塔什库尔干自然保护区

该保护区位于新疆喀什地区塔什库尔干塔吉克自治县南半部，西北部为塔吉克斯坦和阿富汗，地理坐标为东经 74° 30′ ~ 77° 00′，北纬 35° 38′ ~ 37° 30′，面积为 1.5 万 km^2，1984 年经新疆维吾尔自治区人民政府批准建立。主要保护对象为雪豹、盘羊、北山羊、暗腹雪鸡等高山野生动物及其生境。

该保护区位于帕米尔高原，周围高峰耸峙，形成一片银白色的世界。保护区为西北－东南走向，呈长条形，长约 260 km，平均宽 75 km，总的来说地势南高北低，最低点海拔 3 200 m，与最高峰的相对高差超过 5 400 m。帕米尔高原在喜马拉雅运动中和青藏高原一起隆起，由前震旦系、石炭系、二叠系、三叠系、侏罗系等变质沉积岩和前寒武纪、华西力期花岗岩组成。由于强烈的切割作用，高原上高山、谷地的相对高差很大，多在 1 000 ~ 2 000 m，局部可达 4 000 m。在保护区内山谷冰

川和复合山谷冰川较多，在皇冠峰南坡，发育有巨大的枝状复合山谷冰川，总长度在 120 km 左右。

保护区属典型的高山生态系统，与青藏高原的生态系统有别。帕米尔高原气候寒冷，谷地相对温暖而干燥，降水量不大，且以固态降水为主。海拔 3 100 m 的塔什库尔干塔吉克自治县气象站的资料显示年平均气温 3.2 ℃，无霜期 70 天，平均年降水量 63 mm，蒸发量 2 327 mm。保护区的年平均气温更低，但因高山的地形作用，降水量较大，喀喇昆仑山的平均年降水量可达 400 mm 以上，为冰川的形成提供了水分来源。保护区阴坡的永久雪线高度为 4 600 ～ 4 700 m，阳坡的永久雪线高度为 4 800 ～ 5 000 m，随山势及坡向而异。该保护区西部的塔什库尔干河经过塔什库尔干塔吉克自治县向东汇入叶尔羌河。

由于垂直气候带的影响，帕米尔高原也具有较完整的垂直自然景观带。永久雪线以上为永久冰雪裸岩带；永久雪线以下至海拔 4 300 m 为高山寒冻垫状植被－高山荒漠土带，该带在阴坡海拔 4 100 m，在保护区内占有较大的面积，因寒冻风化作用强烈，该带多为粗骨质土壤，以坡积残积物为主，土壤剖面发育比较原始，但具有荒漠土壤的明显特征。

帕米尔高原以高山荒漠景观为主，高山荒漠与白雪皑皑的冰峰相间，形成了高原的特殊景观。在海拔较低的迎风坡上，植被生长较好，是高山动物的主要食物来源。在保护区内，只在海拔 3 600 m 以下的河谷局部地段，分布有片状的河谷乔木林和灌木林。在受到微弱侵蚀的冰积巨砾地段，有稀疏的西藏麻黄、细子麻黄和粉花蒿，其中混生有少量的大叶霸王、骆驼蓬、帕米尔委陵菜等；在海拔 3 200 m 以上的草原化荒漠上，除了上述帕米尔麻黄和蒿属植物外，还有高寒刺矶松、沙生针茅、狭叶薹草、蓖形冰草、兔唇草及棘豆属植物等。保护区脊椎动物有兽类 28 种，鸟类 89 种，两栖爬行类 4 种，鱼类 6 种。其中适应高山活动的兽类、鸟类为主要保护对象，兽类有雪豹、猞猁、藏野驴、盘羊、岩羊、北山羊、棕熊，鸟类有暗腹雪鸡、藏雪鸡、小鸨、秃鹫、胡兀鹫、金雕、草原雕、红隼等。该保护区中黄嘴山鸦有较大的数量，有时可聚成数百只的大群。雪鸽只分布于高山冰川附近。鸟类中雀形目的种类最多，达 50 余种。河谷中有面积较大的沼泽水域，分布有灰鹤、苍鹭等大型鸟类，斑头雁、灰雁、赤麻鸭等雁属、鸭属鸟类，以红脚鹬、扇尾沙锥等为主的鹬科鸟类，此外，还有多种鸣禽。鱼类主要为适应高山冷水型的裂腹鱼类和条鳅鱼类，多为当地的特有种，如帕米尔裂腹鱼、中亚裸裂尻鱼、小眼高原鳅等。该保护区内狼、狐及小型兽类，特别是啮齿动物的种数也较多。

（十四）新疆阿尔泰山两河源自然保护区

该保护区位于新疆阿勒泰地区青河县、富蕴县和福海县，包括额尔齐斯河上游的胡额尔齐斯河、喀依尔特斯河、巴利尔斯河、卓路特河、喀拉额尔齐斯河及乌伦古河上游的大青河、小青河、查干河在内的 8 条河流上游。地理坐标为东经 87° 30′ ～ 91° 00′，北纬 46° 30′ ～ 48° 10′。总面积 67.59 万 hm^2，其中有林地 20 万 hm^2。2001 年经新疆维吾尔自治区人民政府批准建立。保护对象是自然生态系统、珍稀濒危的野生动植物物种及水源涵养林。

保护区在阿尔泰山中东段的西南坡。阿尔泰山在地质上为一古老的褶皱和断裂山地。山体宽度由西北向东南逐渐变窄，海拔逐渐变低，主要山峰海拔在 3 500 m 以上，有现代冰川活动。阿尔泰山脉受地质构造发育过程和外引力的作用，形成了阶梯状的地貌分布特征，对气候、土壤、生物垂直带的形成具有很大影响。

阿尔泰山的河流主要为融雪和雨水补给，5 ~ 6 月降水量最集中，占全年径流量的 45% ~ 60%；10 月到翌年 4 月，河流补给一般以降雪为主，占全年降水量的 50%。河流水质良好，多属碳酸盐钙型水，矿化度低，总硬度在 4.2 度以下，属极软水。

该保护区属于大陆性温带寒冷气候，具有降水多、温差大的特征，降水量随海拔升高而递增，气温随海拔升高而递减。海拔 3 200 m 以上的地区终年积雪，年积雪深度超过 100 cm；海拔 2 400 ~ 3 200 m 的地区热量不足，无四季之分，只有冷暖之别；海拔 1 400 ~ 2 400 m 为中山区，该地区气候凉爽，降水充沛，无霜期短，年平均气温在 −2 ℃以下，最热月（7 月）平均气温为 16 ℃，年降水量在 400 mm 以上。

保护区内的土壤垂直带谱自上而下为裸岩原始土、高山草甸土、亚高山草甸土、山地灰色森林土、山地黑钙土等，其中山地灰色森林土（即灰黑土）包括山地普通灰色森林土、山地暗灰色森林土、山地淡灰色森林土等。

植被为温暖半湿润的森林草原，发育完整，但由于东西部水热条件的差异，垂直结构带及各带的范围略有差异。森林主要分布在海拔 1 300 m 以上的山区阴坡和半阴坡，为典型的公园式森林。阳坡为草原及疏林，景色十分美丽。建群种主要为落叶松，其次是云杉和桦属植物。

（十五）帕米尔高原湿地自然保护区

该保护区位于新疆克孜勒苏柯尔克孜自治州阿克陶县的木吉乡、布伦口乡；西北部为边境线；南部为海拔 5 000 m 的萨雷阔勒岭，与塔什库尔干塔吉克自治县相接；东部为海拔 7 719 m 的公格尔山和海拔 7 595 m 的公格尔九别峰；北部为海拔 5 000 m 以上的昆盖山，隔山与乌恰县相邻。保护区处于盖孜河支流木吉河流域及克孜勒苏河上游支流玛尔坎苏河上游的集水区，地理坐标为东经 73° 30′ ~ 75° 15′，北纬 38° 45′ ~ 39° 00′。总面积 1 256 km^2，其中核心区 376.80 km^2，缓冲区 816.40 km^2，实验区 62.80 km^2。保护对象为水禽等野生动物及其生存环境，以及高原生态系统。

保护区位于帕米尔高原的东北部，地面高差巨大，相对高差在 2 000 m 以上。海拔 7 000 m 以上的著名高峰慕士塔格峰、公格尔峰、公格尔九别峰都分布在这里。山顶终年白雪皑皑，山谷冰川、冰斗冰川、悬冰川等地貌极为发育。

由于地形的巨大差异，保护区有着界线不十分明显的垂直自然景观带，从高到低有高山永久冰雪裸岩带、高山寒冻垫状植被寒漠土带、高山寒冷草甸草原土带、中山温带半荒漠棕钙土带。谷地中湖沼及湿地分布较广，草甸土和草甸沼泽土较为发育。保护区中部有较多的泉水地，东部谷地有 1 个面积超过 10 km^2 的高原湖泊，是水禽和水生生物的乐园。但在保护区中，东部因降水稀少较为干旱，半荒漠景观较为明显，木吉河与盖孜河交汇处建有大型水库，以调节洪水、发电和灌溉。

该保护区内野生动物种类多，种群数量大，国家一级保护动物有雪豹、北山羊、玉带海雕、胡兀鹫，国家二级保护动物有盘羊、棕熊、猞猁、岩羊、石貂、猎隼、燕隼、游隼、苍鹰、秃鹫、草原雕、大天鹅、灰鹤等。在保护区内的高山带，百只以上的盘羊群、北山羊群或岩羊的大群体较为常见，马可·波罗盘羊数量较多。赤麻鸭、斑头雁、灰鹤、苍鹭、棕头鸥、燕鸥，则是该保护区湿地水域中常见的鸟类。高山溪流中，斯氏高原鳅和黑斑高原鳅为常见种。低洼湿地中，帕米尔蟾蜍更为常见，是帕米尔高原新定名的特有种，也是高原上唯一幸存的两栖动物。爬行类中有密点麻蜥、阿赖山裂睑蜥、南疆沙蜥。

（十六）额尔齐斯河科克托海湿地自然保护区

该保护区位于阿勒泰地区哈巴河县，西部以哈萨克斯坦国界为界，南部为吉木乃县，北部远处为阿尔泰山。地理坐标为东经 85° 31′ ~ 86° 01′，北纬 47° 52′ ~ 48° 20′。面积 990.4 km^2，保护对象为河流湿地生态系统和珍稀保护动植物。

保护区内的河流两岸生长着由密叶杨、银灰杨、白柳、疣枝桦等组成的河谷林和由蔷薇、绣线菊、忍冬等组成的灌木林。低洼地中，由芦苇、黑三棱、水葱、薹草、泽泻、香蒲等组成的水生植物群落非常茂密，形成较原始的湿地生态景观，为多种鸟类和兽类提供了良好的生存环境。

保护区中常见的兽类主要有兔狲、雪兔、野猪、猞猁、赤狐、草原斑猫、鹅喉羚、狗獾等及各种啮齿动物。鸟类有鸢、苍鹰、猎隼、红隼、黑鹳、白鹳、玉带海雕、草原雕、金雕、长耳鸮等 10 余种国家保护鸟类；还有燕鸥、渔鸥、红嘴鸥等多种保护区的常见鸟类。两栖爬行类动物有极北蝰、白条锦蛇、草原蛙、游蛇、旱地沙蜥、东疆沙蜥、捷蜥蜴、胎生蜥蜴、阿尔泰林蛙、黑龙江林蛙、塔里木蟾蜍。河水中有哲罗鱼、细鳞鲑、长颌白鲑、白斑狗鱼等多种珍稀名贵鱼类。

（十七）巩乃斯山地草甸类草地自然保护区

该保护区位于伊犁哈萨克自治州新源县东南 80 km 的恰普河上游、中天山支脉那拉提山南坡。地理坐标为东经 83° 15′ ~ 84° 20′，北纬 43° 09′ ~ 43° 20′。保护区面积为 653 km^2。由新疆草原总站及新疆维吾尔自治区生态环境厅规划，于 1986 年经新疆维吾尔自治区人民政府批准建立。保护对象为亚高山草甸草原及其动物。

保护区位于伊犁河上游巩乃斯河南部、中天山北坡的亚高山区及恰普河上游。保护区北部的山脊平均海拔不到 3 000 m；南部山脊平均海拔 3 647 m，主峰海拔 4 248 m。南北两麓山脉向东在保护区东部形成山结，从地貌上构成了北、东、南三面环山、向西狭开的山间谷地。

保护区属冷凉、干旱、半湿润的山区气候，光热资源的特点是东北部的亚高山热量不足，雨量充沛，年降水量可达 800 ~ 900 mm；西部河谷地带雨量较丰富，年降水量可达 700 ~ 800 mm，是天山的多雨中心。保护区内仅有 1 条恰普河，汇水面积超过 5 000 km^2，平均流量 4 m^2/s，地表水为 HCO_3–Ca 型，矿化度均为 0.1 ~ 0.5 g/L，水质优良。

保护区在海拔 2 800 ~ 3 600 m 处分布有高山草甸，植被主要为多年生草本植物，常伴生多年生杂草和垫状小灌木。主要植物有薹草、嵩草、珠芽蓼、高山早熟禾等；草层高度一般为 10 ~ 25 cm，盖度为 75% ~ 90%。海拔 1 800 ~ 2 800 m 处，亚高山草甸与森林交错分布，草类极多，夏季色彩十分绚丽，俗称五花草甸。老芒麦、无芒雀麦、薹草、三叶草、野豌豆、黄芪、勿忘草等 50 余科 200 多种草本植物分布于此，草层高 40 ~ 80 cm，盖度为 80% ~ 100%；灌木有绣线菊、忍冬、野蔷薇等 6 种。海拔 1 700 ~ 1 900 m 的阳坡、半阳坡分布有草甸草原，草甸草原位于森林带下部，植被由约 50 科 150 种中生及中旱生禾草、杂草组成，如鸭茅、无芒雀麦、鹅观草、早熟禾、针茅、羊茅等；草层高 25 ~ 80 cm，盖度为 75% ~ 95%。低湿地草甸位于在河流沿岸冲积性河漫滩地区及山区低洼地的泉水溢出区，植被为多年生中生和湿生植物，有芦苇、披碱草等，忍冬、沙棘等灌木，桦、柳、杨、榆等阔叶树种常与灌丛混生；草层高 60 ~ 90 cm，盖度为 90% ~ 100%。

保护区内有高等植物 38 科 160 余属 240 余种，主要为禾本科、豆科、菊科、藜科、蓼科、莎草科、唇形科、龙胆科、毛茛科、十字花科等草本植物，它们组成了保护区的亚高山草甸草原植被。保护区还分布有大面积的雪岭云杉林，木本植物还有山杨、密叶杨、天山桦、天山花楸、榆、柳、野杏、新疆野苹果等，药用植物有伊贝母、新疆贝母、党参、车前、当归、秦艽、防风、柴胡、藁本等。

中国农业科学院草原研究所 1987 年的考察结果显示，保护区已知野生动物中，兽类有 5 目 17 科 46 种，鸟类有约 10 科 80 种。野生动物的区系属古北界中亚亚界蒙新区天山山地亚区。保护区内的动物成分以古北界的广布种为主，呈垂直带状分布。国家一级保护动物有北山羊、雪豹、玉带海雕、金雕、胡兀鹫，二级保护动物有棕熊、马鹿、盘羊、兔狲、兀鹫、草原雕、红隼、猎隼、游隼、苍鹰、长耳鸮、暗腹雪鸡等。

该保护区是新疆三大草地类型之一的山地草甸类草地保护区，因位于天山中部伊犁河谷的东端迎风坡而降水充沛、气候适宜，是新疆草甸类草原中牧草种类最多、植被类型最为丰富的地区。因此，该保护区在保护草甸草原生物多样性方面具有重要地位。

（十八）金塔斯草原自然保护区

该保护区位于新疆阿尔泰山中段南坡、福海县境内，地理坐标为东经 88° 42′ ~ 89° 03′，北纬 47° 27′ ~ 47° 56′。1986 年经新疆维吾尔自治区人民政府批准建立。总面积 567 km^2。东西宽 27 km，南北长 52 km，地势南低北高，海拔 960 ~ 2 876 m。主要河流有喀拉额尔齐斯河、哲勒特河、巴拉额尔齐斯河 3 条河流。这 3 条河最终在冲库尔山下汇合流入额尔齐斯河。保护区内年降水量 400 ~ 600 mm，年平均气温 −3.5 ℃。冬季寒冷漫长，积雪深厚，气温最低达 −40 ℃。保护对象为真草原及草原动物。

为了使保护区的草原动物得到有效保护，保护区向北扩展到高山及亚高山草甸草原带，可分高山及亚高山草甸草原带、山地森林草原及灌丛带及低山草原带 3 个垂直自然景观带。

保护区位于阿尔泰亚区的南部边缘，动物种群组成显示出蒙新区与阿尔泰 – 萨彦岭区交界带动物区系的某些过渡特征，随着山体海拔的抬升，北方喜湿种类逐渐增多，中亚耐旱种类逐渐减少。保护区有野生脊椎动物 5 纲 26 目 61 科 113 属 158 种。其中鸟类种数最多，约 102 种，占保护区内动物物种数的 64.6%。被列入《国家重点保护野生动物名录》的鸟类约 16 种，兽类约 10 种；属于国家一级保护动物的有貂熊、北山羊、金雕、白肩雕、黑琴鸡等，属于国家二级保护动物的有棕熊、马鹿、雪兔、鸢、燕隼、蓑羽鹤等。赤狐、阿尔泰林蛙等 10 余种动物已被列入《新疆维吾尔自治区重点保护野生动物名录》中。

保护区具有典型的真草原植被类型，南部的栗钙土带分布有典型的针茅草原和灌木 – 羊茅草原，后者分布在土层较薄的山坡上，主要由锦鸡儿、绣线菊、多刺蔷薇和羊茅、针茅为主组成。其中以羊茅为单优势种的羊茅草原是中亚真草原的典型代表，也是真草原中覆盖度最高、草原植物最丰富的类型，它可伸入到森林垂直带的阳坡，分布在海拔 1 200 ~ 1 800 m 的地区，与山地森林带交错分布。真草原的伴生植物有冷蒿、火绒草、龙胆、黄芩、蒲公英、鸦葱、岩黄芪、棘豆、马先蒿等草原植物。在灌木 – 羊茅草原中植被层可分为 4 层，第 1 层由锦鸡儿、绣线菊等组成，高 35 ~ 50 cm；第 2 层为羊茅和其他禾草及杂类草，高 8 ~ 10 cm；第 3 层为冷蒿、星毛委陵菜的叶层，高 3 ~ 5 cm，这一层在春季则由顶冰花、火绒草等组成；第 4 层为匍匐在地面上的壳状地衣等地衣层。

保护区的中部分布有森林带，建群种为西伯利亚落叶松和西伯利亚云杉，有时为混交林，有些地段也形成单一的树林，林中有时有疣枝桦及山杨混入，河谷中则有苦杨和黑杨混入。林下有忍冬、绣线菊及蔷薇形成的灌木层，林间空地则有西伯利亚刺柏、阿尔泰方枝柏、绣线菊等。草被层由赤芍、早熟禾、看麦娘、老鹳草、金莲花、唐松草等数十种植物组成，地表有较厚的枯枝落叶和苔藓地衣层，十分松软。保护区北部的亚高山五花草甸与哈纳斯自然保护区的五花草甸相似，但草层较低矮。

（十九）天池自然景观保护区

该保护区位于新疆阜康市境内，地理坐标为东经 88° 00′ ~ 88° 20′，北纬 43° 45′ ~ 43° 59′。1980 年由新疆维吾尔自治区人民政府批准建立，是国家风景名胜区。面积约为 380.7 km^2。天池是高山湖泊，核心区在天池南部，是保护区中动植物种类最丰富、自然景观保存较完好的地区。保护对象为冰川、湖泊、山地森林生态系统、完整的垂直自然景观带及野生动植物的多样性。

保护区以天池为核心。天池南北长约 3 000 m，东西宽约 1 000 m，面积 2.45 km^2，容积 10.55 亿 m^3，湖面海拔 1 960 m。蓝绿色的天池水清澈见底，最大湖深为 103 m。

保护区位于博格达山北坡偏西处，迎着准噶尔盆地西来的大气环流，天池附近年降水量可达 500 mm 左右，而森林带上部年降水量为 600 ～ 700 mm，降水集中在 2 ～ 8 月。保护区森林带处于逆温层，与山下平原区比较，冬暖夏凉，天池年平均气温 2 ℃，1 月平均气温 −11 ℃，7 月平均气温 15 ℃。

保护区内巨大的山体和较高的海拔形成的高山气候条件，有利于高山永久积雪和冰川的发育，因而该区域有丰富的冰川资源，分布有山谷冰川、复合山谷冰川、冰斗冰川、悬冰川等现代冰川 50 条，冰川平均厚度 30 m，面积 51.4 km^2，总储水量为 21.7 亿 m^3，是天池水量的 2 倍。保护区内有大小湖泊 18 个，大多为小型的高山冰蚀湖，在森林带只有天池和小天池，这些湖泊对调节下游水流有重要作用。

该保护区具有巨大的高差和多样性的自然景观带，各景观带的植被类型有着很大的差别。在海拔 1 800 m 以下的黑钙土灌木草甸带生长着以蔷薇、枸杞、忍冬为主的灌木，以及禾本科、莎草科的植物及老鹳草、地榆、金莲花、野豌豆、党参、青兰、翠雀等多种植物组成的草甸植被；在海拔 1 700 ～ 2 900 m 的地区带状分布着以天山云杉为主的山地森林，森林中夹杂有少量的欧洲山杨、天山花楸等小乔木，林下有灌木层及苔藓地衣层；海拔 2 400 ～ 2 900 m 的地区为亚高山五花草甸，主要有薹草、山地糙苏、马先蒿、紫草等。这 3 个景观带围绕着天池，形成了保护区内风景最为秀丽、生物物种最为复杂多样的分布区。海拔 2 900 ～ 3 200 m 的地区为高山草甸带，生长着较低矮的棘豆、龙胆、珠芽蓼及蒿属植物等。高山垫状植被带主要由四蕊山莓草、委陵菜等组成。在石质地上，有时可见成片的雪莲。

该保护区共有脊椎动物 120 多种，其中鸟类 80 多种，兽类 30 多种，两栖爬行类 4 种，鱼类 6 种；其中属于国家级保护动物的有 25 种，一级保护动物有黑鹳、雪豹、北山羊，二级保护动物有雀鹰、棕尾鵟、草原雕、小雕、秃鹫、燕隼、暗腹雪鸡、雕鸮、纵纹腹小鸮、棕熊、石貂、兔狲、马鹿、盘羊等。

（二十）夏尔希里自然保护区

该保护区位于新疆博尔塔拉蒙古自治州博乐市北部，地理坐标为东经 81° 43′ ~ 82° 33′，北纬 45° 07′ ~ 45° 23′。保护区海拔 1 210 ～ 1 367 m，总面积 314 km^2。保护对象为森林及野生动物。

保护区属温带大陆性气候，但由于受海洋气团的作用及山地垂直气候带的影响，气候阴凉湿润，年平均气温 0 ～ 4 ℃，年降水量 400 ～ 600 mm，是干旱区的湿岛。境内沟壑纵横，主要河流为保尔德河，流域面积 256 km^2，水资源丰富，水资源补给来源主要是降水、地下水和季节性融雪，保尔德河流域是博乐市北部山区的重要水资源涵养区。

由于该保护区海拔高低悬殊，光、热、水、土条件不同，森林植被垂直带谱明显，植物类型多样。高山带的高山草甸植被发育良好。中低山带阴坡为以天山云杉为主的森林草原带，林地面积 7 282 hm^2；阳坡为灌木草原带，主要分布有忍冬、小檗以及蒿类、禾本科植物。海拔较低的谷

地有纯林分布。保护区林草植被生长茂盛，植被覆盖的总面积约占保护区总面积的97%。这里野生动物资源极为丰富，陆栖类动物和鸟类共300余种。

该保护区是相对封闭的、典型的自然地理区域，自然环境及自然资源基本没有遭到破坏。植物分布区属中亚植物区系与蒙古植物区系的过渡区，植物种类繁多，森林植物各类种群处于原始状况，有黄芪、雪莲、软紫草等国家重点保护植物10余种。这里野生动物种群数量较大，有北山羊、盘羊、赛加羚羊、棕熊、雪豹等国家级和自治区级重点保护野生动物40余种，是珍稀濒危野生动植物的天然分布区。同时该保护区也是博尔塔拉蒙古自治州重要的水源涵养林区，对保护生物多样性和生态环境有十分重大的作用。

（二十一）阿勒泰科克苏湿地国家级自然保护区

该保护区位于新疆阿勒泰市，在额尔齐斯河北部、克兰河与额尔齐斯河的交汇处，地理坐标为东经87° 09′ ~ 87° 35′，北纬47° 29′ ~ 47° 40′。总面积306.7 km^2。2001年9月经新疆维吾尔自治区人民政府批准建立。主要保护对象为湿地生态系统、以水禽为主的野生动物及珍稀植物。保护区所在地是发源于阿尔泰山的克兰河和阿拉哈克河洪冲积扇泉水溢出带，保护区有芦苇、香蒲、黑三棱等沼生植物，众多的珍稀水禽如白鹤、灰鹤、苍鹭、白鹭、豆雁及多种雁属、鸭属动物。该湿地起着巨大的调节作用，在额尔齐斯河涨水的季节，蓄存大量洪水，对额尔齐斯河的水生生态系统起着良好的作用。该保护区的建立，在维护阿勒泰地区生态平衡、调节气候、蓄洪防旱等方面发挥了极其重要的作用，有利于保护野生动植物资源，促进湿地资源保护、科学研究和地区经济的发展。

（二十二）霍城四爪陆龟国家级自然保护区

该自治区位于新疆伊犁哈萨克自治州霍城县北部的芦草沟，地理坐标为东经80° 46′ ~ 81° 17′，北纬44° 04′ ~ 44° 19′。总面积为350 km^2。1983年经新疆维吾尔自治区人民政府批准建立。保护对象为珍稀动物四爪陆龟及其生境。

该保护区位于天山中部的伊犁河谷北部的果子沟沟口两岸、北天山支脉阿克塔斯山南麓前山的黄土丘陵带。此处的第四纪黄土沉积层厚10 ~ 30 m，受流水的侵蚀，形成了羽状丘陵和沟谷。保护区北靠天山，南部为绿洲农垦区。年平均气温5 ~ 6 ℃，年降水量250 ~ 350 mm。沟谷中分布有小面积的草甸灰钙土和草甸土。厚厚的黄土层和向阳而温暖的坡向为四爪陆龟提供了基本的生存条件。黄土丘陵为蒿属半荒漠草原，主要由木地肤、早熟禾、蒲公英、野葱等30多种菊科、藜科、禾本科、百合科植物组成，高度20 ~ 30 cm，覆盖度40% ~ 60%。在沟谷中有柽柳、铃铛刺等灌木生长，禾本科、莎草科等草甸植物为四爪陆龟提供了丰富的食物。该保护区常见的国家级保护动物还有草原雕、红隼、猎隼、兔狲、鸢等。

四爪陆龟是世界仅存的3种陆龟之一，且仅此1种分布于北方干旱区。该保护区的建立对挽救珍稀濒危物种有重大意义。

（二十三）青格达湖湿地自然保护区

该保护区位于新疆五家渠市南部 5 km 的原猛进水库及周边地区。保护区面积 2 912 hm^2，是新疆生产建设兵团于 2002 年 12 月批准建立的第一个省级自然保护区。保护区分为核心区、缓冲区和科学实验区；核心区面积 796 hm^2，位于西南部，占保护区总面积的 27.3%；缓冲区位于核心区的周边地带，呈环状，面积 1 538 hm^2，占保护区总面积的 52.8%，主要为林带和水库水域，在该区可进行科研活动；实验区在水库主坝的北面，面积 578 hm^2，占保护区总面积的 19.9%。保护对象为各种水禽及其湿地生态环境。

保护区位于欧亚大陆腹地的干旱区，毗邻古尔班通古特沙漠，气候干旱，降水稀少，光照充足，蒸发量大；夏季炎热，冬季严寒，春季升温缓慢，秋季降温迅速，年降水量 150 ~ 200 mm，蒸发量 2 000 ~ 2 500 mm，年平均气温 5.7 ℃，极端最高气温 43.8 ℃，极端最低气温 −42.2 ℃，冬季结冰期 163 天，冻土层厚 0.9 ~ 1.1 m，稳定积雪时间 103 天。土壤为盐化草甸土、草甸沼泽土、灌溉草甸土和林灌土。在湖西分布有大面积的红柳林，小面积的胡杨林和芦苇。水库为适应灌溉需要，水位变化较大，导致芦苇、香蒲等挺水植物种数贫乏。保护区东北部的水坝外分布着面积较大的人工林和芦苇沼泽地，还有乌鲁木齐市面积最大的荷花塘。

保护区是候鸟及水禽的乐园，水禽、鸣禽、猛禽种数很多。水域中有多种鸥类，如渔鸥、燕鸥、红嘴鸥、棕头鸥等，以及大白鹭、小白鹭、赤麻鸭、凤头潜鸭、翘鼻麻鸭、针尾鸭、黑翅长脚鹬、红脚鹬、蒙古沙鹤、环颈鹤，还有新发现的领燕鸻等数十种水禽。保护区的林地和芦苇地有乌鸦、新疆歌鸲、杜鹃、斑鸠、苇莺、百灵鸟等多种鸣禽，天空中常可看到草原雕、玉带海雕、鸢、红隼、雀鹰、长耳鸮、纵纹腹小鸮等猛禽的身影。由于近数十年保护区周围被农业区逐步包围，保护区的兽类中除青格达湖保护区的赤狐、艾鼬及数种小型啮齿动物和草兔外，原在该区域分布的亚洲野驴、野马、鹅喉羚、野猪、狼、猞猁均已绝迹。

（二十四）温泉新疆北鲵国家级自然保护区

该保护区位于博尔塔拉蒙古自治州温泉县境内，地理坐标为东经 80° 29′ ~ 80° 32′，北纬 44° 52′ ~ 44° 56′。1997 年经新疆维吾尔自治区人民政府批准成立。总面积 6.95 km^2，其中核心区面积 2.87 km^2，缓冲区面积 2.72 km^2，实验区面积 1.36 km^2。主要保护对象是中亚北鲵（新疆北鲵）及其生存环境。

保护区位于博尔塔拉河上游，多眼泉水形成了长短不等的山溪水，为中亚北鲵提供了生存条件。保护区处于大陆性中温带半干旱气候区，平原地区年平均气温为 2.8 ~ 5.0 ℃，中低山带年平均气温为 0.4 ℃，最高平均气温 17.1 ~ 21.6 ℃；夏季东部气温较西部高 3 ~ 4 ℃，冬季西部气温比东部高 2 ℃左右；冬季逆温现象较明显，有利于中亚北鲵的越冬。山区年降水量为 300 ~ 500 mm，

年积雪量最大厚度为 50 cm。海拔 2 000 ～ 2 100 m 的山地草甸草原带的植物建群种以中旱生、旱生种为主，如草地早熟禾、针茅、薹草、野苜蓿等。

中亚北鲵属两栖纲有尾目小鲵科北鲵属动物，在世界上仅产于我国（新疆温泉县）和哈萨克斯坦的边境处极狭窄的区域，呈间断性分布，数量稀少。中亚北鲵属地质历史上的活化石——孑遗动物，是新疆唯一有尾的两栖类动物。该种在小鲵科的分类、系统演化等方面有重要的学术研究价值，已被列入《世界自然保护联盟红皮书》。学者在温泉县进行了多次考察，发现了捷麦克（阿拉套山系）、苏鲁别珍（天山山系的别珍套山系）、阿克塞（也属天山山系的别珍套山系）、萨尔巴斯托 4 处中亚北鲵栖息地。

（二十五）伊犁小叶白蜡国家级自然保护区

该保护区位于伊犁哈萨克自治州伊宁市东南部，喀什河汇入伊犁河的河口地带。面积为 91.03 km^2。1983 年经新疆维吾尔自治区人民政府批准建立。保护对象为第三纪孑遗植物——小叶白蜡及其生存环境。

天山横贯中亚，东西长 2 400 km，是喜马拉雅新构造运动中升起的新型山脉。伊犁谷地是位于天山中段的陷落谷地。发源于天山中部托木尔峰北坡冰川的河流，形成了由特克斯河、喀什河、巩乃斯河汇成的伊犁河，伊犁河自东南向西北沿伊犁河谷流入哈萨克斯坦，喀什河在伊宁市东南部汇入伊犁河。保护区海拔 800 ～ 1 400 m，河谷两岸的第四纪疏松冲积物形成了宽阔的阶地和河漫滩、超河漫滩，河谷两侧为黄土覆盖的中生代低山丘陵，为小叶白蜡的生长创造了良好的条件。保护区气候温暖湿润，年平均气温 8 ～ 9 ℃，1 月平均气温 −7.5 ℃，7 月平均气温 23 ℃，极端低温可达 −30 ℃，极端高温可达 36 ℃。平均年降水量 350 ～ 400 mm，年平均蒸发量 1 300 ～ 1 750 mm，无霜期 160 天左右。在河滩地带，土壤为草甸森林土，为细砂壤质或中砂壤质，下部一般都具有砂卵石层；通常碳酸钙淋溶现象不明显，pH 7.4 ～ 8.0。

根据调查，小叶白蜡林内共有高等植物近 200 种，这些植物分属 54 科 137 属。种数最多的是蔷薇科（21 种）、菊科（21 种）、禾本科（20 种）、唇形科（9 种）、豆科（10 种）；此外，十字花科和藜科也占一定的比重。保护区主要有 4 种小叶白蜡林型：禾草 – 铃铛刺 – 小叶白蜡林，镰叶鸢尾 – 小叶白蜡林，草甸草类 – 灌木 – 密叶杨 – 小叶白蜡林，禾草 – 小叶白蜡林。

该保护区因处于古北界中亚亚界哈萨克斯坦区伊塔亚区，分布有雀形目、隼形目、鸡形目、鸽形目、鹃形目、鸮形目、夜鹰目的鸟类近 100 种，种类数量随季节而变化。还分布有食肉目、兔形目、啮齿目的小型动物 10 余种。该保护区中分布的国家级保护动物主要是各种猛禽，如长耳鸮、草原雕、雀鹰、鸢等。

伊犁小叶白蜡保护区由伊犁哈萨克自治州林业局管理。小叶白蜡是新疆珍贵的第三纪温带落叶阔叶林的残遗树种，生长较快，树形高大，干形较直，材质较硬，结构细致，是重要的阔叶树种之一，也是伊犁河谷地带重要的水土保持树种，对保护河岸和防止河滩冲塌具有重要作用。该保护区的建立不但具有重要的科学意义，而且对伊犁河及喀什河的水土保持有重大作用。该保护区在保护小叶白蜡林及其生境不受破坏的条件下，也可开展科研和旅游。小叶白蜡作为城市道路绿化的主要树种，因树形优美，抗旱和抗病虫害能力强，被广泛栽种。

（二十六）哈密东天山生态功能保护区

该保护区位于哈密市东天山山脉，属温带干旱气候区。气候主要特征为干旱少雨，昼夜温差大，降水分布不均。东天山的冰川是哈密市重要的水源，是巨大的天然固体水库，补给了 140 条大小河流。目前，分布在东天山雪线以上的喀尔里克山和巴尔库山共有冰川 226 条，冰川面积 1.81 万 hm^2，最大厚度 70 m，冰储量 65 亿 m^3，折合水量 45 亿 m^3。哈密市水资源总量 16.95 亿 m^3，其中地表水资源量为 8.75 亿 m^3，地下水资源量为 8.20 亿 m^3，实际开采量为 5.5 亿 m^3。

巴里坤湖湿地位于保护区内的巴里坤湿地保护亚区，是保护区内的重要湿地资源，位于巴里坤哈萨克自治县西北 18 km 处，海拔 1 585 m。该湖由四周自然泉水汇流注入而成，东西宽约 12 km，南北长约 20 km。该湖也是储量丰富的芒硝矿和盐田，湖水中含有水生物卤虫。该湖具有重要的水文调蓄功能，还是许多珍稀禽类的栖息地。2005 年保护区总面积为 48 100 hm^2，湿地沙化严重。巴里坤草原是新疆三大草原之一，是内陆候鸟迁徙通道上的重要驿站和栖息地。70% 的草场已经开始退化，巴里坤哈萨克自治县已投入资金进行湿地保护，严格限制在上游打井、修水库，并对草场进行围栏保护和禁牧，同时还加大了对湿地周围环境污染的治理力度。

保护区内分布的野生植物有 96 科 473 属 1 490 种，动物有 40 目 174 科 617 种。新疆落叶松（西伯利亚落叶松）是新疆山区天然森林的主要树种之一，主要分布在阿尔泰山、哈密市巴里坤哈萨克自治县一带的天山山系的巴尔库山和喀尔里克山，是新疆落叶松自然分布最南界的“孤岛”。保护区正是以其独特的地理位置、丰富多样的森林、野生动植物及优良的新疆落叶松种质资源和自然景观，为保护生物多样性及保存物种基因提供了场所。

（二十七）阿瓦提胡杨林野生动植物自然保护区

该保护区位于新疆阿克苏地区阿瓦提县博斯坦牧场三河（和田河、叶尔羌河和阿克苏河）汇合处及和田河两岸。2001 年，保护区内的胡杨林森林面积为 887 万 hm^2，其中有林地 363 万 hm^2，疏林地 1.8 万 hm^2，灌木林地 2 400 hm^2，宜林地 1 000 hm^2。

在保护区内，沙漠、森林和草甸构成了独特的荒漠生态系统。保护区生长着大量的胡杨、甘草和其他的野生植物，同时也是塔里木兔等许多野生动物的栖息地。塔里木兔为国家二级保护野生动物，新疆特有种；体型较小，体长 35 ～ 43 cm，尾长约 10 cm，体重不到 2 kg，栖息于盆地中不同的荒漠环境和绿洲中，白天活动，晚间常在灌木丛下挖浅窝藏身；以灌木的树皮和细枝为食，也取食芦苇嫩茎；每年 5 月和 8 月繁殖，每窝产仔 2 ～ 5 只；主要分布在新疆塔里木河流域。

（二十八）克拉玛依市玛依格勒自然保护区

该保护区位于克拉玛依市克拉玛依区境内，大部分在小拐牧场，距克拉玛依市最近处为 16 km，紧邻呼（呼图壁）克（克拉玛依）公路。保护区属平原荒漠生态系统，地貌为冲积平原和湖积平原，海拔 270 ~ 310 m。土壤为灰棕色荒漠土，并有少量的灰钙土和棕钙土。保护区气候极端干燥，气温日较差和年较差很大，1 月极端最低气温 −40.5 ℃，7 月最高气温 44 ℃，平均气温 27.5 ℃，平均年降水量 107 mm。克拉玛依地表水可用年总径流量 1.39 亿 m^3，从额尔齐斯河调水 4 亿 m^3，年总径流量 5.39 亿 m^3。保护区内的无名湖，在历史上是玛纳斯河下游河水聚集而成的面积很大的湖泊，后因上游来水量骤减而几近干涸。1998 年玛纳斯河暴发洪水后，形成了面积约 2 800 hm^2 的湖泊，该湖泊主要生长芦苇，栖息着白鹭等众多水禽。

保护区植被以旱生、超旱生植物为主，大部分区域植被盖度在 30% 以下，有的地区植被盖度不足 5%，部分梭梭纯林和柽柳、梭梭混交林的地段植被盖度可达 50% 以上。保护区的玛纳斯河古道下游分布有河谷次生林。保护区的植物主要有胡杨、柽柳、梭梭、沙拐枣、碱蓬、芨芨草、甘草、蒲公英等。保护区的动物资源主要有鹅喉羚、狼、狐狸、沙蜥、天鹅、莺等 40 多种。

（二十九）孔雀河湿地自然保护区

该保护区位于博斯腾湖西南小湖区及孔雀河中上游沿岸地区。孔雀河中上游属于冲积平原区。孔雀河流域处于大陆性干旱荒漠气候区，属典型的中温带大陆性干旱气候。博斯腾湖流域地表径流主要包括开都河、乌什塔拉河、黄水沟、曲惠河等，多年平均地表径流量为 38 亿 m^3，其中开都河占博斯腾湖流域地表径流的 96% 左右。博斯腾湖是开都河的尾闾，也是孔雀河的源头，对开都河起着重要的调节作用，同时也是孔雀河下游农业灌区、工业及城市生活用水的水源地。孔雀河是库尔勒市、尉犁县的主要水源。孔雀河流域的地下水资源量为 4 亿 m^3，其中水资源天然补给量为 998 万 m^3。

保护区内的植被有荒漠植被、草甸植被、沼泽植被、森林植被和灌丛植被，植物有 37 科 79 属 115 种。灌丛植被普遍分布于河流两岸有地下水供应的低地，主要有柽柳灌丛、白刺灌丛。森林植被分布于河谷，主要有胡杨、柳和白榆疏林。草甸植被常见于低地，建群种有一定的耐盐性，盐化草甸有芦苇群落、甘草群落、白麻群落等。沼泽植被主要为芦苇群系。水生植被是世界上的广布种，以芦苇、香蒲、水葱为主。保护区内常见的鸟类有大白鹭、苍鹭等，兽类有野猪、鹅喉羚、塔里木马鹿等，鱼类有鲤鱼等 10 余种。孔雀河营盘地区现有沼泽湿地约 6 000 hm^2，孤立存在于罗布泊洼地的戈壁荒漠中，该沼泽湿地水源源自库鲁克山溪流及山前渗水。沼泽为野骆驼、鹅喉羚等珍稀野生动物提供了生存空间，也是迁徙候鸟重要的停歇地。

（三十）塔里木河上游湿地自然保护区

该保护区位于塔里木河上游。东西长约 161 km，南北宽约 53 km。海拔 950 ~ 1 020 m。年平均气温 11 ℃，极端最高气温 41 ℃，极端最低气温 −41 ℃。年降水量 44 mm，年蒸发量 1 992 mm。

保护区有湿地近 21 万 hm^2，占保护区总面积的 80%。其中河流湿地、湖泊湿地、沼泽湿地和人工湿地分别为 6.37 万 hm^2、0.83 万 hm^2、10.17 万 hm^2、3.23 万 hm^2，分别占保护区湿地面积的 31%、4%、49%、16%。湿地的形成主要有 3 个原因：丰富的河水补给；特殊的地质构造和河水径流变化是湿地形成和发育演变的基础，河流改道、渗漏，在低洼处形成湖泊、沼泽、河流洪泛平原、河滩、洪泛河谷、自然沟和季节洪湿地；建造众多的水库等人为活动是湿地形成的补充因素。

保护区有野生植物 169 种，脊椎动物 161 种。其中新疆大头鱼为塔里木盆地的特有鱼类，别名虎鱼、扁吻鱼、南疆大头鱼等，是大型食肉鱼类；仅分布于新疆塔里木河水系的开都河、阿克苏河、车尔臣河和叶尔羌河之中，是塔里木河流域的特有鱼类；也是新疆 150 多种现存鱼类及 50 多种新疆地方鱼类中的珍贵鱼种及我国的特产鱼类，1988 年 12 月 16 日被列入国家一级保护动物，也是世界裂腹鱼中的珍贵物种，有着极高的学术价值和经济价值。对新疆大头鱼的生境、生长、繁殖和生活习性等生物学特点还缺乏系统、完整的研究，很多方面甚至一无所知。目前学者正积极开展科学研究和人工繁殖工作。

（三十一）伊犁黑蜂自然保护区

该保护区地跨伊犁哈萨克自治州直属的 8 县 1 市，自建立之日起便没有划定面积及地理坐标。保护对象为黑蜂。伊犁黑蜂是在当地优越的自然条件下，经过长期自然选育而形成的优良蜂种。伊犁黑蜂体型长，吻长，采蜜能力强，产蜜量高。平均每蜂群产蜜 150 kg，最高达 259 kg。黑蜂蜜含葡萄糖 36.8%、果糖 39.4%、蔗糖 2.8%、糊精 3.4%、粗蛋白质 0.5%、灰分 0.05%、水分 17%，还含有矿物质、有机酸、酶、维生素和芳香物质。黑蜂具有抗病、抗灾、适应性强、繁殖能力强等特点，在 −30 ℃以下的寒冬里，也能安全越冬；在 8 ℃的气温中还能到野外采蜜，太阳落山后仍能频频活动，飞翔于花丛之中。由于伊犁黑蜂抗病、抗寒能力非常强，飞行半径大，采集自然界零星蜜源能力突出，因此它具有极高的基因研究价值。

（三十二）和田地区西昆仑藏羚羊繁殖地保护区

该保护区位于和田地区民丰县。2004 年 12 月，经和田地区行政公署批准成立。保护区属高山生态系统，海拔 3 822 m。气候为高原干旱气候，属典型的温带荒漠气候，积温较少。年降水量 37 mm，年蒸发量 2 700 mm。主要的动物有藏羚羊、藏野驴、北山羊、岩羊、盘羊、玉带海雕、雪鸡等。

（三十三）博格达峰人与生物圈保护区

该保护区位于新疆阜康市，在东天山支脉博格达山脉北坡，包括天池自然保护区、三工河、四工河、水磨河流域及其山前平原带，以及古尔班通古特沙漠的部分地段。地理坐标为东经 87° 45′ ~ 88° 05′，北纬 43° 45′ ~ 44° 30′。面积为 2 507 km^2。1992 年联合国教科文组织批准建立，保护对象为山地森林、野生动物、高山及沙漠植物、高山湖泊与冰川、山地及荒漠自然景观。

该保护区是研究人类在进行合理持续利用自然资源和经济发展的同时，做好自然资源、物种及生态环境保护工作的典型示范区。该保护区设有不同的功能区。①核心区有南、北 2 个：南部为天池自然保护区，北部为梭梭林保护区。核心区总面积 487 km^2。天池是高山湖泊，围绕着天池的地区是保护区中动植物种类最丰富、自然景观保存最完好的地区。梭梭林保护区在保护区的最北部，面积为 106 km^2。该地区紧靠古尔班通古特沙漠南缘，梭梭、白梭梭等沙漠植被保存完好。②缓冲带位于南、北部 2 个核心区的中间，总面积约 1 730 km^2，南北长约 30 km，东西宽约 15 km，缓冲带有长 3 km、宽 1 km 的红柳分布区，属县级保护区。③过渡区是人类经济活动频繁的地区，面积 290 km^2，位于保护区中部，包括县城、城镇在内的农垦绿洲地带，是农牧结合、以种植和养殖业为主的农业和工业城市发展区。

保护区具有完整而典型的垂直自然景观带。受巨大的高差、湿润的西风大气环流及垂直气候带的影响，保护区承接了较为丰富的降水，成为新疆干旱区生态作用十分重大的“湿岛”，自上而下分布有 9 个垂直自然景观带，是东天山北坡自然景观带中最完整、最典型、最有代表性的区域。山前平原自南向北分布有 4 个水平自然景观带，也是干旱区特殊生态系统的典型代表地段。以下为从上到下的 9 个垂直自然景观带。①永久冰雪裸岩带：分布于海拔 3 950 m 以上的高山带，是以博格达峰为主体的裸岩及永久冰雪地带，是高山固态水库分布区。②高山寒冻垫状植被、苔藓、地衣－原始土带：分布于海拔 3 300 ～ 3 950 m 的高山带，多风化角砾岩屑，土壤发育原始，有稀疏垫状植被及苔藓、地衣等；1 年中大部分时间有积雪，为水源积累区。③高山寒冷草甸－高山草甸土带：分布于海拔 2 900 ～ 3 300 m 的高山带，终年以固态降水为主，植被是以薹草和蒿属植物为主的高山草甸。④亚高山寒冷五花草甸－亚高山草甸土带：分布于海拔 2 400 ～ 2 900 m 的局部半阴坡及更高的阳坡，生长着茂密而艳丽的五花草甸植被，与森林带呈楔形交错分布。⑤山地寒冷针叶林－灰褐色森林土带：仅分布在海拔 1 700 ～ 2 900 m 的阴坡或高海拔区的半阴坡，其中在海拔 1 850 ～ 2 700 m 的地区以天山云杉为主的针叶林最为茂密，为天山“湿岛”的重要水源涵养区。⑥山地寒温灌木草甸－黑钙土带：分布在海拔 1 600 ～ 1 850 m 的半阴坡和部分阴坡以及海拔 1 800 ～ 2 500 m 的阳坡，生长着以蔷薇等为主的灌木和杂类草植被群落，土壤腐殖质层较厚而肥沃。以上 6 个地带位于天池自然保护区。⑦山地寒温带草原－栗钙土带：分布于中山带海拔 1 300 ～ 1 600 m 的阴坡及海拔 1 500 ～ 1 800 m 的阳坡，生长着以禾本科植物为主的草原植被及以绣线菊为主的灌木。⑧山地温带半荒漠草原－棕钙土带：分布于前山带海拔 1 000 ～ 1 300 m 的阴坡及海拔 1 200 ～ 1 500 m 的阳坡，生长着以蒿属植物为主的半荒漠植被，在石质坡上多夹杂有锦鸡儿为主的小灌木。⑨山地温带荒漠草原－灰漠土带：分布于海拔低于 1 000 m 的阴坡及海拔低于 1 200 m 的阳坡，与山前洪冲积扇群上的灰漠土带相接，植被为以藜科植物等为主的荒漠植被。以上 3 个地带位于南部缓冲带。以下为山前平原 4 个自然景观带。①洪冲积扇温带荒漠草原－灰漠土带：分布于海拔 550 ~ 800 m 的山前洪冲积扇带，自然条件优良，为该地区工农业发达的地带，该地区的大部分已开垦为农田，是人类活动最强烈的过渡带。②扇缘温带草甸、沼泽、盐生植被 – 草甸、沼泽、盐土带：位于洪冲积扇群以下的边缘地带，局部地段有泉水溢出，为草甸、沼泽及盐生植被分布区，植被、土壤类型复杂，该带部分已垦为农田，牧业也较发达。③冲积平原温带荒漠草原 – 盐化碱化灰漠土带：位于扇缘至沙漠间的冲积平原区，海拔 400 ~ 500 m，自然植被以枇杷柴、碱蓬、红柳、猪毛菜等为主，分布着残余盐化碱化灰漠土，局部地带也已被垦为农场。以上地带位于北部缓冲带。④古冲积平原沙漠温带植被 – 风沙土带：为准噶尔盆地中部的古尔班通古特沙漠，海拔 330 ~ 400 m，为半固定沙丘的分布区，植被以白梭梭、沙拐枣为主，该带位于北部沙漠核心保护区。

该保护区共记录植物 369 种，其中裸子植物 3 科 5 种，单子叶植物 9 科 43 种，双子叶植物 5 科 321 种，其中超过 250 种植物分布在天池自然保护区。该保护区内有国家级保护植物胡杨、梭梭、白梭梭、肉苁蓉、雪莲共 5 种。该保护区共有脊椎动物 140 多种，其中鸟类 94 种，兽类 37 种，两栖爬行类 4 种，鱼类 10 种，在这些种类中属于国家级保护动物的有 25 种；其中一级保护动物有黑鹳、雪豹、北山羊；二级保护动物有大天鹅、鸢、雀鹰、棕尾鵟、草原雕、小雕、秃鹫、兀鹫、燕隼、暗腹雪鸡、黑腹沙鸡、雕鸮、纵纹腹小鸮、棕熊、石貂、兔狲、猞猁、马鹿、盘羊、鹅喉羚、亚洲野驴等。

第二章

新疆维吾尔自治区第四次中药资源普查情况

新疆第四次中药资源普查工作在新疆维吾尔自治区卫生健康委员会的组织下，由新疆维吾尔自治区中药民族药研究所牵头，并联合新疆医科大学、新疆大学、新疆农业大学、新疆师范大学、喀什大学、伊犁师范大学、新疆维吾尔自治区药物研究所、新疆维吾尔自治区药品检验研究院、中国医学科学院药用植物研究所、中国测绘科学研究院、石河子大学、昌吉职业技术学院、中国科学院新疆生态与地理研究所、新疆维吾尔自治区天山西部国有林管理局、新疆维吾尔自治区天山东部国有林管理局、新疆维吾尔自治区阿尔泰山国有林管理局、巴音郭楞蒙古自治州阿尔金山国家级自然保护区管理局等多家单位共同实施。

普查工作自 2012 年 4 月 9 日正式启动，共分五期，进行了 94 个县（市、区）的普查工作，覆盖了新疆 160 万 km^2 以上的地区。

为保障中药资源普查工作的顺利实施，新疆成立并先后 4 次调整了普查工作领导小组和专家委员会，建立了行之有效的跨部门、跨地区、跨行业协同联动的工作机制，形成了以领导小组办公室为核心，专家委员会为技术支撑，外业普查队与后勤保障组、信息与成果组等内业工作组为主力，质量监理组与纪检监察组为保障的工作体系。累计组建外业普查队 32 支、内业工作组 16 个、质量监理组 4 个、纪检监察组 4 个，先后培训普查人员 500 余人次。经费使用方面，遵循“一切利于工作开展、责任清晰、绩效最大化”的原则，采用“专项经费由普查工作技术承担单位统一严格按国家及自治区普查经费管理办法执行，结合实际及时调整经费使用”的管理模式，坚持专款专用，纪检全过程监察，从严从紧从实把控经费开支关口，实现了普查经费使用规范、绩效显著的目标。

通过本次中药资源普查，建立并逐步完善了新疆中药资源信息管理服务平台，积极助力新疆中药材产业的可持续发展。

一、组织管理工作

（一）成立领导小组

普查伊始，新疆成立了普查领导小组，普查领导小组由新疆维吾尔自治区人民政府副主席任组长，新疆维吾尔自治区人民政府副秘书长与新疆维吾尔自治区卫生健康委员会副主任任副组长，新疆维吾尔自治区发展和改革委员会、新疆维吾尔自治区财政厅、新疆维吾尔自治区科学技术厅、新疆维吾尔自治区林业和草原局、新疆维吾尔自治区生态环境厅、新疆维吾尔自治区畜牧兽医局、新疆维吾尔自治区农业农村厅等部门的主要领导为组员。领导小组主要负责研究决定新疆第四次中药资源普查工作中的重大事项；检查、督导协调各地（州、市）、县（市、区）的相关部门，积极推进新疆第四次中药资源普查工作。

（二）成立领导小组办公室（普查工作办公室）

普查领导小组下设办公室，负责新疆第四次中药资源普查工作的组织、协调及日常工作。办公室设在新疆维吾尔自治区卫生健康委员会，新疆维吾尔自治区卫生健康委员会副主任任领导小组办公室主任，新疆维吾尔自治区卫生健康委员会中医药管理处、新疆维吾尔自治区中药民族药研究所所长任领导小组办公室副主任。

二、专业技术队伍建设情况

（一）成立技术专家委员会

技术专家委员会由历届中药资源普查工作办公室主任担任主任，历届领导小组联系人和承担单位法人任副主任兼技术负责人，相关领域专家和新疆第三次中药资源普查技术骨干任委员。

（二）成立技术专家委员会办公室

技术专家委员会办公室设在承担单位新疆维吾尔自治区中药民族药研究所，新疆维吾尔自治区中药民族药研究所所长、副所长先后任办公室主任，新疆维吾尔自治区中药民族药研究所书记任副主任，负责项目全过程的实施与督查工作，为项目顺利完成提供了可靠有力的技术支撑。

（三）组建外业普查队

各普查队队长由领导小组办公室聘任。新疆先后组建了32支省级普查队承担普查工作。在任务艰巨、人才短缺的情况下，领导小组办公室本着“才尽其用”的原则，充分利用工作实施的时间差，多次聘任部分人员担任普查队队长。普查队队员由队长从各相关单位推荐的45岁以下、身体健康且适应野外作业的相关专业人员中选择。包括核心技术骨干在内，参加外业工作的人员共计194人。32个普查队长详见表1-2-1。

表1-2-1　新疆第四次中药资源普查工作32个普查队队长

批次	队长	依托单位	普查任务来源	普查县（市、区）
第一期	王果平	新疆维吾尔自治区中药民族药研究所	2011年中医药部门公共卫生专项	布尔津县、富蕴县、哈巴河县、吉木乃县
	贾新岳	新疆维吾尔自治区中药民族药研究所	2011年中医药部门公共卫生专项	轮台县、焉耆回族自治县、和静县、博湖县
	朱　军	新疆维吾尔自治区中药民族药研究所	2011年中医药部门公共卫生专项	洛浦县、策勒县、于田县、民丰县
	田树革	新疆医科大学	2011年中医药部门公共卫生专项	阜康市、奇台县、吉木萨尔县、木垒哈萨克自治县

续表

批次	队长	依托单位	普查任务来源	普查县（市、区）
	何江	新疆维吾尔自治区药物研究所	2011 年中医药部门公共卫生专项	伊宁县、新源县、昭苏县、尼勒克县
第二期	石明辉	新疆维吾尔自治区中药民族药研究所	2011 年中医药部门公共卫生专项	3S 队*
	王果平	新疆维吾尔自治区中药民族药研究所	2014 年公卫专项	塔城市、额敏县、裕民县、和布克赛尔蒙古自治县
	朱军	新疆维吾尔自治区中药民族药研究所	2014 年公卫专项	博乐市（含阿拉山口市）、精河县、温泉县、托里县
	田树革	新疆医科大学	2014 年公卫专项	伊州区、巴里坤哈萨克自治县、伊吾县
第三期	樊丛照	新疆维吾尔自治区中药民族药研究所	2017 年公卫专项（正式普查）	乌苏市、沙湾市
	王果平	新疆维吾尔自治区中药民族药研究所	2017 年公卫专项（正式普查）	阿勒泰市、福海县、青河县
	朱军	新疆维吾尔自治区中药民族药研究所	2017 年公卫专项（正式普查）	达坂城区、乌鲁木齐县、沙雅县
	石磊岭	新疆维吾尔自治区中药民族药研究所	2017 年公卫专项（正式普查）	昌吉市、呼图壁县、玛纳斯县
	何江	新疆维吾尔自治区药物研究所	2017 年公卫专项（正式普查）	独山子区、克拉玛依区、白碱滩区、乌尔禾区
第四期	樊丛照	新疆维吾尔自治区中药民族药研究所	2018 年中医药公共卫生服务补助专项“全国中药资源普查项目”	伊宁市、察布查尔锡伯自治县、特克斯县
	石磊岭	新疆维吾尔自治区中药民族药研究所	2018 年中医药公共卫生服务补助专项“全国中药资源普查项目”	墨玉县、皮山县
	石磊岭	新疆维吾尔自治区中药民族药研究所	2018 年中医药公共卫生服务补助专项“全国中药资源普查项目”	霍城县（含霍尔果斯市）、奎屯市、巩留县
	宋海龙	新疆维吾尔自治区中药民族药研究所	2018 年中医药公共卫生服务补助专项“全国中药资源普查项目”	高昌区、鄯善县、托克逊县
	杨美琳	中国科学院新疆生态与地理研究所	2018 年中医药公共卫生服务补助专项“全国中药资源普查项目”	阿图什市、阿克陶县、阿合奇县、乌恰县
	伊永进	昌吉职业技术学院	2018 年中医药公共卫生服务补助专项“全国中药资源普查项目”	喀什市、疏附县、疏勒县、麦盖提县
	陈向南	昌吉职业技术学院	2018 年中医药公共卫生服务补助专项“全国中药资源普查项目”	伽师县、巴楚县、图木舒克市

续表

批次	队长	依托单位	普查任务来源	普查县（市、区）
	伊永进	昌吉职业技术学院	2018 年中医药公共卫生服务补助专项“全国中药资源普查项目”	英吉沙县、莎车县、岳普湖县
	宋海龙	新疆维吾尔自治区中药民族药研究所	2018 年中医药公共卫生服务补助专项“全国中药资源普查项目”	叶城县、泽普县
	郭雄飞	新疆维吾尔自治区中药民族药研究所	2018 年中医药公共卫生服务补助专项“全国中药资源普查项目”	塔什库尔干塔吉克自治县
	王东东	新疆医科大学	2018 年中医药公共卫生服务补助专项“全国中药资源普查项目”	和田市、和田县
第五期	阎平	石河子大学	2019 年中央医疗服务与保障能力提升补助资金（中医药事业传承与发展部分）	天山区（含沙依巴克区）、新市区（含水磨沟区、头屯河区）
	黄刚	石河子大学	2019 年中央医疗服务与保障能力提升补助资金（中医药事业传承与发展部分）	米东区（含五家渠市）、石河子市
	石书兵	新疆农业大学	2019 年中央医疗服务与保障能力提升补助资金（中医药事业传承与发展部分）	库尔勒市(含铁门关市)、尉犁县、和硕县
	邱远金	新疆维吾尔自治区中药民族药研究所	2019 年中央医疗服务与保障能力提升补助资金（中医药事业传承与发展部分）	若羌县、且末县
	兰卫	新疆医科大学	2019 年中央医疗服务与保障能力提升补助资金（中医药事业传承与发展部分）	阿克苏市、阿瓦提县、阿拉尔市、柯坪县
	王东东	新疆医科大学	2019 年中央医疗服务与保障能力提升补助资金（中医药事业传承与发展部分）	乌什县、温宿县
	黎耀东	新疆医科大学	2019 年中央医疗服务与保障能力提升补助资金（中医药事业传承与发展部分）	库车市、新和县、拜城县

*：3S 队主要负责品种的野外勘查及卫星影像的定制工作。3S 即全球定位系统（GPS）、地理信息系统（GIS）、遥感技术（RS）。

（四）组建后勤保障组

新疆维吾尔自治区中药民族药研究所主要负责普查工作装备购置、经费管理与后勤保障等日常工作。

（五）组建信息与成果组、标本实物组

新疆维吾尔自治区中药民族药研究所执行技术负责人任组长。前后有 70 人参加工作，标本组与实物（药材种子）组分别由相关专业人员负责，以保障普查顺利完成。

（六）组建质量监理组

质量监理组由领导小组办公室、技术专家委员会办公室及普查专家组成，联系人由新疆第四次中药资源普查工作执行技术负责人担任。

（七）组建纪检监察组

新疆维吾尔自治区中药民族药研究所书记任纪检监察组组长，负责对新疆第四次中药资源普查工作进行全过程的监督。

三、任务、工作目标、考核指标及其完成情况

（一）任务

根据国家的统一要求，新疆第四次中药资源普查工作对乌鲁木齐市、克拉玛依市、吐鲁番市、哈密市、阿克苏地区、喀什地区、和田地区、昌吉回族自治州、博尔塔拉蒙古自治州、巴音郭楞蒙古自治州、克孜勒苏柯尔克孜自治州、伊犁哈萨克自治州、塔城地区、阿勒泰地区 14 个地（州、市）的 94 个普查县（市、区）的药用资源种类、分布、蕴藏量、资源变化趋势、传统知识、野生与栽培情况、收购量、需求量等中药资源本底情况进行调查，掌握 94 个普查县（市、区）重点品种的资源情况；研究确立传统知识保护利用方式，研究制订代表性区域中药资源保护利用与发展规划，为区域经济和中医药产业的发展提供技术支撑。

（二）工作目标

①掌握新疆药用资源种类、分布、蕴藏量、资源变化趋势、传统知识、野生与栽培情况、收购量、需求量等中药资源本底情况。②建立药用资源数据库和网络化共享服务系统。③研究多部门、多学科药用资源普查、保护、利用的运行机制。④提出药用资源管理、保护及开发利用的总体规划建议。

（三）考核指标

1. 技术指标

①每个项目县采集标本的品种数不低于文献记载的 80%，每个品种采集的标本数不少于 3 份。②依据重点调查中药材目录，设计项目县县级普查方案，县级重点调查品种数不少于国家技术标准规定的品种数；每个重点调查品种采集药材样品 1 ~ 2 kg（干）；完成重点品种调查报告。③按技术规程的要求完成项目县各类数据、图像、影像资料的采集，并上传系统。④每个项目县按国家要求进行传统知识调查和药材市场调查，并完成报告、上传数据。

2. 人才队伍建设

培养中药资源普查人员不低于 400 人，其中技术骨干不低于 150 人。

3. 编制规划报告

每县完成中药资源普查工作与技术总结，编制中药材产业发展规划。

4. 著作、论文

参与《中国中药资源大典》系列图书的编著，发表论文 15 ~ 20 篇。

5. 精准扶贫工作

普查队应根据《中药材产业扶贫行动计划（2017—2020 年）》，结合实际情况，编制县级中药材种植推荐目录；建立服务于企业和农户的中药资源动态监测信息和技术服务体系，为企业建立中药材生产原料基地提供服务。

（四）考核指标完成情况

截至 2023 年，新疆第四次中药资源普查工作共计完成了 493 个代表区域、3 501 个样地、17 652 个样方套的实地调查，涉及野生植物 3 148 种、栽培植物 83 种，记录个体数 1 018 种，统计蕴藏量 152 种；调查市场流通药材品种 134 种，传统知识 432 条；采集腊叶标本 151 082 份、药材标本 2 710 份、种质资源 1 784 份；拍摄照片 322 116 张，录像 2 440 分钟；调查药材市场 55 个，采集栽培药材信息 250 条，走访民间医生 255 位；形成各类报告 283 份；发表论文 37 篇；主编出版《新疆常见药用植物速认实用图谱》（2012 年，新疆人民出版社）、《新疆特色药用资源图谱 Ⅰ》（2013 年，科学出版社）、《新疆药用植物名录》（2014 年，新疆人民出版社）、《新疆常见药用植物速认实用图谱》（修订本，2019 年，北京科学技术出版社）、《新疆特色药用资源图谱Ⅱ》（2021 年，科学出版社）、《夏尔希里药用植物志》（2021 年，上海科学技术出版社）、《十四个集中连片特困区中药材精准扶贫技术丛书 · 新疆南疆三地州中药材生产加工适宜技术》（2021 年，中国医药科技出版社）；颁布行业标准 1 项、团体标准 3 项、地方标准 9 项；对大宗栽培品种伊贝母、罗布麻、红花、枸杞、甘草、肉苁蓉等开展了遥感调查研究；提交药用植物资源量和动态监测报告 9 份；建立新疆中药资源数据库；获得新疆中药资源分布地理信息系统、新疆药用植物标本管理系统、新疆中药材生产区划分析地理信息系统 3 项计算机软件著作权；建成了占地 1 000 m^2 可馆藏标本 20 余万份的标本库、110 m^2 的种子低温保存库、55 m^2 的超低温资源保存库、200 m^2 的药材阴凉库和 80 m^2 的新疆中药资源展示馆；筹建中药资源动态监测信息和技术服务体系（省级技术服务中心 1 个，县级监测站 2 个）；在焉耆回族自治县建设占地 2 670 亩的种子种苗繁育基地。

（五）组织管理经验

中药资源普查工作需要省级、县级政府多部门、技术支撑单位与各技术协作单位多方面的通力协作。高效的组织管理是统筹协调各方面资源，确保普查工作按时、保质、有序实施的基础，是普查工作顺利完成的必要条件。自第三次中药资源普查后，新疆长期致力于中药资源研究工作的人员较少，加之植物分类学的学科特性，无法完全按国家要求以县为单位组建普查队。新疆第四次中药资源普查工作领导小组办公室自开展试点工作起，就确定了“结合实际、因势利导、顶层设计、合理布局、集中优势”的组织管理模式，并逐步形成了以下普查工作运行机制。①领导亲自抓。行政主管部门第一责任人任项目负责人，承担单位法人任技术负责人，保障了普查工作的高效管理。②普查队伍团队化。新疆维吾尔自治区中药民族药研究所为承担单位，实行双技术负责人制，即由参加第三次中药资源普查工作并坚持从事中药资源研究的学科带头人任执行技术负责人，以承担单位的学科团队为核心，广泛吸收新疆相关专业技术力量和普查县（市、区）的相关部门人员构建普查队伍，确保普查队核心稳定、结构合理。③经费统一管理。承担单位统一管理普查经费，按国家和自治区经费管理办法和普查实施方案支出，避免了经费的浪费，提高了经费的利用率。④质量管理贯穿全程。设置质量监理组与纪检监察组，保障普查工作的规范化。

（六）组织方面的显著性成效

1. 组织管理机制因地制宜，“多县一队”特色鲜明

新疆第四次中药资源普查的组织管理工作因地制宜，采取行政、技术两线并行的工作机制和“县省联合”的形式；先后累计制定省级及县级普查方案 92 套、各类管理办法 18 个，举办培训班 21 期，编制培训文本 7 本，发行公文 50 号，组建线上工作群组 17 个，撰写工作简报 56 期，完成专家现场督导 30 轮次。

在全国范围内率先实行“多县一队”制［1 个普查队负责 2 ～ 4 个县（市、区）的普查任务］的建队模式，简化管理流程，节约人力、物力，最大限度地保证了普查工作的效率与质量。

2. 普查成果的转化载体新颖，区域优势明显

新疆第四次中药资源普查工作立足“一带一路”区域特色，综合分析并合理运用普查成果，建立了新疆中药标本库、药材阴凉库、种子低温保存库和中药资源数据库，研发了新疆中药资源分布地理信息系统、新疆药用植物标本管理系统、新疆中药材生产区划分析地理信息系统，初步构建了新疆中药资源信息管理服务平台，为新疆中药材产业发展的顶层设计和政策制定提供了依

据。

3. 普查经费集中管理，统筹分配，实现经费效益最大化

新疆第四次中药资源普查工作在全国范围内率先实行普查经费省级部门统一分配管理制度，简化了经费管理流程，提高了经费利用率，尽力做到少花钱多办事。

4. 注重人才培养，建立新疆中药资源普查技术队伍

根据普查进程和工作需要，及时开展普查培训，包括外业调查、内业整理、数据库使用等与普查任务相关的技术培训；开展中药材种子种苗繁育基地建设、中药资源动态监测信息和技术服务体系建设等与普查任务相关的专题培训，累计培训人员500余人次，建立起一支中药资源技术队伍。

四、中药资源普查各项任务工作完成情况总结

（一）新疆中药资源总体情况

新疆第四次中药资源普查工作先后分五期开展，2012年4月9日启动的第一期20个试点县（市、区）于2017年1月23日通过省级验收，2017年5月15日通过国家验收；2015年4月30日启动的第二期11个试点县（市、区）于2018年7月25日通过省级验收，2018年12月27日通过国家验收；2017年5月9日启动的第三期15个县（市、区）于2019年11月15日通过省级验收，2020年1月14日通过国家验收；2018年6月21日启动的第四期30个县（市、区）于2020年12月11日通过省级验收，2022年9月25日通过国家验收；2019年6月30日启动的第五期18个县（市、区）于2021年7月31日通过省级验收，2022年9月25日通过国家验收。

3S队完成了精河县（枸杞）、和布克赛尔蒙古自治县（甘草）、于田县（柽柳）、吉木萨尔县（红花）等的种植区及其他主要农作物的边界勘察和地物光谱的测量工作；对伊贝母（巩留县、霍城县）、大花罗布麻（尉犁县）、红花（裕民县、吉木萨尔县、木垒哈萨克自治县及阿勒泰市阿拉哈克乡）、枸杞（和布克赛尔蒙古自治县、精河县）、甘草（和布克赛尔蒙古自治县、精河县）、小花罗布麻（裕民县及阿勒泰市阿拉哈克乡）、肉苁蓉（于田县）进行了卫星影像定制，并完成了其室内影像的解译工作；提交高空遥感影像图9份、低空遥感影像图9份，提交植被照片25份、植物照片27份，提交药用植物资源量和动态监测报告9份。

通过对新疆14个地（州、市）94个普查县（市、区）的走访调查，基本掌握了各县（市、区）的中药资源概况，并提交了中药资源调查报告、中药产业规划（建议）、重点品种产业发展规划、民间民族医调查报告，不仅为各地（州、市）、县（市、区）政府规划和发展中药产业提供了科学依据，为新疆中药资源的可持续开发利用提供了本底资料，还推动了中药在民间的科普宣传工作，为新疆医药产业的发展奠定了基础。（详见表1-2-2～表1-2-11）

表 1－2－2　新疆各县（市、区）一般调查完成情况

区域名	一般调查种数	一般调查属数	一般调查科数	一般调查记录数	腊叶标本种数	腊叶标本属数	腊叶标本科数	腊叶标本调查记录数
阿合奇县	133	101	37	663	133	101	37	204
阿克苏市	124	99	46	442	123	99	45	165
阿克陶县	98	76	33	511	98	76	33	148
阿拉尔市	105	86	42	553	105	86	42	138
阿勒泰市	354	222	64	1 148	352	222	64	615
阿图什市	114	87	32	684	114	87	32	167
阿瓦提县	113	90	36	479	112	90	35	130
巴楚县	103	79	31	597	103	79	31	150
巴里坤哈萨克自治县	262	165	49	604	226	152	45	324
白碱滩区	145	104	42	632	132	98	41	329
拜城县	132	99	39	732	131	99	39	212
博湖县	90	72	30	180	55	47	25	56
博乐市（含阿拉山口市）	488	270	65	1 209	483	271	65	796
布尔津县	387	222	62	2 330	184	145	50	184
策勒县	77	72	40	489	66	62	36	68
察布查尔锡伯自治县	569	326	75	1 549	569	326	75	800
昌吉市	406	253	62	552	405	252	62	551
达坂城区	359	230	61	755	356	230	61	456

续表

区域名	一般调查种数	一般调查属数	一般调查科数	一般调查记录数	腊叶标本种数	腊叶标本属数	腊叶标本科数	腊叶标本调查记录数
独山子区	221	148	47	1 679	179	128	46	292
额敏县	344	224	54	1 078	324	207	53	737
福海县	315	204	59	687	315	204	58	523
阜康市	83	77	36	194	83	77	36	86
富蕴县	180	141	51	492	174	136	50	177
伽师县	93	74	30	492	93	74	30	152
高昌区	155	129	53	391	154	128	52	179
巩留县	516	308	79	1 092	499	306	78	732
哈巴河县	136	109	53	403	125	102	52	127
伊州区	279	198	58	541	262	189	57	321
和布克赛尔蒙古自治县	365	204	50	816	358	199	49	504
和静县	334	204	52	768	264	174	49	306
和硕县	174	125	45	641	174	124	45	292
和田市	124	108	44	137	124	108	43	137
和田县	213	161	55	246	213	161	55	246
呼图壁县	412	264	63	564	411	264	63	562
霍城县（含霍尔果斯市）	518	300	71	1 118	490	297	71	655
吉木乃县	229	165	44	637	158	118	39	162
吉木萨尔县	88	78	32	216	89	79	33	105

续表

区域名	一般调查种数	一般调查属数	一般调查科数	一般调查记录数	腊叶标本种数	腊叶标本属数	腊叶标本科数	腊叶标本调查记录数
精河县	255	187	59	533	252	185	58	304
喀什市	107	88	35	877	108	88	35	165
柯坪县	92	81	36	389	92	81	35	98
克拉玛依区	247	166	53	1 573	222	157	50	480
库车市	201	143	55	565	168	132	52	228
库尔勒市（含铁门关市）	185	133	48	631	184	133	48	420
奎屯市	139	112	42	454	136	111	42	140
轮台县	86	71	36	947	41	37	24	41
洛浦县	76	67	33	576	61	56	29	61
玛纳斯县	394	263	66	562	395	264	66	562
麦盖提县	98	74	34	634	99	74	34	156
米东区（含五家渠市）	387	238	58	970	349	230	58	465
民丰县	74	68	33	441	65	62	31	66
墨玉县	103	83	31	394	93	78	31	102
木垒哈萨克自治县	93	81	37	293	90	79	36	114
尼勒克县	311	217	68	2 183	121	102	49	121
皮山县	222	153	45	681	202	149	45	271
奇台县	98	84	38	259	98	84	38	103
且末县	257	154	47	1 496	257	154	47	985

续表

区域名	一般调查种数	一般调查属数	一般调查科数	一般调查记录数	腊叶标本种数	腊叶标本属数	腊叶标本科数	腊叶标本调查记录数
青河县	335	206	51	905	335	206	51	516
若羌县	238	134	41	1 231	238	134	40	842
沙湾市	369	243	66	931	369	243	65	518
沙雅县	154	123	46	461	153	123	45	195
莎车县	205	157	57	576	205	157	57	237
鄯善县	141	109	45	240	141	109	45	159
石河子市	341	212	55	1 050	315	206	54	448
疏附县	113	92	35	608	2	2	2	2
疏勒县	98	74	34	707	97	74	34	155
塔城市	328	213	59	947	326	211	58	784
塔什库尔干塔吉克自治县	367	209	54	1 031	367	209	54	682
特克斯县	493	284	71	1 560	493	284	71	676
天山区（含沙依巴克区）	293	182	49	1 224	293	182	49	406
图木舒克市	106	75	34	592	98	74	33	141
托克逊县	161	120	42	399	161	120	41	175
托里县	305	201	56	527	304	201	56	376
尉犁县	86	69	25	331	86	69	25	209
温泉县	285	188	57	554	284	188	57	354
温宿县	204	142	49	420	202	141	49	294

续表

区域名	一般调查种数	一般调查属数	一般调查科数	一般调查记录数	腊叶标本种数	腊叶标本属数	腊叶标本科数	腊叶标本调查记录数
乌尔禾区	178	121	43	751	155	115	43	285
乌鲁木齐县	423	261	61	1 063	413	258	60	540
乌恰县	106	77	30	648	106	77	30	142
乌什县	169	125	49	454	169	125	48	225
乌苏市	448	282	75	1 143	448	282	75	652
新和县	86	73	35	156	84	72	33	95
新市区（含水磨沟区、头屯河区）	276	177	46	1 279	278	179	46	403
新源县	370	243	65	1 590	118	98	41	141
焉耆回族自治县	83	65	29	755	34	32	22	34
叶城县	234	173	53	685	234	173	53	271
伊宁市	377	252	68	1 179	377	252	68	464
伊宁县	311	211	72	1 162	60	58	28	64
伊吾县	208	153	47	509	203	150	46	282
英吉沙县	146	120	44	618	147	120	44	161
于田县	83	79	36	530	73	70	33	75
裕民县	312	210	64	1 023	299	202	61	529
岳普湖县	128	103	42	553	129	103	41	154
泽普县	127	114	51	394	127	114	50	138
昭苏县	295	197	65	2 681	127	106	45	127

表 1－2－3　新疆维吾尔自治区中药资源普查数据汇总

区域名	第四次中药资源普查后向社会公布的中药资源			人工种植（养殖）	
	科数	属数	种数	种数	种植（养殖）面积 / 亩
阿合奇县	35	71	93	1	30
阿克苏市	38	77	88	1	30
阿克陶县	30	53	68	1	2
阿拉尔市	37	63	76	1	2 000
阿勒泰市	57	178	268	14	29 868
阿图什市	30	62	78	1	3
阿瓦提县	31	65	76	2	500
巴楚县	27	59	72	2	3 600
巴里坤哈萨克自治县	45	152	200	1	50
白碱滩区	33	73	96	0	0
拜城县	36	75	96	1	20
博湖县	26	56	69	0	0
博乐市（含阿拉山口市）	62	317	390	2	210
布尔津县	54	175	277	6	520.4
策勒县	32	52	56	7	58 515
察布查尔锡伯自治县	64	245	398	2	170 120
昌吉市	56	185	278	3	5 400
达坂城区	58	184	283	1	10
独山子区	42	112	154	0	0
额敏县	48	255	265	2	9 930
福海县	52	156	227	8	29 331
阜康市	33	66	70	2	3 000
富蕴县	51	142	181	1	100
伽师县	27	58	70	2	80 290

续表

区域名	第四次中药资源普查后向社会公布的中药资源			人工种植（养殖）	
	科数	属数	种数	种数	种植（养殖）面积 / 亩
高昌区	47	91	105	1	300
巩留县	70	233	380	8	1 227
哈巴河县	48	93	108	2	85 010
伊州区	51	189	232	3	329 800
和布克赛尔蒙古自治县	46	166	284	2	12 580
和静县	48	170	266	0	0
和硕县	38	94	128	1	2 700
和田市	38	84	93	1	2 500
和田县	49	127	160	2	26 150
呼图壁县	54	191	284	4	1 453
霍城县（含霍尔果斯市）	65	224	362	10	2 302
吉木乃县	42	132	174	1	15
吉木萨尔县	32	68	78	5	10 250
精河县	56	181	228	3	181 150
喀什市	35	74	84	3	1 750
柯坪县	31	65	75	4	42 020
克拉玛依区	44	123	178	3	11 661
库车市	47	107	137	1	5
库尔勒市（含铁门关市）	43	100	131	2	1 800
奎屯市	37	79	93	1	890
轮台县	34	63	77	1	5 000
洛浦县	31	56	63	6	903 545
玛纳斯县	61	192	279	1	70
麦盖提县	32	65	84	4	32 300

续表

区域名	第四次中药资源普查后向社会公布的中药资源			人工种植（养殖）	
	科数	属数	种数	种数	种植（养殖）面积 / 亩
米东区（含五家渠市）	51	172	267	1	85
民丰县	28	48	54	3	22 040
墨玉县	30	73	84	5	1 348
木垒哈萨克自治县	32	68	78	1	2 000
尼勒克县	59	176	242	5	20 255
皮山县	42	119	158	4	138 390
奇台县	32	63	73	1	2 000
且末县	46	127	188	3	1 491
青河县	44	159	243	4	55 435
若羌县	39	101	160	1	12 000
沙湾市	55	175	252	1	25
沙雅县	40	98	116	3	705
莎车县	47	118	151	4	10 350
鄯善县	39	72	87	1	10
石河子市	50	156	223	1	30
疏附县	31	68	80	2	1 300
疏勒县	31	59	73	4	2 070
塔城市	54	207	265	1	1
塔什库尔干塔吉克自治县	49	147	242	2	9
特克斯县	63	211	353	4	9 335
天山区（含沙依巴克区）	46	131	193	1	20
图木舒克市	33	61	80	2	11 000
托克逊县	38	88	114	1	30
托里县	49	184	243	1	8 000

续表

区域名	第四次中药资源普查后向社会公布的中药资源			人工种植（养殖）	
	科数	属数	种数	种数	种植（养殖）面积 / 亩
尉犁县	25	56	68	1	50
温泉县	51	178	233	2	1 210
温宿县	46	110	150	1	1 280
乌尔禾区	38	93	131	1	2 000
乌鲁木齐县	59	208	341	1	300
乌恰县	27	53	69	1	1
乌什县	44	96	119	1	10
乌苏市	66	215	316	1	21 650
新和县	30	58	65	1	20
新市区（含水磨沟区、头屯河区）	43	137	189	2	8
新源县	54	173	238	5	8 010
焉耆回族自治县	24	48	63	1	5 000
叶城县	49	128	161	1	10
伊宁市	61	190	267	2	14 135
伊宁县	60	158	218	27	29 785
伊吾县	42	175	218	3	2 400
英吉沙县	38	93	111	2	65
于田县	34	67	70	2	26 150
裕民县	58	178	313	1	158 900
岳普湖县	36	74	90	1	30 000
泽普县	45	90	101	1	10
昭苏县	55	153	221	2	2 000

表 1-2-4 新疆各县（市、区）物种数目

区域名	科数	属数	种数
阿合奇县	39	102	129
阿克苏市	46	100	121
阿克陶县	33	81	103
阿拉尔市	42	87	103
阿勒泰市	64	223	359
阿图什市	32	89	120
阿瓦提县	35	91	112
巴楚县	31	78	102
巴里坤哈萨克自治县	48	152	235
白碱滩区	41	98	131
拜城县	39	99	128
博湖县	34	42	90
博乐市（含阿拉山口市）	72	239	449
布尔津县	61	130	279
策勒县	52	51	151
察布查尔锡伯自治县	76	318	527
昌吉市	62	251	403
达坂城区	62	240	387
独山子区	44	126	174
额敏县	58	205	337
福海县	59	195	296
阜康市	48	63	163
富蕴县	56	122	241
伽师县	31	73	91
高昌区	51	113	136
巩留县	78	284	459
哈巴河县	57	93	209
伊州区	61	191	269
和布克赛尔蒙古自治县	54	200	370
和静县	64	155	224

续表

区域名	科数	属数	种数
和硕县	45	124	172
和田市	42	110	124
和田县	57	163	211
呼图壁县	63	263	407
霍城县（含霍尔果斯市）	69	167	424
吉木乃县	60	111	267
吉木萨尔县	38	70	138
精河县	61	187	273
喀什市	37	88	111
柯坪县	35	81	92
克拉玛依区	49	156	219
库车市	52	133	168
库尔勒市（含铁门关市）	48	132	184
奎屯市	45	108	128
轮台县	50	35	185
洛浦县	35	45	104
玛纳斯县	66	264	394
麦盖提县	36	72	98
米东区（含五家渠市）	58	229	346
民丰县	39	59	125
墨玉县	28	72	84
木垒哈萨克自治县	41	70	167
尼勒克县	59	96	253
皮山县	47	149	199
奇台县	48	75	208
且末县	47	155	251
青河县	50	201	322
若羌县	40	134	229
沙湾市	66	243	365
沙雅县	46	124	157
莎车县	56	153	198
鄯善县	47	98	120
石河子市	54	207	315
疏附县	37	93	113
疏勒县	35	73	95

续表

区域名	科数	属数	种数
塔城市	61	214	341
塔什库尔干塔吉克自治县	56	214	370
特克斯县	69	279	468
天山区（含沙依巴克区）	49	183	293
图木舒克市	36	75	97
托克逊县	43	115	150
托里县	62	199	335
尉犁县	25	69	86
温泉县	62	189	290
温宿县	49	141	201
乌尔禾区	43	115	157
乌鲁木齐县	63	273	456
乌恰县	31	77	105
乌什县	48	126	170
乌苏市	75	282	442
新和县	33	73	84
新市区（含水磨沟区、头屯河区）	46	179	278
新源县	63	95	304
焉耆回族自治县	33	30	126
叶城县	53	157	196
伊宁市	70	243	347
伊宁县	60	53	203
伊吾县	51	151	217
英吉沙县	44	120	147
于田县	44	61	139
裕民县	64	203	316
岳普湖县	41	104	127
泽普县	49	113	126
昭苏县	62	103	287

表 1-2-5　新疆药用资源分类统计表

类别	科数	属数	种数
真菌	2	2	2
苔藓植物	17	17	18
蕨类植物	12	19	42
裸子植物	5	10	40
被子植物	101	825	3 021
双子叶植物	87	709	2 565
单子叶植物	14	116	456

表 1-2-6　新疆药用植物种数排名前 20 的科

排名	科名	种数	排名	科名	种数
1	菊科	468	11	蓼科	89
2	豆科	268	12	百合科	83
3	禾本科	221	13	莎草科	80
4	十字花科	173	14	紫草科	75
5	蔷薇科	143	15	玄参科	75
6	藜科	131	16	杨柳科	42
7	毛茛科	123	17	罂粟科	33
8	唇形科	118	18	大戟科	33
9	石竹科	114	19	茜草科	29
10	伞形科	105	20	报春花科	26

表 1-2-7　新疆药用植物属数排名前 20 的科

排名	科名	种数	排名	科名	种数
1	菊科	123	8	蔷薇科	33
2	十字花科	70	9	毛茛科	25
3	禾本科	65	10	石竹科	24
4	伞形科	52	11	紫草科	21
5	唇形科	47	12	玄参科	18
6	豆科	37	13	百合科	17
7	藜科	34	14	莎草科	12

续表

排名	科名	种数	排名	科名	种数
15	茄科	11	18	兰科	9
16	蓼科	11	19	龙胆科	9
17	罂粟科	10	20	虎耳草科、葫芦科	7

表 1－2－8　新疆药用植物种数排名前 20 的属

排名	科名	种数	排名	科名	种数
1	黄芪属	91	11	早熟禾属	28
2	风毛菊属	47	12	鹤虱属	26
3	薹草属	41	13	酸模属	25
4	葱属	40	14	猪毛菜属	25
5	棘豆属	40	15	蓼属	25
6	蒲公英属	37	16	柳属	25
7	委陵菜属	33	17	马先蒿属	24
8	毛茛属	33	18	蔷薇属	23
9	大戟属	30	19	蝇子草属	23
10	蒿属	30	20	拉拉藤属、锦鸡儿属	23

表 1－2－9　新疆第四次中药资源普查各县（市、区）中药资源种类统计表

区域名	低等植物			高等植物				
	藻类	菌类	地衣	苔藓	蕨类	裸子	被子	
							双子叶	单子叶
阿合奇县	—	—	—	—	1	4	80	8
阿克苏市	—	—	—	—	1	3	81	3
阿克陶县	—	—	—	—	1	2	62	3
阿拉尔市	—	—	—	—	1	2	61	12
阿勒泰市	—	—	—	—	1	4	247	16
阿图什市	—	—	—	—	—	1	73	4
阿瓦提县	—	—	—	—	—	—	68	8
巴楚县	—	—	—	—	1	1	60	10
巴里坤哈萨克自治县	—	—	—	—	—	8	174	18
白碱滩区	—	—	—	—	—	1	87	8

续表

区域名	低等植物				高等植物			
	藻类	菌类	地衣	苔藓	蕨类	裸子	被子	
							双子叶	单子叶
拜城县	—	—	—	—	—	5	81	10
博湖县	—	—	—	—	1	1	62	5
博乐市(含阿拉山口市)	—	—	—	—	3	10	345	30
布尔津县	—	—	—	—	2	2	246	27
策勒县	—	—	—	—	—	—	53	3
察布查尔锡伯自治县	—	—	—	—	5	5	344	44
昌吉市	—	—	—	1	6	4	234	34
达坂城区	—	—	—	—	2	6	242	33
独山子区	—	—	—	—	—	—	141	13
额敏县	—	—	—	—	1	7	235	22
福海县	—	—	—	—	2	5	209	9
阜康市	—	—	—	—	—	3	60	7
富蕴县	—	—	—	1	3	5	149	6
伽师县	—	—	—	—	—	2	56	12
高昌区	—	—	—	—	1	4	94	6
巩留县	—	—	—	—	8	6	330	36
哈巴河县	—	—	—	2	4	4	86	12
伊州区	—	—	—	—	3	4	210	15
和布克赛尔蒙古自治县	—	—	—	—	2	7	283	16
和静县	—	—	—	—	4	6	240	16
和硕县	—	—	—	—	—	1	116	11
和田市	—	—	—	—	1	1	82	9
和田县	—	—	—	—	2	2	135	21
呼图壁县	—	—	—	1	7	4	252	21
霍城县(含霍尔果斯市)	—	—	—	—	6	3	316	37
吉木乃县	—	—	—	—	3	1	158	12
吉木萨尔县	—	—	—	—	2	1	69	6
精河县	—	—	—	—	2	4	203	19
喀什市	—	—	—	—	—	2	74	8

续表

区域名	低等植物			高等植物				
	藻类	菌类	地衣	苔藓	蕨类	裸子	被子	
							双子叶	单子叶
柯坪县	—	—	—	—	—	2	64	9
克拉玛依区	—	—	—	—	—	3	165	10
库车市	—	—	—	—	2	3	117	15
库尔勒市（含铁门关市）	—	—	—	—	1	2	114	14
奎屯市	—	—	—	—	—	1	83	9
轮台县	—	—	—	—	—	4	70	3
洛浦县	—	—	—	—	—	1	57	5
玛纳斯县	—	—	—	1	6	4	241	28
麦盖提县	—	—	—	—	1	—	75	8
米东区（含五家渠市）	—	—	—	—	2	6	238	21
民丰县	—	—	—	—	—	1	51	2
墨玉县	—	—	—	—	1	2	65	16
木垒哈萨克自治县	—	—	—	—	2	3	69	4
尼勒克县	—	—	—	—	2	1	227	12
皮山县	—	—	—	—	1	2	140	15
奇台县	—	—	—	—	2	—	70	1
且末县	—	—	—	—	2	4	164	18
青河县	—	—	—	—	—	7	216	20
若羌县	—	—	—	—	—	5	141	14
沙湾市	—	—	—	—	2	3	226	21
沙雅县	—	—	—	—	1	2	104	9
莎车县	—	—	—	—	—	4	130	19
鄯善县	—	—	—	—	1	1	78	7
石河子市	—	—	—	—	—	1	193	29
疏附县	—	—	—	—	—	2	68	10
疏勒县	—	—	—	—	1	1	62	9
塔城市	—	—	—	—	—	1	239	25
塔什库尔干塔吉克自治县	—	—	—	—	1	6	210	25
特克斯县	—	—	—	—	9	6	308	30

续表

区域名	低等植物				高等植物			
	藻类	菌类	地衣	苔藓	蕨类	裸子	被子	
							双子叶	单子叶
天山区(含沙依巴克区)	—	—	—	—	1	2	157	33
图木舒克市	—	—	—	—	—	1	67	12
托克逊县	—	—	—	—	1	4	105	4
托里县	—	—	—	—	2	6	222	13
尉犁县	—	—	—	—	—	—	61	7
温泉县	—	—	—	—	3	4	205	21
温宿县	—	—	—	—	1	9	124	16
乌尔禾区	—	—	—	—	—	5	115	11
乌鲁木齐县	—	—	—	—	4	2	291	44
乌恰县	—	—	—	—	—	3	64	2
乌什县	—	—	—	—	1	5	107	6
乌苏市	—	—	—	—	2	6	271	37
新和县	—	—	—	—	1	2	56	6
新市区（含水磨沟区、头屯河区）	—	—	—	—	1	2	160	26
新源县	—	—	—	—	3	1	214	18
焉耆回族自治县	—	—	—	—	—	2	60	1
叶城县	—	—	—	—	1	3	144	13
伊宁市	—	—	—	—	4	4	233	26
伊宁县	—	—	—	—	3	1	197	17
伊吾县	—	—	—	—	1	6	193	18
英吉沙县	—	—	—	—	1	2	93	15
于田县	—	—	—	—	1	—	59	10
裕民县	—	—	—	—	4	5	211	27
岳普湖县	—	—	—	—	1	—	79	10
泽普县	—	—	—	—	1	3	85	12
昭苏县	—	—	—	—	6	4	198	13

表 1-2-10 新疆珍稀濒危植物名录

序号	中文名	拉丁学名	科名	国家保护级别	CITES 附录	IUCN 红色名录	极小种群	《中国生物多样性红色名录 · 高等植物卷》	《中国植物红皮书》	省级保护级别
1	新疆冷杉（西伯利亚冷杉）	*Abies sibirica* Ledeb.	松科 Pinaceae			EN		√	√	Ⅰ级
2	天山槭	*Acer semenovii* Rgl. et Herd.	无患子科 Sapindaceae			LC		√		Ⅰ级
3	膜果泽泻	*Alisma lanceolatum* Wither.	泽泻科 Alismataceae							Ⅱ级
4	小泽泻	*Alisma nanum* D. F. Cui	泽泻科 Alismataceae							Ⅱ级
5	阿尔泰葱	*Allium altaicum* Pall.	石蒜科 Amaryllidaceae			NT				
6	北疆韭	*Allium hymenorhizum* Ledebour	石蒜科 Amaryllidaceae			NT				
7	疏花韭	*Allium henryi* C. H. Wright	石蒜科 Amaryllidaceae			VU				
8	旱生韭	*Allium hymenorhizum* Ledebour var. dentatum J. M. Xu	石蒜科 Amaryllidaceae			NT				
9	银砂槐	*Ammodendron bifolium* (Pall.) Yakovl.	豆科 Leguminosae							Ⅰ级
10	小沙冬青	*Ammopiptanthus nanus* (M. Pop.) Cheng	豆科 Leguminosae	二级	Ⅱ				√	Ⅰ级
11	野扁桃（矮扁桃）	*Prunus tenella* Bastsch	蔷薇科 Rosaceae							Ⅰ级

续表

序号	中文名	拉丁学名	科名	国家保护级别	CITES附录	IUCN红色名录	极小种群	《中国生物多样性红色名录 · 高等植物卷》	《中国植物红皮书》	省级保护级别
12	南疆点地梅	*Androsace flavescens* Maxim.	报春花科 Primulaceae			NT				
13	罗布麻	*Apocynum venetum* L.	夹竹桃科 Apocynaceae							Ⅰ级
14	白麻（大叶白麻）	*Apocynum pictum* Schrenk	夹竹桃科 Apocynaceae	二级						Ⅰ级
15	北极果	*Arctous alpinus* (L.) Niedenzu	杜鹃花科 Ericaceae							Ⅱ级
16	杏	*Armeniaca vulgaris* Lam.	蔷薇科 Rosaceae	二级		NT				Ⅰ级
17	软紫草	*Arnebia euchroma* (Royle) Johnst.	紫草科 Boraginaceae	二级		EN		√		Ⅰ级
18	天山软紫草	*Arnebia tschimganica* (Fedtsch.) G. L. Chu	紫草科 Boraginaceae			VU				Ⅰ级
19	黄花软紫草	*Arnebia guttata* Bge.	紫草科 Boraginaceae			VU				
20	新疆南芥	*Arabis borealis* Andrz.	十字花科 Brassicaceae			NT				
21	茧荚黄芪	*Astragalus lehmannianus* Bunge	豆科 Leguminosae							Ⅰ级
22	膜荚黄芪	*Astragalus membranaceus* (Fisch.) Bunge var. *mongholicus* (Bunge) P. K. Hsiao	豆科 Leguminosae	二级						Ⅰ级
23	天山桦	*Betula tianschanica* Ruprecht	桦木科 Betulaceae							Ⅰ级

续表

序号	中文名	拉丁学名	科名	国家保护级别	CITES附录	IUCN红色名录	极小种群	《中国生物多样性红色名录 · 高等植物卷》	《中国植物红皮书》	省级保护级别
24	盐桦	*Betula halophila* Ching ex P. C. Li	桦木科 Betulaceae	二级		EX	√	√	√	
25	小阴地蕨	*Botrychium lunaria* (L.) Sw.	瓶尔小草科 Ophioglossaceae							Ⅰ级
26	喀什真藓	*Bryum kashmirense* Broth.	真藓科 Bryaceae			VU				
27	花蔺	*Butomus umbellatus* L.	花蔺科 Butomaceae							Ⅱ级
28	艾比湖沙拐枣	*Calligonum ebinuricum* N. A. Ivanova ex Soskov	蓼科 Polygonaceae			EN				Ⅱ级
29	塔里木沙拐枣	*Calligonum roborovskii* Losinskaja	蓼科 Polygonaceae							Ⅱ级
30	新疆丽豆	*Calophaca soongorica* Kar. et Kir.	豆科 Leguminosae			NT				Ⅱ级
31	中国丽豆	*Calophca chinensis* Boriss.	豆科 Leguminosae							Ⅰ级
32	刺山柑	*Capparis spinosa* L.	山柑科 Capparaceae							Ⅱ级
33	准噶尔锦鸡儿	*Caragana soongorica* Grub.	豆科 Leguminosae			NT				
34	吐鲁番锦鸡儿	*Caragana turfanensis* (Krassn.) Kom.	豆科 Leguminosae			NT				
35	沙戟	*Chrozophora sabulosa* Kar. et Kir.	大戟科 Euphorbiaceae							Ⅱ级

续表

序号	中文名	拉丁学名	科名	国家保护级别	CITES附录	IUCN红色名录	极小种群	《中国生物多样性红色名录·高等植物卷》	《中国植物红皮书》	省级保护级别
36	星叶草	*Circaester agrestis* Maxim.	星叶草科 Circaeasteraceae							Ⅰ级
37	肉苁蓉	*Cistanche deserticola* Ma	列当科 Orobanchaceae	二级	Ⅱ	EN		√	√	Ⅰ级
38	盐生肉苁蓉	*Cistanche salsa* (C. A. Mey.) G. Beck	列当科 Orobanchaceae							Ⅰ级
39	管花肉苁蓉	*Cistanche tubulosa* (Schenk) Wight.	列当科 Orobanchaceae			VU			√	Ⅰ级
40	黄连	*Coptis chinensis* Franch.	毛茛科 Ranunculaceae	二级	Ⅱ					
41	两节荠	*Crambe kotschyana* Boiss.	十字花科 Brassicaceae							Ⅱ级
42	准噶尔山楂	*Cratargus songorica* K. Koch	蔷薇科 Rosaceae							Ⅱ级
43	喀什牛皮消	*Cynanchum kaschgaricum* Y. X. Liou	夹竹桃科 Apocynaceae							Ⅱ级
44	锁阳	*Cynomorium songaricum* Rupr.	锁阳科 Cynomoriaceae	二级						Ⅰ级
45	帕米尔金露梅	*Dasiphora dryadanthoides* Juz.	蔷薇科 Rosaceae							Ⅱ级
46	新疆白鲜	*Dictamnus angustifolius* G. Don ex Sweet	芸香科 Rutaceae							Ⅱ级
47	和布克赛尔青兰	*Dracocephalum hoboksarensis* G. J. Liu	唇形科 Lamiaceae			EN				
48	天山葶苈	*Draba melanopus* Komar.	十字花科 Brassicaceae			NT				

续表

序号	中文名	拉丁学名	科名	国家保护级别	CITES附录	IUCN红色名录	极小种群	《中国生物多样性红色名录 · 高等植物卷》	《中国植物红皮书》	省级保护级别
49	沙枣	*Elaeagnus angustifolia* L.	胡颓子科 Elaeagnaceae							Ⅱ级
50	尖果沙枣	*Elaeagnus oxycarpa* Schlecht.	胡颓子科 Elaeagnaceae							Ⅱ级
51	新疆鹅观草	*Elymus sinkiangensis* D. F. Cui	禾本科 Poaceae	二级	Ⅱ					
52	岩高兰	*Empetrum nigrum* L.	杜鹃花科 Ericaceae							Ⅰ级
53	新疆火烧兰	*Epipactis palustris* (L.) Crantz	兰科 Orchidaceae	二级		VU		√		
54	木贼麻黄	*Ephedra equisetina* Bunge	麻黄科 Ephedraceae	二级						
55	斑子麻黄	*Ephedra rhytidosperma* Pachomova	麻黄科 Ephedraceae	二级		EN				
56	草麻黄	*Ephedra sinica* Stapf	麻黄科 Ephedraceae	二级		NT				
57	中麻黄	*Ephedra intermedia* Schrenk et Mey.	麻黄科 Ephedraceae	二级		NT		√		Ⅰ级
58	准噶尔无叶豆	*Eremasparton songoricum* (Litv.) Vass.	豆科 Leguminosae			CR				Ⅱ级
59	盐芥	*Eutrema salsugineum* (Pall.) Al-Shehbaz & Warwick	十字花科 Brassicaceae							Ⅰ级
60	阜康阿魏	*Ferula fukangensis* K. M. Shen	伞形科 Apiaceae	二级		EN		√		Ⅰ级
61	新疆阿魏	*Ferula sinkiangensis* K. M. Shen	伞形科 Apiaceae	二级		CR		√	√	Ⅰ级

续表

序号	中文名	拉丁学名	科名	国家保护级别	CITES附录	IUCN红色名录	极小种群	《中国生物多样性红色名录 · 高等植物卷》	《中国植物红皮书》	省级保护级别
62	圆锥茎阿魏	*Ferula conocaula* Korov.	伞形科 Apiaceae			EN				Ⅰ级
63	多伞阿魏	*Ferula ferulaeoides* (Steudel) Korovin.	伞形科 Apiaceae							Ⅰ级
64	大果阿魏	*Ferula lehmannii* Boiss.	伞形科 Apiaceae							Ⅰ级
65	球根阿魏	*Ferula karelinii* Bunge	伞形科 Apiaceae			VU				
66	托里阿魏	*Ferula krylovii* Korov.	伞形科 Apiaceae							Ⅰ级
67	伊犁芹	*Ferula transiliensis* (Regel et Herder) Pimenov	伞形科 Apiaceae			NT				
68	水曲柳	*Fraxinus mandschurica* Rupr.	木樨科 Oleaceae	二级	Ⅱ	VU				
69	天山梣	*Fraxinus sogdiana* Bunge	木樨科 Oleaceae	二级		VU				
70	额敏贝母	*Fritillaria meleagroides* Patrin ex Schultes & J. H. Schultes	百合科 Liliaceae	二级		VU				
71	托星贝母	*Fritillaria tortifolia* X. Z. Duan & X. J. Zheng	百合科 Liliaceae	二级		VU				
72	黄花贝母	*Fritillaria verticillata* Willd.	百合科 Liliaceae	二级		NT				
73	裕民贝母	*Fritillaria yuminensis* X. Z. Duan	百合科 Liliaceae	二级		VU				
74	滩贝母	*Fritillaria karelinii* (Fisch.) Baker	百合科 Liliaceae	二级						Ⅰ级

续表

序号	中文名	拉丁学名	科名	国家保护级别	CITES 附录	IUCN 红色名录	极小种群	《中国生物多样性红色名录 · 高等植物卷》	《中国植物红皮书》	省级保护级别
75	伊贝母	*Fritillaria pallidiflora* Schrenk	百合科 Liliaceae						√	Ⅰ级
76	新疆贝母	*Fritillaria walujewi* Regel	百合科 Liliaceae						√	Ⅰ级
77	胀果甘草	*Glycyrrhiza inflata* Batal.	豆科 Leguminosae	二级	Ⅱ	LC		√		Ⅰ级
78	甘草	*Glycyrrhiza uralensis* Fisch.	豆科 Leguminosae	二级	Ⅱ	LC		√		Ⅰ级
79	光果甘草	*Glycyrrhiza glabra* L.	豆科 Leguminosae	二级	Ⅱ	LC		√		Ⅰ级
80	无腺毛甘草	*Glycyrrhiza eglandulosa* X. Y. Li	豆科 Leguminosae			VU				
81	裸果木	*Gymnocarpos przewalskii* Bunge ex Maxim.	石竹科 Caryophyllaceae	一级	Ⅱ	LC		√	√	Ⅰ级
82	阿尔泰牡丹草	*Gymnospermium altaicum* (Pall.) Spach	小檗科 Berberidaceae							Ⅱ级
83	梭梭	*Haloxylon ammodendron* (C. A. Mey.) Bge.	藜科 Chenopodiaceae	二级	Ⅱ	LC				Ⅰ级
84	白梭梭	*Haloxylon persicum* Bge. ex Boiss. et Buhse	藜科 Chenopodiaceae	二级	Ⅱ	VU				Ⅰ级
85	塔什库尔干藏荠	*Hedinia taxkorganica* G. L. Zhou et Z. X. An	十字花科 Brassicaceae							Ⅱ级
86	半日花	*Helianthemum songaricum* Schrenk	半日花科 Cistaceae	二级	Ⅱ	EN		√	√	Ⅰ级

续表

序号	中文名	拉丁学名	科名	国家保护级别	CITES附录	IUCN红色名录	极小种群	《中国生物多样性红色名录 · 高等植物卷》	《中国植物红皮书》	省级保护级别
87	天山异燕麦	*Helictotrichon tianschanicum* (Roshev.) Henr.	禾本科 Poaceae			NT				
88	胡桃	*Juglans regia* L.	胡桃科 Juglandaceae	二级		VU		√	√	Ⅰ级
89	新疆方枝柏	*Juniperus pseudosabina* Fischer & C. A. Meyer	柏科 Cupressaceae							Ⅰ级
90	昆仑多子柏	*Juniperus semiglobosa* Regel	柏科 Cupressaceae							Ⅰ级
91	欧亚圆柏	*Juniperus sabira* L.	柏科 Cupressaceae							Ⅱ级
92	西伯利亚刺柏	*Juniperus communis* L. var. saxatilis Pall.	柏科 Cupressaceae							Ⅱ级
93	新疆落叶松	*Larix sibirica* Ledeb.	松科 Pinaceae			VU				
94	新疆兔唇花	*Lagochilus xinjiangensis* G. J. Liu	唇形科 Lamiaceae			NT				
95	裂叶独行菜	*Lepidium lacerum* C. A. Meyer	十字花科 Brassicaceae			NT				
96	蓉草（新源假稻）	*Leersia oryzoides* (L.) Swartz.	禾本科 Poaceae							Ⅰ级
97	囊果草	*Leontice incerta* Pall.	小檗科 Berberidaceae							Ⅱ级
98	大赖草	*Leymus racemosus* (Lam.) Tzvel.	禾本科 Poaceae							Ⅱ级

续表

序号	中文名	拉丁学名	科名	国家保护级别	CITES附录	IUCN红色名录	极小种群	《中国生物多样性红色名录·高等植物卷》	《中国植物红皮书》	省级保护级别
99	野百合（新疆野百合）	*Lilium brownii* F. E. Brown ex Miellez	百合科 Liliaceae			NT				Ⅰ级
100	帕米尔柳穿鱼	*Linaria kulabensis* B. Fedtsch.	车前科 Plantaginaceae			NT				
101	大叶补血草	*Limonium gmelinii* (Willd.) Kuntze	白花丹科 Plumbaginaceae			VU				
102	柱筒枸杞	*Lycium cylindricum* Kuang et A. M. Lu	茄科 Solanaceae	二级	Ⅱ	CR		√		Ⅱ级
103	新疆枸杞	*Lycium dasytemum* Pojarkova	茄科 Solanaceae							Ⅱ级
104	新疆野苹果	*Malus sieversii* (Ledeb.) Roem.	蔷薇科 Rosaceae	二级					√	Ⅰ级
105	睡菜	*Menyanthes trifoliata* L.	龙胆科 Gentianaceae							Ⅱ级
106	心叶水柏枝	*Myricaria pulcherrima* Batal.	柽柳科 Tamaricaceae							Ⅰ级
107	匍匐水柏枝	*Myricaria prostrata* Hook. f. et Thoms. ex Benth. et Hook. f	柽柳科 Tamaricaceae							Ⅰ级
108	帕米尔白刺	*Nitraria pamirica* Vassil.	蒺藜科 Zygophyllaceae			VU				Ⅱ级
109	喀什荆芥	*Nepeta taxkorganica* Y. F. Chang	唇形科 Lamiaceae			NT				
110	萍蓬草	*Nuphar pumila* (Timm) de Candolle	睡莲科 Nymphaeaceae							Ⅰ级

续表

序号	中文名	拉丁学名	科名	国家保护级别	CITES附录	IUCN红色名录	极小种群	《中国生物多样性红色名录 · 高等植物卷》	《中国植物红皮书》	省级保护级别
111	睡莲	*Nymphnea tetragona* Georgi	睡莲科 Nymphaeaceae							Ⅰ级
112	伊犁芒柄花	*Ononis antiquorum* L.	豆科 Leguminosae			NT				
113	稠李	*Prunus padus* L.	蔷薇科 Rosaceae							Ⅱ级
114	窄叶芍药（新疆芍药）	*Paeonia anomala* L.	毛茛科 Ranunculaceae			VU				Ⅰ级
115	松毛翠	*Phyllodoce caerulea* Babington	杜鹃花科 Ericaceae							Ⅰ级
116	新疆五针松（西伯利亚红松）	*Pinus sibirica* Du Tour	松科 Pinaceae							Ⅰ级
117	欧亚多足蕨	*Polypodium vulgare* L.	水龙骨科 Polypodiaceae							Ⅰ级
118	伊犁杨	*Populus iliensis* Drob.	杨柳科 Salicaceae							Ⅱ级
119	额河杨	*Populus jrtyschensis* Ch. Y. Yang	杨柳科 Salicaceae							Ⅱ级
120	帕米尔杨	*Populus pamirica* Kom.	杨柳科 Salicaceae			EN				Ⅰ级
121	灰叶胡杨	*Populus pruinosa* Schrenk	杨柳科 Salicaceae						√	Ⅰ级
122	新疆栓翅芹	*Prangos herderi* (Rgl.) Herrnst. et Heyn	伞形科 Apiaceae			NT				

续表

序号	中文名	拉丁学名	科名	国家保护级别	CITES附录	IUCN红色名录	极小种群	《中国生物多样性红色名录 · 高等植物卷》	《中国植物红皮书》	省级保护级别
123	准噶尔报春	*Primula nivalis* Pall. var. *farinosa* Schrenk	报春花科 Primulaceae			NT				
124	天山樱桃	*Prunus tianschanica* Pojark.	蔷薇科 Rosaceae							Ⅱ级
125	樱桃李	*Prunus sogdiana* Vass.	蔷薇科 Rosaceae	二级	Ⅱ	LC		√		Ⅰ级
126	阿尔泰毛茛	*Ranunculus altaicus* Laxm.	毛茛科 Ranunculaceae			NT				
127	五柱红砂	*Reaumuria kaschgrica* Rupr.	柽柳科 Tamaricaceae							Ⅰ级
128	矮小鼠李（帕米尔鼠李）	*Rhamnus minuta* Grub.	鼠李科 Rhamnaceae							Ⅱ级
129	新疆鼠李	*Rhamnus songorica* Gontsch.	鼠李科 Rhamnaceae							Ⅱ级
130	鹿根	*Rhaponticum carthamoides* (Willd.) Iljin.	菊科 Compositae							Ⅰ级
131	喀什红景天	*Rhodiola kaschgarica* A. Bor.	景天科 Crassulaceae	二级		CR		√		Ⅱ级
132	狭叶红景天	*Rhodiola kirilowii* (Regel) Maxim.	景天科 Crassulaceae	二级		LC		√		Ⅱ级
133	红景天（东疆红景天）	*Rhodiola rosca* L.	景天科 Crassulaceae	二级		VU				Ⅰ级
134	准噶尔红景天	*Rhodiola junggarica* C. Y. Yang & N. R. Cui	景天科 Crassulaceae	二级		DD		√		

续表

序号	中文名	拉丁学名	科名	国家保护级别	CITES 附录	IUCN 红色名录	极小种群	《中国生物多样性红色名录·高等植物卷》	《中国植物红皮书》	省级保护级别
135	帕米红景天	*Rhodiola pamiroalaica* Borissova	景天科 Crassulaceae	二级		LC		√		
136	红花疆罂粟	*Roemeria refracta* (Stev.) DC. Syet.	罂粟科 Papaveraceae							Ⅱ级
137	小檗叶蔷薇	*Rosa berberifolia* Pall.	蔷薇科 Rosaceae							Ⅱ级
138	宽刺蔷薇	*Rosa platyacantha* Schrenk	蔷薇科 Rosaceae							Ⅱ级
139	玫瑰	*Rosa rugosa* Thunb.	蔷薇科 Rosaceae	二级		EN		√	√	
140	皮山蔗茅（沙生蔗茅）	*Saccharum ravennae* (Linnaeus) Linnaeus	禾本科 Poaceae							Ⅱ级
141	伊犁柳	*Salix iliensis* Rgl.	杨柳科 Salicaceae			NT				
142	天山柳	*Salix tianschanica* Rgl.	杨柳科 Salicaceae			NT				
143	齿叶黄花柳	*Salix sinica* (Hao) C. Wang et C. F. Fang var. *dentata* (Hao) C. Wang et C. F. Fang	杨柳科 Salicaceae			NT				
144	萨彦柳	*Salix sajanensis* Nasarow	杨柳科 Salicaceae			CR				
145	灌木柳	*Salix saposhnikovii* A. K. Skvortsov	杨柳科 Salicaceae			CR				
146	阿克苏柳	*Salix schugnanica* Goerz	杨柳科 Salicaceae			EN				

续表

序号	中文名	拉丁学名	科名	国家保护级别	CITES附录	IUCN红色名录	极小种群	《中国生物多样性红色名录 · 高等植物卷》	《中国植物红皮书》	省级保护级别
147	天山猪毛菜	*Salsola junatovii* Botsch.	藜科 Chenopodiaceae			VU				
148	雪莲	*Saussurea involucrate* (Kar. et Kir.) Sch.-Bip.	菊科 Asteraceae	二级	Ⅱ				√	Ⅰ级
149	天山苞裂芹	*Schulzia prostrata* Pimenov & Kljuykov	伞形科 Apiaceae			NT				
150	阿尔泰黄芩	*Scutellaria altaica* Fischer ex Sweet	唇形科 Lamiaceae			NT				
151	新疆芥	*Solms-laubachia kashgarica* (Botsch.) D. A. German & Al-Shehbaz	十字花科 Brassicaceae			NT				Ⅱ级
152	西伯利亚花楸	*Sorbus sibirica* Hedl.	蔷薇科 Rosaceae							Ⅱ级
153	福海棒果芥	*Sterigmostemum fuhaiense* H. L. Yang	十字花科 Brassicaceae							Ⅱ级
154	莎车柽柳	*Tamarix sachensis* P. Y. Zhang & M. T. Liu	柽柳科 Tamaricaceae			CR				
155	塔里木柽柳	*Tamarix tarimensis* P. Y. Zhang et M. T. Liu	柽柳科 Tamaricaceae			EN				
156	沙生柽柳	*Tamarix taklamakanensis* M. T. Liu	柽柳科 Tamaricaceae	二级	Ⅱ	VU		√	√	Ⅰ级
157	额河菱角（新疆菱角）	*Trapa saissanica* (Fler.) V. Vassil.	千屈菜科 Lythraceae							Ⅰ级
158	准噶尔金莲花	*Trollius dschungaricus* Regel	毛茛科 Ranunculaceae			VU				

续表

序号	中文名	拉丁学名	科名	国家保护级别	CITES附录	IUCN红色名录	极小种群	《中国生物多样性红色名录·高等植物卷》	《中国植物红皮书》	省级保护级别
159	新疆郁金香	*Tulipa sinkiangensis* Z. M. Mao	百合科 Liliaceae							Ⅰ级
160	阿尔泰堇菜	*Viola altaica* Ker-Gawl.	堇菜科 Violaceae							Ⅱ级
161	塔城堇菜	*Viola tarbagataica* Klok.	堇菜科 Violaceae							Ⅱ级
162	新疆霸王	*Zygophyllum sinkiangense* Y. X. Liou	蒺藜科 Zygophyllaceae							Ⅱ级

表 1－2－11 新疆特有植物名录

序号	中文名	拉丁学名	科号	科名	中国特有	新疆特有	功效来源
1	鹿蹄柳	*Salix pyrolifolia* Ledebour	F.7	杨柳科 Salicaceae		√	⑤
2	青杨	*Populus cathayana* Rehd.	F.7	杨柳科 Salicaceae	√		⑤
3	齿叶黄花柳	*Salix sinica* (Hao) C. Wang et C. F. Fang var. *dentata* (Hao) C. Wang et C. F. Fang	F.7	杨柳科 Salicaceae	√		⑤
4	灰叶胡杨	*Populus pruinosa* Schrenk	F.7	杨柳科 Salicaceae		√	⑤
5	刺木蓼	*Atraphaxis spinosa* L.	F.25	蓼科 Polygonaceae		√	⑤
6	库尔勒沙拐枣	*Calligonum korlaense* Z. M. Mao	F.25	蓼科 Polygonaceae	√		⑤
7	奇台沙拐枣	*Calligonum klementzii* A. Los.	F.25	蓼科 Polygonaceae			⑤
8	沙拐枣	*Calligonum mongolicum* Turcz.	F.25	蓼科 Polygonaceae	√		①
9	塔里木沙拐枣	*Calligonum roborowskii* Losinskaja	F.25	蓼科 Polygonaceae		√	⑤
10	小沙拐枣	*Calligonum pumilum* A. Los.	F.25	蓼科 Polygonaceae	√		⑤
11	英吉莎沙拐枣	*Calligonum yengisaricum* Z. M. Mao	F.25	蓼科 Polygonaceae	√		⑤
12	粗糙沙拐枣	*Calligonum squarrosum* N. Pavl.	F.25	蓼科 Polygonaceae		√	⑤
13	高山老牛筋	*Eremogone meyeri* (Fenzl) Ikonn.	F.34	石竹科 Caryophyllaceae		√	⑤
14	繁缕薄蒴草	*Lepyrodiclis stellarioides* Schrenk ex Fisher et C. A. Meyer	F.34	石竹科 Caryophyllaceae		√	⑤
15	黏蝇子草	*Silene heptapotamica* Schischk.	F.34	石竹科 Caryophyllaceae		√	⑤
16	高加索治疝草	*Herniaria caucasica* F. Ruprecht	F.34	石竹科 Caryophyllaceae		√	⑤
17	白梭梭	*Haloxyon persicum* Bge. ex Boiss. et Buhse	F.36	藜科 Chenopodiaceae		√	⑤

续表

序号	中文名	拉丁学名	科号	科名	中国特有	新疆特有	功效来源
18	叉毛蓬	*Petrosimonia sibirica* (Pall.) Bunge	F.36	藜科 Chenopodiaceae		√	⑤
19	柴达木猪毛菜	*Kali zaidamicum* (Iljin) Akhani & Roalson	F.36	藜科 Chenopodiaceae		√	⑤
20	粗枝猪毛菜	*Salsola subcrassa* M. Pop.	F.36	藜科 Chenopodiaceae		√	⑤
21	短柱猪毛菜	*Salsola lanata* Pall.	F.36	藜科 Chenopodiaceae		√	⑤
22	对节刺	*Horaninovia ulicina* Fischer & C. Meyer	F.36	藜科 Chenopodiaceae		√	⑤
23	钝叶猪毛菜	*Salsola heptapotamica* Iljin	F.36	藜科 Chenopodiaceae		√	⑤
24	高枝假木贼	*Anabasis elatior* (C. A. Mey.) Schischk.	F.36	藜科 Chenopodiaceae		√	⑤
25	浆果猪毛菜	*Salsola foliosa* (L.) Schrad.	F.36	藜科 Chenopodiaceae		√	⑤
26	角果藜	*Ceratocarpus arenarius* L.	F.36	藜科 Chenopodiaceae		√	⑤
27	木碱蓬	*Suaeda dendroides* (C. A. Mey.) Moq.	F.36	藜科 Chenopodiaceae		√	⑤
28	钠猪毛菜（钠珍珠柴）	*Caroxylon nitrarium* (Pall.) Akhani & Roalson	F.36	藜科 Chenopodiaceae		√	⑤
29	散枝猪毛菜（散枝蓬）	*Pyankovia brachiata* (Pall.) Akhani & Roalson	F.36	藜科 Chenopodiaceae		√	⑤
30	天山猪毛菜	*Salsola junatovii* Botsch.	F.36	藜科 Chenopodiaceae	√		⑤
31	香藜	*Dysphania botrys* (Linnaeus) Mosyakin & Clemants	F.36	藜科 Chenopodiaceae		√	⑤
32	小叶碱蓬	*Suaeda microphylla* (C. A. Mey.) Pall.	F.36	藜科 Chenopodiaceae		√	⑤
33	盐节木	*Halocnemum strobilaceum* (Pall.) Bieb.	F.36	藜科 Chenopodiaceae		√	⑤
34	盐生假木贼	*Anabasis salsa* (C. A. Mey.) Benth. ex Volkens	F.36	藜科 Chenopodiaceae		√	⑤
35	展枝假木贼	*Anabasis truncate* (schenk) Bunge	F.36	藜科 Chenopodiaceae		√	⑤

续表

序号	中文名	拉丁学名	科号	科名	中国特有	新疆特有	功效来源
36	紫翅猪毛菜	*Salsola affinis* C. A. Mey.	F.36	藜科 Chenopodiaceae		√	⑤
37	刺毛碱蓬	*Suaeda acuminata* (C. A. Mey.) Moq.	F.36	藜科 Chenopodiaceae		√	⑤
38	倒披针叶虫实	*Corispermum lehmannianum* Bunge	F.36	藜科 Chenopodiaceae		√	⑤
39	肥叶碱蓬	*Suaeda kossinskyi* Iljin	F.36	藜科 Chenopodiaceae		√	⑤
40	高碱蓬	*Suaeda altissima* (L.) Pall.	F.36	藜科 Chenopodiaceae		√	⑤
41	镰叶碱蓬	*Suaeda crassifolia* Pall.	F.36	藜科 Chenopodiaceae		√	⑤
42	五蕊碱蓬	*Suaeda arcuata* Bunge	F.36	藜科 Chenopodiaceae		√	⑤
43	心叶驼绒藜	*Krascheninnikovia ewersmannia* (Stschegleev ex Losina-losinskaja) Grubov	F.36	藜科 Chenopodiaceae		√	⑤
44	亚麻叶碱蓬	*Suaeda linifolia* Pall.	F.36	藜科 Chenopodiaceae		√	⑤
45	圆叶盐爪爪	*Kalidium schrenkianum* Bunge ex Ung.-Sternb.	F.36	藜科 Chenopodiaceae		√	⑤
46	纵翅碱蓬	*Suaeda pterantha* (Kar. et Kir.) Bunge	F.36	藜科 Chenopodiaceae		√	⑤
47	巴里坤毛茛	*Ranunculus balikunensis* J. G. Liu	F.62	毛茛科 Ranunculaceae	√		⑤
48	唇花翠雀花	*Delphinium cheilanthum* Fisch. ex DC.	F.62	毛茛科 Ranunculaceae	√		⑤
49	和丰翠雀花	*Delphinium sauricum* Schischk.	F.62	毛茛科 Ranunculaceae		√	⑤
50	角果毛茛	*Ceratocephala testiculata* (Crantz) Roth	F.62	毛茛科 Ranunculaceae		√	⑤
51	高翠雀花	*Delphinium elatum* L.	F.62	毛茛科 Ranunculaceae		√	⑤
52	昆仑翠雀花	*Delphinium kunlunshanicum* Chang Y. Yang & B. Wang	F.62	毛茛科 Ranunculaceae	√		⑤
53	棱边毛茛	*Ranunculus submarginatus* Ovcz.	F.62	毛茛科 Ranunculaceae		√	⑤

续表

序号	中文名	拉丁学名	科号	科名	中国特有	新疆特有	功效来源
54	哈密毛茛	*Ranunculus hamiensis* J. G. Liu	F.62	毛茛科 Ranunculaceae		√	⑤
55	青河毛茛	*Ranunculus chinghoensis* L. Liou	F.62	毛茛科 Ranunculaceae	√		⑤
56	天山翠雀花	*Delphinium tianshanicum* W. T. Wang	F.62	毛茛科 Ranunculaceae		√	⑤
57	温泉翠雀花	*Delphinium winklerianum* Huth	F.62	毛茛科 Ranunculaceae		√	⑤
58	新疆乌头	*Aconitum sinchiangense* W. T. Wang	F.62	毛茛科 Ranunculaceae	√		⑤
59	长卵苞翠雀花	*Delphinium ellipticovatum* W. T. Wang	F.62	毛茛科 Ranunculaceae		√	⑤
60	东方铁线莲	*Clematis orientalis* L.	F.62	毛茛科 Ranunculaceae		√	⑤
61	喀什小檗	*Berberis kaschgarica* Rupr.	F.63	小檗科 Berberidaceae		√	⑤
62	短梗烟堇	*Fumaria vaillantii* Loisel.	F.95	罂粟科 Papaveraceae		√	⑤
63	烟堇（欧烟堇）	*Fumaria officinalis* Linnaeus	F.95	罂粟科 Papaveraceae		√	①
64	北香花芥	*Hesperis sibirica* L.	F.97	十字花科 Brassicaceae		√	⑤
65	短喙芥	*Guenthera elongata* (Ehrh.) Andrz. ex Besser	F.97	十字花科 Brassicaceae		√	⑤
66	爪花芥	*Sterigmostemum violaceum* (Botschantzev) H. L. Yang	F.97	十字花科 Brassicaceae		√	⑤
67	戈壁阴山荠（阴山荠）	*Yinshania zayuensis* var. *gobica* (Z. X. An) Y. H. Zhang	F.97	十字花科 Brassicaceae		√	⑤
68	莲座念珠芥	*Neotorularia rosulifolia* (K. C. Kuan et Z. X. An Z. X. An)	F.97	十字花科 Brassicaceae	√		⑤
69	黄花肉叶荠	*Braya scharnhorstii* Regel & Schmalhausen	F.97	十字花科 Brassicaceae		√	⑤
70	丝叶芥	*Leptaleum filifolium* (Willd.) DC.	F.97	十字花科 Brassicaceae		√	⑤
71	四齿芥	*Tetracme quadricornis* (Steph.) Bunge	F.97	十字花科 Brassicaceae		√	⑤

续表

序号	中文名	拉丁学名	科号	科名	中国特有	新疆特有	功效来源
72	塔什库尔干藏荠	*Hedinia taxkorganica* G. L. Zhou et Z. X. An	F.97	十字花科 Brassicaceae	√		⑤
73	条叶庭荠	*Meniocus linifolius* (Stephan ex Willd.) DC.	F.97	十字花科 Brassicaceae		√	⑤
74	脱喙荠	*Litwinowia tenuissima* (Pall.) N. Busch	F.97	十字花科 Brassicaceae		√	⑤
75	鸟头荠	*Euclidium syriacum* (L.) R. Br.	F.97	十字花科 Brassicaceae		√	⑤
76	小果亚麻荠	*Camelina microcarpa* Andrz.	F.97	十字花科 Brassicaceae		√	⑤
77	叶城小蒜芥	*Microsisymbrium yechengicum* Z. X. An	F.97	十字花科 Brassicaceae		√	⑤
78	新疆芥	*Solms-laubachia kashgarica* (Botsch.) D. A. German & Al-Shehbaz	F.97	十字花科 Brassicaceae	√		⑤
79	裂叶独行菜	*Lepidium lacerum* C. A. Meyer	F.97	十字花科 Brassicaceae	√		⑤
80	红景天（东疆红景天）	*Rhodiola rosea* L.	F.105	景天科 Crassulaceae		√	⑤
81	喀什红景天	*Rhodiola kaschgarica* A. Bor.	F.105	景天科 Crassulaceae	√		⑤
82	刺叶锦鸡儿	*Caragana acanthophylla* Kom.	F.119	豆科 Leguminosae	√		⑤
83	粗毛锦鸡儿	*Caragana dasyphylla* Pojark.	F.119	豆科 Leguminosae		√	⑤
84	准噶尔锦鸡儿	*Caragana soongorica* Grub.	F.119	豆科 Leguminosae	√		⑤
85	吐鲁番锦鸡儿	*Caragana turfanensis* (Krassn.) Kom.	F.119	豆科 Leguminosae	√		⑤
86	高山黄芪	*Astragalus alpinus* L.	F.119	豆科 Leguminosae		√	⑤
87	环荚黄芪	*Astragalus contortuplicatus* L.	F.119	豆科 Leguminosae		√	⑤
88	黄花亚麻（长萼亚麻）	*Linum corymbulosum* Reichb.	F.119	豆科 Leguminosae		√	⑤
89	新疆棘豆	*Oxytropis sinkiangensis* Cheng f. ex C. W. Chang	F.119	豆科 Leguminosae	√		⑤

续表

序号	中文名	拉丁学名	科号	科名	中国特有	新疆特有	功效来源
90	无腺毛甘草	*Glycyrrhiza eglandulosa* X. Y. Li	F.119	豆科 Leguminosae	√		⑤
91	帕米尔金露梅	*Dasiphora dryadanthoides* Juz.	F.115	蔷薇科 Rosaceae		√	⑤
92	野扁桃（矮扁桃）	*Prunus tenella* Batsch	F.115	蔷薇科 Rosaceae		√	⑤
93	密枝委陵菜	*Potentilla virgata* Lehm.	F.115	蔷薇科 Rosaceae	√		⑤
94	疏花蔷薇	*Rosa laxa* Retz.	F.115	蔷薇科 Rosaceae		√	⑤
95	大叶霸王（大叶驼蹄瓣）	*Zygophyllum macropodum* Boriss.	F.127	蒺藜科 Zygophyllaceae		√	⑤
96	帕米尔白刺	*Nitraria pamirica* Vassil.	F.127	蒺藜科 Nitrariaceae		√	⑤
97	欧瑞香	*Thymelaea passerina* (L.) Cosson et Germ.	F.181	瑞香科 Thymelaeaceae		√	⑤
98	心叶水柏枝	*Myricaria pulcherrima* Batal.	F.196	柽柳科 Tamaricaceae		√	⑤
99	莎车柽柳	*Tamarix sachensis* P. Y. Zhang & M. T. Liu	F.196	柽柳科 Tamaricaceae	√		⑤
100	塔里木柽柳	*Tamarix tarimensis* P. Y. Zhang et M. T. Liu	F.196	柽柳科 Tamaricaceae	√		⑤
101	沙生柽柳	*Tamarix taklamakanensis* M. T. Liu	F.196	柽柳科 Tamaricaceae	√		⑤
102	阜康阿魏	*Ferula fukangensis* K. M. Shen	F.227	伞形科 Apiaceae	√		②
103	新疆阿魏	*Ferula sinkiangensis* K. M. Shen	F.227	伞形科 Apiaceae	√		②
104	圆锥茎阿魏	*Ferula conocaula* Korov.	F.227	伞形科 Apiaceae	√		④
105	天山泽芹	*Berula erecta* (Huds.) Cov.	F.227	伞形科 Apiaceae		√	③
106	新疆泽芹	*Sium sisaroideum* DC.	F.227	伞形科 Apiaceae		√	③
107	新疆栓翅芹	*Prangos herderi* (Rgl.) Herrnst. et Heyn	F.227	伞形科 Apiaceae	√		⑤
108	阿尔泰鹿蹄草	*Pyrola chouana* C. Y. Yang	F.231	杜鹃花科 Ericaceae		√	⑤

续表

序号	中文名	拉丁学名	科号	科名	中国特有	新疆特有	功效来源
109	新疆鹿蹄草	*Pyrola xinjiangensis* Y. L. Chou et R. C. Zhou	F.231	杜鹃花科 Ericaceae		√	⑤
110	南疆点地梅	*Androsace flavescens* Maxim.	F.236	报春花科 Primulaceae		√	⑤
111	鳞叶点地梅	*Androsace squarrosula* Maxim.	F.236	报春花科 Primulaceae		√	⑤
112	耳叶补血草	*Limonium otolepis* (Schrenk) Kuntze	F.237	白花丹科 Plumbaginaceae		√	③
113	灰杆补血草	*Limonium roborowskii* Ik.-Gal.	F.237	白花丹科 Plumbaginaceae		√	⑤
114	直杆驼舌草（变种）	*Goniolimon speciosum* (L.) Boiss. var. *strictum* (Regel) Peng	F.237	白花丹科 Plumbaginaceae		√	⑤
115	大叶驼舌草	*Goniolimon dschungaricum* (Regel) O. et B. Fedtsch.	F.237	白花丹科 Plumbaginaceae		√	⑤
116	天山梣	*Fraxinus sogdiana* Bunge	F.245	木樨科 Oleaceae		√	⑤
117	新疆扁蕾	*Gentianopsis wedenskyi* Grossh.	F.248	龙胆科 Gentianaceae		√	⑤
118	喀什牛皮消	*Cynanchum kaschgaricum* Y. X. Liou	F.250	夹竹桃科 Apocynaceae	√	√	⑤
119	四叶茜草	*Rubia schugnanica* B. Fedtsch. ex Pojark.	F.252	茜草科 Rubiaceae		√	⑤
120	长叶茜草	*Rubia dolichophylla* Schrenk	F.252	茜草科 Rubiaceae		√	⑤
121	杯花菟丝子	*Cuscuta approximata* Babington	F.255	旋花科 Convolvulaceae		√	⑤
122	单柱菟丝子	*Cuscuta monogyna* Vahl	F.255	旋花科 Convolvulaceae		√	⑤
123	硬萼软紫草	*Arnebia decumbens* (Vent.) Coss. et Kral.	F.257	紫草科 Boraginaceae		√	③
124	腹脐草	*Gastrocotyle hispida* (Forssk.) Bge.	F.257	紫草科 Boraginaceae		√	⑤
125	毛节兔唇花	*Lagochilus lanatonodus* C. Y. Wu & Hsuan	F.261	唇形科 Lamiaceae		√	⑤
126	新疆鼠尾草	*Salvia deserta* Schang	F.261	唇形科 Lamiaceae		√	③

续表

序号	中文名	拉丁学名	科号	科名	中国特有	新疆特有	功效来源
127	阿尔泰黄芩	*Scutellaria altaica* Fischer ex Sweet	F.261	唇形科 Lamiaceae	√		⑤
128	和布克赛尔青兰	*Dracocephalum hoboksarensis* G. J. Liu	F.261	唇形科 Lamiaceae	√		⑤
129	喀什荆芥	*Nepeta taxkorganica* Y. F. Chang	F.261	唇形科 Lamiaceae	√		⑤
130	展毛黄芩	*Scutellaria orthotricha* C. Y. Wu & H. W. Li	F.261	唇形科 Lamiaceae		√	③
131	宝盖草	*Lamium amplexicaule* L.	F.261	唇形科 Lamiaceae		√	⑤
132	黄花夏至草	*Lagopsis flava* Kar. & Kir.	F.261	唇形科 Lamiaceae		√	⑤
133	柱筒枸杞	*Lycium cylindricum* Kuang et A. M. Lu	F.263	茄科 Solanaceae	√		⑤
134	伊犁脬囊草	*Physochlaina capitata* A. M. Lu	F.263	茄科 Solanaceae		√	⑤
135	多齿列当	*Orobanche uralensis* G. Beck	F.275	列当科 Orobanchaceae		√	⑤
136	分枝列当	*Orobanche aegyptiaca* Pers.	F.275	列当科 Orobanchaceae		√	⑤
137	万叶马先蒿	*Pedicularis myriophylla* Pall.	F.275	列当科 Orobanchaceae		√	⑤
138	新疆柳穿鱼	*Linaria vulgaris* Mill. subsp. *acutiloba* (Fisch. ex Rchb.) Hong	F.279	车前科 Plantaginaceae		√	⑤
139	长距柳穿鱼	*Linaria longicalcarata* Hong	F.279	车前科 Plantaginaceae		√	③
140	柯尔车前	*Plantago cornuti* Gouan.	F.279	车前科 Plantaginaceae		√	⑤
141	南疆风铃草	*Campalula austroxinjiangensis* Y. K. Yang	F.284	桔梗科 Campanulaceae		√	⑤
142	雪莲	*Saussurea involucrate* (Kar. et Kir.) Sch.-Bip.	F.291	菊科 Asteraceae	√		②
143	阿尔金风毛菊	*Saussurea aerjingensis* K. M. Shen	F.291	菊科 Asteraceae	√		⑤
144	纹苞风毛菊	*Saussurea lomatolepis* Lipsch.	F.291	菊科 Asteraceae		√	⑤

续表

序号	中文名	拉丁学名	科号	科名	中国特有	新疆特有	功效来源
145	垫状风毛菊	*Saussurea pulviniformis* C. Winkler.	F.291	菊科 Asteraceae		√	⑤
146	高盐地风毛菊	*Saussurea lacostei* Danguy	F.291	菊科 Asteraceae		√	⑤
147	黑毛雪兔子	*Saussurea inversa* Raab-Straube	F.291	菊科 Asteraceae	√		⑤
148	荒漠蒲公英	*Taraxacum monochlamydeum* Hand.-Mazz.	F.291	菊科 Asteraceae		√	⑤
149	假九眼菊	*Olgaea roborowskyi* Iljin	F.291	菊科 Asteraceae	√		⑤
150	九眼菊	*Olgaea lanipes* (C. Winkler) Iljin	F.291	菊科 Asteraceae		√	⑤
151	昆仑风毛菊	*Saussurea cinerea* Franchet	F.291	菊科 Asteraceae		√	⑤
152	南疆苓菊	*Jurinea kaschgarica* Iljin	F.291	菊科 Asteraceae	√		⑤
153	软叶苓菊（绒毛苓菊）	*Jurinea lanipes* Rupr. ex Osten-Sacken et Rupr.	F.291	菊科 Asteraceae		√	⑤
154	若羌风毛菊	*Saussurea ruoqiangensis* K. M. Shen	F.291	菊科 Asteraceae	√		⑤
155	若羌紫菀	*Aster ruoqiangensis* Y. Wei & C. H. An	F.291	菊科 Asteraceae	√		⑤
156	托里风毛菊	*Saussurea sordida* Kar. et Kir.	F.291	菊科 Asteraceae		√	⑤
157	新疆麻花头	*Klasea lyratifolia* (Schrenk ex Fischer & C. A. Meyer) L. Martins	F.291	菊科 Asteraceae		√	⑤
158	伊宁风毛菊	*Saussurea canescens* C. Winkl.	F.291	菊科 Asteraceae		√	⑤
159	长叶翅膜菊	*Alfredia fetsowii* Iljin	F.291	菊科 Asteraceae		√	⑤
160	准噶尔金矢车菊	*Rhaponticoides dschungarica* (C. Shih) L. Martins	F.291	菊科 Asteraceae		√	⑤
161	大叶橐吾	*Ligularia macrophylla* (Ledeb.) DC.	F.291	菊科 Asteraceae		√	⑤
162	短喙粉苞菊	*Chondrilla brevirostris* Fihch. et Mey.	F.291	菊科 Asteraceae		√	⑤

续表

序号	中文名	拉丁学名	科号	科名	中国特有	新疆特有	功效来源
163	灌木紫菀木	*Asterothamnus fruticosus* (C. Winkl.) Novopokr.	F.291	菊科 Asteraceae		√	⑤
164	准噶尔沙蒿	*Artemisia songarica* Schrenk	F.291	菊科 Asteraceae		√	⑤
165	阿尔泰狗娃花	Heteropappus altaicus (Willd.) Novopokr.	F.291	菊科 Asteraceae		√	③
166	毛果一枝黄花	*Solidago virgaurea* L.	F.291	菊科 Asteraceae		√	③
167	阿尔泰狗娃花（原变种）	*Heteropappus altaicus* (Willd.) Novopokr. var. *altaicus* Willd.	F.291	菊科 Asteraceae		√	③
168	半卧狗娃花	*Heteropappus semiprostratus* Grierson	F.291	菊科 Asteraceae		√	⑤
169	寡毛一枝黄花	*Solidago virgaurea* L. var. *dahurica* Kitag.	F.291	菊科 Asteraceae		√	⑤
170	膜果泽泻	*Alisma lanceolatum* Wither.	F.292	泽泻科 Alismataceae		√	⑤
171	托星贝母	*Fritillaria tortifolia* X. Z. Duan & X. J. Zheng	F.302	百合科 Liliaceae	√		⑤
172	裕民贝母	*Fritillaria yuminensis* X. Z. Duan	F.302	百合科 Liliaceae	√		⑤
173	折枝天门冬	*Asparagus angulofractus* Iljin	F.302	百合科 Liliaceae		√	⑤
174	疏花韭	*Allium henryi* C. H. Wright	F.308	石蒜科 Amaryllidaceae	√		⑤
175	旱生韭	*Allium hymenorhizum* Ledebour var. *dentatum* J. M. Xu	F.308	石蒜科 Amaryllidaceae	√		⑤
176	弯叶鸢尾	*Iris curvifolia* Y. T. Zhao	F.314	鸢尾科 Iridaceae		√	⑤
177	团花灯心草	*Juncus gerardii* Lois.	F.319	灯心草科 Juncaceae		√	⑤
178	长舌针茅	*Sitpa macroglossa* P. Smirn.	F.330	禾本科 Poaceae		√	⑤
179	密穗小獐毛（微药獐毛）	*Aeluropus micrantherus* Tzvel.	F.330	禾本科 Poaceae		√	⑤
180	膜颖早熟禾	*Poa membranigluma* D. F. Cui	F.330	禾本科 Poaceae	√		⑤

续表

序号	中文名	拉丁学名	科号	科名	中国特有	新疆特有	功效来源
181	瑞氏针茅	*Stipa richteriana* Kar. & Kir.	F.330	禾本科 Poaceae		√	⑤
182	香画眉草	*Eragrostis suaveolens* A. K. Becker ex Claus	F.330	禾本科 Poaceae		√	⑤
183	新疆鹅观草	*Elymus sinkiangensis* D. F. Cui	F.330	禾本科 Poaceae	√		⑤
184	伊吾赖草	*Leymus yiunensis* N. R. Cui & D. F. Cui	F.330	禾本科 Poaceae	√		⑤
185	银鳞荸荠	*Eleocharis argyrolepis* Kierulff ex Bunge	F.338	莎草科 Cyperaceae		√	⑤
186	木贼荸荠	*Eleocharis mitracarps* Steudel	F.338	莎草科 Cyperaceae		√	⑤
187	西伯利亚云杉（新疆云杉）	*Picea obovata* Ledeb.	Fam.4	松科 Pinaceae		√	⑤
188	油松	*Pinus tabuliformis* Carriere	Fam.4	松科 Pinaceae	√		⑤
189	新疆冷杉（西伯利亚冷杉）	*Abies sibirica* Ledeb.	Fam.4	松科 Pinaceae		√	③
190	新疆方枝柏	*Juniperus pseudosabina* Fischer & C. A. Meyer	Fam.6	柏科 Cupressaceae		√	⑤
191	昆仑圆柏	*Juniperus semiglobosa* Regel	Fam.6	柏科 Cupressaceae		√	⑤
192	斑子麻黄	*Ephedra rhytidosperma* Pachomova	Fam.1	麻黄科 Ephedraceae	√		⑤
193	膜果麻黄	*Ephedra przewalskii* Stapf	Fam.1	麻黄科 Ephedraceae	√		⑤

注：①《中华本草》；②《中国药典》；③《哈萨克药志》；④《维吾尔药志》；⑤《新疆药用植物名录》。

（二）重点物种调查情况

新疆第四次中药资源普查工作获得了新疆药用资源种类、分布、蕴藏量、资源变化趋势、传统知识、野生与栽培情况、收购量、需求量等中药资源的本底资料。本次中药资源普查共计调查重点药用植物资源 153 种，包括软紫草、新疆阿魏、罗布麻、新疆沙参、新疆柴胡、准噶尔乌头、一枝蒿、白皮锦鸡儿、菊苣、荒漠肉苁蓉、新疆党参、锁阳、木贼麻黄、蓝枝麻黄、中麻黄、伊贝母、新疆贝母、乌拉尔甘草、沙棘、贯叶金丝桃、黄花补血草、小叶忍冬、薄荷、白刺、新疆芍药、草原糙苏、蒙古白头翁、狭叶红景天、酸模、雪莲、林荫千里光、红花等。其中，甘草、芦苇、白皮锦鸡儿、胀果甘草、萹蓄、中麻黄、白刺的分布面积均超过 5 100 km^2，短穗柽柳、芦苇、皱叶酸模、节节草、萹蓄、菥蓂、飞蓬、一枝蒿、新疆党参的蕴藏量均超过 255 000 kg/km^2。但与第三次全国中药资源普查相比，由于过度采挖、农垦、气候变迁、过度放牧、人为干扰等原因，新疆部分药用植物资源的总量锐减，特别是一些传统的、特色大宗药材，如甘草、雪莲、新疆贝母、新疆紫草等，目前的资源量不及第三次全国中药资源普查的 40%。

新疆地处欧亚大陆腹地，植物区系处于欧洲森林亚区、欧亚草原区、中亚荒漠区、中亚荒漠亚区和中国喜马拉雅植物亚区的交汇处。天山、阿尔泰山的中药资源种类较为丰富，准噶尔盆地、塔里木盆地的中药资源储量较大，昆仑山、阿尔金山、帕米尔高原的中药资源独具特色。新疆药用植物资源由北向南分为7个区域：阿尔泰山区（主要分布有中麻黄、块根芍药、新疆党参、唇香草、多伞阿魏、白屈菜等）、准噶尔盆地西部山地（主要分布有软紫草、乌拉尔甘草、扁桃、红景天、大叶补血草、贯叶金丝桃等）、天山山脉（主要分布有雪莲、软紫草、一枝蒿、新疆阿魏、伊贝母、新疆贝母、贯叶金丝桃、菊苣、新疆党参等）、昆仑山与阿尔金山地区（主要分布有天山棱子芹、中麻黄、高山红景天、天山堇菜、锁阳、沙棘）、准噶尔盆地（主要分布有肉苁蓉、苦豆子、阜康阿魏、骆驼刺、乌拉尔甘草、罗布麻、骆驼蓬、中麻黄）、塔里木盆地及其周围的山前平原冲积扇（主要分布有肉苁蓉、管花肉苁蓉、胀果甘草、光果甘草、罗布麻、薄荷、罗勒、香青兰、毛菊苣、中麻黄）、东疆盆地（主要分布有锁阳、刺山柑、骆驼刺、胡杨、顶羽菊）。

调查发现，吐鲁番盆地独特的地形地貌、气候条件、海拔高度等，使得分别分布在南北疆的中麻黄、蓝枝麻黄、草麻黄、曲枝麻黄、木贼麻黄、乌拉尔甘草、胀果甘草、光果甘草、膜果甘草、粗毛甘草、罗布麻、大花罗布麻等同时出现在吐鲁番盆地。喀什地区等高原区域分布有雪豹、棕熊、盘羊、北山羊、黄羊、野牦牛、雪鸡、骆驼、野驴、旱獭等野生动物资源，哈密市一带分布有鹿茸、羚羊角、芒硝等动物药与矿物药资源。（详见表 1－2－12 ～表 1－2－14）

表 1－2－12　新疆各县重点调查完成情况

序号	区域名称	样地总数	样方套总数	数量调查总数	重点调查总数
1	阿合奇县	37	185	4	20
2	阿克苏市	36	185	77	10
3	阿克陶县	36	180	1	5
4	阿拉尔市	38	190	18	5
5	阿勒泰市	38	190	11	25

续表

序号	区域名称	样地总数	样方套总数	数量调查总数	重点调查总数
6	阿图什市	37	185	2	10
7	阿瓦提县	37	185	76	5
8	巴楚县	37	185	29	11
9	巴里坤哈萨克自治县	36	180	13	11
10	白碱滩区	36	180	7	0
11	拜城县	37	185	11	0
12	博湖县	41	205	364	176
13	博乐市（含阿拉山口市）	40	200	34	35
14	布尔津县	53	265	756	207
15	策勒县	36	180	179	160
16	察布查尔锡伯自治县	36	180	30	15
17	昌吉市	37	185	3	7
18	达坂城区	39	198	9	5
19	独山子区	38	190	160	10
20	额敏县	36	180	89	55
21	福海县	37	185	10	10
22	阜康市	46	275	269	35
23	富蕴县	36	180	229	126
24	伽师县	37	185	5	5
25	巩留县	35	175	5	5
26	哈巴河县	36	180	242	165
27	伊州区	38	190	48	13
28	和布克赛尔蒙古自治县	37	185	28	15
29	和静县	58	288	242	111
30	和硕县	36	180	1	5
31	和田市	6	30	22	20
32	和田县	36	180	108	5
33	呼图壁县	36	180	2	3
34	霍城县（含霍尔果斯市）	36	180	5	15
35	吉木乃县	36	180	288	127

续表

序号	区域名称	样地总数	样方套总数	数量调查总数	重点调查总数
36	吉木萨尔县	34	202	35	36
37	精河县	46	230	46	15
38	喀什市	37	185	6	5
39	柯坪县	37	185	10	5
40	克拉玛依区	39	195	17	15
41	库车市	43	214	19	5
42	库尔勒市（含铁门关市）	36	180	2	10
43	奎屯市	37	185	2	2
44	轮台县	43	215	229	125
45	洛浦县	36	180	279	175
46	玛纳斯县	37	185	2	2
47	麦盖提县	37	185	37	10
48	米东区（含五家渠市）	41	203	1	5
49	民丰县	36	180	261	150
50	墨玉县	37	185	15	6
51	木垒哈萨克自治县	29	175	105	90
52	尼勒克县	38	190	936	206
53	皮山县	38	190	6	6
54	奇台县	23	173	85	60
55	且末县	38	190	54	15
56	青河县	37	185	7	15
57	若羌县	36	180	27	10
58	沙湾市	37	185	1	5
59	沙雅县	39	195	14	10
60	莎车县	37	185	25	15
61	鄯善县	36	180	1	5
62	石河子市	39	195	3	10
63	疏附县	37	185	6	5
64	疏勒县	37	185	21	15
65	塔城市	38	190	148	60

续表

序号	区域名称	样地总数	样方套总数	数量调查总数	重点调查总数
66	塔什库尔干塔吉克自治县	36	180	1	5
67	特克斯县	36	180	6	30
68	天山区（含沙依巴克区）	37	185	4	15
69	图木舒克市	37	185	29	15
70	高昌区	36	180	1	5
71	托克逊县	36	180	2	10
72	托里县	37	185	18	15
73	尉犁县	36	180	2	10
74	温泉县	36	180	4	10
75	温宿县	38	190	8	5
76	乌尔禾区	37	185	41	15
77	乌鲁木齐县	38	190	6	5
78	乌恰县	36	180	1	5
79	乌什县	36	180	9	10
80	乌苏市	36	180	5	25
81	新和县	41	205	1	0
82	新市区（含水磨沟区、头屯河区）	37	185	9	25
83	新源县	43	215	1 271	156
84	焉耆回族自治县	45	204	358	165
85	叶城县	36	180	1	5
86	伊宁市	36	180	44	25
87	伊宁县	36	180	1 005	89
88	伊吾县	36	180	18	10
89	英吉沙县	38	190	3	10
90	于田县	36	180	244	145
91	裕民县	36	180	69	35
92	岳普湖县	38	190	17	10
93	泽普县	36	180	1	5
94	昭苏县	37	185	722	319

表 1-2-13　新疆重点品种蕴藏量统计

序号	基原中文名	基原拉丁学名	药材名	药材类别	资源蕴藏量 / t	分布地区
1	荆芥	*Nepeta cataria* L.	荆芥	全草类	1	木垒哈萨克自治县
2	阿尔泰金莲花	*Trollius altaicus* C. A. Mey.	阿尔泰金莲花	全草类	2	塔城市、额敏县
3	阿尔泰狗娃花	*Heteropappus altaicus* (Willd.) Novopokr.	阿尔泰紫菀	根及根茎类	134 913	乌苏市、昌吉市、玛纳斯县、托里县
4	白刺	*Nitraria tangutorum* Bobr.	白刺	果实和种子类	147 937	库尔勒市、巴里坤哈萨克自治县、和硕县、且末县
5	白喉乌头	*Aconitum leucostomum* Worosch.	白喉乌头	根及根茎类	558	阿勒泰市、博乐市
6	白花蒲公英	*Taraxacum leucanthum* (Ledeb.) Ledeb.	白花蒲公英	全草类	30	若羌县
7	白花枝子花	*Dracocephalum heterophyllum* Benth.	白花甜蜜蜜	全草类	13	乌什县
8	白皮锦鸡儿	*Caragana leucophloea* Pojark.	白皮锦鸡儿	花类	27	托里县、温泉县、精河县、博乐市、和布克赛尔蒙古自治县
9	白屈菜	*Chelidonium majus* L.	白屈菜	全草类	34 312	乌苏市、富蕴县、哈巴河县、布尔津县、博乐市
10	蒙古白头翁	*Pulsatilla ambigua* Turcz. ex Pritz.	白头翁	根及根茎类	3	裕民县
11	大籽蒿	*Artemisia sieversiana* Ehrhart ex Willd.	白蒿	全草类	922	特克斯县
12	薄荷	*Mentha canadensis* L.	薄荷	全草类	109 557	奎屯市、皮山县、昌吉市、巴里坤哈萨克自治县、哈巴河县、布尔津县、尼勒克县、新源县、昭苏县、伊宁县、阿合奇县、乌什县、阿克苏市、巩留县、霍城县
13	节节草	*Equisetum ramosissimum* Desf.	笔筒草	全草类	24 627	托里县、塔什库尔干塔吉克自治县、阿克陶县、阿克苏市、阿拉尔市
14	草木樨	*Melilotus officinalis* (L.) Pall.	辟汗草	全草类	126	乌苏市、沙湾市
15	播娘蒿	*Descurainia sophia* (L.) Webb ex Prantl	播娘蒿	全草类	9 466	特克斯县、克拉玛依区、独山子区、裕民县
16	苍耳	*Xanthium sibiricum* Patrin ex Widder	苍耳子	果实和种子类	712	塔城市、吉木萨尔县、沙湾市、乌苏市

续表

序号	基原中文名	基原拉丁学名	药材名	药材类别	资源蕴藏量 / t	分布地区
17	草甸雪兔子	*Saussurea thoroldii* Hemsl.	草甸雪兔子	全草类	830	若羌县
18	草原糙苏	*Phlomis pratensis* Kar. et Kir.	草原糙苏	根及根茎类	36 152	博乐市、昌吉市
19	柴胡	*Bupleurum chinense* DC.	柴胡	根及根茎类	420	昭苏县
20	长鳞红景天	*Rhodiola gelida* Schrenk	长鳞红景天	根及根茎类	346	乌苏市
21	车前	*Plantag asiatica* L.	车前草	全草类	25 472	阿勒泰市、伊宁市、昌吉市、乌尔禾区、疏勒县、乌什县、沙雅县
22	平车前	*Plantago depressa* Willd.	车前草	全草类	394	吉木萨尔县
23	大车前	*Plantago major* L.	车前草	全草类	2 617	青河县、巴楚县、沙雅县
24	大车前	*Plantago major* L.	车前草	全草类	10 410	额敏县、伽师县、岳普湖县、拜城县、库车市、阿克苏市、阿拉尔市、福海县、和布克赛尔蒙古自治县
25	平车前	*Plantago depressa* Willd.	车前子	果实和种子类	223	特克斯县、吉木萨尔县
26	叉子圆柏	*Sabina vulgaris* Ant.	臭柏	茎木类	317	察布查尔锡伯自治县、特克斯县
27	垂花青兰	*Dracocephalum nutans* L.	垂花青兰	全草类	14	额敏县
28	唇香草	*Ziziphora clinopodioides* Lam.	唇香草	全草类	30 998	察布查尔锡伯自治县、伊宁市、乌鲁木齐县、温泉县、精河县、博乐市、青河县、福海县、阿勒泰市
29	红果小檗	*Berberis nummularia* Bge.	刺黄连	茎木类	145	乌苏市
30	刺沙蓬	*Salsola ruthenica* Iljin	刺沙蓬	全草类	12 497	和田县
31	大翅蓟	*Onopordum acanthium* L.	大翅蓟	全草类	589	额敏县
32	大叶补血草	*Limonium gmelinii* (Willd.) O. Kuntze	大叶矶松	全草类	2 520	塔城市、额敏县
33	东方铁线莲	*Clematis orientalis* L.	东方铁线莲	茎木类	18 266	库尔勒市、岳普湖县、莎车县、英吉沙县、尉犁县

续表

序号	基原中文名	基原拉丁学名	药材名	药材类别	资源蕴藏量 / t	分布地区
34	短裂苦苣菜	*Sonchus uliginosus* M. Bieb.	短裂苦苣菜	全草类	225	阿拉尔市
35	短穗柽柳	*Tamarix laxa* Willd.	短穗柽柳	茎木类	1 073 214	轮台县
36	堆叶蒲公英	*Taraxacum compactum* Schischk.	堆叶蒲公英	全草类	3 658	叶城县
37	多根乌头	*Aconitum karakolicum* Rapaics	多根乌头	根及根茎类	8	温泉县
38	多花柽柳	*Tamarix hohenackeri* Bunge	多花柽柳	茎木类	1 349	新和县
39	反枝苋	*Amaranthu retroflexus* L.	反枝苋	全草类	421	疏勒县
40	飞蓬	*Erigeron acer* L.	飞蓬	全草类	2 528	玛纳斯县
41	光果甘草	*Glycyrrhiza glabra* L.	甘草	根及根茎类	50 473	喀什市、焉耆回族自治县、巴楚县、莎车县、英吉沙县
42	胀果甘草	*Glycyrrhiza inflata* Bat.	甘草	根及根茎类	474 390	阿拉尔市、图木舒克市、托克逊县、墨玉县、轮台县、民丰县、于田县、策勒县、洛浦县、焉耆回族自治县、和田县、岳普湖县、麦盖提县、莎车县、疏勒县、疏附县、阿图什市、阿瓦提县、沙雅县、库车市、温宿县、且末县、若羌县、尉犁县、库尔勒市
43	甘草	*Glycyrrhiza uralensis* Fisch.	甘草	根及根茎类	1 482 630	哈密市及呼图壁县、乌尔禾区、新市区、富蕴县、吉木乃县、哈巴河县、布尔津县、尼勒克县、新源县、轮台县、伊宁县、博湖县、和静县、焉耆回族自治县、吉木萨尔县、阜康市、阿合奇县、精河县、博乐市、石河子市、福海县、阿勒泰市、和布克赛尔蒙古自治县、裕民县、托里县、额敏县、塔城市、巩留县、霍城县、奎屯市
44	甘青铁线莲	*Clematis tangutica* (Maxim.) Korsh.	甘青铁线莲	茎木类	8 850	且末县
45	刚毛柽柳	*Tamarix hispida* Willd.	刚毛红柳	茎木类	43 444	轮台县

续表

序号	基原中文名	基原拉丁学名	药材名	药材类别	资源蕴藏量 / t	分布地区
46	贯叶金丝桃	*Hypericum perforatum* L.	贯叶金丝桃	全草类	39 229	察布查尔锡伯自治县、伊宁市、尼勒克县、新源县、昭苏县、伊宁县、额敏县、塔城市
47	海韭菜	*Triglochin maritimum* L.	海韭菜	全草类	53	若羌县
48	水麦冬	*Triglochin palustre* L.	海韭菜籽	果实和种子类	33 418	若羌县
49	海乳草	*Glaux maritima* L.	海乳草	全草类	2 351	若羌县
50	异果小檗	*Berberis heteropoda* Schrenk	黑果小檗	皮类	316	察布查尔锡伯自治县、伊宁市、沙湾市
51	黑果小檗	*Berberis atrocarpa* Schneid.	黑石珠	根及根茎类	158	温泉县、阜康市
52	宽叶红门兰	*Orchis latifolia* L.	红门兰	全草类	163	和硕县
53	胡桃	*Juglans regia* L.	胡桃青皮	皮类	1	和田市
54	胡杨	*Populus euphratica* Oliv.	胡桐泪	树脂类	3 415	沙雅县
55	黄甘草	*Glycyrrhiza korshinskyi* G. Hrig.	黄甘草	根及根茎类	9 509	皮山县
56	黄花瓦松	*Orostachys spinosa* (L.) Sweet	黄花瓦松	全草类	5 772	托里县
57	林荫千里光	*Senecio nemorensis* L.	黄菀	全草类	602	乌苏市
58	大麻	*Cannabis sativa* L.	火麻仁	果实和种子类	112	特克斯县、塔城市
59	火绒草	*Leontopodium leontopodioides* (Willd.) Beauv.	火绒草	全草类	17 834	察布查尔锡伯自治县、和田县、阿图什市、温宿县、温泉县、博乐市、沙湾市、乌苏市、特克斯县
60	新疆党参	*Codonopsis clematidea* (Schrenk) C. B. Clarke	鸡蛋参	根及根茎类	184	乌恰县
61	箭头唐松草	*Thalictrum simplex* L.	箭头唐松草	根及根茎类	425	博乐市
62	龙蒿	*Artemisia dracunculus* L.	椒蒿	全草类	115 127	托里县、鄯善县、乌恰县、温泉县
63	黄花补血草	*Limonium aureum* (L.) Hill	金匙叶草	花类	1 075	和田县

续表

序号	基原中文名	基原拉丁学名	药材名	药材类别	资源蕴藏量 / t	分布地区
64	金丝桃叶绣线菊	*Spiraea hypericifolia* L.	金丝桃叶绣线菊	花类	2 648	托里县、温泉县、博乐市
65	菊苣	*Cichorium intybus* L.	菊苣	全草类	40 970	霍城县、伊宁市、新市区、天山区、富蕴县、哈巴河县、布尔津县、阿勒泰市、裕民县、额敏县、乌苏市、塔城市、巩留县
66	密花香薷	*Elsholtzia densa* Benth.	咳嗽草	全草类	3 391	昌吉市
67	苦苣菜	*Sonchus oleraceus* L.	苦菜	全草类	137	阿瓦提县
68	苦豆子	*Sophora alopecuroides* L.	苦豆草	全草类	22 076	裕民县、乌尔禾区、泽普县、拜城县、库车市、阿拉尔市、福海县、和布克赛尔蒙古自治县
69	苦豆子	*Sophora alopecuroides* L.	苦豆根	根及根茎类	5 784	托里县
70	苦豆子	*Sophora alopecuroides* L.	苦豆子	果实和种子类	113 085	察布查尔锡伯自治县、米东区、吉木萨尔县、巴楚县、伽师县、岳普湖县、麦盖提县、莎车县、英吉沙县、疏附县、喀什市、阿瓦提县、乌什县、阿克苏市、石河子市、阿勒泰市、和布克赛尔蒙古自治县、沙湾市、额敏县、乌苏市、塔城市
71	苦马豆	*Sphaerophysa salsula* (Pall.) DC.	苦马豆	果实和种子类	1 645	阿勒泰市、米东区、吉木萨尔县
72	苦马豆	*Sphaerophysa salsula* (Pall.) DC.	苦马豆根	根及根茎类	5	新市区
73	顶羽菊	*Acroptilon repens* (L.) DC.	苦蒿	全草类	61 415	塔城市、乌尔禾区、独山子区、塔什库尔干塔吉克自治县、阿瓦提县、和硕县、尉犁县、库尔勒市、青河县、福海县、阿勒泰市、托里县、沙湾市、乌苏市
74	块根糙苏	*Phlomi tuberosa* L.	块茎糙苏	根及根茎类	7 092	温泉县
75	宽刺蔷薇	*Rosa platyacantha* Schrenk	宽刺蔷薇	果实和种子类	452	额敏县、独山子区、博乐市
76	路边青	*Geum aleppicum* Jacq.	蓝布正	全草类	1 091	青河县

续表

序号	基原中文名	基原拉丁学名	药材名	药材类别	资源蕴藏量 / t	分布地区
77	刺山柑	*Capparis spinosa* L.	老鼠瓜	果实和种子类	4 608	石河子市、图木舒克市、伊宁市、吐鲁番市、塔什库尔干塔吉克自治县、巴楚县、伽师县、疏勒县、喀什市、阿克陶县、乌什县、温宿县
78	龙葵	*Solanum nigrum* L.	龙葵	全草类	748	裕民县
79	龙葵	*Solanum nigrum* L.	龙葵子	果实和种子类	1 307	博乐市
80	芦苇	*Phragmites australis* (Cav.) Trin. ex Steud.	芦根	根及根茎类	859 125	察布查尔锡伯自治县、皮山县、托克逊县、鄯善县、和田市、叶城县、泽普县、阿合奇县、且末县、若羌县、塔城市
81	罗布麻	*Apocynum venetum* L.	罗布麻叶	叶类	26 717	哈密市及察布查尔锡伯自治县、图木舒克市、乌尔禾区、吉木乃县、布尔津县、民丰县、于田县、洛浦县、焉耆回族自治县、巴楚县、疏勒县、阿图什市、尉犁县、库尔勒市、精河县、博乐市、玛纳斯县、乌苏市、塔城市
82	骆驼刺	*Alhagi sparsifolia Shaparenko* ex Keller & Shaparenko	骆驼刺	其他类	237 253	博乐市、乌尔禾区、克拉玛依区、吉木萨尔县、且末县、若羌县、精河县
83	骆驼蓬	*Peganum harmal* L.	骆驼蓬	全草类	180 716	呼图壁县、图木舒克市、克拉玛依区、独山子区、米东区、新市区、天山区、吉木萨尔县、塔什库尔干塔吉克自治县、巴楚县、麦盖提县、英吉沙县、疏勒县、疏附县、喀什市、阿合奇县、柯坪县、乌什县、拜城县、新和县、温泉县、博乐市、玛纳斯县、青河县、福海县、阿勒泰市、和布克赛尔蒙古自治县、托里县、额敏县、乌苏市、塔城市、察布查尔锡伯自治县
84	骆驼蓬	*Peganum harmal* L.	骆驼蓬子	果实和种子类	3 042	和布克赛尔蒙古自治县、吉木萨尔县、柯坪县、新和县、石河子市

续表

序号	基原中文名	基原拉丁学名	药材名	药材类别	资源蕴藏量 / t	分布地区
85	中麻黄	*Ephedra intermedia* Schrenk ex Ney.	麻黄	茎类	808 604	额敏县、伊吾县、轮台县、和静县、木垒哈萨克自治县、博乐市、阿勒泰市、和布克赛尔蒙古自治县、托里县
86	木贼麻黄	*Ephedra equisetina* Bge.	麻黄	茎类	142 025	特克斯县、富蕴县、哈巴河县、布尔津县、青河县、裕民县、塔城市
87	蓝枝麻黄	*Ephedra glauca* Regel.	麻黄	茎类	272 316	库尔勒市、托克逊县、鄯善县、塔什库尔干塔吉克自治县、叶城县、喀什市、乌恰县、阿合奇县、阿克陶县、拜城县、库车市
88	西藏麻黄	*Ephedra tibetica* (Stapf) V. A. Nikitin	麻黄	茎类	6 697	莎车县
89	大麻	*Cannabis sativa* L.	麻叶	叶类	32	福海县
90	麻叶荨麻	*Urtica cannabina* L.	麻叶荨麻	全草类	1 053	乌苏市、昌吉市
91	马齿苋	*Portulac oleracea* L.	马齿苋	全草类	3 215	英吉沙县、新市区、岳普湖县、莎车县
92	毛头牛蒡	*Arctium tomentosum* Mill.	毛头牛蒡	根及根茎类	849	特克斯县、伊宁市、吉木萨尔县、乌苏市
93	密刺蔷薇	*Rosa spinosissima* L.	密刺蔷薇	果实和种子类	4 809	托里县
94	拟百里香	*Thymus proximus* Serg.	拟百里香	全草类	5 620	额敏县、温泉县、博乐市
95	皱叶酸模	*Rumex crispus* L.	牛耳大黄	根及根茎类	1 045	玛纳斯县
96	野胡麻	*Dodartia orientals* L.	牛含水	根及根茎类	14 390	托里县、乌尔禾区、克拉玛依区、巴楚县、伽师县、麦盖提县、疏勒县、喀什市、福海县、阿勒泰市
97	牛至	*Origanum vulgare* L.	牛至	全草类	1 063	特克斯县、伊宁市、额敏县
98	牛蒡	*Arctium lappa* L.	牛蒡茎叶	茎木类	4 212	阿合奇县
99	牛蒡	*Arctium lappa* L.	牛蒡子	果实和种子类	16 897	塔城市、尼勒克县、新源县、昭苏县、伊宁县、玛纳斯县

续表

序号	基原中文名	基原拉丁学名	药材名	药材类别	资源蕴藏量 / t	分布地区
100	欧夏至草	*Marrubium vulgare* L.	欧夏至草	全草类	1 171	石河子市、新市区、天山区
101	蓬子菜	*Galium verum* L.	蓬子菜	全草类	31 406	托里县、博乐市
102	秦艽	*Gentiana macrophylla* Pall.	秦艽	根及根茎类	105 520	和静县、布尔津县、尼勒克县、新源县、昭苏县
103	黄花蒿	*Artemisia annua* L.	青蒿	全草类	341	天山区、新市区
104	萹蓄	*Polygonum aviculare* L.	萹蓄	全草类	6 341 366	特克斯县、伊宁市、克拉玛依区、独山子区、达坂城区、富蕴县、吉木乃县、哈巴河县、布尔津县、阿克苏市、裕民县、托里县、额敏县、乌苏市、塔城市
105	全缘叶青兰	*Dracocephalum integrifolium* Bunge	全叶青兰	全草类	13 381	博乐市
106	拳参	*Polygonum bistorta* L.	拳参	根及根茎类	31 761	塔城市、吉木乃县、哈巴河县、温泉县、博乐市、和布克赛尔蒙古自治县、额敏县
107	肉苁蓉	*Cistanche deserticola* Ma	肉苁蓉	茎类	16 028	裕民县、克拉玛依区、伽师县、麦盖提县、精河县
108	管花肉苁蓉	*Cistanche tubulosa* (Schrenk) Wight	肉苁蓉	茎类	22 921	洛浦县、民丰县、于田县、策勒县
109	乳苣	*Mulgedium tataricum* (L.) DC.	乳苣（乳菊）	全草类	23 562	且末县、和田市、乌恰县
110	桑	*Morus alba* L.	桑枝	茎木类	53	乌鲁木齐县
111	沙棘	*Hippophae rhamnoides* L.	沙棘	果实和种子类	305 151	和静县、尼勒克县、新源县、昭苏县、伊宁县
112	蓼子朴	*Inula salsolides* (Turcz.) Ostenf.	沙旋复花	全草类	2 123	阿克苏市、和田县、和田市
113	沙枣	*Elaeagnus angustifolia* L.	沙枣	果实和种子类	13	尉犁县、泽普县、阿瓦提县
114	山地乌头	*Aconitum monticola* Steinb.	山地乌头	根及根茎类	247	阿勒泰市
115	刺蔷薇	*Rosa acicularis* Lindl.	少刺大叶蔷薇	根及根茎类	2	福海县

续表

序号	基原中文名	基原拉丁学名	药材名	药材类别	资源蕴藏量 / t	分布地区
116	狭叶红景天	*Rhodiola kirilowii* (Regel) Maxim.	狮子七	根及根茎类	63 017	和静县
117	疏花蔷薇	*Rosa laxa* Retz.	疏花蔷薇	果实和种子类	22	沙湾市、和田县
118	鼠尾草	*Salvia japonica* Thunb.	鼠尾草	全草类	1	吉木萨尔县
119	四裂红景天	*Rhodiola quadrifida* (Pall.) Fisch. et Mey.	四裂红景天	根及根茎类	2 860	乌苏市、若羌县
120	酸模	*Rumex acetosa* L.	酸模	根及根茎类	1 971	塔城市
121	欧酸模	*Rumex pseudonatronatus* Borb.	酸模	根及根茎类	1 565	乌苏市
122	碎米蕨叶马先蒿	*Pedicularis cheilanthifolia* Schrenk	碎米蕨叶马先蒿	根及根茎类	71	若羌县
123	锁阳	*Cynomorium songaricum* Rupr.	锁阳	茎木类	66 042	裕民县、富蕴县、吉木乃县、哈巴河县、布尔津县、策勒县、洛浦县、和硕县、且末县
124	雪莲	*Saussurea involucrata* (Kar. et kir) Sch.-bip.	天山雪莲	全草类	340	和静县
125	莨菪	*Hyoscyamus niger* L.	天仙子	果实和种子类	410	霍城县、米东区、新市区、天山区、石河子市、额敏县、巩留县
126	田旋花	*Convolvulus arvensis* L.	田旋花	全草类	9 592	特克斯县、伊宁市、克拉玛依区、独山子区、阿图什市
127	细穗柽柳	*Tamarix leptostachys* Bunge	细穗柽柳	茎木类	48 294	轮台县
128	细子麻黄	*Ephedra regeliana* Florin	细子麻黄	果实和种子类	861	轮台县
129	狭叶锦鸡儿	*Caragana stenophylla* Pojark.	狭叶锦鸡儿	花类	1	和硕县
130	香藜	*Chenopodium botrys* L.	香藜	全草类	2 207	玛纳斯县
131	小蓬草	*Conyza canadensis* (L.) Cronq.	小飞蓬	全草类	11	石河子市

续表

序号	基原中文名	基原拉丁学名	药材名	药材类别	资源蕴藏量 / t	分布地区
132	小果白刺	*Nitraria sibirica* Pall.	小果白刺	果实和种子类	744	塔城市、克拉玛依区、和布克赛尔蒙古自治县
133	小叶忍冬	*Lonicera microphylla* Willd. ex Roem. et Schult.	小叶忍冬	茎木类	7 364	博乐市
134	珠芽蓼	*Polygonum viviparum* L.	蝎子七	根及根茎类	69	特克斯县、乌苏市、塔城市
135	新疆柴胡	*Bupleurum exaltatum* Marsch.-Bieb.	新疆柴胡	根及根茎类	12 229	奇台县、吉木萨尔县
136	新疆党参	*Codonopsis clematidea* (Schrenk) C. B. Clarke	新疆党参	根及根茎类	112 218	特克斯县、伊宁市、和静县、温泉县、博乐市、乌苏市
137	西伯利亚铁线莲	*Clematis sibirica* (L.) Mill.	新疆木通	茎木类	478	博乐市
138	新疆沙参	*Adenophora liliifolia* (L.) Bess.	新疆沙参	根及根茎类	30	和静县
139	新疆芍药	*Paeonia sinjiangensis* K. Y. Pan	新疆芍药	根及根茎类	1 673	裕民县、福海县、阿勒泰市
140	新疆远志	*Polygala hybrida* DC.	新疆远志	全草类	384	额敏县、博乐市
141	新塔花	*Ziziphora bungeana* Juz.	新塔花	其他类	126	木垒哈萨克自治县
142	蓍	*Achillea millefolium* L.	洋蓍草	全草类	56 553	额敏县
143	野艾蒿	*Artemisia lavandulifolia* DC.	野艾蒿	叶类	731	塔城市、额敏县
144	岩蒿	*Artemisia rupestris* L.	一枝蒿	全草类	2 427	青河县、达坂城区
145	伊贝母	*Fritillaria pallidiflora* Schrenk ex Fischer & C. A. Meyer	伊贝母	根及根茎类	57	博乐市、伊宁县、温泉县
146	新疆贝母	*Fritillaria walujewii* Regel	伊贝母	根及根茎类	1 441	阜康市、木垒哈萨克自治县、奇台县
147	益母草	*Leonurus japonicus* Houtt.	益母草	全草类	464	额敏县
148	异株百里香	*Thymus marschallianus* Willd.	异株百里香	全草类	248	额敏县

续表

序号	基原中文名	基原拉丁学名	药材名	药材类别	资源蕴藏量 / t	分布地区
149	异株荨麻	*Urtica dioica* L.	异株荨麻	茎木类	5 046	特克斯县、伊宁市、额敏县
150	羽衣草	*Alchemilla japonica* Nakai et Hara	羽衣草	全草类	285	塔城市
151	窄苞蒲公英	*Taraxacum bessarabicum* (Horn.) Hand.-Mazz.	窄苞蒲公英	全草类	125	和田市
152	中败酱	*Patrinia intermedia* (Horn.) Roem. et Schult.	中败酱	根及根茎类	1 610	特克斯县
153	节节草	*Commelina diffusa* Burm. f.	竹节草	全草类	9 792	吐鲁番市
154	准噶尔铁线莲	*Clematis songarica* Bunge	准噶尔铁线莲	茎木类	158	乌苏市、塔什库尔干塔吉克自治县、和硕县
155	准噶尔乌头	*Aconitum soongaricum* (Regel) Stapf	准噶尔乌头	根及根茎类	1 804	额敏县、和布克赛尔蒙古自治县
156	软紫草	*Arnebia euchroma* (Royle) Johnst.	紫草	根及根茎类	5 291	博乐市、新源县、昭苏县、和静县、木垒哈萨克自治县
157	黄花软紫草	*Arnebia guttata* Bge.	紫草	根及根茎类	59	温宿县
158	内蒙紫草	*Arnebia guttata* Bunge	紫草	根及根茎类	54 062	青河县、伊吾县、巴里坤哈萨克自治县、塔什库尔干塔吉克自治县、乌恰县、阿克陶县
159	紫苜蓿	*Medicago sativa* L.	苜蓿	全草类	2 847	伊宁市
160	苘麻	*Abutilon theophrasti* Medic.	苘麻	全草类	420	呼图壁县、昌吉市
161	菥蓂	*Thlaspi arvense* L.	菥蓂	全草类	18 786	特克斯县、额敏县
162	菟丝子	*Cuscuta chinensis* Lam.	菟丝子	果实和种子类	609	额敏县、伊宁市
163	播娘蒿	*Descurainia sophia* (L.) Webb ex Prantl	葶苈子	果实和种子类	1 876	塔城市、吉木萨尔县、额敏县
164	蒺藜	*Tribulus terrestris* L.	蒺藜	果实和种子类	235	柯坪县、木垒哈萨克自治县、奇台县

表 1-2-14 新疆重点药材名录

序号	药材名	基原中文名	基原拉丁学名	药材类别	野外（YW）或市场（SC）
1	甘草	光果甘草	*Glycyrrhiza glabra* L.	根及根茎类	YW
		胀果甘草	*Glycyrrhiza inflata* Bat.	根及根茎类	YW
		甘草	*Glycyrrhiza uralensis* Fisch.	根及根茎类	YW
2	麻黄	中麻黄	*Ephedra intermedia* Schrenk ex Ney.	茎类	YW
		木贼麻黄	*Ephedra equisetina* Bge.	茎类	YW
		蓝枝麻黄	*Ephedra glauca* Regel.	茎类	YW
		西藏麻黄	*Ephedra tibetica* (Stapf) V. A. Nikitin	茎类	YW
3	伊贝母	伊贝母	*Fritillaria pallidiflora* Schrenk ex Fischer & C. A. Meyer	根及根茎类	YW
		新疆贝母	*Fritillaria walujewii* Regel	根及根茎类	YW
4	肉苁蓉	肉苁蓉	*Cistanche deserticola* Ma	茎类	YW
		管花肉苁蓉	*Cistanche tubulosa* (Schrenk) Wight	茎类	YW
5	紫草	软紫草	*Arnebia euchroma* (Royle) Johnst.	根及根茎类	YW
		黄花软紫草	*Arnebia guttata* Bge.	根及根茎类	YW
		内蒙紫草	*Arnebia guttata* Bunge	根及根茎类	YW
6	酸模	酸模	*Rumex acetosa* L.	根及根茎类	YW
		欧酸模	*Rumex pseudonatronatus* Borb.	根及根茎类	YW
7	车前草	车前	*Plantago asiatica* L.	全草类	YW
		平车前	*Plantago depressa* Willd.	全草类	YW
		大车前	*Plantago major* L.	全草类	YW
8	天山雪莲	雪莲	*Saussurea involucrata* (Kar. et Kir) Sch.-Bip.	全草类	YW
9	新疆柴胡	新疆柴胡	*Bupleurum exaltatum* Marsch.-Bieb.	根及根茎类	YW
10	新疆党参	新疆党参	*Codonopsis clematidea* (Schrenk) C. B. Clarke	根及根茎类	YW
11	新疆木通	西伯利亚铁线莲	*Clematis sibirica* (L.) Mill.	茎木类	YW
12	新疆沙参	新疆沙参	*Adenophora liliifolia* (L.) Bess.	根及根茎类	YW
13	新疆芍药	新疆芍药	*Paeonia sinjiangensis* K. Y. Pan	根及根茎类	YW

续表

序号	药材名	基原中文名	基原拉丁学名	药材类别	野外（YW）或市场（SC）
14	新疆远志	新疆远志	*Polygala hybrida* DC.	全草类	YW
15	准噶尔乌头	准噶尔乌头	*Aconitum soongaricum* (Regel) Stapf	根及根茎类	YW
16	山地乌头	山地乌头	*Aconitum monticola* Steinb.	根及根茎类	YW
17	白喉乌头	白喉乌头	*Aconitum leucostomum* Worosch.	根及根茎类	YW
18	多根乌头	多根乌头	*Aconitum karakolicum* Rapaics	根及根茎类	YW
19	罗布麻叶	罗布麻	*Apocynum venetum* L.	叶类	YW
20	黑果小檗	异果小檗	*Berberis heteropoda* Schrenk	皮类	YW
21	黑石珠	黑果小檗	*Berberis atrocarpa* Schneid.	根及根茎类	YW
22	胡桃青皮	胡桃	*Juglans regia* L.	皮类	YW
23	胡桐泪	胡杨	*Populus euphratica* Oliv.	树脂类	YW
24	黄甘草	黄甘草	*Glycyrrhiza korshinskyi* G. Hrig.	根及根茎类	YW
25	锁阳	锁阳	*Cynomorium songaricum* Rupr.	茎木类	YW
26	阿尔泰金莲花	阿尔泰金莲花	*Trollius altaicus* C. A. Mey.	全草类	YW
27	阿尔泰紫菀	阿尔泰狗娃花	*Heteropappus altaicus* (Willd.) Novopokr.	根及根茎类	YW
28	荆芥	荆芥	*Nepeta cataria* L.	全草类	YW
29	白刺	白刺	*Nitraria tangutorum* Bobr.	果实和种子类	YW
30	白花蒲公英	白花蒲公英	*Taraxacum leucanthum* (Ledeb.) Ledeb.	全草类	YW
31	白花甜蜜蜜	白花枝子花	*Dracocephalum heterophyllum* Benth.	全草类	YW
32	白皮锦鸡儿	白皮锦鸡儿	*Caragana leucophloea* Pojark.	花类	YW
33	白屈菜	白屈菜	*Chelidonium majus* L.	全草类	YW
34	白头翁	蒙古白头翁	*Pulsatilla ambigua* Turcz. ex Pritz.	根及根茎类	YW
35	白蒿	大籽蒿	*Artemisia sieversiana* Ehrhart ex Willd.	全草类	YW
36	薄荷	薄荷	*Mentha canadensis* L.	全草类	YW
37	笔筒草	节节草	*Equisetum ramosissimum* Desf.	全草类	YW
38	辟汗草	草木樨	*Melilotus officinalis* (L.) Pall.	全草	YW
39	播娘蒿	播娘蒿	*Descurainia sophia* (L.) Webb ex Prantl	全草类	YW

续表

序号	药材名	基原中文名	基原拉丁学名	药材类别	野外（YW）或市场（SC）
40	苍耳子	苍耳	*Xanthium sibiricum* Patrin ex Widder	果实和种子类	YW
41	草甸雪兔子	草甸雪兔子	*Saussurea thoroldii* Hcmsl.	全草类	YW
42	草原糙苏	草原糙苏	*Phlomis pratensis* Kar. et Kir.	根及根茎类	YW
43	柴胡	柴胡	*Bupleurum chinense* DC.	根及根茎类	YW
44	长鳞红景天	长鳞红景天	*Rhodiola gelida* Schrenk	根及根茎类	YW
45	车前子	平车前	*Plantago depressa* Willd.	果实和种子类	YW
46	臭柏	叉子圆柏	*Sabina vulgaris* Ant.	茎木类	YW
47	垂花青兰	垂花青兰	*Dracocephalum nutans* L.	全草类	YW
48	唇香草	唇香草	*Ziziphora clinopodioides* Lam.	全草类	YW
49	刺黄连	红果小檗	*Berberis nummularia* Bge.	茎木类	YW
50	刺沙蓬	刺沙蓬	*Salsola ruthenica* Iljin	全草类	YW
51	大翅蓟	大翅蓟	*Onopordum acanthium* L.	全草类	YW
52	大叶矶松	大叶补血草	*Limonium gmelinii* (Willd.) O. Kuntze	全草类	YW
53	东方铁线莲	东方铁线莲	*Clematis orientalis* L.	茎木类	YW
54	短裂苦苣菜	短裂苦苣菜	*Sonchus uliginosus* M. Bieb.	全草类	YW
55	短穗柽柳	短穗柽柳	*Tamarix laxa* Willd.	茎木类	YW
56	堆叶蒲公英	堆叶蒲公英	*Taraxacum compactum* Schischk.	全草类	YW
57	多花柽柳	多花柽柳	*Tamarix hohenackeri* Bunge	茎木类	YW
58	反枝苋	反枝苋	*Amaranthus retroflexus* L.	全草类	YW
59	飞蓬	飞蓬	*Erigeron acer* L.	全草类	YW
60	甘青铁线莲	甘青铁线莲	*Clematis tangutica* (Maxim.) Korsh.	茎木类	YW
61	刚毛红柳	刚毛柽柳	*Tamarix hispida* Willd.	茎木类	YW
62	贯叶金丝桃	贯叶金丝桃	*Hypericum perforatum* L.	全草类	YW
63	海韭菜	海韭菜	*Triglochin maritimum* L.	全草类	YW
64	海韭菜籽	水麦冬	*Triglochin palustre* L.	果实和种子类	YW
65	海乳草	海乳草	*Glaux maritima* L.	全草类	YW
66	红门兰	宽叶红门兰	*Orchis latifolia* L.	全草类	YW
67	黄花瓦松	黄花瓦松	*Orostachys spinosa* (L.) Sweet	全草类	YW

续表

序号	药材名	基原中文名	基原拉丁学名	药材类别	野外（YW）或市场（SC）
68	黄菀	林荫千里光	*Senecio nemorensis* L.	全草类	YW
69	火麻仁	大麻	*Cannabis sativa* L.	果实和种子类	YW
70	火绒草	火绒草	*Leontopodium leontopodioides* (Willd.) Beauv.	全草类	YW
71	鸡蛋参	新疆党参	*Codonopsis clematidea* (Schrenk) C. B. Clarke	根及根茎类	YW
72	箭头唐松草	箭头唐松草	*Thalictrum simplex* L.	根及根茎类	YW
73	椒蒿	龙蒿	*Artemisia dracunculus* L.	全草类	YW
74	金匙叶草	黄花补血草	*Limonium aureum* (L.) Hill	花类	YW
75	金丝桃叶绣线菊	金丝桃叶绣线菊	*Spiraea hypericifolia* L.	花类	YW
76	菊苣	菊苣	*Cichorium intybus* L.	全草类	YW
77	咳嗽草	密花香薷	*Elsholtzia densa* Benth.	全草类	YW
78	苦菜	苦苣菜	*Sonchus oleraceus* L.	全草类	YW
79	苦豆草	苦豆子	*Sophora alopecuroides* L.	全草类	YW
80	苦豆根	苦豆子	*Sophora alopecuroides* L.	根及根茎类	YW
81	苦豆子	苦豆子	*Sophora alopecuroides* L.	果实和种子类	YW
82	苦马豆	苦马豆	*Sphaerophysa salsula* (Pall.) DC.	果实和种子类	YW
83	苦马豆根	苦马豆	*Sphaerophysa salsula* (Pall.) DC.	根及根茎类	YW
84	苦蒿	顶羽菊	*Acroptilon repens* (L.) DC.	全草类	YW
85	块茎糙苏	块根糙苏	*Phlomis tuberosa* L.	根及根茎类	YW
86	宽刺蔷薇	宽刺蔷薇	*Rosa platyacantha* Schrenk	果实和种子类	YW
87	蓝布正	路边青	*Geum aleppicum* Jacq.	全草类	YW
88	老鼠瓜	刺山柑	*Capparis spinosa* L.	果实和种子类	YW
89	龙葵	龙葵	*Solanum nigrum* L.	全草类	YW
90	龙葵子	龙葵	*Solanum nigrum* L.	果实和种子类	YW
91	芦根	芦苇	*Phragmites communis* Trin.	根及根茎类	YW
92	骆驼刺	骆驼刺	*Alhagi sparsifolia* Shaparenko ex Keller & Shaparenko	其他类	YW
93	骆驼蓬	骆驼蓬	*Peganum harmala* L.	全草类	YW
94	骆驼蓬子	骆驼蓬	*Peganum harmala* L.	果实和种子类	YW

续表

序号	药材名	基原中文名	基原拉丁学名	药材类别	野外（YW）或市场（SC）
95	麻叶	大麻	*Cannabis sativa* L.	叶类	YW
96	麻叶荨麻	麻叶荨麻	*Urtica cannabina* L.	全草类	YW
97	马齿苋	马齿苋	*Portulaca oleracea* L.	全草类	YW
98	毛头牛蒡	毛头牛蒡	*Arctium tomentosum* Mill.	根及根茎类	YW
99	密刺蔷薇	密刺蔷薇	*Rosa spinosissima* L.	果实和种子类	YW
100	拟百里香	拟百里香	*Thymus proximus* Serg.	全草类	YW
101	牛耳大黄	皱叶酸模	*Rumex crispus* L.	根及根茎类	YW
102	牛含水	野胡麻	*Dodartia orientalis* L.	根及根茎类	YW
103	牛至	牛至	*Origanum vulgare* L.	全草类	YW
104	牛蒡茎叶	牛蒡	*Arctium lappa* L.	茎木类	YW
105	牛蒡子	牛蒡	*Arctium lappa* L.	果实和种子类	YW
106	欧夏至草	欧夏至草	*Marrubium vulgare* L.	全草类	YW
107	蓬子菜	蓬子菜	*Galium verum* L.	全草类	YW
108	秦艽	秦艽	*Gentiana macrophylla* Pall.	根及根茎类	YW
109	青蒿	黄花蒿	*Artemisia annua* L.	全草类	YW
110	萹蓄	萹蓄	*Polygonum aviculare* L.	全草类	YW
111	全叶青兰	全缘叶青兰	*Dracocephalum integrifolium* Bunge	全草类	YW
112	拳参	拳参	*Polygonum bistorta* L.	根及根茎类	YW
113	乳苣（乳菊）	乳苣	*Mulgedium tataricum* (L.) DC.	全草类	YW
114	桑枝	桑	*Morus alba* L.	茎木类	YW
115	沙棘	沙棘	*Hippophae rhamnoides* L.	果实和种子类	YW
116	沙旋复花	蓼子朴	*Inula salsolides* (Turcz.) Ostenf.	全草类	YW
117	沙枣	沙枣	*Elaeagnus angustifolia* L.	果实和种子类	YW
118	少刺大叶蔷薇	刺蔷薇	*Rosa acicularis* Lindl.	根及根茎类	YW
119	狮子七	狭叶红景天	*Rhodiola kirilowii* (Regel) Maxim.	根及根茎类	YW
120	疏花蔷薇	疏花蔷薇	*Rosa laxa* Retz.	果实和种子类	YW
121	鼠尾草	鼠尾草	*Salvia japonica* Thunb.	全草类	YW
122	四裂红景天	四裂红景天	*Rhodiola quadrifida* (Pall.) Fisch. et Mey.	根及根茎类	YW
123	碎米蕨叶马先蒿	碎米蕨叶马先蒿	*Pedicularis cheilanthifolia* Schrenk	根及根茎类	YW

续表

序号	药材名	基原中文名	基原拉丁学名	药材类别	野外（YW）或市场（SC）
124	天仙子	莨菪	*Hyoscyamus niger* L.	果实和种子类	YW
125	田旋花	田旋花	*Convolvulus arvensis* L.	全草类	YW
126	细穗柽柳	细穗柽柳	*Tamarix leptostachys* Bunge	茎木类	YW
127	细子麻黄	细子麻黄	*Ephedra regeliana* Florin	果实和种子类	YW
128	狭叶锦鸡儿	狭叶锦鸡儿	*Caragana stenophylla* Pojark.	花类	YW
129	香藜	香藜	*Chenopodium botrys* L.	全草类	YW
130	小飞蓬	小蓬草	*Conyza canadensis* (L.) Cronq.	全草类	YW
131	小果白刺	小果白刺	*Nitraria sibirica* Pall.	果实和种子类	YW
132	小叶忍冬	小叶忍冬	*Lonicera microphylla* Willd. ex Roem. et Schult.	茎木类	YW
133	蝎子七	珠芽蓼	*Polygonum viviparum* L.	根及根茎类	YW
134	新塔花	新塔花	*Ziziphora bungeana* Juz.	其他类	YW
135	洋蓍草	蓍	*Achillea millefolium* L.	全草类	YW
136	野艾蒿	野艾蒿	*Artemisia lavandulifolia* DC.	叶类	YW
137	一枝蒿	岩蒿	*Artemisia rupestris* L.	全草类	YW
138	益母草	益母草	*Leonurus japonicus* Houtt.	全草类	YW
139	异株百里香	异株百里香	*Thymus marschallianus* Willd.	全草类	YW
140	异株荨麻	异株荨麻	*Urtica dioica* L.	茎木类	YW
141	羽衣草	羽衣草	*Alchemilla japonica* Nakai et Hara	全草类	YW
142	窄苞蒲公英	窄苞蒲公英	*Taraxacum bessarabicum* (Horn.) Hand.-Mazz.	全草类	YW
143	中败酱	中败酱	*Patrinia intermedia* (Horn.) Roem. et Schult.	根及根茎类	YW
144	竹节草	节节草	*Commelina diffusa* Burm. f.	全草类	YW
145	准噶尔铁线莲	准噶尔铁线莲	*Clematis songarica* Bunge	茎木类	YW
146	苜蓿	紫苜蓿	*Medicago sativa* L.	全草类	YW
147	苘麻	苘麻	*Abutilon theophrasti* Medic.	全草类	YW
148	菥蓂	菥蓂	*Thlaspi arvense* L.	全草类	YW
149	菟丝子	菟丝子	*Cuscuta chinensis* Lam.	果实和种子类	YW
150	葶苈子	播娘蒿	*Descurainia sophia* (L.) Webb ex Prantl	果实和种子类	YW
151	蒺藜	蒺藜	*Tribulus terrestris* L.	果实和种子类	YW

（三）栽培药用植物调查情况

近年来，新疆中药材的种植（养殖）有了很大的发展，许多农民自发种植野生药用植物（新疆藁本、新疆羌活）或从内地引种种植药用植物（白术、忍冬），人工饲养蝮蛇、蝰蛇和野猪。新疆第四次中药资源普查共计收集栽培药材信息87种，其中，新疆栽培面积居首位的药用植物是红花，面积达35万亩，主要分布在塔城市、裕民县、吉木萨尔县等；其次是枸杞，栽培面积达20万亩，主要分布在精河县、乌苏市、轮台县、福海县；栽培面积超过万亩的还有核桃、欧洲李、新疆柴胡、甘草、肉苁蓉、罗布麻、枣、亚麻、啤酒花、伊贝母等。民族药材（如莳萝、蒺藜、葫芦巴、菟丝子、蜀葵、玫瑰花、黑种草子、驱虫斑鸠菊、对叶大戟、阿育魏实、小茴香、丁香、罗勒、冬葵、块根赤芍、榅桲等）的栽培面积小（表1-2-15、表1-2-16）。

但新疆的药材种植缺乏科学引导，存在特色资源种质退化、药材品质不稳定等问题。建议地方政府应做好顶层设计，以政府政策、规划为指导，建立"公司+基地+农户"的发展模式，进行野生抚育，建立药材仿生栽培基地和人工栽培基地，增加经营产品种类，在保障品质的前提下，鼓励企业引进精深加工技术，提高科技含量，加强深加工，延长产业链，提高产品附加值，提高市场竞争力，让其成为撬动当地特色产业发展的一条新路子。

表1-2-15　新疆各县（市、区）栽培药材情况

区域名	种植面积/亩	种植种类数/种	种植品种
阿合奇县	30	1	沙棘
阿克苏市	30	1	茴香
阿克陶县	2	1	苦豆子
阿拉尔市	2 000	1	枣
阿勒泰市	29 868	14	桔梗、防风、菘蓝、龙蒿、胀果甘草、沙棘、高茶藨、伊贝母、罗布麻、甘草、百合、肉苁蓉、岩白菜、土木香
阿图什市	3	1	甘草
阿瓦提县	500	2	枣、宁夏枸杞
巴楚县	3 600	2	胀果甘草、罗布麻
巴里坤哈萨克自治县	50	1	菘蓝
拜城县	20	1	宁夏枸杞
博乐市（含阿拉山口市）	210	2	沙枣、沙棘
布尔津县	520.4	6	白术、白花曼陀罗、红花、神香草、菘蓝、罗布麻
策勒县	58 515	7	茴香、肉苁蓉、孜然芹、沙棘、石榴、胡桃、沙枣

续表

区域名	种植面积 / 亩	种植种类数 / 种	种植品种
察布查尔锡伯自治县	170 120	2	忍冬、红花
昌吉市	5 400	3	牡丹、光果甘草、啤酒花
达坂城区	10	1	宁夏枸杞
额敏县	9 930	2	甘草、芍药
福海县	29 331	8	甘草、菘蓝、红花、鹰嘴豆、宁夏枸杞、膜荚黄芪、沙棘、茴香
阜康市	3 000	2	阿魏、伊贝母
富蕴县	100	1	岩蒿
伽师县	80 290	2	孜然芹、欧洲李
高昌区	300	1	肉苁蓉
巩留县	1 227	8	玫瑰、膜荚黄芪、栝楼、忍冬、射干、菊、伊贝母、半夏
哈巴河县	85 010	2	沙棘、岩蒿
伊州区	329 800	3	槐、桑、枣
和布克赛尔蒙古自治县	12 580	2	甘草、宁夏枸杞
和硕县	2 700	1	甘草
和田市	2 500	1	胡桃
和田县	26 150	2	玫瑰、胡桃
呼图壁县	1 453	4	宁夏枸杞、枣、菘蓝、酸枣
霍城县（含霍尔果斯市）	2 302	10	伊贝母、韭菜、红花、柴胡、白芷、块根芍药、芍药、桔梗、杜仲、玫瑰
吉木乃县	15	1	甘草
吉木萨尔县	10 250	5	红花、大蒜、天山茶藨子、沙棘、向日葵
精河县	181 150	3	宁夏枸杞、沙枣、肉苁蓉
喀什市	1 750	3	宁夏枸杞、玫瑰、枣
柯坪县	42 020	4	胡桃、芜菁、枣、束花石斛
克拉玛依区	11 661	3	甘草、沙棘、宁夏枸杞
库车市	5	1	酸枣
库尔勒市（含铁门关市）	1 800	2	胀果甘草、粗毛甘草
奎屯市	890	1	新疆芍药

续表

区域名	种植面积 / 亩	种植种类数 / 种	种植品种
轮台县	5 000	1	宁夏枸杞
洛浦县	903 545	6	玫瑰、孜然芹、药蜀葵、胡桃、沙枣、腺毛黑种草
玛纳斯县	70	1	宁夏枸杞
麦盖提县	32 300	4	枣、忍冬、宁夏枸杞、肉苁蓉
米东区（含五家渠市）	85	1	宁夏枸杞
民丰县	22 040	3	沙枣、胡桃、管花肉苁蓉
墨玉县	1 348	5	和布克赛尔青兰、罗勒、毛菊苣、玫瑰、茴香
木垒哈萨克自治县	2 000	1	新疆柴胡
尼勒克县	20 255	5	蓖麻、野猪、藁本、亚麻、西瓜
皮山县	138 390	4	管花肉苁蓉、枣、杏、青兰
奇台县	2 000	1	新疆柴胡
且末县	1 491	3	板蓝根、沙棘、甘草
青河县	55 435	4	膜荚黄芪、菘蓝、沙棘、宁夏枸杞
若羌县	12 000	1	枣
沙湾市	25	1	宁夏枸杞
沙雅县	705	3	菘蓝、管花肉苁蓉、驱虫斑鸠菊
莎车县	10 350	4	胀果甘草、光果甘草、茴香、甜叶菊
鄯善县	10	1	枣
石河子市	30	1	芍药
疏附县	1 300	2	桑、沙棘
疏勒县	2 070	4	甘草、红花、孜然芹、菘蓝
塔城市	1	1	覆盆子
塔什库尔干塔吉克自治县	9	2	芜菁、两色金鸡菊
特克斯县	9 335	4	忍冬、膜荚黄芪、红花、新疆贝母
天山区（含沙依巴克区）	20	1	忍冬
图木舒克市	11 000	2	甘草、枣
托克逊县	30	1	肉苁蓉
托里县	8 000	1	红花
尉犁县	50	1	菘蓝

续表

区域名	种植面积 / 亩	种植种类数 / 种	种植品种
温泉县	1 210	2	伊犁贝母、沙枣
温宿县	1 280	1	胀果甘草
乌尔禾区	2 000	1	管花肉苁蓉
乌鲁木齐县	300	1	岩蒿
乌恰县	1	1	小沙冬青
乌什县	10	1	苦参
乌苏市	21 650	1	宁夏枸杞
新和县	20	1	枣
新市区（含水磨沟区、头屯河区）	8	2	红花、鹰嘴豆
新源县	8 010	5	藁本、块根芍药、留兰香、甘草、伊贝母
焉耆回族自治县	5 000	1	乌拉尔甘草
叶城县	10	1	玫瑰
伊宁市	14 135	2	红花、忍冬
伊宁县	29 785	27	杏、白芷、紫苏、白芥、蜀葵、老鸦谷、藿香、牡丹、玉蜀黍、萱草、圆叶牵牛、萝卜、茴香、红花、丝瓜、凤仙花、玫瑰、侧柏、韭菜、宁夏枸杞、桑、多花楞、紫茉莉、茄、桃、月季、泡核桃
伊吾县	2 400	3	苹果、沙棘、酸枣
英吉沙县	65	2	枣、茴香
于田县	26 150	2	玫瑰、胡桃
裕民县	158 900	1	红花
岳普湖县	30 000	1	枣
泽普县	10	1	薰衣草
昭苏县	2 000	2	亚麻、伊犁贝母

表 1-2-16　新疆栽培药材汇总表

序号	药材名	基原中文名	基原拉丁学名	药材类别	栽培面积 / 亩	产量 /(kg/ 亩)	总产量 /t	饮片平均价格 /（元 /kg）
1	红花	红花	*Carthamus tinctorius* L.	花类	354 000	20.6	7 292.40	160
2	枸杞子	宁夏枸杞	*Lycium barbarum* L.	果实和种子类	205 850	187	38 493.95	50
3	核桃仁	胡桃	*Juglans regia* L.	果实和种子类	189 190	458	86 649.02	42
4	沙棘	沙棘	*Hippophae rhamnoides* L.	果实和种子类	145 293	194.5	28 259.49	25
5	大枣	枣	*Ziziphus jujuba* Mill.	果实和种子类	129 500	477	61 771.50	9
6	欧洲李	欧洲李	*Prunus domestica* L.	果实和种子类	80 000	1 000	80 000.00	—
7	苦杏仁	杏	*Armeniaca vulgaris* Lam.	果实和种子类	57 090	487	27 802.83	32
8	甘草	甘草	*Glycyrrhiza uralensis* Fisch.	根及根茎类	36 340	1045	37 975.30	18
9	肉苁蓉	肉苁蓉	*Cistanche deserticola* Ma	茎类	34 300	270	9 261.00	90
10	芜菁子	芜菁	*Brassica rapa* L.	果实和种子类	30 000	100	3 000.00	—
11	胡桃青皮	胡桃	*Juglans regia* L.	皮类	28 700	300	8 610.00	—
12	罗布麻叶	罗布麻	*Apocynum venetum* L.	叶类	28 500	217	6 184.50	25
13	沙枣	沙枣	*Elaeagnus angustifolia* L.	果实和种子类	21 360	217	4 635.12	25
14	肉苁蓉	管花肉苁蓉	*Cistanche tubulosa* (Schrenk) Wight	茎类	14 200	167	2 371.40	—
15	新疆藁本	鞘山芎	*Conioselinum vaginatum* (Spreng.) Thell.	根及根茎类	13 550	300	4 065.00	30
16	亚麻子	亚麻	*Linumusitatissimum* L.	果实和种子类	13 300	300	3 990.00	11
17	石榴皮	石榴	*Punica granatum* L.	皮类	10 000	900	9 000.00	6
18	玫瑰花	玫瑰	*Rosa rugosa* Thunb.	花类	9 922	283	2 807.93	55
19	甘草	胀果甘草	*Glycyrrhiza inflata* Bat.	根及根茎类	9 830	720	7 077.60	18

续表

序号	药材名	基原中文名	基原拉丁学名	药材类别	栽培面积 / 亩	产量 /(kg/ 亩)	总产量 /t	饮片平均价格 /（元 /kg)
20	黄芪	膜荚黄芪	*Astragalus membranaceus* （Fisch.） Bunge var. *mongholicu* (Bunge) P. K. Hsiao	根及根茎类	8 400	670	5 628.00	25
21	甘草	光果甘草	*Glycyrrhiza glabra* L.	根及根茎类	7 500	900	6 750.00	18
22	莱菔子	萝卜	*Raphanus sativus* L.	果实和种子类	6 000	500	3 000.00	14
23	桃仁	桃	*Prunus persica* L.	果实和种子类	6 000	100	600.00	45
24	小茴香	茴香	*Foeniculum vulgare* Mill.	果实和种子类	5 285	162.5	858.81	15
25	伊贝母	伊贝母	*Fritillaria pallidiflora* Schrenk ex Fischer & C. A. Meyer	根及根茎类	5 260	401	2 109.26	50
26	玉米须	玉蜀黍	*Zea mays* L.	花类	5 000	50	250.00	8
27	大蒜	大蒜	*Allium sativum* L.	根及根茎类	4 000	100	400.00	12
28	新疆柴胡	新疆柴胡	*Bupleurum exaltatum* Marsc	根及根茎类	4 000	15	60.00	70
29	孜然	孜然芹	*Cuminum cyminum* L.	果实和种子类	3 700	52	192.40	27
30	天山茶藨	天山茶藨子	*Ribes meyeri* Maxim.	皮类	3 500	40	140.00	—
31	板蓝根	菘蓝	*Isatis indigotica* Fortune	根及根茎类	3 220	309	994.98	12
32	茄子	茄	*Solanum melongena* L.	果实和种子类	3 000	200	600.00	—
33	金银花	忍冬	*Lonicera japonica* Thunb.	花类	1 820	61	111.02	140
34	块根芍药	块根芍药	*Paeonia intermedia* C. A. Meyer	根及根茎类	1 630	200	326.00	25
35	桑椹	桑	*Morus alba* L.	果实和种子类	1 500	300	450.00	15
36	苹果	苹果	*Malus pumila* Mill.	果实和种子类	1 400	250	350.00	—
37	韭菜子	韭菜	*Allium tuberosum* Rottler ex Sprengle	果实和种子类	1 010	130	131.30	40

续表

序号	药材名	基原中文名	基原拉丁学名	药材类别	栽培面积 / 亩	产量 /(kg/ 亩)	总产量 /t	饮片平均价格 /（元 /kg）
38	槐花	槐	*Styphnolobium japonicum* (L.) Schott	花类	1 000	200 000	200 000.00	10
39	槐角	槐	*Styphnolobium japonicum* (L.) Schott	果实和种子类	1 000	300	300.00	8
40	阿魏	阜康阿魏	*Ferula fukanensis* K. M. Shen	树脂类	1 000	30	30.00	1 000
41	新疆芍药	新疆芍药	*Paeonia anomala* L.	根及根茎类	890	200	178.00	25
42	蓖麻子	蓖麻	*Ricinus communis* L.	果实和种子类	760	300	228.00	8
43	黑种草	腺毛黑种草	*Nigella glandulifera* Freyn et Sint.	全草类	620	30	18.60	45
44	青兰	青兰	*Dracocephalum moldavica* L.	全草类	610	220	134.20	25
45	桑叶	桑	*Morus alba* L.	叶类	600	500	300.00	5
46	桑白皮	桑	*Morus alba* L.	皮类	600	33	19.80	35
47	杜仲	杜仲	*Eucommia ulmoides* Oliver	皮类	580	300	174.00	16
48	白芍	芍药	*Paeonia lactiflora* Pall.	根及根茎类	563	750	422.25	25
49	酸枣仁	酸枣	*Ziziphus jujuba* Mill. var. *spinosa* (Bunge) Hu ex H. F. Chow.	果实和种子类	508	167	84.84	850
50	牡丹皮	牡丹	*Paeonia suffruticosa* Andr.	根及根茎类	500	—	—	30
51	一枝蒿	岩蒿	*Artemisia rupestris* L.	全草类	410	330	135.30	16
52	啤酒花	啤酒花	*Humulus lupulus* L.	果实和种子类	400	800	320.00	11
53	丝瓜络	丝瓜	*Luffa aegyptiaca* Miller	其他类	400	70	28.00	60
54	菊苣	毛菊苣	*Cichorium glandulosum* Boiss. et Huet.	全草类	308	265	81.62	18
55	向日葵子	向日葵	*Helianthus annuus* L.	果实和种子类	300	65	19.50	15
56	罗勒	罗勒	*Ocimum basilicum* L.	全草类	290	100	29.00	20

续表

序号	药材名	基原中文名	基原拉丁学名	药材类别	栽培面积 / 亩	产量 /(kg/ 亩)	总产量 /t	饮片平均价格 /（元 /kg）
57	白芷	白芷	*Angelica dahurica* (Fisch. ex Hoffm.) Benth. et Hook. f. ex Franch. et Sav. Enum.	根及根茎类	240	1 000	240.00	20
58	高茶藨	高茶藨	*Ribes altissimum* Turcz. ex Pojark.	皮类	220	400	88.00	—
59	射干	射干	*Belamcanda chinensis* (L.) Redouté	根及根茎类	200	200	40.00	80
60	急性子	凤仙花	*Impatiens balsamina* L.	果实和种子类	180	200	36.00	40
61	留兰香	留兰香	*Mentha spicata* L.	全草类	170	260	44.20	—
62	西瓜皮	西瓜	*Citrullus lanatus* (Thunb.) Matsum. et Nakai	皮类	130	100	13.00	10
63	桔梗	桔梗	*Platycodon grandiflorus* (Jacq.) A. DC.	根及根茎类	110	300	33.00	35
64	萱草	萱草	*Hemerocallis fulva* (L.) L.	根及根茎类	100	160	16.00	30
65	牵牛子	圆叶牵牛	*Ipomoea purpurea* Lam.	果实和种子类	100	60	6.00	10
66	天花粉	栝楼	*Trichosanthes kirilowii* Maxim.	根及根茎类	80	500	40.00	37
67	菊花	菊	*Chrysanthemum morifolium* Ramat.	花类	70	200	14.00	70
68	百合	百合	*Lilium brownii* F. E. Brown ex Miellez var. *viridulum* Baker	根及根茎类	50	1 000	50.00	28
69	防风	防风	*Saposhnikovia divaricata* (Turcz.) Schischk.	根及根茎类	50	500	25.00	35
70	甜叶菊	甜叶菊	*Stevia rebaudiana* (Bertoni) Bertoni	全草类	50	300	15.00	13
71	椒蒿	龙蒿	*Artemisia dracunculus* L.	全草类	50	200	10.00	120
72	土木香	土木香	*Inula helenium* L.	根及根茎类	50	50	2.50	8
73	半夏	半夏	*Pinellia ternata* (Thunb.) Breit.	根及根茎类	20	1 560	31.20	70

续表

序号	药材名	基原中文名	基原拉丁学名	药材类别	栽培面积 / 亩	产量 /(kg/ 亩)	总产量 /t	饮片平均价格 / (元 /kg)
74	柴胡	柴胡	*Bupleurum chinense* DC.	根及根茎类	20	300	6.00	70
75	石斛	束花石斛	*Dendrobium chrysanthum* Wall. ex Lindl.	茎木类	20	200	4.00	56
76	蜀葵花	蜀葵	*Alcea rosea* Linnaeus	花类	20	50	1.00	85
77	岩白菜	岩白菜	*Bergenia purpurascens* (Hook. f. et Thoms.) Engl.	全草类	15	100	1.50	25
78	藿香	藿香	*Agastache rugosa* (Fisch. et Mey.) O. Ktze.	全草类	15	100	1.50	11
79	月季花	月季	*Rosa chinensis* Jacq.	花类	15	80	1.20	50
80	薰衣草	薰衣草	*Lavandula angustifolia* Mill.	全草类	10	2 500	25.00	25
81	侧柏叶	侧柏	*Platycladus orientalis* (L.) Franco	叶类	10	300	3.00	3.5
82	苦参	苦参	*Sophora flavescens* Alt.	根及根茎类	10	300	3.00	15
83	紫苏叶	紫苏	*Perilla frutescens* (L.) Britt.	叶类	10	150	1.50	10
84	紫茉莉根	紫茉莉	*Mirabilis jalapa* L.	根及根茎类	10	80	0.80	36
85	芥子	白芥	*Sinapis alba* Linnaeus	果实和种子类	10	60	0.60	11
86	药蜀葵	药蜀葵	*Althaea officinalis* L.	根及根茎类	10	20	0.20	65
87	芜菁	芜菁	*Brassica rapa* L.	根及根茎类	7	200	1.40	—
88	神香草	神香草	*Hyssopus cuspidatus* Boriss.	全草类	5	2 000	10.00	160
89	苋菜	老鸦谷	*Amaranthus cruentus* Linnaeus	全草类	5	200	1.00	8
90	驱虫斑鸠菊	驱虫斑鸠菊	*Vernonia anthelmintica* (L.) Willd.	果实和种子类	5	80	0.40	120
91	秦皮	多花梣	*Fraxinus floribunda* Wallich ex Roxb.	皮类	5	50	0.25	8

续表

序号	药材名	基原中文名	基原拉丁学名	药材类别	栽培面积 / 亩	产量 /(kg/ 亩)	总产量 /t	饮片平均价格 /（元 /kg）
92	曼陀罗叶	白花曼陀罗	*Datura metel* L.	叶类	3	200	0.60	20
93	回回豆	鹰嘴豆	*Cicer arietinum* L.	果实和种子类	3	50	0.15	15
94	苦豆子	苦豆子	*Sophora alopecuroides* L.	果实和种子类	2	500	1.00	14
95	蛇目菊	两色金鸡菊	*Coreopsis tinctoria* Nutt.	全草类	2	10	0.02	75
96	新疆冬青	小沙冬青	*Ammopiptanthus mongolicus* (Maxim. ex Kom.) Cheng f.	茎木类	1	500	0.50	—
97	白术	白术	*Atractylodes macrocephala* Koidz.	根及根茎类	1	300	0.12	30

注：部分药材未调查产量和饮片平均价格信息，用“—”表示。

（四）中药材市场调查情况

新疆无规模化的中药材市场，目前仅在伊犁哈萨克自治州、和田地区、喀什地区有俗称“八大口袋”的民族药材市场，民族药材市场多属于自发产生的市场，药材多为新疆的地产药材和周边国家进口的药材。（表 1－2－17 ～表 1－2－19）

表 1－2－17　新疆企业常用中药材利用现状

序号	药材名	基原中文名	基原拉丁学名	平均收购价 /（元 / kg）	年收购量 / kg	药材来源
1	阿魏根	阜康阿魏	*Ferula fukanensis* K. M. Shen	15	30	野生
2	阿魏胶	阜康阿魏	*Ferula fukanensis* K. M. Shen	2 800	1 000	野生
3	阿魏胶	新疆阿魏	*Ferula sinkiangensis* K. M. Shen	3 000	8	野生
4	阿育魏实	细叶糙果芹	*Trachyspermum ammi* (L.) Sprague	20	300	栽培
5	艾叶	艾	*Artemisia argyi* Lévl. et Van.	10	6.5	栽培
6	八角茴香	八角茴香	*Illicium verum* Hook. f.	76	400	栽培
7	巴旦杏仁	扁桃	*Amygdalus communis* L.	27	5 210	栽培
8	白芍	芍药	*Paeonia lactiflora* Pall.	22	32	栽培
9	白术	白术	*Atractylodes macrocephala* Koidz.	27	2 300	栽培
10	白芷	白芷	*Angelica dahurica* (Fisch. ex Hoffm.) Benth. et Hook. f. ex Franch. et Sav. Enum.	20	109	野生
11	板蓝根	菘蓝	*Isatis indigotica* Fortune	12	80	栽培
12	薄荷	薄荷	*Mentha canadensis* L.	10	480	栽培
13	萹蓄	萹蓄	*Polygonum aviculare* L.	5	60	野生
14	草果	草果	*Amomum tsaoko* Crevost et Lemarie	35	300	栽培
15	柴胡	柴胡	*Bupleurum chinense* DC.	70	2 220	栽培
16	车前子	车前	*Plantago asiatica* L.	38	45	野生
17	陈皮	橘	*Citrus reticulata* Blanco	10	430	栽培
18	赤芍	芍药	*Paeonia lactiflora* Pall.	60	47	栽培
19	川木通	小木通	*Clematis armandii* Franch.	12	255	栽培
20	唇香草	唇香草	*Ziziphora clinopodioides* Lam.	30	1 000	野生

续表

序号	药材名	基原中文名	基原拉丁学名	平均收购价 / (元 / kg)	年收购量 / kg	药材来源
21	大黄	药用大黄	*Rheum officinale* Baill.	18	20	栽培
22	大枣	枣	*Ziziphus jujuba* Mill.	7	23 237 065	栽培
23	丹参	丹参	*Salvia miltiorrhiza* Bunge	20	2 400	栽培
24	当归	当归	*Angelica sinensis* (Oliv.) Diels	46	3 078	栽培
25	党参	党参	*Codonopsis pilosula* (Franch.) Nannf.	81	1 023	野生
26	地黄	地黄	*Rehmannia glutinosa* (Gaert.) Libosch. ex Fisch. et Mey.	51	2 010	栽培
27	地锦草	地锦	*Parthenocissus tricuspidate* (Siebold & Zucc.) Planch.	7	200	栽培
28	丁香	丁香	*Eugenia caryophullata* Thunb.	60	1 503	栽培
29	丁香罗勒叶	丁香罗勒（毛叶变种）	*Ocimum gratissimum* L. var. *suave* (Willd.) Hook. f.	25	150	栽培
30	冬虫夏草	冬虫夏草菌	*Ophiocordyceps sinensis* (Berk.) Sacc.	30 000	0.5	野生
31	番泻叶	狭叶番泻	*Cassia angustifolia* Vahl	7	1 003	栽培
32	茯苓	茯苓	*Poria cocos* (Show.) Wolf	34	3 000	栽培
33	覆盆子	覆盆子	*Rubus chingii*	130	700	栽培
34	甘草	甘草	*Glycyrrhiza uralensis* Fisch.	9	1 275 055	野生
35	甘菊	灌木小甘菊	*Cancrinia maximowiczii* C. Winkl.	50	10	野生
36	干姜	姜	*Zingiber officinale* Roscoe	17	1 150	栽培
37	高良姜	高良姜	*Alpinia officinarum* Hance	35	200	栽培
38	藁本	藁本	*Ligusticum sinense* Oliv.	24	36	野生
39	枸杞子	宁夏枸杞	*Lycium barbarum* L.	40	10 133 829	栽培
40	桂枝	肉桂	*Cinnamomum cassia* Presl	6	260	栽培
41	荷叶	莲	*Nelumbo nucifera* Gaertn.	100	2	栽培
42	黑芝麻	脂麻	*Sesamum indicum* L.	20	120	栽培
43	黑种草子	腺毛黑种草	*Nigella glandulifera* Freyn et Sint.	20	3 350	栽培
44	红花	红花	*Carthamus tinctorius* L.	135	15 822 300	野生
45	红景天	唐古红景天	*Rhodiola tangutica* (Maximowicz) S. H. Fu	40	3	野生

续表

序号	药材名	基原中文名	基原拉丁学名	平均收购价 /（元 / kg）	年收购量 / kg	药材来源
46	胡荽	芫荽	*Coriandrum sativum* L.	8	30	栽培
47	花椒	花椒	*Zanthoxylum bungeanum* Maxim.	65	1 914.3	栽培
48	黄瓜子	黄瓜	*Cucumis sativus* L.	60	300	栽培
49	黄连	黄连	*Coptis chinensis* Franch.	140	200	栽培
50	黄芪	膜荚黄芪	*Astragalus membranaceus* (Fisch.) Bunge var. *mongholicus* (Bunge) P. K. Hsiao	25	5 746	野生
51	藿香	藿香	*Agastache rugosa* (Fisch. et Mey.) O. Ktze.	11	100	栽培
52	急性子	凤仙花	*Impatiens balsamina* L.	40	10	栽培
53	蒺藜	蒺藜	*Tribulus terrestris* L.	25	20	栽培
54	姜黄	姜黄	*Curcuma longa* L.	25	1	野生
55	金荞麦	金荞麦	*Fagopyrum dibotrys* (D. Don) Hara	13	2	栽培
56	金银花	忍冬	*Lonicera japonica* Thunb.	140	23	栽培
57	锦灯笼	酸浆	*Physalis alkekengi* L.	110	150	栽培
58	菊花	菊	*Chrysanthemum morifolium* Ramat.	80	87	野生
59	菊苣	菊苣	*Cichorium intybus* L.	20	140	栽培
60	决明子	决明	*Cassia tora* (L.) Roxburgh	8	11.5	栽培
61	苦豆子	苦豆子	*Sophora alopecuroides* L.	12	5 000	栽培
62	苦杏仁	杏	*Armeniaca vulgaris* Lam.	29	5 000	栽培
63	老鼠瓜	刺山柑	*Capparis spinosa* L.	94	684	野生
64	莲子	莲	*Nelumbo nucifera* Gaertn.	60	100	栽培
65	林地乌头	林地乌头	*Aconitum nemorum* Popov	30	500	野生
66	灵芝	赤芝	*Ganoderma lucidum* (Leyss. ex Kr.) Karst.	60	55	栽培
67	柳花	垂柳	*Salix babylonica* L.	80	100	栽培
68	龙葵子	龙葵	*Solanum nigrum* L.	40	5	栽培
69	芦根	芦苇	*Phragmites australis* (Cav.) Trin. ex Steud.	15	40	野生

续表

序号	药材名	基原中文名	基原拉丁学名	平均收购价 / (元 / kg)	年收购量 / kg	药材来源
70	罗布麻叶	罗布麻	*Apocynum venetum* L.	30	3 959	栽培
71	罗汉果	罗汉果	*Siraitia grosvenorii* (Swingle) C. Jeffrey ex Lu et Z. Y. Zhang	1.5	29	栽培
72	骆驼蓬	骆驼蓬	*Peganum harmala* L.	12.5	2 300	野生
73	骆驼蓬子	骆驼蓬	*Peganum harmala* L.	80	100	野生
74	麻黄	中麻黄	*Ephedra intermedia* Schrenk ex Ney.	21.5	286	野生
75	马齿苋	马齿苋	*Portulaca oleracea* L.	30	1	野生
76	麦芽	大麦	*Hordeum vulgare* L.	24	10	栽培
77	玫瑰花	玫瑰	*Rosa rugosa* Thunb.	60	2 116	栽培
78	南瓜子	南瓜	*Cucurbita moschata* (Duch. ex Lam.) Duch. ex Poiret	15	100	栽培
79	南沙参	沙参	*Adenophora stricta* Miq.	80	200	栽培
80	欧洲李	欧洲李	*Prunus domestica* L.	26	400 000	栽培
81	胖大海	胖大海	*Sterculia lychnophora* Hance	105	0.5	栽培
82	蒲公英	蒲公英	*Taraxacum mongolicum* Hand.-Mazz.	12	50	栽培
83	秦艽	秦艽	*Gentiana macrophylla* Pall.	30	66	野生
84	瞿麦	瞿麦	*Dianthus superbus* L.	10	10	栽培
85	肉苁蓉	管花肉苁蓉	*Cistanche tubulosa* (Schrenk Wight)	104	749	野生、栽培
86	肉苁蓉	肉苁蓉	*Cistanche deserticola* Ma	88	8 355	野生
87	肉桂	肉桂	*Cinnamomum cassia* Presl	25	1 100	栽培
88	三七	三七	*Panax notoginseng* (Burkill) F. H. Chen ex C. Y. Wu & K. M. Feng	190	1 430	栽培
89	桑椹	桑	*Morus alba* L.	25	450	栽培
90	南沙参	杏叶沙参	*Adenophora hunanensis* Nannf.	35	85	野生
91	沙棘	沙棘	*Hippophae rhamnoides* L.	20	4 015 893	栽培
92	山刺柏	刺柏	*Juniperus formosana* Hayata	10	30	野生
93	山黄菊	山黄菊	*Anisopappus chinensis* (L.) Hook. et Arn.	250	10	栽培

续表

序号	药材名	基原中文名	基原拉丁学名	平均收购价 / (元 / kg)	年收购量 / kg	药材来源
94	山药	薯蓣	*Dioscorea polystachya* Turczaninow	20	2 400	栽培
95	山药	吕宋薯蓣	*Dioscorea cumingii* Prain & Burkill	20	10	栽培
96	山楂	山楂	*Crataegus pinnatifida* Bunge	10	70	栽培
97	蛇目菊	两色金鸡菊	*Coreopsis tinctoria* Nutt.	75	58	栽培
98	神香草	硬尖神香草	*Hyssopus cuspidatus* Boriss.	42	3 001	野生
99	生姜	姜	*Zingiber officinale* Roscoe	35	25	栽培
100	石菖蒲	石菖蒲	*Acorus tatarinowii* Schott	70	500	栽培
101	石灰树	石灰花楸	*Sorbus folgneri* (Schneid.) Rehd.	5	3 000	栽培
102	石榴花	石榴	*Punica granatum* L.	65	600	栽培
103	莳萝子	莳萝	*Anethum graveolens* L.	15	300	栽培
104	熟地黄	地黄	*Rehmannia glutinosa* (Gaert.) Libosch. ex Fisch. et Mey.	55	1 800	栽培
105	酸枣肉	酸枣	*Ziziphus jujuba* Mill. var. *spinosa* (Bunge) Hu ex H. F. Chow.	100	750	栽培
106	锁阳	锁阳	*Cynomorium songaricum* Rupr.	47	2 300	野生
107	天山雪莲	雪莲	*Saussurea involucrata* (Kar. et Kir) Sch.-Bip.	1 500	3 815	野生
108	甜瓜子	甜瓜	*Cucumis melo* L.	20	100	栽培
109	土茯苓	土茯苓	*Smilax glabra* Roxb.	40	1 000	栽培
110	菟丝子	菟丝子	*Cuscuta chinensis* Lam.	95	200	野生
111	芜菁	芜菁	*Brassica rapa* L.	60	10	栽培
112	西红花	番红花	*Crocus sativus* L.	8 500	1	栽培
113	西洋参	西洋参	*Panax quiquefolium* L.	300	1	栽培
114	橡实	麻栎	*Quercus acutissima* Carr.	50	500	栽培
115	小茴香	茴香	*Foeniculum vulgare* Mill.	15	1 565	栽培
116	新疆藁本	鞘山芎	*Conioselinum vaginatum* (Spreng.) Thell.	20	240 000	栽培
117	薰衣草	薰衣草	*Lavandula angustifolia* Mill.	25	10	栽培
118	亚麻子	亚麻	*Linum usitatissimum* L.	11	5 000	栽培

续表

序号	药材名	基原中文名	基原拉丁学名	平均收购价 /（元 / kg）	年收购量 / kg	药材来源
119	药蜀葵	药蜀葵	*Althaea officinalis* L.	15	300	栽培
120	野菊花	野菊	*Chrysanthemum indicum* L.	47	15	野生
121	一枝蒿	岩蒿	*Artemisia rupestris* L.	35	190	野生
122	伊贝母	伊犁贝母	*Fritillaria pallidiflora* Schrenk ex Fischer & C. A. Meyer	51	130 005	栽培
123	薏苡仁	薏苡	*Coix lacryma-jobi* L.	11	1 900	栽培
124	玉米须	玉蜀黍	*Zea mays* L.	8	5	栽培
125	长鳞红景天	长鳞红景天	*Rhodiola gelida* Schrenk	60	30 000	野生
126	栀子	栀子	*Gardenia jasminoides* Ellis	21	500	栽培
127	孜然	孜然芹	*Cuminum cyminum* L.	27	500	栽培
128	紫草	软紫草	*Arnebia euchroma* (Royle) Johnst.	400	2 041	野生

表 1－2－18　新疆进出口中药材情况

序号	药材名	基原中文名	基原拉丁学名	交易价格 /（元 /kg）	交易量 /t	交易国家	药材来源	交易形式
1	红花	红花	*Carthamus tinctorius* L.	200	1 000	日本	栽培	出口
2	伊贝母	伊贝母	*Fritillaria pallidiflora* Schrenk ex Fischer & C. A. Meyer	39	6	哈萨克斯坦	野生	进口
3	大枣	枣	*Ziziphus jujuba* Mill.	18	93	吉尔吉斯斯坦	栽培	出口
4	地黄	地黄	*Rehmannia glutinosa* (Gaert.) Libosch. ex Fisch. et Mey.	30	1 000	美国	栽培	出口
5	甘草	胀果甘草	*Glycyrrhiza inflata* Bat.	30	100	日本	栽培	出口
6	甘草	甘草	*Glycyrrhiza uralensis* Fisch.	10	2 851	哈萨克斯坦、乌兹别克斯坦	野生	进口
7	枸杞子	宁夏枸杞	*Lycium barbarum* L.	200	1 000	日本	栽培	出口
8	黄芪	膜荚黄芪	*Astragalus memeranaceus* (Fisch.) Bunge var. *mongholicu* (Bunge) P. K. Hsiao	40	100	日本	栽培	出口
9	玫瑰花	玫瑰	*Rosa rugosa* Thunb.	80	17	巴基斯坦、吉尔吉斯斯坦	栽培	进口

续表

序号	药材名	基原中文名	基原拉丁学名	交易价格/(元/kg)	交易量/t	交易国家	药材来源	交易形式
10	肉苁蓉	肉苁蓉	*Cistanche deserticola* Ma	16	349	哈萨克斯坦	野生	进口
11	沙棘	沙棘	*Hippophae rhamnoides* L.	15	6 200	蒙古国、俄罗斯	栽培	出口
12	蛇目菊	两色金鸡菊	*Coreopsis tinctoria* Nutt.	50	300	蒙古国	野生	进口
13	神香草	大苞荆芥	*Nepeta bracteate* Benth.	60	2.6	巴基斯坦	栽培	进口
14	天山雪莲	雪莲	*Saussurea involucrate* (Kar. et Kir) Sch.-Bip.	1 000	1	韩国	野生	出口
15	西红花	番红花	*Crocus sativus* L.	5 800	0.01	伊朗	栽培	进口
16	香茅	柠檬草	*Cymbopogon citratus* (D. C.) Stapf	40	10	沙特阿拉伯	栽培	进口

表 1 - 2 - 19　新疆重要品种（流通量＞ 100 t）流通汇总表

序号	药材名	基原中文名	基原拉丁学名	年收购量/t	年销售量/t	市场供应情况
1	大枣	枣	*Ziziphus jujuba* Mill.	23 200	20 310	充足
2	红花	红花	*Carthamus tinctorius* L.	15 800	15 800	充足
3	枸杞子	宁夏枸杞	*Lycium barbarum* L.	10 100	10 000	充足
4	沙棘	沙棘	*Hippophae rhamnoides* L.	4 015	2 650	充足
5	石灰树	石灰花楸	*Sorbus folgneri* (Schneid.) Rehd.	3 000	3 000	充足
6	肉苁蓉	肉苁蓉	*Cistanche deserticola* Ma	2 400	2 400	紧俏
7	肉苁蓉	管花肉苁蓉	*Cistanche tubulosa* (Schrenk) Wight	2 800	2 800	充足
8	欧洲李	欧洲李	*Prunus domestica* L.	400	400	充足
9	新疆藁本	鞘山芎	*Conioselinum vaginatum* (Spreng.) Thell.	250	240	紧俏
10	甘草	光果甘草	*Glycyrrhiza glabra* L.	200	200	紧俏
11	伊贝母	伊贝母	*Fritillaria pallidiflora* Schrenk ex Fischer & C. A. Meyer	135	130	充足

（五）普查数据收集与上交情况

新疆第四次中药资源普查信息与成果组组织技术骨干，严格按照省级普查方案与《全国中药资源普查技术规范》进行信息整理、统计工作，该项工作耗时 24 640 人天，上传国家数据库信息 195 319 条，上交新疆全部的普查数据。各县（市、区）数据填报及打分结果见表 1 - 2 - 20。

表 1-2-20　新疆各县（市、区）数据填报及打分结果

区域名	数据填报总条目 / 条	得分	总体评价
阿合奇县	1 267	93.93	良
阿克苏市	705	90.33	良
阿克陶县	1 056	92.55	良
阿拉尔市	1 033	90.83	良
阿勒泰市	2 734	93.61	良
阿图什市	1 222	91.85	良
阿瓦提县	785	90.09	良
巴楚县	1 339	95.67	优秀
巴里坤哈萨克自治县	1 488	90.16	良
白碱滩区	1 462	86.15	合格
拜城县	1 245	85.16	合格
博湖县	2 258	87.52	合格
博乐市（含阿拉山口市）	2 343	90.65	良
布尔津县	6 490	86.07	合格
策勒县	1 908	90.11	良
察布查尔锡伯自治县	2 810	94.56	良
昌吉市	1 727	88.39	合格
达坂城区	1 723	89.83	合格
独山子区	2 511	85.38	合格
额敏县	3 462	93.05	良
福海县	1 961	93.27	良
阜康市	2 707	88.24	合格
富蕴县	1 764	91.39	良
伽师县	1 203	94.43	良
巩留县	2 520	90.62	良
哈巴河县	1 738	91.44	良
伊州区	1 574	94.63	良
和布克赛尔蒙古自治县	2 277	93.09	良
和静县	4 529	84.72	合格

续表

区域名	数据填报总条目 / 条	得分	总体评价
和硕县	1 689	87.59	合格
和田市	546	89.56	合格
和田县	1 371	94.20	良
呼图壁县	1 744	91.77	良
霍城县（含霍尔果斯市）	2 610	92.25	良
吉木乃县	2 672	88.22	合格
吉木萨尔县	2 087	89.66	合格
精河县	1 467	85.75	合格
喀什市	2 012	95.39	优秀
柯坪县	691	90.63	良
克拉玛依区	2 877	98.92	优秀
库车市	1 142	88.73	合格
库尔勒市（含铁门关市）	1 532	90.33	良
奎屯市	1 058	89.84	合格
轮台县	2 603	81.20	合格
洛浦县	2 190	90.88	良
玛纳斯县	1 768	88.75	合格
麦盖提县	1 452	94.77	良
米东区（含五家渠市）	1 465	91.25	良
民丰县	1 739	88.32	合格
墨玉县	1 002	90.11	良
木垒哈萨克自治县	2 459	89.16	合格
尼勒克县	7 769	84.33	合格
皮山县	1 610	89.54	合格
奇台县	2 553	85.67	合格
且末县	4 068	98.32	优秀
青河县	2 070	99.00	优秀
若羌县	3 302	93.41	良
沙湾市	2 021	92.65	良
沙雅县	1 057	85.59	合格

续表

区域名	数据填报总条目 / 条	得分	总体评价
莎车县	1 527	94.22	良
鄯善县	676	90.71	良
石河子市	1 840	91.77	良
疏附县	1 433	95.71	优秀
疏勒县	1 504	96.58	优秀
塔城市	3 416	95.20	优秀
塔什库尔干塔吉克自治县	2 587	93.11	良
特克斯县	2 716	95.19	优秀
天山区（含沙依巴克区）	2 643	94.38	良
图木舒克市	1 344	94.51	良
高昌区	851	90.98	良
托克逊县	847	90.42	良
托里县	1 472	91.57	良
尉犁县	1 003	90.68	良
温泉县	1 541	90.13	良
温宿县	1 058	88.83	合格
乌尔禾区	1 536	96.42	优秀
乌鲁木齐县	2 263	85.67	合格
乌恰县	1 172	95.80	优秀
乌什县	1 019	88.36	合格
乌苏市	2 627	96.50	优秀
新和县	562	85.66	合格
新市区（含水磨沟区、头屯河区）	2 631	95.29	优秀
新源县	6 385	83.39	合格
焉耆回族自治县	2 441	86.38	合格
叶城县	1 208	90.83	良
伊宁市	1 127	94.67	良
伊宁县	4 685	83.68	合格
伊吾县	1 617	94.50	良
英吉沙县	1 360	93.67	良

续表

区域名	数据填报总条目 / 条	得分	总体评价
于田县	2 011	87.55	合格
裕民县	2 653	97.02	优秀
岳普湖县	1 322	93.83	良
泽普县	796	90.59	良
昭苏县	8 979	84.19	合格

（六）普查实物（腊叶标本、药材标本和种质资源）收集与上交情况

新疆第四次中药资源普查共调查野生植物资源 3 148 种、栽培药用资源 83 种，记录个体数 1 018 种，获得蕴藏量的有 152 种；采集腊叶标本 151 082 份、药材标本 2 710 份、种质资源 1 784 份。本次中药资源普查上交国家腊叶标本 27 555 份、3 123 种，上交药材标本 881.13 kg、326 种，上交种质资源 32 kg、312 种；上报原始记录 38 416 份（表 1 - 2 - 21）。

表 1 - 2 - 21 新疆各县（市、区）上交信息汇总表

区域名	上交腊叶标本数 / 份	上交药材数 / 份	收集种质资源数 / 份
阿合奇县	190	7	7
阿克苏市	157	8	5
阿克陶县	143	6	2
阿拉尔市	134	6	3
阿勒泰市	783	18	16
阿图什市	161	4	6
阿瓦提县	132	5	3
巴楚县	146	13	6
巴里坤哈萨克自治县	315	14	1
拜城县	326	23	11
白碱滩区	204	4	4
博湖县	47	1	—
博乐市（含阿拉山口市）	765	16	6
布尔津县	163	3	1
策勒县	55	2	6
察布查尔锡伯自治县	793	18	48

续表

区域名	上交腊叶标本数 / 份	上交药材数 / 份	收集种质资源数 / 份
昌吉市	546	36	36
达坂城区	549	9	23
独山子区	336	17	11
额敏县	408	37	1
福海县	619	13	15
阜康市	68	1	—
富蕴县	151	5	—
伽师县	148	13	7
高昌区	729	32	34
巩留县	112	4	3
哈巴河县	329	17	2
伊州区	440	17	7
和布克赛尔蒙古自治县	232	8	8
和静县	284	7	4
和硕县	137	15	20
和田市	246	20	25
和田县	554	26	33
呼图壁县	645	29	23
霍城县（含霍尔果斯市）	147	10	1
吉木乃县	89	13	1
吉木萨尔县	283	15	5
精河县	153	14	6
喀什市	96	5	4
柯坪县	473	32	16
克拉玛依区	220	7	7
库车市	414	7	6
库尔勒市（含铁门关市）	139	9	6
奎屯市	38	14	—
轮台县	48	2	1
洛浦县	558	32	61
玛纳斯县	144	12	7

续表

区域名	上交腊叶标本数 / 份	上交药材数 / 份	收集种质资源数 / 份
麦盖提县	448	15	13
米东区（含五家渠市）	63	3	2
民丰县	100	13	9
墨玉县	86	5	—
木垒哈萨克自治县	115	3	3
尼勒克县	257	22	24
皮山县	91	4	—
奇台县	956	67	21
且末县	491	11	14
青河县	821	27	17
若羌县	510	8	39
沙湾市	200	5	22
沙雅县	226	16	9
莎车县	159	6	5
鄯善县	435	20	17
石河子市	148	12	6
疏附县	138	8	6
疏勒县	417	42	12
塔城市	660	15	7
塔什库尔干塔吉克自治县	675	32	51
特克斯县	406	17	15
天山区（含沙依巴克区）	135	13	7
图木舒克市	175	9	5
托克逊县	174	6	5
托里县	360	15	6
尉犁县	211	5	5
温泉县	341	13	5
温宿县	288	6	5
乌尔禾区	294	26	14
乌鲁木齐县	620	10	41

续表

区域名	上交腊叶标本数 / 份	上交药材数 / 份	收集种质资源数 / 份
乌恰县	141	6	8
乌什县	225	6	5
乌苏市	588	38	40
新和县	94	6	3
新市区（含水磨沟区、头屯河区）	403	17	15
新源县	131	8	9
焉耆回族自治县	32	1	2
叶城县	270	6	8
伊宁市	463	26	55
伊宁县	57	12	—
伊吾县	291	5	1
英吉沙县	158	13	8
于田县	64	5	3
裕民县	377	15	2
岳普湖县	150	10	4
泽普县	140	7	3
昭苏县	122	6	3

（七）传统知识调查情况

1. 传统知识情况概述

普查队在 94 个普查县（市、区）的调查中，累计走访中医院和民族医院 80 次、民间民族医生 255 位，获得民间验方 88 个。调查发现，新疆民族医药的发展存在以下问题：①民族医药文化传承保护体系不健全，由于民族语系差异，部分民族医药萎缩，传承后继乏人，验方流失较为严重；②基础性研究不系统、不深入，产业化品种的品牌效应不强，规模化的品种与企业少等。因此，少数民族医药作为我国传统医药文化的重要组成部分，需要各级政府、科研院校、企业等各方面给予重视与支持。

2. 民族医药分布区域及著作

调查发现阿克苏地区、喀什地区（除塔什库尔干塔吉克自治县）、和田地区、吐鲁番市以中医（维吾尔医）为主，伊犁哈萨克自治州、阿勒泰地区以中医（哈萨克医）为主，巴音郭楞蒙古自治州、

博尔塔拉蒙古自治州以中医（蒙医）为主，塔城地区、昌吉回族自治州以中医为主，塔什库尔干塔吉克自治县以中医（塔吉克医）为主，克孜勒苏柯尔克孜自治州以中医（柯尔克孜医）为主。

目前，已出版的民族医药著作有《维吾尔药志》（上册、下册）、《哈医处方集》（上、下）、《哈医常用药材》、《哈萨克医学基础理论》、《少数民族医药通览》、《少数民族传统医学体系》（哈医药）、《哈医诊断学》和《哈萨克基础理论和诊疗研究》等10余部，其中部分书籍已在哈萨克斯坦、蒙古国出版发行。

3. 传统医药文化

2016年12月25日，第十二届全国人民代表大会常务委员会第二十五次会议审议通过了《中华人民共和国中医药法》，该法自2017年7月1日起施行。

（1）中医药

中医药是包括汉族和少数民族医药在内的我国各民族医药的统称，反映了中华民族对生命、健康和疾病的认识，是具有悠久历史传统和独特理论及技术方法的医药学体系。

中医基础理论是对人体生命活动和疾病变化规律的概括，主要包括阴阳、五行、运气、藏象、经络等学说，以及病因、病机、诊法、辨证、治则治法、预防、养生等内容。我国的中医药文化底蕴十分丰厚，有着独特的理论体系和应用形式，充分反映了我国自然资源、历史、文化等方面的特点。

（2）维吾尔医药

维吾尔医药是祖国医药不可分割的一部分，具有悠久的历史和完整的理论体系，有人把它形象地喻为“丝绸之路上的一朵奇葩”。2011年6月中旬，作为我国民族医药代表之一，维吾尔医药（维药传统炮制技艺、木尼孜其·木斯力汤药制作技艺、食物疗法、库西台法、沙疗、和田药茶制作技艺）入选国家级非物质文化遗产代表性项目名录。

“十二五”期间，国家将维吾尔医药和藏药作为重点扶持的民族医药产业，新疆也将维吾尔医药作为战略性新兴生物医药产业列为重点发展培育的项目。维吾尔医药在发展过程中，形成了一整套具有本民族特色的医疗体系，在疾病的防治中发挥着重要作用，为我国的医药卫生事业做出了贡献。由名老维吾尔医编纂的《中国医学百科全书·维吾尔医学》已出版维、汉两种文版。

（3）哈萨克医药

几千年来，哈萨克族的祖先在对天、地、日、月、水、火等自然现象的观察中发现了它们之间相互资生、相互转化和相互克制的依存关系，从而演绎出了哈萨克医药学说中最重要的阿勒特吐格尔学说（六原素学说），用这一学说解释宇宙万物、生命的起源和人体生理解剖、疾病的变化与转归，从而逐渐形成了独特的哈萨克医药理论。哈萨克族的常用药主要来自各种动物器官和草木等，如熊胆、麝香、鹿茸、脐肠、雪鸡脑及乌皮等。矿物类药剂有白矾、硫黄、胆矾、升汞、甘汞、水银等。哈萨克医药有比较系统和完整的理论体系，这些医药理论在500年前乌太波依达克·特烈吾哈布勒医生所著的医学著作《奇帕格尔巴彦》一书中有详细的描述。《奇帕格尔巴彦》汉译名为《医药志》，是哈萨克医药学的经典著作。

（4）蒙医药

蒙医药学是蒙古族在长期的医疗实践中逐渐形成与发展起来的传统医学，历史悠久，内容丰富，是蒙古族同疾病做斗争的经验总结和智慧结晶，具有鲜明的民族特色和地域特点，是世界传统医学的重要组成部分。蒙医药因“生、猛、简、廉、绿色”的特点，在治疗常见病、多发病和一些疑难病症方面具有显著疗效。

蒙医以“三根”（赫依、希拉、巴达干）学说为主要理论基础，还包括阴阳五行、五元、七素及六基症学说。蒙医的治病方法，除药物治疗以外，还有传统的灸疗、针刺、正骨、冷热敷、马奶酒疗法、饮食疗法、正脑术、药浴、天然温泉疗法等。据有关文献统计，目前较为常用的1 342种蒙药中，常用品种约450种。常用品种中有植物药313种，动物药66种，矿物药48种，其他类23种。这些药物有些是动植物的全体，如方海、扁蕾、香青兰；有些只是动植物的一部分，如狐肺、草乌叶；有些是动植物分泌或渗出的物质，如牛乳、珊瑚、黑云香；有些是经过加工制得的物质，如灰盐（草木灰的水浸汁经过滤、蒸发所得的结晶物）、马奶酒（鲜马奶经过发酵而酿成的酒）；矿物药中有些是天然矿石，如禹粮土（含铁黏土）、青金石等，有些是加工品，如红铜炭，有些则是动物的骨化石，如龙骨、石燕等。

巴音郭楞蒙古自治州政府公布的《第二批自治州级非物质文化遗产名录》包括蒙医金烙术、蒙医药浴、蒙医震脑术、整骨术、罨敷（羊皮）疗法、酸马奶疗法、阿尔兹疗法、蒙医银针疗法、蒙医放血疗法等。蒙医药学是中华医学的一个支脉，将传统技艺列入保护名录，旨在进一步弘扬民族医药，发挥蒙医药传统特色和优势，坚定不移地走蒙医学与现代医学结合之路，实现传统蒙医药事业新的发展、新的进步。罨敷（羊皮）疗法可治疗幼儿缺钙、缺锌，是一种外治的纯物理疗法。

（5）回医药

回医药学是以人天浑同与有机整体思想为主导，以元气一无论与阴阳七行学说为基础，以动态和谐与过程论的观念探索人的生命活动中身体和心性健康的整体规律及其与疾病失序的关系，以辨质为主，结合辨证、辨病、辨经，论证养生、预防、治疗、康复的一门综合性实用学科。我国回族在1 000多年的与疾病做斗争的过程中，不但形成了独特的回医药理论体系，还形成了至今仍存在的独特的民间疗法。

4. 传统医药文化的特点

（1）以单验方的形式传承

新疆中医药和民族医药传统知识调查结果显示，新疆传统医药知识的传承以单验方为主，约占69.18%；其次为传统诊疗技术，约占28.02%；传统制剂方法约占2.80%。

（2）传统诊疗技术丰富

传统诊疗技术丰富，如维吾尔医的接骨术、哈萨克医的医布劳（药浴）等，但传统制剂方法较少。传统制剂方法中，中医制剂方法约占 13.08%，维吾尔医制剂方法约占 27.10%，哈萨克医制剂方法约占 52.34%，塔吉克医制剂方法约占 7.48%。

（3）传承人受教育程度偏低

72.92%的传承人有执业资格，27.08%的传承人无执业资格，多数传承人是合法执业。传承人中，中专以下学历占 45.83%，中专学历占 27.08%，大专学历占 16.67%，本科学历占 8.34%，研究生学历占 2.08%，传承人受教育程度偏低。

（4）传承人年龄较大

从传承人的年龄来看，30 ~ 60 岁者占 60.42%，60 岁以上者占 39.58%，30 岁以下者没有。部分传承人年龄大，民族医药的传承面临后继乏人的问题。

5. 传统医药文化保护与传承现状

（1）产业层次低，医药企业缺乏竞争力

随着生活水平的提高，人们对医药产品的需求与日俱增，我国制定了《医药科学技术政策》和《中药现代化发展纲要》，各省（市、区）积极制定地方医药产业发展规划。但新疆的医药产业发展起步晚，规模小，拥有的资源优势和区域特色未得到发挥。维吾尔药研发及生产整体落后，市场开拓不足，缺少知名品牌。

截至 2023 年，维吾尔药还没有单品种年产值超过 5 000 万元的品牌。新疆现有制药企业 60 余家，其中通过 GMP 认证的企业只有 14 家。

（2）商标意识淡薄，不注重地理标志保护

新疆民族医药企业的商标意识淡薄。有资料显示，平均 10 家新疆维吾尔医药企业仅有 1 家注册商标。据新疆维吾尔自治区药品监督管理局统计，新疆的 27 个维吾尔药经典品种被 131 家药品生产企业仿制。这些仿冒品搅乱了医药市场，使新疆刚刚起步的医药行业雪上加霜。新疆具有丰富的维吾尔医药资源，但在开发利用的过程中，对优势道地药材的潜力挖掘不够，对道地药材及其制剂的可持续利用、品种选育工作开展较少，对地理标志产品保护不足。

（3）缺乏标准化体系

2011 年 8 月 1 日，《新疆维吾尔自治区维吾尔药材标准》（2010 年版）及《新疆维吾尔自治区中药维吾尔药饮片炮制规范》（2010 年版）正式实施，标志着新疆常用药材及饮片品种有了法定的质量标准。但新疆的民族医药习用药材有 700 余种，常用药材有 500 余种，已有法定质量标准的有 252 种，没有质量标准的仍有 250 种，药材标准仍需完善。

新疆维吾尔自治区
中药资源发展现状

一、中药材发展现状

新疆地理环境、气候条件和生物资源均具有多样性的特点，红花、贝母、肉苁蓉、罗布麻、紫草、天山雪莲、阿魏、甘草等药材品种全国闻名。新疆已有 60 多种药材实现人工种植（养殖），20 多种大宗药材实现了规模化种植（养殖）。近年来，我国的中药材种植有明显向西转移的趋势，由于中药材原材料需求增大，中药材价格呈稳步上升趋势，目前新疆已掀起中药材种植的热潮，阿勒泰地区着力打造“额河药谷”。

（一）中药材种植面积

2018—2021 年，新疆中药材种植面积基本维持在 150 万亩左右，2022 年新疆中药材种植面积达 188.3 万亩。从种植面积来看，肉苁蓉的种植面积最大，达 49.5 万亩，占新疆中药材种植面积的 26.3%；红花和玫瑰花的种植面积为 42 万亩，占新疆中药材种植面积的 22.3%；沙棘、枸杞、甘草、板蓝根、金银花、贝母、黄芪、芍药 8 种中药材的种植面积达 60.4 万亩，占新疆中药材种植面积的 32.1%，其他中药材种植面积达 36.4 万亩，占新疆中药材种植面积的 19.3%。从产量来看，肉苁蓉和甘草的产量都在万吨以上，分别为 3.8 万 t 和 9.4 万 t。

（二）中药材种植区域

新疆中药材种植区域呈北疆带状、南疆点阵式分布的扇形布局，主要分布在伊犁河谷、塔额盆地、准噶尔盆地南北缘、吐鲁番盆地、塔里木盆地的 8 个地州市的 30 个县（市、区）。其中肉苁蓉的种植规模较大，主要分布在巴音郭楞蒙古自治州、和田地区、喀什地区、阿克苏地区；甘草主要分布在阿勒泰地区、巴音郭楞蒙古自治州、喀什地区；沙棘主要分布在阿勒泰地区、伊犁哈萨克自治州、博尔塔拉蒙古自治州、昌吉回族自治州；枸杞主要分布在博尔塔拉蒙古自治州、伊犁哈萨克自治州、塔城地区；黄芪主要分布在巴音郭楞蒙古自治州、伊犁哈萨克自治州、阿勒泰地区；板蓝根主要分布在阿勒泰地区、阿克苏地区、塔城地区、伊犁哈萨克自治州；贝母主要分布在伊犁哈萨克自治州、昌吉回族自治州。

二、重点药材品种分布

依据新疆第四次中药资源普查得出的中药材种植品种分布情况，并结合新疆道地药材的分布区域与产地适宜性，编者提出了新疆重点发展中药材品种的适宜区域，见表 1－3－1。

表 1-3-1 新疆重点发展中药材品种适宜区域

药材名	基原中文名	分布区域	适宜区域
天山雪莲	雪莲	天山山脉	温泉县、精河县、巩留县、昭苏县、尼勒克县、伊宁县、昌吉市、奇台县、玛纳斯县、乌鲁木齐县、达坂城区、阜康市、巴里坤哈萨克自治县、伊吾县、伊州区、和静县等
紫草	软紫草	天山山脉	温泉县、精河县、巩留县、昭苏县、尼勒克县、伊宁县、昌吉市、玛纳斯县、乌鲁木齐县、和静县等
阿魏	新疆阿魏	伊犁河谷	伊宁县、尼勒克县、巩留县等
	阜康阿魏	准噶尔盆地	阜康市、昌吉市等
红花	红花	伊犁河谷、准噶尔盆地及西部山区	察布查尔锡伯自治县、奇台县、木垒哈萨克自治县、裕民县、塔城市等
肉苁蓉	盐生肉苁蓉	伊犁河谷、准噶尔盆地及西部山区	裕民县、托里县、额敏县、塔城市、伊宁县、阿拉山口市、博乐市等
	荒漠肉苁蓉	准噶尔盆地、塔里木盆地及东疆地区	哈密市、吐鲁番市及精河县、托里县、乌苏市、呼图壁县、奇台县、阜康市、木垒哈萨克自治县、于田县、沙雅县、且末县、若羌县等
	管花肉苁蓉	塔里木盆地	且末县、民丰县、于田县、策勒县、洛浦县、墨玉县、皮山县、麦盖提县等
贝母	伊贝母	伊犁河谷、准噶尔盆地	巩留县、霍城县、特克斯县、昭苏县、新源县、尼勒克县、伊宁县、察布查尔锡伯自治县、伊宁市、温泉县、博乐市等
	新疆贝母	伊犁河谷、准噶尔盆地、天山山脉	察布查尔锡伯自治县、特克斯县、木垒哈萨克自治县、阜康市、奇台县、呼图壁县、玛纳斯县、乌鲁木齐县、乌苏市、沙湾市等
甘草	乌拉尔甘草	伊犁河谷、准噶尔盆地及西部山区	温泉县、精河县、北屯市、哈巴河县、福海县、青河县、额敏县、昌吉市、察布查尔锡伯自治县、伊宁县、特克斯县、巩留县等
	光果甘草	塔里木盆地、准噶尔盆地	精河县、沙雅县、温宿县等
	胀果甘草	塔里木盆地	民丰县、于田县、策勒县、皮山县、和田县、且末县、若羌县、沙雅县、焉耆回族自治县、图木舒克市等
枸杞子	枸杞	准噶尔盆地、伊犁河谷	精河县、乌苏市、奎屯市、伊宁县等
罗布麻	罗布麻	准噶尔盆地	阿勒泰市、吉木乃县、博乐市等
	白麻	准噶尔盆地、塔里木盆地及东疆地区	吐鲁番市及精河县、沙雅县、于田县、民丰县、尉犁县、库尔勒市等
一枝蒿	一枝蒿	伊犁河谷、天山山脉、阿尔泰山	富蕴县、尼勒克县、乌鲁木齐县、木垒哈萨克自治县等

续表

药材名	基原中文名	分布区域	适宜区域
锁阳	锁阳	塔里木盆地、阿尔金山脉、昆仑山脉、准噶尔盆地及西部山区，以及东疆地区	塔城市、裕民县、额敏县、布尔津县、吉木乃县、精河县、巴里坤哈萨克自治县、若羌县、且末县、民丰县、于田县、
玫瑰花	玫瑰	塔里木盆地	皮山县、墨玉县、和田县、和田市、洛浦县、于田县等
板蓝根	菘蓝	准噶尔盆地、伊犁河谷、塔里木盆地	伊宁县、尼勒克县、北屯市、哈巴河县、青河县、福海县、玛纳斯县、昌吉市、阜康市、沙雅县、阿图什市、皮山县等
神香草	硬尖神香草	准噶尔盆地、阿尔泰山	托里县、额敏县、福海县、吉木乃县、布尔津县、哈巴河县、阿勒泰市等
薰衣草	薰衣草	伊犁河谷	霍城县、伊宁市等
天山堇菜	天山堇菜	天山山脉、昆仑山脉	乌鲁木齐县、塔什库尔干塔吉克自治县、策勒县等
黑种草籽	黑种草	塔里木盆地	喀什市、疏附县、叶城县、洛浦县、墨玉县等
香青兰	香青兰	塔里木盆地、准噶尔盆地	洛浦县、墨玉县、皮山县、阜康市等
菊苣	毛菊苣	塔里木盆地及东疆地区	洛浦县、墨玉县、皮山县、托克逊县等
藿香	欧薄荷	塔里木盆地	洛浦县、墨玉县、皮山县等
锦灯笼	锦灯笼	塔里木盆地	洛浦县、墨玉县、皮山县等
莳萝子	莳萝	塔里木盆地	洛浦县、墨玉县、皮山县等
孜然	孜然芹	塔里木盆地	焉耆回族自治县、叶城县、洛浦县、墨玉县、皮山县等
小茴香	茴香	准噶尔盆地、塔里木盆地、伊犁河谷	新疆平原绿洲区均可种植
蜀葵籽	蜀葵	准噶尔盆地、塔里木盆地、伊犁河谷	新疆平原绿洲区均可种植
黄芪	黄芪	准噶尔盆地、伊犁河谷	尼勒克县、塔城市、哈巴河县、福海县等
留兰香	留兰香	伊犁河谷	新源县、尼勒克县、特克斯县等
罗勒	罗勒	塔里木盆地	洛浦县、墨玉县、皮山县等
独行菜籽	独行菜	塔里木盆地	洛浦县、墨玉县、皮山县等
黄花柳花	黄花柳	塔里木盆地	洛浦县、墨玉县、和田市、和田县等
沙棘	沙棘	伊犁河谷、准噶尔盆地、昆仑山区	尼勒克县、察布查尔锡伯自治县、霍城县、和布克赛尔蒙古自治县、福海县、青河县、温泉县、塔什库尔干塔吉克自治县、策勒县
荨麻	裂叶荨麻	伊犁河谷、天山山脉、准噶尔盆地	昭苏县、尼勒克县、伊宁县、温泉县、精河县、博乐市、托里县、裕民县、塔城市、乌鲁木齐县等

续表

药材名	基原中文名	分布区域	适宜区域
芸香	对叶大戟	塔里木盆地	洛浦县、墨玉县、皮山县等
藁本	新疆藁本	伊犁河谷	新源县、巩留县、尼勒克县等
洋甘菊	洋甘菊	伊犁河谷	新源县、巩留县、尼勒克县等
薄荷	薄荷	伊犁河谷、准噶尔盆地	新源县、巩留县、尼勒克县、阜康市等
赤芍	芍药	伊犁河谷、准噶尔盆地西部山区	尼勒克县、新源县、伊宁县、塔城市、裕民县等
鹿草	鹿草	阿勒泰山区	富蕴县、福海县、阿勒泰市等
岩白菜	厚叶岩白菜	阿勒泰山区	富蕴县、阿勒泰市等
老鼠瓜	刺山柑	准噶尔盆地及东疆地区	吐鲁番市及阜康市、奇台县等
琐琐葡萄	琐琐葡萄	东疆地区	吐鲁番市、哈密市等
药桑	药桑	塔里木盆地及东疆地区	吐鲁番市及沙雅县、皮山县、墨玉县、洛浦县、和田市、和田县等
榅桲	榅桲	塔里木盆地	喀什市、疏勒县、叶城县、焉耆回族自治县、库车市、沙雅县、和田市、和田县、皮山县、墨玉县、策勒县等
石榴花	石榴	塔里木盆地	喀什市、疏附县、疏勒县、岳普湖县、伽师县、策勒县、皮山县等
无花果	无花果	塔里木盆地	阿图什市、喀什市、疏勒县、疏附县、伽师县等
海娜	凤仙花	塔里木盆地、准噶尔盆地、伊犁河谷及东疆地区	新疆平原、绿洲区
地锦草	地锦	塔里木盆地	阿克苏市、沙雅县、库车市、喀什市、疏附县、疏勒县、伽师县、和田市、皮山县、墨玉县、洛浦县、策勒县、且末县等
骆驼蓬	骆驼蓬	塔里木盆地、准噶尔盆地西部山区及东疆地区	哈密市及民丰县、于田县、策勒县、阿合奇县、温泉县、托里县、裕民县、塔城市等
鸡冠花	鸡冠花	塔里木盆地、准噶尔盆地、伊犁河谷及东疆地区	新疆平原、绿洲区
驱虫斑鸠菊	驱虫斑鸠菊	塔里木盆地	阿克苏市、沙雅县、库车市等

三、种质资源调查与评价

新疆中药材种子种苗繁育体系以新疆焉耆稀缺中药材种子种苗基地为中轴，以新疆维吾尔自治区中药民族药研究所合作的新疆富捷生态农业开发有限责任公司甘草种子种苗基地、新疆阿勒泰戈宝茶股份有限公司罗布麻种子种苗基地为支撑，以完成稀缺中药材种子种苗繁育保育能力建设为目标，研究并制定种子种苗生产技术标准、技术规程。

现已完成基础设施建设（包括智能种苗繁育温室建设、水利设施建设、防风林带建设、安防系统建设、土地的平整及改良等）；完成甘草、罗布麻、驱虫斑鸠菊、蜀葵、香青兰和枸杞子等中药材种子种苗的繁育生产基地建设，主体基地为 214 亩，土地产权清晰，基地总规模达 2 422 亩（不含抚育区和资源圃），并对甘草、罗布麻、蜀葵等品种进行繁育；制定地方标准 9 项，起草中华中医药学会团体标准 2 项，参与编制著作 2 部，申请人工种植药用植物阿魏的方法（CN201510064296.8）等发明专利 3 项；同时，为新疆相关政企提供技术服务。

四、中药资源动态监测体系

（一）基本情况

新疆中药资源动态监测信息和技术服务体系依托新疆维吾尔自治区中药民族药研究所而建，包括 1 个省级中心和 2 个县级监测站［精河监测站（北疆）、阿拉尔监测站（南疆）］。按照国家省级中心及监测站的建设要求，县级监测站、省级中心分别于 2017 年 12 月、2018 年 12 月通过国家验收。

1. 硬件设施建设情况

省级中心完成了 100 m^2 办公设施改造，购置了全套办公用具，配备了视频服务器、会议终端、摄像机、液晶电视等设备。

2. 软件设施建设情况

按照国家要求，与新疆电子研究所股份有限公司合作，设计了省级中心和监测站的视频会议、监控以及数据传输的全套系统，视频会议、数据传输系统已验收运行。

（二）监测内容

1. 资源品种监测

在监测地区开展枸杞子、红花、伊贝母、肉苁蓉、甘草、大枣、玫瑰花、天山雪莲、紫草、罗布麻 10 个品种的日常监测工作，调查市场需求，探索对药农、药企开展技术和信息服务的最佳途径；收集区域内监测品种的资源信息、流通价格及流通量数据，监测并分析资源动态变化趋势，向国家有关部门报送相关信息 150 余次。

2. 种植加工技术收集、整理

省级中心收集、整理了大枣密植丰产栽培技术（主要包括土壤管理、施肥方法和数量、灌水、整形修剪、花果管理、主要病虫害防治、采收方法等）、有机枸杞标准化生产示范基地栽后管理技术（主要包括土壤管理、灌水、铲穴松土、施肥方法和数量、修剪、病虫害防治、鼠兔危害及冻害防治等）、枸杞干果生产加工工艺技术（主要包括枸杞干果生产方法、工艺流程图及简述等）、大枣加工工艺技术（主要包括分选、清洗、烘干、回软、精选、包装、贮存和运输等）。

3. 中药材监测

新疆大宗中药材的成交量、价格等受多种因素影响，不同药材的影响因素不一，主要涉及政策法规、市场需求、种植面积、价格等。

（1）红花

新疆统货红花的价格一直呈平稳上升的趋势，2016 年前受干旱和人工费用等影响，价格有所下降，2016 年产新红花的行情出现明显上抬，新疆产地的红花价格升至 83 ～ 84 元 /kg，产新后期价格又回落至 74 ～ 75 元 /kg。随后，连续两年的干旱，2018 年新疆种植面积减少，产量减少，加上收购商抬价，红花的行情终于迎来爆发，新疆产新红花的价格一度跃升至 120 元 /kg 以上。2019 年新货上市后，红花的价格迅速回落至 100 元 /kg 左右。2019—2020 年红花行情平稳。2020 年新疆红花产量缩减，行情开始上涨，2020 年年底红花的价格上涨至 130 元 /kg 左右。随后红花行情一路上涨，2021 年红花的交易价稳定在 180 ～ 185 元 /kg。2021 年、2022 年红花种植面积较大，在云南新货上市后，行情逐步回落至 120 ～ 125 元 /kg。红花产量偏低，正常情况下新货产量为每亩 10 ～ 15 kg，高产的地块产量在 20 kg 左右；红花的采摘成本较高，平均每亩的人工成本在 1 500 元左右。以红花为原料的制剂（注射用红花黄色素 A、红花注射液）已于 2022 年退出了《国家基本医疗保险和工伤保险药品目录》，这在一定程度上影响了红花的收购量和价格，预计后续新疆红花的价格仍呈下降的趋势。

（2）伊贝母

2017 年，商家多是按需求计划采购伊贝母，市场总体成交量小，行情走动一般，新疆家种伊贝母大粒货的价格在 100 元 /kg 左右，小粒货的价格为 120 元 /kg。2018 年 7 月伊贝母新货产出，货源走缓，价格下滑，市场可供货源充足，行情随产区而变，市场上伊贝母小个货的价格为 100 ～ 110 元 /kg，大个货的价格为 60 ～ 68 元 /kg。2019 年 7 月伊贝母正值产新中，前期药市货源走迟，加之新货陆续应市，价格持续下滑，家种伊贝母大粒货的价格为 40 元 /kg 左右，小粒货的价格为 80 ～ 100 元 /kg。目前产区产新结束，货源产出量有所减少，行情有所上浮，但货源实际走销并不快，现市场大个伊贝母的价格为 45 ～ 50 元 /kg，中个伊贝母的价格为 75 ～ 80 元 /kg。

总体来说，伊贝母的产量基本上呈逐渐减少的趋势，2015 年伊贝母的收购量约为 2 000 t，2021 年收购量为 1 000 t，相较于 2008 年的 6 000 t 减少了约 83.3%。主要原因是种植成本高、收益周期较长导致种植面积大幅减少，2008年有相当多的散户或小户种植伊贝母，而现今仅有大户种植。

（3）天山雪莲

天山雪莲的价格呈现一直上涨的趋势，从100元/kg上涨到现今的400元/kg左右，全国的几个大的药材交易市场价格趋势一致。天山雪莲被列为国家二级保护植物，新疆各地的林草部门加大了对采挖天山雪莲的管控力度；再加上天山雪莲的人工栽培尚未推广，药材的主要来源为野生资源，因此，随着货源的逐渐减少，天山雪莲的价格会持续上升。

（4）肉苁蓉

2017—2022年肉苁蓉的价格基本呈现一直下滑的趋势，2017年肉苁蓉的价格最高，为130元/kg（软货），2022年肉苁蓉软货的价格为75元/kg。2018年4月，肉苁蓉市场需求量一般，走销平稳，总体行情变化不大，亳州药材市场肉苁蓉软大芸药厂货价格多为75～95元/kg，好的统货价格为100～120元/kg，二条货价格为130元/kg左右；硬大芸统货价格为24元/kg左右；玉林药材市场行情与前持平，肉苁蓉软统货的价格为125～130元/kg。2018年6月市场货源销势放缓，行情平稳，肉苁蓉新疆软统货的价格为120～125元/kg，硬统货的价格为24～25元/kg。2019年8—10月，肉苁蓉货源走销缓慢，多以小批量走销为主，行情逐渐稳定；10月肉苁蓉统货的价格为95元/kg左右，优质货价格为120～130元/kg；硬大芸价格为30元/kg左右。2020年5月肉苁蓉货源走销正常，行情基本保持稳定，新疆软统货的价格为90～100元/kg；6月货源库存不丰，家种硬大芸的价格在29元/kg左右；7月肉苁蓉货源走销正常，行情基本保持稳定，软统货的价格为90～100元/kg。2021年肉苁蓉货源走销正常，行情基本保持稳定，软统货的价格为100～110元/kg，中选货的价格为200元/kg左右，大选货的价格为350元/kg左右。2021年3—4月无论是亳州药材市场还是玉林药材市场肉苁蓉货源走销顺畅，行情持续坚挺，肉苁蓉软大芸中条的价格为133元/kg左右，木质货价格为45～50元/kg。

肉苁蓉价格变化主要是新疆生产企业的下游产业链断层及市场需求不稳定造成的。

（5）枸杞子

2017—2022年枸杞子的价格呈持续下滑的趋势，市场需求不好，导致行情疲软，农户采收积极性不佳，货源走销一般，再加上长期种植，枸杞病虫害相当严重，极大地影响了枸杞子的质量和产量，农户种植积极性也受到影响，种植面积有所减少。

2017年8月因产地采收天气不好，导致加工质量不等、市场报价不等，宁夏产的280粒好货的价格为60元/kg左右，380粒好货的价格为52～55元/kg，青海产的180粒的价格为50～53元/kg，280粒的价格为43～45元/kg，420粒的价格为32～33元/kg；10—11月，市场销售旺季到来，货源走销顺畅，持货者喊价坚挺，宁夏产的280粒的价格为55～60元/kg，350粒的价格为40元/kg上下。2018年3月，因市场商家关注力度一般，货源整体走销不快，行情保持平稳，市场上宁夏产的280粒的价格在53元/kg左右，380粒的价格在40元/kg左右；5月，枸杞子的

需求量下降，市场批量货源走动不多，但零星走动依然较快，商家以勤进快销为主，行情波动不大，宁夏产的280粒枸杞子的价格为55元/kg左右，380粒枸杞子的价格为40～41元/kg。2019年3月，市场货源供应稳定，年后市场货源走销不及产区，行情继续保持坚挺，商家时有批量求购，行情走动较好，宁夏产的280粒枸杞子的价格为57～58元/kg，380粒枸杞子的价格为41～42元/kg，新疆产的枸杞子统货价格为34～35元/kg；5月，市场货源青黄不接，货源走动一般，大货少见走动，优质货源存量不大，行情在坚挺中运行，市场上宁夏产的280粒枸杞子的价格为55～58元/kg，380粒枸杞子的价格为40～43元/kg，河北产的枸杞子统货的价格为38元/kg左右，新疆产的枸杞子统货的价格在35元/kg左右。2020年3月，市场货源购销正常，行情保持平稳，市场上枸杞子药厂货的价格在20元/kg左右，宁夏产的280粒枸杞子的价格为58～62元/kg，宁夏产的380粒枸杞子的价格为48～55元/kg；4月，货源走销一般，行情保持平稳，宁夏产的280粒枸杞子的价格为55～58元/kg，380粒枸杞子的价格为45～48元/kg。2021年5月，市场上经营的商家较多，进入销售淡季，货源走动转慢，行情平淡，以小批量成交为主，宁夏380粒枸杞子的价格为50～52元/kg，6月下旬进入产新期，市场货源供应量不大，行情表现坚挺，市场上宁夏产的280粒枸杞子的价格为60元/kg，优质货的价格为65元/kg，380粒枸杞子的价格为51元/kg左右。2022年4月，受产地枸杞子价格下滑的影响，市场行情不乐观，且货源整体走动不快，亳州药材市场宁夏产的280粒枸杞子的价格为50元/kg左右，380粒枸杞子的价格为43元/kg左右；青海产的枸杞子的价格也有所下滑，280粒枸杞子的价格为37元/kg左右。目前市场上货源量较大，小批量货源走动较快，行情没有明显的变化，一般货价格为42～45元/kg，好货价格为52～55元/kg。

（6）大枣

2008—2010年，大枣的市场价格达到峰值。从2010年开始，大枣市场价格逐步下降，新疆生产建设兵团第十三师为调整产业结构，改为种植骏枣。2013年，骏枣的价格又达到峰值（30元/kg）。新疆生产建设兵团第十三师的骏枣种植面积为2万～3万亩，由于种植面积的扩大，市场容量的增多，骏枣的价格开始下降。为了适应生产生活的需要，2017—2018年骏枣的价格降为10元/kg左右时，新疆生产建设兵团第十三师响应国家政策调整产业结构，改种棉花，骏枣的种植面积为2 000～3 000亩，质量较好的统货的收购价格为8～9元/kg，质量一般的统货价格为5～6元/kg。近5年（2017—2022年）价格持续平稳，略有增长，但增幅不大。目前产区时有来货，市场货源充足，但受大宗品种价格上涨的影响，大枣价格也有所上调，但调整幅度不大，商家以勤进快销为主，行情继续走平，现新疆产的小个货的价格为12～13元/kg，中等货的价格为14～15元/kg，药用货的价格为8元/kg，食用货的价格为15元/kg。相较于前十年，大枣产地的价格较低，批发零售较多，行情疲软。

（三）对外服务

省级中心为新疆维吾尔药业有限责任公司、新疆康隆农业科技发展有限公司（甘草 GAP 基地认证）、新疆银朵兰药业股份有限公司（一枝蒿规范化种植技术科研开发）、新疆阿勒泰戈宝茶股份有限公司（戈宝红麻 GAP 基地建设）、伊宁县农业农村局（新疆阿魏野生抚育基地建设）、新疆博远欣绿生物科技有限公司（管花肉苁蓉 GAP 基地建设）、和静县三多农业综合开发有限责任公司（软紫草人工栽培）等提供技术服务。

（四）取得成果

省级中心为有需要的企事业单位提供鉴定报告，鉴定基原植物；作为技术支持为昭苏县等地撰写中药产业规划；为新疆企业提供药材分布地信息，分析药材种植适宜区；为阿勒泰地区、塔城地区等提供药材种植及生产规划；发表文章 1 篇，参编专著《全国中药材生产统计报告（2020 年）》，培养人才 10 名。

五、新种、新记录种情况

新疆第四次中药资源普查共计发现新记录种 4 种，包括长叶水苋菜 *Ammannia coccinea* Rottboll、华莲子草 *Alternanthera paronychioides* A. Sain-Hilaire、露蕊乌头 *Aconitum gymnandrum* Maxim.、毛瓣白刺 *Nitraria praevisa* Bobr.；采集到 4 种《新疆植物志》有记载但无标本的植物的标本，分别为细叶隐棱芹 *Aphanopleura capillifolia* (Rgl. et Schmalh.) Lipsky［凭证标本号为 654023190605002LY（XTNM）］、西北铁角蕨 *Asplenium nesii* Christ（凭证标本号为 654027190825005LY）、圆枝卷柏 *Selaginella sanguinolenta*（L.）Spring［凭证标本号为 654027190703032LY（XTNM）与 654027190524003LY（XTNM）］、泉生铁角蕨（西藏铁角蕨）*Asplenium pseudofontanum* C. K. Koss.［凭证标本号为 654024190628052LY（XTNM）］，填补了我国凭证标本缺失的空白；发现了《新疆植物志》《中国植物志》均未收载但外文文献记载新疆有分布的植物，包括宿轴棘豆 *Oxytropis piceetora* Vassilcz.（凭证标本号 652122190518016LY、652122190518015LY）；大果棘豆 *Oxytropis macrocarpa* Kar. et Kir.（凭证标本号 654022190529052LY、654022190602049LY）。

六、新疆第四次中药资源普查结果与第三次中药资源普查结果对比

（一）种类变化

新疆第四次中药资源普查共发现药用资源 122 科 3 112 种，发现新记录种 4 种。第三次中药资

源普查共发现药用资源 136 科 2 118 种，增加了 989 种。其中，第三次中药资源普查与第四次中药资源普查共有物种 1 472 种，分别占第三次中药资源普查药用资源总数的 69.50%，第四次中药资源普查药用资源总数的 47.30%，第三次中药资源普查有而第四次中药资源普查无的物种为 644 种，第四次中药资源普查有而第三次中药资源普查无的物种为 1 487 种（表 1－3－2）。

表 1－3－2　新疆第三次中药资源普查与第四次中药资源普查资源对比情况

类型	第三次中药资源普查 / 种	第四次中药资源普查 / 种	增加数 / 种	第三次、第四次中药资源普查共有 / 种	第三次中药资源普查有而第四次中药资源普查无 / 种	第四次中药资源普查有而第三次中药资源普查无 / 种
植物药	2 118	3 107	989	1 472	644	1 487
动物药	—	—	—	—	—	—
矿物药	—	5	—	—	—	—
其他类	—	—	—	—	—	—
合计	2 118	3 112	994	1 472	644	1 487

注：植物药按照维管束植物进行统计，第三次中药资源普查的低等植物（藻类、地衣、苔藓）不在对比范围。

（二）物种发生变化的原因

1. 普查区域全

新疆本次中药资源普查最突出的特点就是面积基本全覆盖，不仅涵盖了第三次中药资源普查资料形成时未普查的塔什库尔干塔吉克自治县和克拉玛依市，而且包含了阿尔金山国家级自然保护区、夏尔西里自然保护区等。

2. 数据准确

第四次中药资源普查借助先进的 GPS 地理信息技术，提高了工作效率，使获得的数据更为精准，避免了第三次中药资源普查依靠地名和地形标注位置的不确定性，增加了普查物种的全面性。

3. 鉴定物种的参考文献全

《新疆植物志》分别于 1993 年、1994 年、1995 年、1996 年、1999 年、2004 年和 2011 年出版，因此，新疆第三次中药资源普查整理名录时，主要依据《新疆植物检索表》《苏联植物志》，而新疆第四次中药资源普查的鉴定工作主要依据《新疆植物志》《中国植物志》，故而删除了新疆第三次中药资源普查名录中《新疆植物志》未收录的物种，约 663 种（含变种）。

4. 调查物种涵盖理念差异

新疆第三次中药资源普查名录遵循能收则收的原则，收载了较多的盆栽植物及从南方引种栽培、现已被放弃栽培的品种；第四次中药资源普查名录则侧重于收录野生品种及有资源量、品质确定的栽培品种。随着植物分类学科的发展，新疆第三次中药资源普查名录中含有的部分种、属现已被合并，导致了收录物种数量的变化。

5. 普查持续时间长

由于植物鉴定工作的开展必须基于合格的腊叶标本，若错过最佳的标本采集时间，采回的标本则无法准确鉴定。新疆第三次中药资源普查历时两年半（1986 年 2 月—1988 年 8 月），仅为第四次中药资源普查耗时（2012—2022 年）的 1/4，加之受交通、采集手段等因素的影响，第三次中药资源普查标本数量及合格率低于第四次中药资源普查。

6. 物种调查范围差异

新疆第三次中药资源普查调查的植物药中包含藻类、地衣、苔藓等低等植物，而第四次中药资源普查不包括低等植物，故物种有所差异。

（三）分布变化

新疆第四次中药资源普查与第三次中药资源普查相比，大宗、特有的、重点的、常见的药材野生蕴藏量呈减少的趋势，优势的栽培药材（红花、罗布麻、肉苁蓉等）面积呈增大的趋势，而一般的、不常用的药材变化不是很明显。主要的原因是大宗的、特有的及重点的药材的开发利用程度较高，人为破坏较为严重。

1. 天山雪莲

雪莲为我国新疆的特有种，分布于天山地区，向东延伸到巴里坤哈萨克自治县，向南达拜城县和温宿县的山区，向北到伊宁县和博乐市的高山区，哈密市及伊宁县、和静县、特克斯县、巩留县、昭苏县、霍城县、精河县、博乐市、温泉县、玛纳斯县、奇台县、木垒哈萨克自治县、阜康市和乌鲁木齐市的南山山区天山雪莲分布最集中，也为天山雪莲的道地产区。

新疆第三次中药资源普查显示，天山雪莲在伊犁哈萨克自治州一带有 50 万 t 的蕴藏量，分布面积约 20 万亩。第四次中药资源普查和新疆理化技术研究所努尔巴拉提博士的调查结果显示，天山雪莲在和静县主要分布于阿拉沟乡、巴音郭楞乡、巴音乌鲁乡、克尔古提乡、巩乃斯沟乡、巴仑台镇、哈尔莫墩镇的山区等，分布面积有 24.24 km^2，蕴藏量达 2.2×10^3 kg/km^2，蕴藏量达 5.33×10^4 kg。

新源县那拉提有雪莲谷，但是现在雪莲谷已名不副实，原来成片分布着雪莲，而现在却需要骑马 2 天翻越雪山才能见到较多的雪莲。由于雪莲自然更新周期长，生长环境恶劣，产量小，天山雪莲的蕴藏量急剧减少。

2. 阿魏

阿魏，又称臭阿魏、五彩魏，最早生于西域，始载于《新修本草》，其后历代本草都有记载，也是蒙医、藏医、维吾尔医、傣医等民族医常用的传统药材之一，为伞形科阿魏属植物新疆阿魏、阜康阿魏的树脂，味苦、辛，性温，归脾、胃经，具有消积、散痞、杀虫等功效。1963 年版《中

华人民共和国药典》中阿魏 *Ferula assafoetida* L. 为阿魏的基原植物，替代了进口的“五彩魏”，此后历版《中华人民共和国药典》都收载了阿魏。

我国药用阿魏主要分布在内陆干旱的荒漠地区，其分布特点为生长集中，具有很强的地域性，新疆的地名也充分体现了这一特点，如阿魏滩、阿魏戈壁、阿魏槽子等，新疆阿魏分布在伊犁哈萨克自治州的阿魏滩，阜康阿魏分布在准噶尔盆地南缘的阿魏滩和阿魏槽子，托里阿魏分布在托里县的阿魏滩等。

新疆阿魏生长于伊宁县与尼勒克县交界处喀什乡北面阿布拉勒山下（北纬 43° 39′，东经 82° 02′）砾石质土壤、贫瘠的荒漠草场上，向东一直延伸到尼勒克县前进牧场，此处海拔 700 ~ 1 100 m，年平均降水量为 200 ~ 250 cm，年平均绝对最低温度大于 0 ℃，无霜期 167 天。

阜康阿魏生长于新疆阜康市（北纬 44° 06′，东经 87° 54′），该地海拔 450 ~ 700 m，属干旱少雨的温带大陆性气候，日照时间长，昼夜温差大，平均气温 4 ~ 6 ℃，年降水量 115 mm 左右，蒸发量 1 942 cm，≥ 10 ℃的积温为 3 000 ~ 3 500 ℃，全年日照时数 3 100 ~ 3 200 小时，土壤为土层深厚、具微碱性的砂壤土。

第一次中药资源普查时，伊宁县的阿魏滩东起尼勒克县的克令乡前进牧场，西至伊宁县喀什河边，长达 20 km，南北宽超过 10 km，整个阿魏滩被新疆阿魏覆盖。新疆阿魏抽薹开花时，阿魏滩变为一片黄色的花海，植株大都在 150 cm 以上，主茎粗 5 cm 左右，资源十分丰富，阿魏年收购量超过 5 000 kg。

随着气候的变化，降水量逐年减少，阿魏的面积逐年萎缩。1984 年，伊宁县的阿魏滩面积为 1.5 万 ~ 2 万亩，东西和南北走向各长约 4 km。由于干旱，新疆阿魏株高普遍为 30 ~ 40 cm，茎粗不超过 2 cm，阿魏产量大幅度下降。1985 年，阿魏收购量 397 kg。

昌吉回族自治州也有一定的阜康阿魏，阜康阿魏生长在古尔班通古特沙漠南缘有黏质土壤的冲沟边，呈带状分布，集中分布在阜康市，总面积约 31 万余亩，总蕴藏量达 6 000 kg，但年收购量远不如新疆阿魏，只有 200 kg 左右。

此外，塔城地区的石河子市及托里县、裕民县、额敏县、乌恰县等地，有大面积的阿魏资源分布，蕴藏量较大。

新疆第四次中药资源普查工作第一期依托新疆维吾尔自治区中药民族药研究所对伊犁哈萨克自治州、昌吉回族自治州的阿魏资源进行重点普查。普查发现，野生阜康阿魏分布面积锐减；西泉农场、阜米公路两侧、吉木萨尔县红旗农场、北沙窝，吉木萨尔县、奇台县、木垒哈萨克自治县没有发现阜康阿魏，仅在阜康市有一定面积的阜康阿魏。现存阜康阿魏约 150 km^2，呈零星分布，资源甚少，其中平原资源区随时存在开垦为农田而使阜康阿魏生存环境彻底破坏的危险，南部山区放牧使多年生一次结实植物阜康阿魏，种子还没有成熟，就被牛羊啃食，严重影响了阜康阿魏的繁殖，导致资源逐年减少。通过低空航拍，普查队对伊宁县、尼勒克县的新疆阿魏资源进行了调查，仅在拜什墩地区有少量的野生新疆阿魏，分布面积约 800 亩，约有 4 000 株。实地调查发现，2006 年新疆维吾尔自治区中药民族药研究所与伊犁西天山中药材开发有限责任公司围栏保护的 300 亩阿魏，经人工抚育、看护、管理，资源保存完好，密度较大。2014 年开始，新疆维吾尔自治区中药民族药研究所在原生境保护基地完成了 1 000 亩的围栏建设，人工抚育阿魏 208 亩。

3. 甘草

乌拉尔甘草分布最广，从北疆的乌鲁木齐市、博尔塔拉蒙古自治州、伊犁哈萨克自治州及石河子市、昌吉市到东疆的吐鲁番市、哈密市，直至南疆的巴音郭楞蒙古自治州等地均有生长。但以北疆额尔齐斯河、乌伦古河沿岸，伊犁河谷、准噶尔盆地南缘玛纳斯河流域的三角洲最为集中，其他地区多分布在绿洲的村庄附近、田边渠沿、路旁、果园荒地等。多生长在钙质土上，在荒漠草甸和盐化草甸也可生长，能忍受轻度盐碱，最适宜生长于砂壤土中。

光果甘草环境适应幅度小，抗逆能力较弱，对环境条件要求较高，耐盐碱性较差。因此，多分布在泉水溢出地带、河流沿岸、人工灌溉区。调查发现北疆伊犁哈萨克自治州、博尔塔拉蒙古自治州及昌吉市 、石河子市，东疆的吐鲁番市，南疆各地都有分布，但资源量较乌拉尔甘草少。该种在哈密市、阿勒泰地区没有发现。

胀果甘草喜温、耐旱、抗盐碱、耐沙埋，抗逆能力最强，但低温、高湿的环境对其生长不利。因而此种广泛分布于天山以南的暖温带荒漠。巴音郭楞蒙古自治州、哈密市有分布，以塔里木河、孔雀河、叶尔羌河、和田河流域最集中。

20 世纪 50 年代新疆耕地面积少，受洪水漫灌的荒漠面积较大。甘草广泛分布于各河流域，生长茂密，覆盖度高，面积大，蕴藏量丰富。据 1958 年对土壤、植被勘测的资料估算，新疆甘草分布面积 2 300 万 ~ 3 000 万亩，蕴藏量 350 万 ~ 450 万 t。1988 年中药资源普查时，新疆有甘草 1 300 万亩，蕴藏量 100 万 t，其中包括约 500 万亩的再生甘草，约 500 万亩的甘草分布在水位 5 m 以下的沙包地区，这些地方植被一旦被破坏就会引起沙化、碱化，极不适宜挖掘。2001 年草场资源调查发现，新疆的甘草分布面积仅 844 万亩，其中以甘草为建群种集中成片生长的分布面积只有 536 万亩，蕴藏量约 65 万 t；呈快速下降的趋势。首先，开荒造田是甘草分布面积锐减的主要因素，仅 20 世纪 50 ~ 70 年代，在开荒造田中甘草资源就减少了约 1 000 万亩。其次，随着农业开发规模的扩大、水利建设的发展，沿河筑坝，引水灌田，截流贮水，修渠防渗，造成地下水位下降、部分河流下游断水，湖泊干涸，致使野生甘草失去生存条件，大面积枯死，这种现象在干旱少雨的塔里木河下游尤为严重。最后，经济利益的驱使、过度过量的采挖，使部分甘草资源丧失了自身修复的能力，不再复生。新疆甘草在 1949 年以前仅有少量的使用，较大范围的开发始于 20 世纪 50 年代中期。20 世纪 70 年代中期，由于国内甘草用量的增长和对外出口数量的大幅度增加，新疆的甘草采挖量不断上升。据统计，1957—1986 年，新疆甘草的总采挖量约 58 万 t，最高年采挖量达 44 051 t。虽然 2000 年甘草收购量降至 19 539 t，但对于蕴藏量日益减少的甘草资源来说也

是不轻的负担。

除了以上重点药材外，新疆的红景天、芍药、冬虫夏草、锁阳等的面积由于滥采滥挖，呈现锐减的趋势。2015 年普查队也亲眼见到塔城地区有 5 ~ 6 辆大卡车运送红景天，破坏程度触目惊心。

中篇

新疆维吾尔自治区道地、大宗中药资源

百合科 Liliaceae 贝母属 *Fritillaria* 凭证标本号 654024190709031LY

伊贝母 *Fritillaria pallidiflora* Schrenk

| 物种别名 | 伊贝。

| 药 材 名 | 伊贝母。

| 形态特征 | 鳞茎由 2 鳞片组成，鳞片上端延伸为长膜质物，皮较厚。叶通常散生，有时近对生或近轮生，从下向上叶呈狭卵形至披针形，先端不卷曲。花 1 ~ 4，淡黄色，内有暗红色斑点，每花有 1 ~ 2（~ 3）叶状苞片，苞片先端不卷曲；花被片匙状矩圆形，外轮 3 花被片明显宽于内轮 3 花被片，蜜腺窝在背面明显凸出；雄蕊长约为花被片的 2/3，花药近基着，花丝无乳突。蒴果棱上有宽翅。花期 5 月。

| 野生资源 | 生于海拔 1 200 ~ 2 500 m 的山地草甸、草原上。分布于新疆阿勒泰市、

布尔津县、哈巴河县、富蕴县、吉木乃县、青河县、托里县、额敏县、塔城市、裕民县、和布克赛尔蒙古自治县、温泉县、博乐市、霍城县、伊宁县、察布查尔锡伯自治县、昭苏县、特克斯县、尼勒克县、巩留县、新源县等。

| 栽培资源 |

一、栽培条件

本种宜栽培于平均年降水量 380 mm 以上、海拔 1 100 m 以上的黑钙土地区，要求土壤结构良好，富含团粒结构，中性，有机质含量高，土层深厚，土质疏松，透气性好，蓄水保肥力强，排水性能良好。

二、栽培区域

新疆伊犁哈萨克自治州（伊宁县、巩留县、昭苏县、新源县、霍城县、尼勒克县）、塔城地区（托里县）、昌吉回族自治州（吉木萨尔县）等有栽培。

三、栽培要点

土地应施足基肥，每亩施优质的腐熟农家肥 2 ~ 3 t 及磷酸氢二铵 20 kg，耕翻土壤深度为 25 cm，将肥料翻入土中；畦宜小不宜大，宜窄不宜宽，将畦整平整细。种子繁殖：一般在 9 月下旬播种，播种量为每亩 6 ~ 7 kg，人工撒播后，在种子上面撒盖 1 cm 厚的细土（播深 1 cm）。鳞茎繁殖：选择无破碎、无病害、直径＜ 1.5 cm 的鳞茎为种源，随挖随栽，中种（直径 1 ~ 1.5 cm）、小种（直径＜ 1 cm）分开种，种后在畦面先覆盖 5 cm 厚的腐殖质土，再覆盖 4 ~ 6 cm 厚的腐熟农家肥。伊犁贝母休眠期需勤除杂草，干旱年份浇 1 次水，忌积水。

第 1 次追肥在早春伊犁贝母出苗后，雨前撒施尿素，用量为每亩 5 kg；第 2 次追肥在伊犁贝母展叶后，每亩用磷酸二氢钾 200 g、兑水 30 kg 进行叶面喷施。

四、栽培面积与产量

新疆现有伊犁贝母种植面积 2 万余亩，每亩产量超过 200 kg。

| 采收加工 | 播种 3 ~ 4 年后采收。通常在 5 月下旬至 6 月上旬植株由绿转黄后 8 ~ 10 天采挖，最晚不超过 6 月 20 日。采挖后除去泥土，按鳞茎的直径大小分为大、中、小 3 级，一般大级别（直径＞ 1.5 cm）的可作商品贝母出售，而中级别（直径 1 ~ 1.5 cm）和小级别（直径＜ 1 cm）的可作为种栽。

| 药材性状 | 本品呈卵圆形、扁球形或卵状圆锥形，高 0.8 ~ 1.8 cm，直径 1 ~ 2.3 cm。表面淡黄色或类白色，稍粗糙，有时可见黄棕色斑点或斑块。外层 2 鳞叶心形或新月形，肥厚，近等大或其中 1 鳞叶较大，抱合，先端稍尖，少有开裂。质稍松而脆，断面白色，粉性。气微，味微苦。

| 功能主治 | 清热润肺，化痰止咳。用于肺热燥咳，干咳少痰，阴虚劳嗽，咳痰带血。

| 用法用量 | 内服煎汤，3 ~ 9 g。

| 附　　注 | （1）栽培历史。20 世纪 80 年代末 90 年代初，关于伊犁贝母种植方面的研究逐渐被开展并取得成功，新疆伊犁哈萨克自治州有大面积的人工栽培。

（2）物种鉴别。本种与其他贝母属物种的区别在于本种叶宽大，多互生，叶和苞叶先端不卷曲；花黄色，无方格状斑纹，花丝光滑等。

（3）用药禁忌。本种不宜与川乌、制川乌、草乌、制草乌、附子同用。

杨柳科 Salicaceae 柳属 *Salix* 凭证标本号 H0024

黄花柳 *Salix caprea* L.

| 药 材 名 |

黄花柳。

| 形态特征 |

灌木或小乔木。小枝黄绿色至黄红色，有毛或无毛。叶卵状长圆形、宽卵形至倒卵状长圆形，先端急尖或有小尖，常扭转，基部圆形，上面深绿色，鲜叶明显发皱，无毛（幼叶有柔毛），下面被白色绒毛或柔毛，网脉明显，侧脉近叶缘处常相互联结，近“闭锁脉”状，边缘有不规则的缺刻或牙齿，或近全缘，常稍向下面反卷，叶质稍厚；叶柄托叶半圆形，先端尖。花先叶开放；雄花序椭圆形或宽椭圆形，无花序梗，雄蕊 2，花丝细长，离生，花药黄色，长圆形，苞片披针形，上部黑色，下部色浅，2 色，两面密被白色长毛，仅具 1 腹腺；雌花序短圆柱形，花序梗短，子房狭圆锥形，有柔毛，有长柄，果柄更长，花柱短，柱头 2 ~ 4 裂，受粉后，子房发育非常迅速，苞片和腺体同雄花序。花期 4 月下旬至 5 月上旬，果期 5 月下旬至 6 月初。

| **栽培资源** | 一、栽培条件

喜光，喜温暖的气候，怕涝，在肥沃干燥的砂壤土中生长最好。幼树抗寒力弱，容易冻梢。耐修剪，寿命较短。

二、栽培区域

新疆阿勒泰地区有栽培。

三、栽培要点

合理密植，保证充足的强日照。

| **采收加工** | 5 月下旬至 6 月初采收叶、花、果实、须根，晒干，贮于通风干燥处。

| **药材性状** | 本品花黄色，花序大。枝条较粗壮，断面白色。

| **功能主治** | 补脑补心，爽心止痛，生津止渴，清热退肿。用于心痛，尿闭，呕吐等。叶、花、果实，用于恶疮。

| **用法用量** | 内服，6 ~ 9 g。外用遵医嘱。

胡桃科 Juglandaceae 胡桃属 *Juglans* 凭证标本号 652928210722036LY

胡桃 *Juglans regia* L.

| **物种别名** | 核桃。

| **药 材 名** | 核桃仁、分心木、青龙衣。

| **形态特征** | 乔木。树干较别的种类矮，树冠广阔；树皮幼时灰绿色，老时灰白色而纵向浅裂；小枝无毛，有光泽，被盾状着生的腺体，灰绿色，后带褐色。叶为奇数羽状复叶，叶柄及叶轴幼时被极短的腺毛及腺体；小叶通常 5 ~ 9，稀 3，椭圆状卵形至长椭圆形，先端钝圆或急尖、短渐尖，基部歪斜、近圆形，全缘或在幼树上者具稀疏的细锯齿，上面深绿色，无毛，下面淡绿色，侧脉 11 ~ 15 对，腋内具成簇的短柔毛，侧生小叶具极短的小叶柄或近无柄，生于下端者较小，顶生小叶常具小叶柄。雄性柔荑花序下垂，雄花的苞片、小苞片及

花被片均被腺毛，雄蕊 6 ～ 30，花药黄色，无毛；雌性穗状花序通常具 1 ～ 3（～ 4）雌花，雌花的总苞被极短的腺毛，柱头浅绿色。果序短，俯垂，具 1 ～ 3 果实；果实近球状，无毛；果核稍皱曲，有 2 纵棱，先端具短尖头；隔膜较薄，内里无空隙；内果皮壁内具不规则的空隙或无空隙而仅皱曲。花期 5 月，果期 10 月。

| 栽培资源 |

一、栽培条件

胡桃的适应性较强，对环境条件要求不严。一般海拔 500 ～ 1 500 m，年平均气温 9 ～ 16 ℃，年降水量 800 ～ 1 200 mm，砂壤土或含石灰质土，pH 6.5 ～ 7.5，土壤深厚、疏松、肥沃、排水良好的地方均可种植。

二、栽培区域

新疆南疆各地均有栽培。

三、栽培要点

在种子发芽 1 周前取出种子，并使种子保持湿润。选取土壤肥沃的地块，先将地面杂草清除，以免杂草与胡桃争夺生长所需的营养物质；后在土壤中挖深 5 ～ 7.5 cm 的小洞，将种子倾斜放入洞底，用泥土覆盖；出苗后，悉心照顾幼苗。

四、栽培面积与产量

2020 年，新疆胡桃种植面积为 586.7 万亩，产量 115.41 万 t，占新疆坚果产量的 91.75%。

| 采收加工 |

核桃仁：8 ～ 10 月果实由青皮绿色渐渐变成黄绿色或黄色、青皮顶部有裂缝时采收果实，采用堆沤脱青皮法、机器脱青皮法将外果皮脱去，洗净，砸破内果皮，取出种仁。

分心木： 采收种仁时，取出中间的木质种隔。

青龙衣： 夏、秋季间果实未成熟时采集肉质、青绿色的外果皮。

| 药材性状 | **核桃仁：** 本品多破碎，呈不规则的块状，完整者类球形，由 2 瓣种仁合成，皱缩多沟，凹凸不平。外被棕褐色、薄膜状的种皮包围，剥去种皮后显黄白色。质脆，子叶油质。气微弱，子叶味淡，种皮味涩。以色黄、个大、饱满、油多者为佳。

| 功能主治 | **核桃仁：** 补肾固精，温肺定喘，润肠通便。用于腰痛脚弱，尿频，遗尿，阳痿，遗精，久咳喘促，肠燥便秘，淋证，疮疡瘰疬。

分心木： 补肾涩精。用于肾虚遗精，滑精，遗尿。

青龙衣： 消肿，止痒。用于慢性支气管炎；外用于头癣，牛皮癣，痈肿疮疡。

| 用法用量 | **核桃仁、分心木：** 内服煎汤，9 ~ 15 g。

青龙衣： 内服煎汤，9 ~ 15 g。外用适量，鲜品捣敷。

| 附　　注 | （1）栽培历史。核桃的栽培历史悠久。新疆是我国最早种植胡桃的地区之一。新疆考古工作者在巴楚县脱库孜萨来遗址和吐鲁番市阿斯塔那古墓群中都发掘出核桃等物，说明新疆早在 1 300 ~ 1 500 年前，就已经栽培核桃了。

（2）市场信息。2019 年我国核桃产量达 362.7 万 t，2022 年产量达 487.2 万 t。

（3）用药禁忌。痰火积热或阴虚火旺者忌服。

桑科 Moraceae 榕属 *Ficus* 凭证标本号 653128180907019LY

无花果 *Ficus carica* L.

| 物种别名 | 阿驵、红心果。

| 药 材 名 | 无花果、无花果叶。

| 形态特征 | 落叶灌木。高 3 ～ 10 m，多分枝；树皮灰褐色，皮孔明显；小枝直立，粗壮。叶互生，厚纸质，广卵圆形，长、宽近相等，均为 10 ～ 20 cm，通常 3 ～ 5 裂，小裂片卵形，边缘具不规则的钝齿，表面粗糙，背面密生细小的钟乳体及灰色短柔毛，基部浅心形，基生侧脉 3 ～ 5，侧脉 5 ～ 7 对；叶柄长 2 ～ 5 cm，粗壮；托叶卵状披针形，长约 1 cm，红色。雌雄异株，雄花和瘿花生于同一榕果的内壁，雄花生于内壁口部，花被片 4 ～ 5，雄蕊 3，有时 1 或 5，瘿

花花柱侧生，短；雌花花被片同雄花花被片，子房卵圆形，光滑，花柱侧生，柱头 2 裂，线形。榕果单生于叶腋，大而梨形，直径 3 ～ 5 cm，顶部下陷，成熟时紫红色或黄色，基生苞片 3，卵形；瘦果透镜状。花果期 5 ～ 7 月。

| 野生资源 | 喜温暖、湿润的气候，耐瘠，抗旱，不耐寒，不耐涝。生于向阳、土层深厚、疏松肥沃的土壤中。分布于新疆岳普湖县、疏勒县、疏附县等。

| 栽培资源 | 一、栽培条件

适宜无花果栽培的地区最暖月份的平均气温在 20 ℃以上，最冷月份的平均气温在 8 ℃以上，年平均气温约 15 ℃；5 ℃以上的生物学积温在 4 800 ℃以上，无霜期超过 120 天，平均年降水量为 600 ～ 800 mm，年日照时数 2 000 小时以上。土壤以排水良好的砂壤土或黏质壤土为宜。

二、栽培区域

新疆克孜勒苏柯尔克孜自治州、喀什地区、和田地区等有栽培。

三、栽培要点

1. 选地整地

无花果对土壤要求不严，一般土壤均可育苗，以砂壤土和有机质含量高的土壤最为适宜。选择土壤肥沃、排水良好、水源便利的地块。立冬前将苗床深翻，施足底肥，一般每亩施腐熟农家肥 1 ～ 2 t。

2. 栽培种植

翌年 3 月中下旬从优良母株上选 1 ～ 3 年生未发芽、节间短、直径 1 ～ 1.5 cm 的健壮枝条，剪成长 30 ～ 50 cm 的插条，按行距 50 cm 开沟，将枝条的 2/3 斜插入土，填土压实，浇水保持土壤湿润。在荒坡、田园、庭院等栽培的，为了提高无花果的早期产量，可采用矮化密植的栽培方式，以后根据树体长势进行间伐，以确保园内通风透光。采用低主干丛生型栽培方式的植株的株行距为 1.5 m×2 m，定植单坑深 50 ～ 70 cm，直径为 40 ～ 60 cm，以含磷钾的混合肥（如农家肥、绿肥、饼肥）等作基肥，定植适期应在清明前后。

3. 田间管理

（1）中耕除草。一般中耕与浇水、除草相结合，干旱、半干旱区的园地浇水后均应进行中耕松土。在幼年果园进行间作套种，可提前获得经济效益，间作物以豆类、瓜菜较为适宜，也可选用药用植物。

（2）施肥。无花果为高产果树，对肥料要求较高，施肥以适磷、重氮钾为原则。由于各地土壤条件差异较大，施肥的量及氮、磷、钾的比例应根据具体情况而定，土壤肥沃的园地，施肥量应比标准用量少 10% ～ 15%；同一园内，树势强的植株施肥量少，树势弱的植株施肥量可适当增加；幼树施肥不宜过多，以免徒长新梢，枝条不充实，耐寒力下降。落叶前后至早春萌动前施用基肥，夏果、秋果迅速生长前追肥。施肥时，开深 20 ～ 30 cm 的条沟或环状沟，将肥施入沟中。施肥应与灌水相结合。除在土壤中施肥外，生长期也可进行根外施肥，前期以氮肥为主，后期以磷、钾肥为主。

（3）灌水。灌溉次数根据降水的具体情况而定，一般幼龄树每年灌水 2 ～ 3 次，成年树每年灌水 6 ～ 7 次。灌水的时机以新梢和果实迅速生长期最为重要。二次果成熟时，应逐渐停止灌水，有利于枝条成熟。落叶后结合秋耕灌冬水 1 次，有利于越冬。无花果不耐涝，因此要注意控制灌水量，防止涝害的发生。

（4）整形修剪。无花果的整形修剪较简单，一般采用多主枝自然开心形的整枝方式，全株保留 3 ～ 5 条主枝，不留侧枝。幼树期重点培养主枝，并注意抬高主枝角度，促进主枝多发枝条，以达到迅速扩大树冠的目的。进入初果期后，应多培养枝组，以便增加产量。盛果期时注意培养骨干枝，更新大中型枝组，剪缩弱枝组；树势衰老或病虫害严重者，可利用基部或枝上发出的萌蘖枝或隐芽，重新培养主枝和枝组。

4. 病虫害防治

无花果的病虫害较少，桑天牛和疫病对其危害较重，此外还有锈病、炭疽病和线虫，果实成熟时易遭受鸟害。防治方法为综合运用生物、物理化学等防治措施，选用抗病品种，及时做好清园工作，加强栽培管理，尽可能将病虫危害控制在经济阈值以内；当病虫害的危害程度达到防治指标时，及时选用生物农药进行

防治。

| 采收加工 | **无花果：**果实成熟充分而不过熟、果皮出现固有品种的色泽（多为红色、黄色）时，在清晨或傍晚采摘，采摘时需保留一小段果柄，以免果皮被撕开，注意小心轻放，尽快洗净，鲜用或晒干。无花果鲜果采收容器不宜过深，宜选用平底浅塑料盘，下铺薄层塑料海绵或纱布。

无花果叶：夏、秋季采摘叶片，阴干。

| 药材性状 | **无花果：**本品多呈扁圆形，有的呈类圆形、梨状或挤压成不规则形，直径 2.5 ~ 4.5 cm，厚 0.5 ~ 2 cm；上端中央有脐状突起，并有孔隙；下端亦微凸起，有托梗相连，基部有 3 三角形的苞片或苞片残基。表面淡黄棕色、黄棕色至暗紫褐色，有 10 微隆起的纵皱和脉纹。切面黄白色、肉红色或黄棕色，内壁着生众多卵圆形、黄棕色的小瘦果和枯萎的小花，小瘦果长 0.1 ~ 0.2 mm。质柔软，气微，嚼之微甜而有黏滑感。

无花果叶：本品多皱缩卷曲，有的破碎。完整叶片展平后呈倒卵形或近圆形，长 5 ~ 20 cm，3 ~ 5 裂，裂片通常倒卵形，先端钝，有不规则锯齿，黄褐色或灰褐色，背面被灰色茸毛。掌状叶脉明显，叶脉于下表面凸起。叶柄有纵皱纹，质脆。气微，味淡。

| 功能主治 | **无花果：**甘，凉。归肺、胃、大肠经。健脾益胃，润肺止咳，解毒消肿。用于食欲不振，脘腹胀痛，痔疮便秘，咽喉肿痛，热痢，咳嗽多痰。

无花果叶：甘，凉。归肺、胃、大肠经。清热祛湿，消肿解毒。用于痔疮，疮毒肿痛，湿热泄泻。

| 用法用量 | **无花果：**内服煎汤，9 ~ 15 g，大剂量可用 30 ~ 60 g；或生食，鲜果 1 ~ 2 枚。外用适量，煎汤洗；或研末调敷；或吹喉。

桑科 Moraceae 桑属 *Morus* 凭证标本号 653223180812022LY

黑桑 *Morus nigra* L.

| 物种别名 | 黑桑。

| 药 材 名 | 药桑。

| 形态特征 | 乔木。高约 10 m。树皮暗褐色；小枝被淡褐色柔毛。叶广卵形至近心形，长 6 ~ 12 cm，有时可达 20 cm，宽 7 ~ 11 cm，质厚，先端尖或短渐尖，基部心形，边缘具粗而相等的锯齿，通常不分裂，表面深绿色，粗糙，背面淡绿色，被短柔毛和绒毛；叶柄长 1.5 ~ 2.5 cm，被柔毛；托叶膜质，披针形，被褐色柔毛。花雌雄异株或同株，花序被柔毛或绵毛；雄花序圆柱形，长 2 ~ 4 cm；雌花序短椭圆形，长 2 ~ 2.5 cm；总花梗短；无明显花柱，柱头 2 裂，被柔毛。聚花

果短椭圆形，成熟时紫黑色，长 2 ～ 2.5 cm，直径 1.5 ～ 2.5 cm。花期 4 月，果期 4 ～ 5 月。

| 野生资源 | 本种喜光性强，耐干旱，也较耐热，在年降水量几十毫米、蒸发量达 3 000 mm 以上、夏末气温 40 ℃以上的南疆地区生长良好。主要分布于新疆于田县、皮山县、墨玉县、莎车县、麦盖提县、喀什市、巴楚县、疏附县、疏勒县、伽师县、库车市、新和县、沙雅县等。

| 栽培资源 | 一、栽培条件

本种对土壤要求不高，在沙土、砂壤土、壤土、黏土上均能生长，甚至在砾质土上也能生长，喜生于土壤深厚、肥沃、排水良好的砂壤土或壤土上，较耐盐碱。喜温，适生于年平均气温 8 ～ 10 ℃、最低气温为 −25 ℃的暖温带或逆温带，气温低于 −30 ℃以下时，幼枝常遭冻害，但并不影响林木的生长发育与结果。

二、栽培区域

主要栽培于新疆南疆的阿克苏地区、和田地区、喀什地区等，北疆伊犁哈萨克自治州的察布查尔锡伯自治县、新源县也有零星栽培。

三、栽培要点

1. 育苗移栽

（1）扦插育苗。硬枝扦插：选择充实健壮且没有病虫害的当年生枝，剪成长 20 cm 左右、有 2 ～ 3 饱满芽的插穗，基部用 0.5% 高锰酸钾消毒后，每 30 ～ 50 个插穗扎成 1 捆，用生根粉或吲哚丁酸溶液浸泡基部 1 ～ 2 分钟，然后放入 28 ～ 32 ℃的温床中催根，当露出白色根尖后，转移到苗床。绿枝扦插：

将半木质化的新梢去掉叶片，用萘乙酸溶液浸泡基部后立即插入苗床；或将插穗顶部保留 1 片叶，其余叶片全部去掉，插入遮阴苗床。插床棚内温度高于 30 ℃时，要及时喷水降温。一般 25 天左右生根，40 天左右开始炼苗，60 ～ 70 天可移栽。

（2）播种育苗。播种时间：当深 6 ～ 7 cm 的土层温度在 15 ℃以上时，即可开始播种。播种方法包括条播和撒播。条播：开宽 5 ～ 7 cm、深 2 ～ 3 cm 的播种沟，沟距 24 ～ 30 cm；将种子和细沙按 1 ∶ 5 的比例拌匀撒入。也可先催芽再播种，即将种子浸清水中一昼夜或在 40 ℃的温水中浸泡 1 小时，滤干后置盆内，上盖湿布，每日冲清水 1 ～ 2 次，既要保持湿润，又要盆底不见积水，待种子露白，拌入细沙，即可播种。为防止日晒雨冲，确保种子湿润，出苗齐全，撒种后先盖细土或焦泥灰至不见种子，沙质土需紧压，然后覆盖麦秆，厚度以略见泥土为度，盖草后要全面浇水，使土壤湿润。播种后要保持土壤湿润，干燥时在傍晚灌水，以水不高于畦面为度；疏苗后（5 月下旬）施肥，每亩施尿素 1.8 kg；苗高 20 cm 时，每亩施尿素 5 kg；7 月中旬每亩施尿素 8 kg，旺盛期每半个月施肥 1 次，施到 8 月中旬。

（3）嫁接。嫁接方法有芽接和枝接，春、夏两季均可嫁接。①芽接。芽接可采取“T”形芽接法。5 月中下旬，剪取接穗（最好随采随接），接穗去掉叶片，稍留一点叶柄，用芽接刀在枝条芽上方 0.5 ～ 1 cm 处横切一刀，深达木部，再从芽下方 1 cm 处向上平削至横切口处，稍带木部，将削好的盾形芽片含在口中，在砧木上将树皮切成“T”形切口，切口深达木部，用芽接刀撬开树皮，插入芽片，芽片上的切口与“T”形切口对齐，然后用塑料条由上向下扎好，使芽露在外面。②枝接。枝接可分为劈接法和舌接法。劈接法：春季砧木树液开始流动时进行枝接；选择长 7 ～ 8 cm、带 2 ～ 3 饱满芽的接穗，用嫁接刀把接穗基部的两侧削成 3 cm 长的楔形，楔形尖端不必很尖，接穗外侧要比内侧稍厚；在砧木地上 4 cm 处断砧，用嫁接刀从砧木的横断面中心垂直向下劈开 3 cm，然后把接穗削面稍厚的一侧朝外，插入砧木劈口中，使二者的形成层对齐，绑扎。此方法虽然会浪费接穗材料，但成活率可达 80% ～ 85%。舌接法：当砧木与接穗粗度相差不大时可采用此方法；将接穗基部芽的同侧削成马耳形，长约 3 cm，然后在削面尖端 1/3 处下刀，与削面接近平行切入一刀（不要垂直切入），砧木同样切削，然后将 2 个削面合在一起（若接穗和砧木粗度不一致，则插合时一边对齐），后立即用薄膜将接口与接穗一同绑扎结实。

2. 定植

落叶后至萌芽前（3 月中旬）均可栽植，秋季栽植必须采取安全越冬措施。苗木准备：起苗后用生根粉溶液浸根 3 ~ 5 分钟，以提高苗木的成活率，促进苗木生长。定植方法：以南北行向为主，土质好的地块按株行距 3 m × 3 m 栽植，砾石土壤或砂壤土按株行距 2 m × 3 m 栽植；挖直径 60 cm、深 50 cm 的定植坑，浇透水，踏实；栽植深度以苗木根颈部与地面相平为宜，栽植时必须遵循“三埋两踩一提苗”的原则，以保证苗正、根展、行对齐、株对齐。定植后管理：栽植后应立即灌水，10 天内灌第 2 次水，把沟内的余土清出沟外并整平，把苗扶正，坑填平；有条件的用宽 10 cm、长 60 ~ 70 cm 的塑料保湿袋，将苗木逐一套好；此后每隔 15 ~ 20 天灌水 1 次，以提高苗木成活率；苗长出新芽后揭掉保湿袋；开花结果期，为使幼果迅速膨大，每亩施氮磷钾复合肥 15 ~ 20 kg，此后，喷施磷酸二氢钾等，以提高果实含糖量和保证色泽。

3. 整形修剪

最好采用中干养成法修剪树形。春季药桑栽植后，在苗木距地面 40 ~ 50 cm 处平剪，以培养主干；6 月初，生长健壮的枝条留 15 ~ 20 cm 平剪，以促发侧芽；翌年春季发芽前，每株留 2 ~ 3 个位置均匀、健壮的枝条，每个枝条留 15 ~ 20 cm 平剪，以培养枝干，其余疏去；发芽后每个枝干选留 2 ~ 3 个新梢，其余疏去。在确定树干高度及密度后，结合缓放、回缩、疏枝等技术调整树冠大小。

4. 病虫害防治

药桑常见的病害为腐烂病，常见的虫害为天牛、介壳虫、茶翅蝽、春尺蠖等。农业防治方法为合理整枝修剪，增强树势；结果树严格控制大小年，加强水、肥管理；秋季增施基肥，树干涂白防寒；结合秋、冬季修剪及时清除枯死枝干，对病斑部位重刮皮，并集中烧毁；在树干绑膜、涂粘油，阻止成虫上树产卵；在果园内挂杀虫灯诱杀成虫；采用药物防治时，在喷药前，先刮除枝干的粗皮。

| 采收加工 | 5 ~ 6 月果实近成熟时采摘果实，或在树下放布收集摇下的果实，晒干。

| 药材性状 | 本品呈卵形或长圆形。鲜时初为红色，后变为红紫色，具光泽；干后呈暗棕色至紫黑色，肉较厚，味较鲜品酸。在放大镜下观察可见被片被白色蜡质样绢毛。以个大、肉厚、色紫黑、糖性大、完整、无杂质者为佳。

| 功能主治 | 补肝肾，明目，生津，补血，祛风。

| 用法用量 | 内服煎汤，7.5 ~ 18 g。

| 附　　注 | 药桑是珍稀的药食兼用桑树品种。现代研究表明，药桑含有黄酮类、多糖类、生物碱类、二苯乙烯及苯并呋喃类化合物、脂肪酸类、氨基酸类等多种成分，具有降血糖、降血脂、抗肿瘤、抗氧化、消炎等功效，在食品和药品领域的应用前景广阔。

荨麻科 Urticaceae 荨麻属 *Urtica* 凭证标本号 654024230830008LY

麻叶荨麻 *Urtica cannabina* L.

| 物种别名 | 荨麻、白蛇麻、火麻、蛇麻草、透骨风、白活麻。

| 药 材 名 | 裂叶荨麻。

| 形态特征 | 多年生草本。横走的根茎木质化。茎高 50 ~ 150 cm，下部粗达 1 cm，四棱形，常近无刺毛，有时疏生、稀稍密生刺毛和稍密的微柔毛，具少数分枝。叶片五角形，掌状 3 全裂，稀深裂，一回裂片羽状深裂，自下而上变小，其上部呈裂齿状，二回裂片常有数目不等的裂齿或浅锯齿，侧生一回裂片的外缘最下 1 二回裂片常较大而平展，上面常疏生细糙毛，后渐变无毛，下面有短柔毛，脉上疏生刺毛；钟乳体细点状，密布于叶上面；叶柄长 2 ~ 8 cm，生刺毛或微柔毛；托叶每节 4，离生，条形，长 5 ~ 15 mm，两面被微柔毛。花雌雄同株；

雄花序圆锥状，生于下部叶腋，长 5 ~ 8 cm，斜展，生于最上部叶腋的雄花序中常混生雌花；雌花序生于上部叶腋，常呈穗状，有时在下部有少数分枝，长 2 ~ 7 cm，花序轴粗硬，直立或斜展；雄花具短梗，芽时直径 1.2 ~ 1.5 mm，花被片 4，合生至中部，裂片卵形，外面被微柔毛，退化雌蕊近碗状，长约 0.2 mm，近无柄，淡黄色或白色，透明；雌花序有极短的梗。瘦果狭卵形，先端锐尖，稍扁，长 2 ~ 3 mm，成熟时变灰褐色，表面有明显或不明显的褐红色点；宿存花被片 4，在下部 1/3 处合生，近膜质，内面 2 花被片椭圆状卵形，先端钝圆，长 2 ~ 4 mm，外面生 1 ~ 4 刺毛和细糙毛，外面 2 花被片卵形或长圆状卵形，较内面的短 3 ~ 4 倍，外面常有 1 刺毛。花期 7 ~ 8 月，果期 8 ~ 10 月。

| 野生资源 | 生于海拔 800 ~ 2 800 m 丘陵性草原或坡地、沙丘坡上、河漫滩、河谷、溪旁等。新疆吐鲁番市、伊犁哈萨克自治州、昌吉回族自治州、阿克苏地区及石河子市等有栽培。

| 采收加工 | 夏、秋季采收全草，晒干。

| 药材性状 | 本品根茎细长，淡棕色；质硬而脆，易折断，断面类白色。须根纤细，卷缩，黄棕色。茎四棱形，棕绿色至褐绿色，常单一，有螫毛。叶折皱或破碎，展开后为披针形或窄卵形，边缘有粗锯齿；表面暗绿色至褐绿色，密被点状钟乳体及短毛，具明显的三出脉，背面灰绿色。质脆，易破碎。气微，味微苦。

| 功能主治 | 祛风湿，解痉和血，止咳。

| 用法用量 | 内服煎汤，3 ~ 6 g。

苋科 Amaranthaceae 青葙属 *Celosia* 凭证标本号 653128180907051LY

鸡冠花 *Celosia cristata* L.

| 物种别名 |

鸡髻花、老来红、芦花鸡冠、笔鸡冠、小头鸡冠、凤尾鸡冠。

| 药 材 名 |

鸡冠花。

| 形态特征 |

一年生草本。高 0.3 ~ 1 m，全株无毛。茎直立，有分枝。叶矩圆状披针形至披针形，长 5 ~ 8 cm，宽 1 ~ 3 cm。穗状花序长 3 ~ 10 cm；苞片、小苞片和花被片干膜质，宿存；雄蕊花丝下部合生成杯状。胞果卵形，长 3 ~ 3.5 mm，成熟时盖裂；种子肾形，黑色，光亮。

| 野生资源 |

生于海拔 1 100 m 以下的平原或山坡。主要分布于新疆岳普湖县、泽普县、伊宁县、霍城县、若羌县、阿瓦提县、新和县、沙雅县、沙湾市、乌苏市等。

| 栽培资源 |

一、栽培条件

喜温暖干燥的气候，怕干旱，喜阳光，不耐

涝，但对土壤要求不严，一般土壤都能种植。

二、栽培区域

新疆各地均有栽培。

三、栽培要点

以排水良好的夹砂土栽培较好。鸡冠花对寒冷、高温、干旱都很敏感，需避免种植在环境温度过低或过高的地方；避免过度浇水，以免造成根部腐烂；开花后要停止施肥，以免影响花朵的质量；注意防治蚜虫、螨虫、白粉病等病虫害。

| 采收加工 | 8 ~ 9 月花盛开时采收花序，晒干。

| 药材性状 | 本品为穗状花序，多扁平而肥厚，呈鸡冠状，长 3 ~ 10 cm，宽 5 ~ 20 cm，上缘宽，具折皱，密生线状鳞片，下端渐窄，常残留扁平的茎。表面红色、紫红色或黄白色。中部以下密生多数小花，宿存的苞片和花被片均呈膜质。体轻，质柔韧。气微，味淡。

| 功能主治 | 收敛止血，止带，止痢。用于吐血，崩漏，便血，痔血，赤白带下，久痢不止。

| 用法用量 | 内服煎汤，7.5 ~ 15 g；或入丸、散剂。外用适量，煎汤熏洗。

| 附　　注 | 鸡冠花正常亩产量为 150 ~ 200 kg，最高可达 250 kg，若遇到自然灾害，则亩产量可减为 100 kg 左右，甚至更低。目前市场价格为每千克 20 元左右。

毛茛科 Ranunculaceae 黑种草属 *Nigella* 凭证标本号 65230571

黑种草 *Nigella damascena* L.

物种别名 斯亚旦。

药 材 名 黑种草子。

形态特征 植物全部无毛。茎高 25 ~ 50 cm，不分枝或上部分枝。叶为，二至三回羽状复叶，末回裂片狭线形或丝形，先端锐尖。花直径约 2.8 cm，下面有叶状总苞；萼片蓝色，卵形，渐尖，基部有短爪；花瓣有短爪，二唇形，上唇较下唇略短，下唇 2 深裂，雄蕊多数，无毛；心皮通常 5，子房合生至花柱基部。蒴果长约 2 cm；花柱宿存，与果实近等长；种子多数，三棱形，长约 2.5 mm，表面粗糙，乌黑色，有光泽。花期 6 ~ 7 月，果期 8 月。

栽培资源

一、栽培条件

喜温暖干燥的气候，宜选平地，土层深厚、疏松肥沃、富含腐殖质的壤土栽培。

二、栽培区域

新疆和田地区（墨玉县、洛浦县、于田县、民丰县）、喀什地区等有栽培。

三、栽培要点

1. 种子繁殖

种子繁殖采用直播法。7 ~ 8 月果实黑色时，收割健壮、无病虫害的植株，晾干，脱粒，扬净，收集种子。2 月底至 3 月初新疆南部和东部或 3 月初至 4 月初新疆北部进行播种，按条距 20 ~ 30 cm 开深 2 ~ 3 cm 的沟，按株距 4 ~ 5 cm，将种子均匀撒入沟内，薄覆细土，从播种至收割，浇水 6 ~ 7 次。

2. 田间管理

出苗后要经常松土、除草、追肥。

3. 病虫害防治

（1）根腐病。可喷 50% 退菌特 1 000 倍液防治。

（2）黄凤蝶幼虫。可为害叶片、花蕾，用 90% 敌百虫 800 倍液防治，5 ~ 7 天喷 1 次，连续喷 2 ~ 3 次；或用青虫菌 300 倍液喷雾防治。

（3）赤条蝽。可用 90% 敌百虫 800 倍液喷杀。

四、栽培面积

新疆和田地区和喀什地区的栽培面积为 2 000 亩左右。

| 采收加工 | 8 月果实成熟时采下全株，晒干，打下种子，除净杂质，晒干。

| 药材性状 | 本品呈三棱状卵形，长约 2.5 mm，宽约 1.5 mm。表面黑色，粗糙，先端较狭而尖，下端稍钝，有不规则的突起。质坚硬，断面灰白色，有油性。气特异，味辛。

| 功能主治 | 生干生热，乌发生发，增强色素，强筋健肌，祛寒止痛，双补肠胃，散气通阻，利尿退肿，通经催乳，杀虫。用于湿寒性或黏液质性疾病（如毛发早白、白癜风、瘫痪筋弱、颤抖症、脑虚健忘、肠胃虚弱、腹痛腹胀、肠道梗阻、尿闭水肿、经闭乳少、肠虫等）。

| 用法用量 | 内服煎汤，2 g。外用适量。可入蜜膏、消食膏、散剂、油剂、注射液等。

| 附　　注 | （1）文献记载。《白色宫殿》载："是一种草的种子，色黑，仁白；茎似小茴香茎，但比它稍长、稍细；花淡黄色或黄绿色；叶形似舌。种子生在鞘中，粒大者为佳品。"

（2）市场信息。近年市场售价为每千克 50 ～ 70 元。

（3）其他。本品对肾脏有害，矫正药为西黄芪胶；用于热性气质者，应浸葡萄醋后使用；热性病慎用。

毛茛科 Ranunculaceae 芍药属 *Paeonia* 凭证标本号 653124180825015LY

芍药 *Paeonia lactiflora* Pall.

| 物种别名 | 野芍药、土白芍、芍药花、山芍药、山赤芍、金芍药、将离、红芍药、含巴高、殿春、川白药、川白芍、赤药、赤芍药、赤芍、查那 - 其其格、草芍药、白药、白苕、白芍药、白芍、毛果芍药。

| 药 材 名 | 赤芍。

| 形态特征 | 多年生草本。根粗壮，分枝黑褐色。茎高 40 ~ 70 cm。下部茎生叶为二回三出复叶，上部茎生叶为三出复叶；小叶狭卵形、椭圆形或披针形，先端渐尖，基部楔形或偏斜，边缘具白色骨质的细齿，两面无毛，背面沿脉疏生短柔毛。花数朵，生茎顶和叶腋，有时仅先端 1 花开放，而近先端叶腋处有发育不好的花芽，直径 8 ~ 11.5 cm；

苞片 4 ～ 5，披针形，大小不等；萼片 4，宽卵形或近圆形，长 1 ～ 1.5 cm，宽 1 ～ 1.7 cm；花瓣 9 ～ 13，倒卵形，长 3.5 ～ 6 cm，宽 1.5 ～ 4.5 cm，白色，有时基部具深紫色斑块；花丝长 0.7 ～ 1.2 cm，黄色；花盘浅杯状，包裹心皮基部，先端裂片钝圆；心皮（2 ～)4 ～ 5，无毛。蓇葖果长 2.5 ～ 3 cm，直径 1.2 ～ 1.5 cm，先端具喙。花期 5 ～ 6 月，果期 8 月。

|栽培资源| 一、栽培条件

本种喜温凉，耐寒，不耐湿热；耐旱，不耐水渍。肥沃、土质疏松、土层深厚的中性或微酸性壤土或砂壤土均可种植，低湿地块、树荫下及强酸性土壤、盐碱地、黏土等不宜种植。新疆各地均有栽培，其中栽培于北疆者生长较好。

二、栽培区域

伊犁哈萨克自治州栽培较多，巴音郭楞蒙古自治州、和田地区、喀什地区、塔城地区亦有栽培。

三、栽培要点

本种的主要繁殖方式为种子直播和育苗移栽。

（1）种子直播。秋播在上冻前 10 ～ 20 天进行，将种子完整播入土中，经过寒冬，翌年春季即可出芽。春播在 5 月前后进行，播种前将种子置于 40 ℃的温水中浸泡 24 小时，再用凉水浸泡 48 小时，期间换水 1 次。

（2）育苗移栽。选择疏松、透气、排水性好、适宜植株根部呼吸的土壤，深翻 50 ～ 80 cm，整地，1 年生小苗可以在秋季移栽。

四、栽培面积与产量

本种在新疆的栽培面积约 6 000 亩，2022 年产量约为 1 200 t。

| 采收加工 | 生长 3 年以上可采收，一般以 4 ～ 5 年为宜；4 ～ 5 年可采收种子。春、秋季采挖根，除去根茎、须根及泥沙，晒干。

| 药材性状 | 本品呈圆柱形，稍弯曲，长 5 ～ 40 cm，直径 0.5 ～ 3 cm。表面棕褐色，粗糙，有纵沟和皱纹，并有须根痕和横长的皮孔样突起，有的外皮易脱落。质硬而脆，易折断；断面粉白色或粉红色，皮部窄，木部放射状纹理明显，有的有裂隙。气微香，味微苦、酸、涩。

| 功能主治 | 清热凉血，散瘀止痛。用于热入营血，温毒发斑，吐血，目赤肿痛，肝郁胁痛，经闭痛经，癥瘕腹痛，跌扑损伤，痈肿疮疡。

| 用法用量 | 内服煎汤，6 ～ 12 g。

| 附　　注 | （1）道地沿革。早在《诗经・郑风》中便有“伊其相谑，赠之以芍药”的记载。芍药的药用历史十分悠久，现存最早的中药学专著《神农本草经》便有相关记载。早期无赤芍与白芍之分，南北朝时期陶弘景提出“赤白”之说，宋元时期以来，赤芍与白芍逐渐分化。汉魏时期芍药未分赤芍、白芍，药材主产区为河南嵩山一带，南北朝时期主产区移至江苏。唐代始见有赤白之说，赤芍主产于内蒙古地区，白芍主产于江浙一带。从宋代开始，芍药被明确分为赤芍、白芍 2 种。白芍在宋代的主产区为安徽，明清时期的主产区为安徽、浙江、江苏，道地产区为浙江杭州；近代以来逐步形成了杭州、四川、亳州三大道地产区。赤芍在明代的主产区为江苏，清代的主产区为东北三省，民国时期迁移至西北地区，现以内蒙古多伦产的赤芍为佳，而目前随着野生资源的枯竭，赤芍的主产区转至呼伦贝尔等地，且逐步开始人工栽培赤芍。受生长年限影响，赤芍栽培品的性状和品质与野生品差异较大。新疆虽然不是赤芍的道地产区，但由于所产的药材品质较好，近 10 年来新疆多地引种栽培赤芍，具有一定的种植规模。

（2）市场信息。2021 年，新疆的赤芍种植面积为 1 万亩左右，2022 年下降至 5 000 余亩。2018—2022 年，赤芍的价格每千克 35 ～ 60 元，2022 年赤芍的价格达到最高，2023 年有所下降。

山柑科 Capparaceae 山柑属 *Capparis* 凭证标本号 650204180615001LY

刺山柑 *Capparis spinosa* L.

| 物种别名 | 山柑、槌果藤、老鼠瓜、菠里克果、水瓜柳、水瓜纽、野西瓜、马槟榔、水瓜榴、续随子。

| 药 材 名 | 老鼠瓜。

| 形态特征 | 藤本小半灌木。根粗壮。枝条平卧，辐射状展开，长 2 ~ 3 m，无毛或被绒毛。托叶 2，变成刺状，直或弯曲，黄色。单叶互生，肉质，圆形、椭圆形或倒卵形，先端常具尖刺，无毛，上端幼叶被白色绒毛；叶柄长 4 ~ 8 mm。花大，直径 2 ~ 4 cm，单生于叶腋；萼片 4，排列成 2 轮，外轮 2 萼片龙骨状，其中 1 较大；花瓣 4，白色或粉红色，其中 2 较大，基部相连，膨大，具白色柔毛；雄蕊多数，长于花瓣；雌蕊子房柄长 3 ~ 5 cm，花盘被基部膨大的花瓣与萼片所包被。蒴

果浆果状，椭圆形，长 2 ~ 4 cm，宽 1.5 ~ 3 cm，无毛，果肉血红色；种子肾形，直径约 3 mm，具褐色斑点。花期 5 ~ 6 月，果期 6 ~ 8 月。

| 野生资源 | 生于荒漠地带的戈壁、沙地、石质山坡、山麓及农田附近。分布于新疆博乐市、乌苏市、沙湾市、玛纳斯县、达坂城区、伊宁市、伊州区、高昌区、托克逊县、和硕县、库尔勒市、和静县、阿克苏市、疏勒县等。

| 栽培资源 | 一、栽培条件

本种为多年生旱生荒漠植物，适生于干旱而高温的风蚀沙地、戈壁及低山区的向阳坡上。最适宜的土壤是排水良好、pH 7.5 ~ 8 的壤土，在地下水位高于 3 m 的土壤中不能生长。

二、栽培区域

新疆奎屯市等有栽培。

三、栽培要点

1. 选种育种

选择浮选下沉、种皮深褐色的种子。种子低温贮藏，播种或育苗前 15 天温水（50 ~ 60 ℃）浸种 1 天，使种子保持湿润，白天 25 ~ 27 ℃、夜晚 12 ~ 15 ℃催芽，当 50% 以上的种子“露白”时即可播种；也可将种子用 25% 聚乙二醇或 4% 硝酸钾溶液处理 24 小时。

2. 播种

新疆南疆的适宜播种期为 3 月上中旬至 4 月中旬，北疆的适宜播种期为 3 月下旬至 4 月下旬。采用穴播，穴深 1 ~ 2 cm，每穴下种 10 ~ 15 粒，播种量为每亩 10 ~ 15 g，株行距 1 m×2 m；翌年年后进行间苗，保苗数为每亩 333 株。生育期间可不施肥，杜绝浇水，补水可在冬季或早春进行。

3. 育苗移栽

育苗移栽在春季或秋季进行，选择根系发育良好的二年生壮苗，保留 25 ~ 30 cm 长的主根系，移栽穴深 30 cm，苗根颈与地面平或低于地面，填土、踩实、灌水或阴雨天移栽；株行距为 1 m×2 m 或 2 m×2 m，保苗数为每亩 167 ~ 333 株。每年冬季灌水 1 次，但不宜过多，定植 1 年后不再浇水。

| 采收加工 | **果实：**秋季采收，晒干。

根皮：夏、秋季采挖根部，剥取根皮，晒干。

| 药材性状 | 本品果实呈倒卵形、椭圆形或长椭圆形，长 1.4 ~ 4 cm，直径 0.8 ~ 1.8 cm。先端钝圆或平截，基部楔形。可见果柄痕或残留果柄，果柄或具一膨大的节，直径为 3 ~ 5 mm；果皮表面粗糙，黄色至棕褐色，具凸起的粒状轮廓，全体有纵棱 6 ~ 8，基部较明显。体轻，质坚脆。果肉浅棕黄色，果皮薄，常与种子紧密黏结，内有种子 40 ~ 60。种子肾形至球形，直径 2 ~ 3 mm，常相互黏结成团；种皮浅黄色、红棕色或深褐色；胚乳黄白色，富油性。气微，味微苦而略刺舌。根皮呈短筒状或槽状，厚 0.1 ~ 0.9 cm。表面灰白色或淡灰黄色，具细密的横纹及多数凸起的皮孔。内表面类白色，较光滑，有的有细纵纹。质硬脆，断面不平坦，呈层片状。气微，味苦而后甘。

| 功能主治 | **果实：**消散寒气，软坚利尿，止痛，通经。用于寒湿性或黏液质性疾病，肢体麻

木，关节疼痛，坐骨神经痛，尿闭水肿，月事不通。

根皮：生干生热，散气止痛，通阻强筋，消散异常黏液质，软坚消炎，利尿退肿，燥湿除斑。用于寒湿性或黏液质性疾病，肢体麻木，关节疼痛，坐骨神经痛，尿闭水肿，瘫痪，面瘫，筋肌松弛，淋巴结肿大，脾脏肿大，花斑癣，各种湿疹。

| 用法用量 | 果实，内服煎汤，3 ~ 6 g。外用，6 ~ 18 g。根皮，内服煎汤，4 ~ 5 g。外用适量。

| 附　　注 | （1）文献记载。刺山柑原产于西亚或中亚的干旱地区，在地中海沿岸的很多国家都有分布，在我国主要分布于新疆、甘肃、西藏等。刺山柑为新疆维吾尔医的习用药用植物，其根皮、叶、花和果实在维吾尔族民间及维吾尔医医院临床多外敷用于治疗类风湿关节炎、肩周炎、痛风等。刺山柑始载于 11 世纪阿布·艾里·伊宾·森纳（阿维森纳）著的《医典》，书中记载刺山柑的果实和根可供药用。《全国中草药汇编》（第 2 版下册）记载刺山柑果皮、花芽、果实、叶均可入药，具有祛风、散寒、除湿的作用。《中药大辞典》（第 2 版上册）记载刺山柑的根皮、叶和果实捣碎外敷可用于治疗急、慢性风湿性关节炎和肩周炎。此外，《中华本草·维吾尔药卷》《维吾尔药材标准》（上册）和《中华人民共和国卫生部药品标准·维吾尔药分册》均收载“刺山柑根皮”，《维吾尔药志》（下册）收载“槌果藤实”，《中国医学百科全书·维吾尔医学》记载刺山柑根皮可散气止痛、消炎退肿，主治关节疼痛、坐骨神经痛等湿寒性疾病。《新疆维吾尔自治区中药维吾尔药饮片炮制规范》（2020 年版）收载了刺山柑的果实和根皮。

（2）市场信息。刺山柑果实的价格为每千克 30 ~ 50 元。

（3）濒危情况、资源利用和可持续发展。刺山柑在《世界自然保护联盟濒危物种红色名录》中属于无危（LC）物种。目前刺山柑药材的来源仍然以野生资源为主，但采集刺山柑根皮会对环境产生严重破坏，因此发展刺山柑的人工栽培是必然趋势。目前新疆奎屯市等地已有刺山柑的栽培实验基地。

（4）其他。刺山柑除药用外，还具有重要的生态保护作用。

十字花科 Cruciferae 菘蓝属 *Isatis* 凭证标本号 652825191016001LY

菘蓝 *Isatis indigotica* Fortune

| 物种别名 | 板蓝根、大青叶、欧洲菘蓝。

| 药 材 名 | 板蓝根、大青叶。

| 形态特征 | 二年生草本。茎直立，绿色，顶部多分枝，植株光滑无毛，带白色粉霜。基生叶莲座状，长圆形至宽倒披针形，先端钝或尖，基部渐狭，全缘或稍具波状齿，具柄；茎生叶蓝绿色，长椭圆形或长圆状披针形，基部叶耳不明显或为圆形。萼片宽卵形或宽披针形；花瓣黄白色，宽楔形，先端近平截，具短爪。短角果近长圆形，扁平，无毛，边缘有翅；果柄细长，微下垂；种子长圆形，淡褐色。花期 4 ~ 5 月，果期 5 ~ 6 月。

| 栽培资源 |

一、栽培条件

选择地势平坦、排水良好、土层深厚、土壤疏松肥沃、pH 6.5 ~ 8 的砂质地块。

二、栽培区域

新疆阿勒泰地区（哈巴河县、福海县、青河县）、昌吉回族自治州（阜康市）、塔城地区（裕民县）、伊犁哈萨克自治州（伊宁县、巩留县）、巴音郭楞蒙古自治州（且末县、若羌县）及阿拉尔市、图木舒克市、昆玉市和铁门关市等有栽培。

三、栽培要点

1. 播种

5 月下旬进行播种，播种不宜过早，以防种子出苗后受寒。播种前用 30 ~ 40 ℃的温水浸泡种子约 4 小时，捞出后将种子加入适量的草木灰中搅拌均匀。一般采用垄播和畦播 2 种播种方式。①垄播：垄宽 0.6 m，株间距 3 ~ 4 cm。②畦播：行间距 0.2 m 左右，株间距 7 ~ 10 cm。播种前，施足底肥，以农家肥为主、复合肥为辅，深翻土壤 30 cm 以上，规整平畦或起垄。

2. 田间管理

种植管理期间应及时松土，保持土壤疏松。第 1 次松土在幼苗成长为 4 叶时，第 2 次松土在植株生长 1 个月后，第 3 次松土在收获前期。齐苗后进行第 1 次除草，以后每半个月除草 1 次，封行后停止。间苗后每亩追施人畜粪水 2 000 kg、硫酸铵 5 kg。

四、栽培面积与产量

新疆现有菘蓝种植面积 8 万余亩，亩产量 300 ~ 500 kg。

| 采收加工 |

板蓝根：9 月下旬至 10 月上旬采挖根，除去尘土、草屑、叶柄等杂质，去掉芦头，晒干。

大青叶：植株刚开始枯萎、叶片尚青绿时，贴地表将叶割下，在通风处搭设荫棚，将大青叶扎成小把，挂于棚内阴干，或在芦席上晒干。

| 药材性状 |

板蓝根：本品呈圆柱形，稍扭曲，长 10 ~ 20 cm，直径 0.5 ~ 1 cm。表面淡灰黄色或淡棕黄色，有纵皱纹、横长皮孔样突起及支根痕。根头略膨大，可见暗绿色或暗棕色轮状排列的叶柄残基和密集的疣状突起。体实，质略软；断面皮部黄白色，木部黄色。气微，味微甜而后苦、涩。

大青叶：本品多皱缩卷曲，有的破碎。完整叶片展平后呈长椭圆形至长圆状倒披针形，长 5 ~ 20 cm，宽 2 ~ 6 cm。上表面暗灰绿色，有的可见色较深、稍凸起的小点；先端钝，全缘或微波状，基部狭窄，下延至叶柄，呈翼状；叶柄长 4 ~ 10 cm，淡棕黄色。质脆。气微，味微酸、苦、涩。

| 功能主治 |

板蓝根：清热解毒，凉血利咽。用于瘟疫时毒，发热咽痛，温毒发斑，痄腮，烂喉丹痧，大头瘟疫，丹毒，痈肿。

大青叶：清热解毒，凉血消斑。用于温病高热，神昏，发斑发疹，痄腮，喉痹，丹毒，痈肿。

| 用法用量 |

板蓝根：内服煎汤，15 ~ 30 g，大剂量可用 60 ~ 120 g；或入丸、散剂。外用适量，煎汤熏洗。

大青叶：内服煎汤，3 g。外用适量。

|附　　注|（1）栽培历史。20 世纪 70—80 年代，河北、河南、江苏、安徽等省开始发展菘蓝种植，逐步成为菘蓝的主产区。21 世纪后，菘蓝主产区逐步转移至甘肃、黑龙江、新疆、内蒙古、宁夏等地。目前，黑龙江、甘肃已成为菘蓝最主要的产区。

（2）物种鉴别。本种与同属植物的区别在于本种茎直立光滑，带白色粉霜，基生叶莲座状，具柄；茎生叶蓝绿色；花瓣黄白色，宽楔形；短角果近长圆形，无毛，边缘有翅，果柄细长，微下垂；种子长圆形，淡褐色。

（3）用药禁忌。脾胃虚寒、无实火热毒者慎服板蓝根。大青叶对脑有害，可引起脑虚，矫正药为丁香。

十字花科 Cruciferae 独行菜属 *Lepidium* 凭证标本号 652222150627005LY

独行菜 *Lepidium apetalum* Willd.

| 物种别名 | 腺独行菜、腺茎独行菜。

| 药 材 名 | 北葶苈子。

| 形态特征 | 一年生或二年生草本。茎直立，有分枝，无毛或具微小的头状毛。基生叶窄匙形，1 回羽状浅裂或深裂；茎上部叶线形，有疏齿或全缘。萼片早落，卵形，外面有柔毛；花瓣不存或退化成丝状，比萼片短；雄蕊 2 或 4。短角果近圆形或宽椭圆形，扁平，先端微缺，上部有短翅；果柄弧形；种子椭圆形，平滑，棕红色。花果期 5 ~ 7 月。

| 栽培资源 | 一、栽培条件

喜温暖、湿润、阳光充足的环境，适宜生长于土壤肥沃、疏松、排

水良好的坡地。

二、栽培区域

新疆昌吉回族自治州、哈密市、喀什地区、巴音郭楞蒙古自治州、阿克苏地区等有栽培。

三、栽培要点

合理密植，保证充足的强日照。

| 采收加工 | 夏季果实成熟时采收植株，晒干，打下种子，除去杂质，晒干。

| 药材性状 | 本品呈扁卵形，表面棕色或红棕色，微有光泽，具 2 纵沟，其中 1 较明显。一端钝圆，另一端尖而微凹，类白色，种脐位于凹入端。气微，味微辛、辣，黏性较强。

| 功能主治 | 苦、辛，大寒。泻肺平喘，祛痰止咳，行水消肿。用于痰涎壅肺，咳嗽喘促，胸胁胀满，肺痈，胸腹积水，水肿，小便不利，肺心病。

| 用法用量 | 内服煎汤，9 ~ 15 g。

十字花科 Cruciferae 独行菜属 *Lepidium* 凭证标本号 65230020240615001LY

家独行菜 *Lepidium sativum* L.

| 药 材 名 | 台尔台孜。

| 形态特征 | 一年生草本。无毛或偶有单毛。茎直立，不分枝或分枝。叶 1 ~ 2 回羽状分裂，最上部的叶不裂、全缘，裂片长圆状线形，先端渐尖，上面有单毛；叶柄内侧具单毛。总状花序呈圆锥状；萼片直立，外轮宽倒卵状长圆形，有宽的膜质边缘，背部具单毛；花瓣蓝紫色，长圆状倒卵形，先端钝圆；雄蕊 6，花丝细，花药椭圆形，淡黑紫色；侧蜜腺三角形，外侧稍相连，中蜜腺锥形；花柱短，不超出凹陷。短角果椭圆形，扁压，中部以上具短翅，先端微凹；果柄斜升，几贴茎；种子每室 1，偶 2，长圆形，橘红色，遇水发黏，子叶 3 裂。

｜栽培资源｜ 一、栽培条件

选择水源充足、排灌良好、土质疏松、土壤肥沃的砂质土地块，清除杂草及前茬作物的残体。不宜在低洼、易积水的地区栽培。

二、栽培区域

新疆各地均有栽培。

三、栽培要点

土壤尽量整平、细碎，耕深 15 ~ 20 cm，每亩施腐熟厩肥 1 500 kg、复合肥 50 kg，耕耙拌匀，按宽 130 cm 做畦。播种宜采用直播。5 月播种，覆土 1 ~ 2 cm，保持土壤湿润，播种后约 10 天出苗，苗高 3 ~ 4 cm 时可间苗，株距 15 ~ 20 cm 即可。若连续分期播种，可实现连续采收。

｜采收加工｜ 夏、秋季果实成熟时，割取地上部分，晒干，打下种子，贮于干燥处。

｜药材性状｜ 本品呈卵形或长卵形，长 2 ~ 2.5 mm，宽约 1 mm。表面棕红色，光滑，两侧微扁，可见纵裂的浅沟槽（子叶与胚根之间的裂隙），尖端微凹并与槽相接，底端较钝。气微，味微辛，嚼之有黏滑感。

｜功能主治｜ 行水消肿，镇咳平喘，健脾胃。用于气虚水肿，气管炎，消化不良。

｜用法用量｜ 内服煎汤，6 ~ 15 g。外用适量，捣敷；或研末调敷。

｜附　　注｜ 抱茎独行菜（*Lepidium perfoliatum* L.）作为本种的替代资源也可药用，其形态特征为一年生草本，高 15 ~ 30 cm，基生叶 2 ~ 3 回羽状分裂；茎生叶无柄，

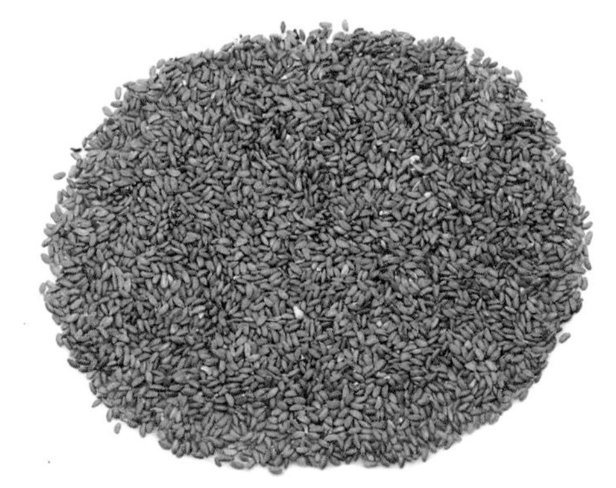

抱茎，叶片基部心形，全缘；短角果扁圆形；种子广卵圆形，明显压扁，具狭翅，上端微尖，下端钝圆，长 1.5 ~ 2 mm，宽约 1.2 mm，深灰棕色，表面具 2 不明显的纵沟纹。此种生于旷野、干燥的沙滩等。

十字花科 Cruciferae 白芥属 *Sinapis* 凭证标本号 650121170730003LY

白芥 *Sinapis alba* L.

| 物种别名 |

欧白芥。

| 药 材 名 |

白芥子。

| 形态特征 |

一年生草本。茎直立，有分枝，具稍外折的硬单毛。下部叶大头羽裂，有 2 ~ 3 对裂片，顶裂片宽卵形，常 3 裂，裂片先端圆钝或急尖，基部和叶轴会合，边缘有不规则粗锯齿，两面粗糙，有柔毛或近无毛；上部叶卵形或长圆状卵形，边缘有缺刻状裂齿，叶柄长 3 ~ 10 mm。总状花序有多数花，果期长达 30 cm，无苞片；花淡黄色，直径约 1 cm；花梗开展或稍外折；萼片长圆形或长圆状卵形，长 4 ~ 5 mm，无毛或稍有毛，具白色膜质边缘；花瓣倒卵形，具短爪。长角果近圆柱形，直立或弯曲，具糙硬毛，果瓣有 3 ~ 7 平行脉；喙稍扁压，剑状，常弯曲，向先端渐细；种子每室 1 ~ 4，球形，直径约 2 mm，黄棕色，有细窝穴。花果期 6 ~ 8 月。

| 栽培资源 | 一、栽培条件

以排水良好的砂壤土为宜。

二、栽培区域

新疆伊犁哈萨克自治州及石河子市等有栽培。

三、栽培要点

在寒露与霜降时，直播或移栽。土壤应干湿适度，育苗移栽者须做好苗床，苗床以宽 1.4 ~ 1.5 m 为宜。

| 采收加工 | 夏季果实成熟时割下地上部分，晒干后打下种子，簸净，贮于阴凉处。

| 药材性状 | 本品呈球形，直径约 2 mm。表面灰白色至淡黄色，具细微的网纹，有明显的点状种脐。种皮薄而脆，破开后内有白色折叠的子叶，有油性。气微，味辛、辣。

| 功能主治 | 止咳平喘，温中散寒，止痒。用于受寒引起的咳嗽气喘，脘腹寒痛；外用于白癜风。

| 用法用量 | 内服煎汤，3 ~ 6 g。外用适量。

| 附　　注 | 黑芥子为同科植物黑芥 *Brassica nigra* (L.) Koch 的干燥成熟种子，与白芥子的区别在于黑芥子呈圆球形，直径约 1 mm，外表红棕色至棕黑色，表面有时显出表皮细胞的黏液质干燥而成的白色薄片状膜片；种皮薄而脆，有众多细小的网纹或窝点，基部有淡色的种脐（放大镜下观察可见），破碎面可见黄色胚乳及白色子叶。

虎耳草科 Saxifragaceae 岩白菜属 *Bergenia* 凭证标本号 654301170708016LY

厚叶岩白菜 *Bergenia crassifolia* (L.) Fritsch

| 物种别名 | 岩壁菜、石白菜、岩七、红岩七、雪头开花、亮叶子。

| 药 材 名 | 厚叶岩白菜。

| 形态特征 | 多年生草本。高 15 ~ 30 cm。根茎粗壮，具枯残的托叶鞘。茎短粗，无分枝。叶基生，革质，厚，圆形、椭圆形或倒卵形，长 5 ~ 12.5 cm，宽 3 ~ 9.5 cm，先端钝圆，边缘有波状齿，基部常楔形，稀浅心形，两面具腺状小窝点，无毛；叶柄长 3 ~ 9 cm。花葶仅上部具无柄或有短柄的腺毛。聚伞花序圆锥状，长 3.5 ~ 13 cm；花梗长 2 ~ 5 mm；花托杯状，外被疏生近无柄的腺毛；萼片 5，革质，倒卵形至三角状阔倒卵形，先端钝或微凹，背面疏生近无柄的腺毛；花瓣 5，紫红色，椭圆形至阔卵形，先端微凹，基部具短爪；雄蕊 10；心皮 2，

子房卵球形，花柱 2。蒴果 2 瓣裂；种子黑色，具棱。果期 6 ~ 9 月。

| 野生资源 | 生于海拔 1 000 ~ 2 600 m 的岩石缝隙、落叶松林下、河谷针阔叶混交林林缘。分布于新疆富蕴县、福海县、阿勒泰市、布尔津县、哈巴河县等。

| 栽培资源 | 一、栽培条件

喜温暖湿润、半阴的环境，耐寒性极强，怕高温和强光，不耐干旱，对土壤要求不严，耐瘠薄，一般土壤均可种植，以肥沃、排水良好的砂壤土最佳。

二、栽培区域

新疆阿勒泰市等有栽培。

三、栽培要点

一般 1 ~ 2 月在育苗盆中均匀撒播种子，轻轻镇压，稍稍覆土或细沙，用塑料薄膜覆盖以保湿保温，出苗的适宜温度为 25 ~ 28 ℃，一般播种后 8 ~ 15 天苗出齐，120 天左右可以移栽。分株繁殖和扦插繁殖一般在秋季进行，将植株挖出，2 ~ 3 芽为一丛栽植，栽后浇透水；把分株遗留的根茎埋在洗过的炉渣或珍珠岩中，然后放进温室，8 ~ 12 天有幼苗萌发，30 ~ 35 天可移栽。生长期保持土壤湿润，但不能积水，否则容易烂根。春、秋季需充足的光照，夏季要适当遮阴，此对茎叶生长较为有利。生长期每半个月施肥 1 次，不可过量，否则会影响开花。

四、栽培面积

厚叶岩白菜的栽培处于实验阶段，栽培面积较小，尚未量产。

| 采收加工 | 夏、秋季采集，洗净，切片，晒干。

| 功能主治 | 补虚止血，止咳定喘。用于头晕，咳嗽，哮喘，吐血，咯血。

| 用法用量 | 内服煎汤，3 ~ 10 g。

| 附　　注 | 厚叶岩白菜药材为哈萨克医的常用药材，2013 年 9 月 2 日被列入《中国生物多样性红色名录·高等植物卷》，濒危等级为无危（LC）。

蔷薇科 Rosaceae 榅桲属 *Cydonia* 凭证标本号 652924170716055LY

榅桲 *Cydonia oblonga* Mill.

| 物种别名 | 木梨、土木瓜、比也。

| 药 材 名 | 榅桲。

| 形态特征 | 灌木或小乔木。高达 8 m。小枝细弱，无刺，圆柱形；嫩枝密被绒毛，以后毛脱落，紫红色；二年生枝条无毛，紫褐色，有稀疏皮孔；冬芽卵形，先端急尖，被绒毛，紫褐色。叶片卵形至长圆形，长 5 ~ 10 cm，宽 3 ~ 5 cm，先端急尖、凸尖或微凹，基部圆形或近心形，上面无毛或幼嫩时疏生柔毛，深绿色，下面密被长柔毛，浅绿色，叶脉显著；叶柄长 8 ~ 15 mm，被绒毛；托叶膜质，卵形，先端急尖，边缘有腺齿，近无毛，早落。花单生；花梗长约 5 mm 或近无，密被绒毛；苞片膜质，卵形，早落；花直径 4 ~ 5 cm；萼筒钟状，外面密被绒毛，萼片卵形至宽披针形，长 5 ~ 6 mm，先端急尖，边

缘有腺齿，反折，比萼筒长，内外两面均被绒毛；花瓣倒卵形，长约 1.8 cm，白色；雄蕊 20，长不及花瓣之半；花柱 5，离生，约与雄蕊等长，基部密被长绒毛。果实梨形，直径 3 ~ 5 cm，密被短绒毛，黄色，有香味；萼片宿存，反折；果柄短粗，长约 5 mm，被绒毛。花期 4 ~ 5 月，果期 10 月。

| 野生资源 | 分布于新疆和田县、喀什市、莎车县等。

| 栽培资源 | 一、栽培条件

本种适应性强，耐旱，喜光，既耐高温又耐低温；对环境条件要求不严，黏土或沙土均能生长，最适宜的土壤是砂粒丰富的肥沃壤土，在 pH 8 左右的碱土上仍能较好地生长。

二、栽培区域

新疆天山以南、塔里木盆地周边及塔里木河中上游地区有栽培。

三、栽培要点

本种在平地、山地、丘陵等类型的土地上均可种植。榅桲根的水平和垂直伸展力强，土层较贫瘠的土地建议先行壕沟改土或大穴定植，以保证产品的产量与品质。榅桲的繁殖方法主要有种子繁殖、分株繁殖、压条、扦插、嫁接、育苗移栽等。其中分株繁殖和育苗移栽的成活率最高，目前主要采用育苗移栽的方法。育苗移栽宜在落叶后或萌芽前进行，小苗需留宿土，大苗需带土球；按株行距 30 cm × 40 cm 进行育苗；一年生苗按株行距 1 m × 2 m 交错种植，通常采用二年生、三年生的苗按株行距 4 m × 5 m 建园。榅桲根系 1 年有 2 次生长高峰

期，分别是春季 3 ～ 5 月和秋季 9 ～ 11 月，因此在春季耕作时和早秋果实采摘后至上冻前施肥，正好迎合根系生长，促发新根。厩肥采用环状沟施法或放射状沟施法施肥，一般是在距离树干 20 ～ 30 cm 处，绕树干挖环状沟或向四面挖 4 ～ 5 个 50 cm 的沟，施肥后覆土，翌年在未施肥的部位施入。浇水采用成行沟灌的方法，分别在果树萌芽期、春梢生长期、开花期、果实膨大期、果实着色期及封冻前浇水 4 ～ 6 次。

榅桲有 2 种生活型，分别为小乔木和灌木。小乔木修剪为主干双层形，树高控制在 4 m 左右，留 2 层主枝，层间距 1 ～ 1.2 m，第 1 层 3 个主枝，每枝留 1 ～ 2 个侧枝；第 2 层 2 个主枝，每枝留 2 ～ 3 侧枝，侧枝以对生为好。灌木可根据自然生长状态和形态修剪为自然圆头形。冬剪在落叶后至萌芽前进行，主要采用短截、回缩等技术，使植株内膛和下部枝更新复壮，轮换交替结果，保持树型整体结构。夏剪在果树发芽后至落叶前进行，主要采用摘扭梢、拉枝等技术，促进花芽分化。花过多的植株应进行疏花，以提高花的质量，从而提高坐果率；疏花时间为花序伸出到初花开放；疏花量因树势、品种、肥水和授粉条件而定，旺树旺枝少疏多留，弱树弱枝多疏少留，先疏密集和弱的花序，疏去中心花，保留边花。疏果一般在早期落果高潮之后进行，以落花后 2 周左右为宜，每花序留 1 ～ 2 果实，先疏去病果、畸形果，保留果形端正、着生方位好的果实。

圆蚧是榅桲的主要害虫，其口刺吸在芽、叶片、果实、枝干表面，导致芽体脱落、叶片畸形、果实斑点、枝条枯竭甚至整株死亡，严重影响果实的品质和产量。防治方法：在果树休眠期，用工具刮除树干上的老皮，然后喷洗衣粉水；冬季将受害严重的枝梢及时剪除。锈病是榅桲的主要病害，植株感染锈菌会造成果实畸形、树木畸形甚至死亡。病原菌主要通过空气或寄主植物传播，其侵染力可保持 1 ～ 6 年甚至 20 年。防治方法：严格引种，杜绝寄主植物传播；及时清除、销毁病株或病枝。

| 采收加工 | 秋季果实成熟时采摘果实，晒干，或纵切成两瓣或厚片，晒干；或除去果肉，取种子，晒干。

| 功能主治 | 祛湿解暑，舒筋活络。用于伤暑，呕吐，腹泻，消化不良，关节疼痛，腓肠肌痉挛。

| 用法用量 | 内服，10 ～ 15 g。

| 附　　注 | 榅桲果实和叶子的提取物具有明显的抑制血栓形成、抗凝血和纤维蛋白溶解的作用，并具有抗氧化、抗溶血、抗肾癌细胞增殖、抗皮肤毒性等药理作用。

蔷薇科 Rosaceae 李属 *Prunus* 凭证标本号 20120301054

巴旦木 *Prunus dulcis* (Mill.) D. A. Webb

| 物种别名 | 巴旦杏、八担杏。

| 药 材 名 | 扁桃。

| 形态特征 | 中型乔木或灌木。枝直立或平展，无刺，具多数短枝，幼时无毛，一年生枝浅褐色，多年生枝灰褐色至灰黑色；冬芽卵形，棕褐色。一年生枝上的叶互生，短枝上的叶常簇生；叶片披针形或椭圆状披针形，先端急尖至短渐尖，基部宽楔形至圆形，边缘具浅钝锯齿；叶柄无毛，在叶片基部及叶柄上常具 2 ~ 4 腺体。花单生，先叶开放，着生在短枝或一年生枝上；花萼筒圆筒形，外面无毛，萼片宽长圆形至宽披针形，先端圆钝，边缘具柔毛；花瓣长圆形，先端圆钝或微凹，基部渐狭成爪，白色至粉红色；雄蕊长短不齐；花柱长于雄蕊，

子房密被绒毛状毛。果实斜卵形或长圆卵形，扁平，先端尖或稍钝，基部多数近截形，外面密被短柔毛；果肉薄，成熟时开裂；核卵形、宽椭圆形或短长圆形，核壳硬，先端尖，基部斜截形或圆截形，两侧不对称，背缝较直，具浅沟或无沟，腹缝较弯，具多少尖锐的龙骨状突起，沿腹缝线具不明显的浅沟或无沟，表面多光滑，具蜂窝状孔穴；种仁味甜或苦。

| 栽培资源 |

一、栽培条件

喜光，喜温暖的气候，在肥沃干燥的砂壤土中生长最好。

二、栽培区域

新疆伊犁哈萨克自治州、喀什地区、和田地区、阿克苏地区有栽培。

三、栽培要点

怕涝，在低洼的碱性土壤中生长不良；幼树抗寒力弱，容易冻梢；耐修剪，寿命较短。

四、栽培面积

本种在新疆天山以南的阿克苏地区、喀什地区、和田地区种植较多，是新疆发展干果生产的主要树种之一。新疆现有巴旦木种植面积约 3 700 亩。

| 采收加工 |

8 月上旬至 9 月上旬采摘果实，晒干，取出种子，贮于通风干燥处。

|药材性状| 本品呈长卵形，先端较尖，底部钝圆，稍扁，长 2 ~ 3.5 cm，表面较光滑，具众多凹陷的孔点，淡黄棕色。种仁呈扁长卵形，长 1.5 ~ 2.8 mm，宽约 13 mm，厚 7 ~ 8 mm，种皮薄，棕色。种子先端稍尖，底端较圆，侧面一边较薄，另一边厚圆，在圆边处的先端有线形种脐，合点及脊均明显，以水浸之去皮后可见白色子叶 2。味苦。

|功能主治| 消肿，润肤，清秽，止咳，平喘。用于头痛，视物不清，咳嗽气喘，肠胃积滞，疮疖。

|用法用量| 内服煎汤，3 ~ 9 g。

|附　　注| （1）物种鉴别。野巴旦杏 *Amygdalus ledebouriana* Schleche，灌木。枝条平展，

无刺，具多数短枝，嫩枝无毛，当年枝红棕色，老枝灰色或淡红灰色；冬芽圆锥形，鳞片红褐色。叶片长卵圆形，先端渐尖，基部楔形，全缘或边缘具浅钝锯齿，叶在当年生枝上互生，在越年生枝上簇生。花 1 ～ 2 着生于短枝或少数长枝上；花梗很短；萼筒倒圆锥形，外面无毛，萼片 5，卵圆状披针形，边缘有细齿；花瓣 5，长卵圆形，先端钝或微缺，粉红色。果实圆形或卵圆形，先端短尖或钝，基部圆截形，背缝线、腹缝线均呈弧曲状，密被绒毛；果核圆形或广卵形，浅褐色，表面具浅的网纹状沟槽，腹缝线有窄翼，背缝线光滑。种子 1，种仁苦。分布于新疆塔城地区的巴尔鲁克山、塔尔巴哈台山，阿尔泰山哈巴河孔墩林山麓等。

（2）市场信息。扁桃仁在国际市场上是热门商品，国内市场需求量大，近年市场售价为每千克 30 ～ 35 元。

蔷薇科 Rosaceae 李属 *Prunus* 凭证标本号 650203180617021LY

欧洲李 *Prunus domestica* L.

| 物种别名 | 西洋李、洋李、巴旦杏等。

| 药 材 名 | 洋李。

| 形态特征 | 落叶乔木。树干深褐灰色，开裂，枝条无刺或稍有刺；老枝红褐色，无毛，皮起伏不平，当年生小枝淡红色或灰绿色，有纵棱条，幼时微被短柔毛，后脱落近无毛。冬芽卵圆形，红褐色，有数枚覆瓦状排列的鳞片，通常无毛。叶片椭圆形或倒卵形，先端急尖或圆钝，稀短渐尖，基部楔形，偶宽楔形，边缘有稀疏圆钝的锯齿，上面暗绿色，无毛或在脉上散生柔毛，下面淡绿色，被柔毛，边缘有睫毛，侧脉 5 ~ 9 对，向先端呈弧形弯曲，不达边缘；叶柄密被柔毛，通常在叶片基部边缘两侧各有 1 腺体；托叶线形，先端渐尖，幼时边

缘常有腺，早落。花 1 ~ 3 簇生于短枝先端；花梗无毛或具短柔毛；萼筒钟状，萼片卵形，萼筒和萼片内外两面均被短柔毛；花瓣白色，有时带绿晕。核果通常卵球形至长圆形，稀近球形，通常有明显的侧沟，红色、紫色、绿色、黄色，常被蓝色果粉，果肉离核或粘核；核广椭圆形，先端有尖头，表面平滑，起伏不平或稍有蜂窝状隆起；果柄无毛。花期 5 月，果期 9 月。

| 栽培资源 |

一、栽培条件

选择地势平坦、排水方便、土层深厚、肥沃、地下水位＜1 m、pH 7 ~ 8.5的中壤土、轻壤土、砂壤土和沙土等。

二、栽培区域

主要栽培于克拉玛依市及塔城市、沙雅县、巴楚县、伽师县等。

三、栽培要点

1. 栽培方法

采取开沟挖定植穴的方式栽培。沟上口宽约 1 m，底宽约 0.3 m，深约 0.6 m，沟内边坡挖定植穴，穴直径约 0.8 m，深约 0.6 m，每穴施 1 ～ 3 kg 腐熟农家肥或埋土时拌入绿肥、稻壳、干草渣。采用“三埋两踩一提苗”的方法定植，栽后及时浇水，覆膜或覆草可起到保墒、压碱的作用，以提高成活率。

2. 除草、施肥

生长季节及时松土除草，每年至少 2 次，保持土壤疏松透气，减轻返碱。果实收获后结合秋耕施厩肥、绿肥等有机肥（幼树每株 3 kg，盛果期每株 5 kg 左右）；1 年追肥 2 次，分别在花前（3 月中旬）和果实膨大、花芽分化始期（6 月中旬）进行，幼树每次每株施肥 100 ～ 200 g，盛果期每次每株施 400 g 左右，氮、磷、钾肥的比例为 2 ∶ 1 ∶ 2。

3. 整形、修枝

幼树期修剪与整形同步进行，通过疏枝、甩放、短截、拉枝、拿枝、扭梢、摘心等处理，及时张开角度，迅速成形扩冠。一般幼树冬剪时应尽量少疏枝，多拉枝开角。此外，需进行疏花疏果，以 5 ～ 10 cm 留 1 果为宜。

｜采收加工｜ 秋季果实近成熟时采摘果实，晒干，除去叶和果柄等杂质。

｜药材性状｜ 本品呈椭圆形，长 1.5 ～ 2.5 cm，宽约 1.2 cm。表面红紫色或紫黑色，皱缩不平，先端微尖，底端平截或微尖，两侧压扁。果肉较厚，棕褐色，质稍柔韧。果核坚硬，扁椭圆形，棕黄色，在凸起边的两侧边缘各有 1 深沟，表面起伏不平或稍呈蜂窝状。种子长扁心形，种皮棕黄色；子叶 2，白色。气微，味酸、甜。

｜功能主治｜ 生津止渴，解热除烦，止痢。用于感冒发热，烦渴不安，泻痢，维生素缺乏症。

｜用法用量｜ 内服，20 ～ 50 g。外用适量。可入浸泡剂、汤剂、糖浆剂、果浆、敷剂等。

｜附　　注｜ （1）用药禁忌。本品对寒性气质者尤其是寒性脑部疾病者和胃部疾病者有害，若用需配玫瑰花糖膏、乳香、洋乳香、蜂蜜水等。

（2）代用品。若本品缺货，可用樱桃、罗望子代替。

蔷薇科 Rosaceae 蔷薇属 *Rosa* 凭证标本号 650204180725024LY

玫瑰 *Rosa rugosa* Thunb.

| **物种别名** | 滨茄子、滨梨。

| **药 材 名** | 玫瑰花、玫瑰根。

| **形态特征** | 直立灌木。茎粗壮，丛生；小枝密被绒毛，有针刺和腺毛及直立或弯曲、淡黄色的皮刺，皮刺外被绒毛。叶片先端急尖或圆钝，基部圆形或宽楔形，边缘有尖锐的锯齿，上面深绿色，无毛，叶脉下陷，有折皱，下面灰绿色，中脉凸起，网脉明显，密被绒毛和腺毛，有时腺毛不明显；叶柄和叶轴密被绒毛和腺毛；托叶大部分贴生于叶柄，离生部分卵形，边缘有带腺的锯齿，下面被绒毛。花单生于叶腋，或数朵簇生；苞片卵形，边缘有腺毛，外被绒毛；花梗密被绒毛和腺毛；萼片卵状披针形，先端尾状渐尖，常有羽状裂片而扩展成叶状，

上面有稀疏的柔毛，下面密被柔毛和腺毛；花瓣倒卵形，重瓣至半重瓣，芳香，紫红色至白色；花柱离生，被毛，稍伸出萼筒口外，比雄蕊短很多。果实扁球形，砖红色，肉质，平滑，萼片宿存。花期 5 ~ 6 月，果期 8 ~ 9 月。

| 栽培资源 |

一、栽培条件

本种适应性强，喜阳光，也能耐阴，喜水喜肥，生长适温为 15 ~ 25 ℃。栽培田块应选择在阳光充足，地势高，土层深厚，土质疏松、肥沃，团粒结构良好，pH 5.5 ~ 6.8 的田块，忌板结和黏重的土壤，如果土质偏酸或偏碱，则需要调酸。

二、栽培区域

栽培于庭院中。南疆和田市、和田县、墨玉县、洛浦县、于田县、策勒县等有大面积栽培。

三、栽培要点

1. 繁殖方法

繁殖方法有分株繁殖、压条繁殖和扦插繁殖。分株繁殖：在 3 月中下旬未发芽前，将母株周围萌蘖芽长成的新株挖出，连根带土移植。压条繁殖：7 ~ 9 月将母株的枝条压于土中，让枝梢露出地面，至 10 月中旬或翌年春季将新株与母株分离移植。扦插法：在早春发芽前，将一年生枝条剪成长 15 ~ 20 cm 的插条，插入苗床中，待生根发芽后移植。大田定植时，按株行距 30 cm × 50 cm 开穴栽种。

2. 田间管理

通常用饼肥、厩肥等作基肥，植株萌动时施 1 次人粪尿，花苞露红至采收前施 1 次人粪或硫酸铵等，立冬施 1 次以厩肥为主的越冬肥，肥源不足时，可酌施

开花肥及越冬肥。开花后，对病枝、虫咬枝、衰老枝进行修剪，使植株不断复壮；生长 4 ～ 5 年的植株，花的产量逐年下降，趋于老化，腊月时，翻挖分切重新栽种植株，使其更新复壮，用此法栽种的植株翌年无花，以后连续 3 年花较多，若多地块逐年分栽，产量可稳定上升。立冬后将玫瑰地翻土，在近根部施越冬肥；视情况进行培土，疏者多培，以促进枝条萌发；反之则少培。

四、栽培面积与产量

2022 年和田地区玫瑰种植面积达 5.62 万亩，其中于田县 4.81 万亩，玫瑰花总产量达 8 900 t。

| 采收加工 | **玫瑰花：** 5 ～ 6 月盛花期前，采摘已充分膨大但未开放的花蕾，文火烘干或阴干；或采后装入纸袋，贮于石灰缸内，封盖，每年梅雨期更换新石灰。

玫瑰根： 全年均可采挖，洗净，切片，晒干。

| 药材性状 | **玫瑰花：** 本品略呈半球形或不规则团状，直径 1 ～ 2.5 cm。花托半球形，与花萼基部合生。萼片 5，披针形，黄绿色或棕绿色，被细柔毛。花瓣多皱缩，展

平后呈宽卵形，呈覆瓦状排列，紫红色，有的黄棕色。雄蕊多数，黄褐色。体轻，质脆。气芳香浓郁，味微苦、涩。

| 功能主治 | **玫瑰花**：行气解郁，和血，止痛。用于肝胃气痛，食少呕恶，月经不调，跌扑伤痛。

玫瑰根：活血，调经，止带。用于月经不调，带下，跌打损伤，风湿痹痛。

| 用法用量 | **玫瑰花**：内服煎汤，3 ~ 10 g；或浸酒；或熬膏；或泡茶饮。

玫瑰根：内服煎汤，9 ~ 15 g。

| 附　注 | （1）栽培历史。玫瑰在我国有 2 000 多年的栽培历史。从产地来看，我国北方地区是玫瑰花的原产地和主产区，产区主要有山东（烟台及平阴县、定陶区）、甘肃（永登苦水镇）、新疆（和田县）、北京（延庆区及妙峰山）、河南（商水县）、河北（张家口）、黑龙江（大兴安岭）、吉林（珲春市及长白山）。我国南方多省也有分布，如云南（安宁市）、江苏（吴江区）、福建（古田县）、浙江（杭州）、四川、安徽、广东、广西等。

（2）市场信息。目前国内药用玫瑰的质量参差不齐，价格差异也很大，例如二等药用玫瑰市场价格为每千克 120 元左右，特级药用玫瑰市场价格为每千克 400 元左右。

（3）用药禁忌。阴虚火旺者慎服玫瑰花。

蔷薇科 Rosaceae 悬钩子属 *Rubus* 凭证标本号 654201150820006LY

树莓 *Rubus idaeus* L.

| 物种别名 | 复盆子、绒毛悬钩子、覆盆莓。

| 药 材 名 | 覆盆子。

| 形态特征 | 灌木。枝褐色或红褐色，疏生皮刺。小叶 3 ~ 7，花枝有时具 3 小叶，不孕枝常有 5 ~ 7 小叶，长卵形或椭圆形；顶生小叶常卵形，有时浅裂，先端短渐尖，基部圆形或近心形，上面无毛或疏生柔毛，下面密被灰白色绒毛，边缘有不规则的粗锯齿或重锯齿；叶柄被绒毛状短柔毛和稀疏的小刺；托叶线形，具短柔毛。花生于侧枝先端，排成短总状花序，或少花腋生；总花梗和花梗均密被绒毛状短柔毛和疏密不等的针刺；苞片线形，具短柔毛；花萼外面密被绒毛状短柔毛和疏密不等的针刺，萼片卵状披针形，先端尾尖，外面边缘具灰

白色绒毛，在花果期均直立；花瓣匙形，被短柔毛或无毛，白色，基部有宽爪；花丝宽扁，长于花柱；花柱基部和子房密被灰白色绒毛。果实近球形，多汁液，红色或橙黄色，密被短绒毛；核具明显的洼孔。花期 5 ~ 6 月，果期 8 ~ 9 月。

| 野生资源 | 生于海拔 400 ~ 1 800 m 的谷地灌丛及林缘。分布于新疆乌鲁木齐县、阿勒泰市、塔城市、霍城县、新源县等。

| 采收加工 | 当果实饱满、绿色未成熟时分批采收果实，除去花托、花梗、叶及杂质，用开水烫 2 ~ 3 分钟，晒干或烘干。

| 药材性状 | 本品为聚合果，由多数小核果聚合而成，呈圆锥形或扁圆锥形，高 0.6 ~ 1.3 cm，直径 0.5 ~ 1.2 cm。表面黄绿色或淡棕色，先端钝圆，基部中心凹入。宿萼

棕褐色，下有果柄痕。小果易剥落，呈半月形，背面密被灰白色茸毛，两侧有明显的网纹，腹部有凸起的棱线。体轻，质硬。气微，味微酸、涩。以色青黄、不散子为好。

| 功能主治 | 固精补肾，明目。用于劳倦，虚劳，肾气虚逆咳嗽，吐血，衄血，泄泻，赤白浊。

| 用法用量 | 内服煎汤，5 ~ 10 g；或入丸、散剂；或浸酒；或熬膏。

| 附　　注 | 新疆也将同属植物库页悬钩子 *Rubus sachalinensis* H. Lév. 的果实当作覆盆子使用。

豆科 Fabaceae 甘草属 *Glycyrrhiza* 凭证标本号 650204180826014LY

甘草 *Glycyrrhiza uralensis* Fisch.

|物种别名| 甜草苗、甜草根。

|药 材 名| 甘草。

|形态特征| 多年生草本。根与根茎粗壮，外皮褐色，里面淡黄色，具甜味。茎直立，多分枝，密被鳞片状腺点、刺毛状腺体及白色或褐色的绒毛。托叶三角状披针形，两面密被白色短柔毛；叶柄密被褐色腺点和短柔毛；小叶 5 ~ 17，卵形、长卵形或近圆形，上面暗绿色，下面绿色，两面均密被黄褐色腺点及短柔毛，先端钝，具短尖，基部圆，全缘或边缘微呈波状，多少反卷。总状花序腋生，具多花；总花梗短于叶，密生褐色的鳞片状腺点和短柔毛；苞片长圆状披针形，褐色，膜质，外面被黄色腺点和短柔毛；花萼钟状，密被黄色腺点及短柔毛，基

部偏斜并膨大成囊状，萼齿5，与萼筒近等长，上部2齿大部分联合；花冠紫色、白色或黄色，旗瓣长圆形，先端微凹，基部具短瓣柄，翼瓣短于旗瓣，龙骨瓣短于翼瓣；子房密被刺毛状腺体。荚果弯曲，呈镰状或环状，密集成球，密生瘤状突起和刺毛状腺体；种子3～11，暗绿色，圆形或肾形，长约3 mm。花期6～8月，果期7～10月。

｜野生资源｜ 生于海拔400～1 700（～2 300）m的山坡灌丛、山谷溪边、河滩草地、绿洲林下、垦区农田、荒地、渠道边。主要分布于新疆伊犁哈萨克自治州（奎屯市、霍城县、新源县、巩留县、特克斯县）、哈密市（伊吾县）、吐鲁番市（鄯善县）、阿勒泰地区（富蕴县、阿勒泰市、布尔津县、哈巴河县、吉木乃县）、乌鲁木齐市（米东区、达坂城区、乌鲁木齐县）、昌吉回族自治州（昌吉市、玛纳斯县）、塔城地区（和布克赛尔蒙古自治县、塔城市、托里县、沙湾市）、克拉玛依市（克拉玛依区）、博尔塔拉蒙古自治州（博乐市）、巴音郭楞蒙古自治州（和静县、焉耆回族自治县、库尔勒市、尉犁县）、阿克苏地区（库车市、拜城县、阿克苏市）、克孜勒苏柯尔克孜自治州（阿合奇县、阿图什市、乌恰县）、和田地区（民丰县）及北屯市、石河子市等。

｜栽培资源｜ 一、栽培条件

应选择地下水位1.5 m以下、排水条件良好、土层厚度大于2 m、内无板结层、pH 8左右、灌溉方便的砂壤土，可在秋季翻耕，打碎坷垃，整平地面，以保证土壤墒情。

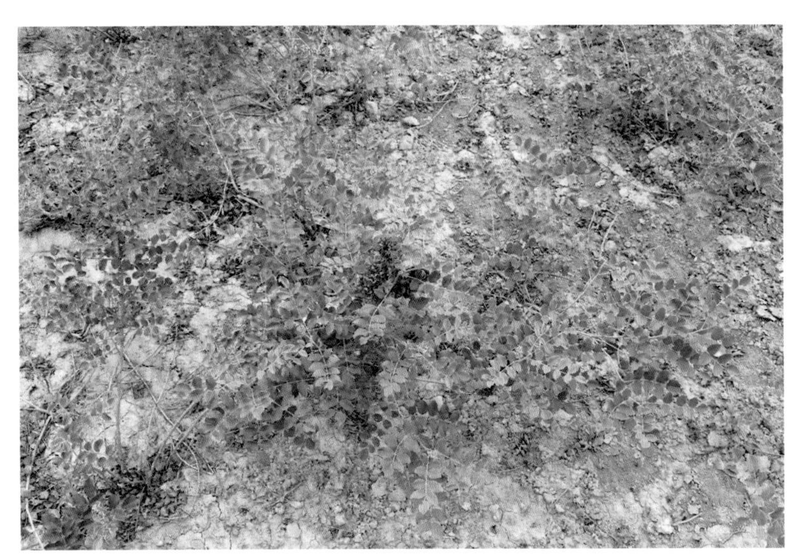

二、栽培区域

新疆南疆、北疆均有栽培，主要栽培于新疆克拉玛依市、昌吉回族自治州、巴音郭楞蒙古自治州、哈密市及塔城市、阿勒泰市等。

三、栽培要点

本种在春、夏、秋季均可播种，但以春季播种者的产量和质量为好，所以尽可能在春季播种，而且需要适时早播、抢墒播种或早播等雨，以及时利用土壤水分，促进生根发芽，延长生长时间。播种深度 2 ~ 3 cm，播后适当镇压，播种量要根据植株的生长期来定：若 2 年收获，则播种密度宜大，一般每亩播种量 4 kg 左右；若 3 ~ 4 年收获，则播种密度不宜过大，一般每亩播种量 1 ~ 1.5 kg。翌年、第 3 年春季秧苗萌发前每亩追施磷酸氢二铵 25 kg，于行侧 10 cm 处开深 15 cm 的沟，施肥后覆土。播种当年浇水 3 ~ 4 次，每次浇水量一般为每亩 85 m^3，第 1 次浇水在出苗后 1 个月左右进行，以后 1 个月浇水 1 次，10 月中旬浇越冬水，翌年、第 3 年、第 4 年可逐渐减少浇水次数。当秧苗长到高 15 cm 时可进行间苗，株距 15 cm，每亩保苗约 2 万株。播种当年一般中耕除草 3 ~ 4 次，以后可适当减少中耕除草的次数，主要消灭菟丝子等田间杂草。移栽 2 年以上的甘草可在 10 月上旬寒露过后开始采收，采用专用机械设备，可极大地提高采挖效率，采挖过程中要深挖，从头到尾向同一方向采挖，以减少破损。

四、栽培面积与产量

本种在新疆的种植面积超过 15 万亩。新疆阿勒泰地区的阿勒泰市、福海县、布尔津县、青河县等地的种植总面积超过 6 万亩；巴音郭楞蒙古自治州的库尔勒市、且末县、尉犁县等地的种植总面积超过 5 万亩；昌吉回族自治州及阿克苏市、和田市、阿拉尔市、图木舒克市、铁门关市等地的种植总面积超过 4 万亩，每亩产量为 600 ～ 1 000 kg。

| 采收加工 | 直播播种者 3 ～ 4 年后采收，育苗移栽或根茎栽种者 2 ～ 3 年后采收；春季土壤解冻后、发芽之前，或秋季地上茎叶枯黄后采挖根，除去泥土，去掉芦头、须根、侧根，捋直后自然干燥。

| 药材性状 | 本品根呈圆柱形，长 25 ～ 100 cm，直径 0.6 ～ 3.5 cm；外皮松紧不一，表面红棕色或灰棕色，具显著的纵皱纹、沟纹、皮孔及稀疏的细根痕；质坚实，断面略显纤维性，黄白色，粉性，形成层环明显，射线放射状，有的有裂隙。根茎呈圆柱形，表面有芽痕，断面中部有髓。气微，味甜而特殊。

| 功能主治 | 祛痰止咳，清热，解毒，调和诸药。用于咽喉肿痛，咳嗽痰多，痈疽疮疡，药物及食物中毒。

| 用法用量 | 内服煎汤，2 ～ 6 g；或入丸、散剂。外用适量，研末敷；或煎汤洗。

| 附　　注 | （1）栽培历史。20 世纪 90 年代，本种开始在新疆南疆大面积栽培。

（2）市场信息。本种生长期为 1 ～ 3 年，栽培后第 3 年为最佳采挖期，在新疆生长 1 年的甘草鲜货亩产 400 ～ 600 kg，生长 2 年的鲜货亩产超过 1 200 kg，同时每亩每年产优质饲草（甘草秧）600 ～ 700 kg，经济效益非常可观。目前甘草鲜货收购价格为每千克 3 ～ 4.5 元；三年生甘草亩产干货 600 ～ 800 kg，目前市场价格为每千克 10 ～ 16 元，每亩收入 6 000 ～ 8 000 元，平均年收益超过 2 500 元。

（3）用药禁忌。长期或大剂量服用甘草甜素制剂可导致假性醛固酮增多症、血压升高、心律失常，严重者可出现心力衰竭、头痛、头晕、记忆力减退、肌无力、意识障碍、昏迷等。

蒺藜科 Nitrariaceae 骆驼蓬属 *Peganum* 凭证标本号 652929190731004LY

骆驼蓬 *Peganum harmala* L.

| 物种别名 | 臭古朵。

| 药 材 名 | 骆驼蓬。

| 形态特征 | 多年生草本。高 30 ~ 70 cm，无毛。根多数，粗达 2 cm。茎直立或开展，基部多分枝。叶互生，卵形，全裂为 3 ~ 5 条形或披针状条形的裂片，裂片长 1 ~ 3.5 cm，宽 1.5 ~ 3 mm。花单生于枝端，与叶对生；萼片 5，裂片条形，长 1.5 ~ 2 cm，有时仅先端分裂；花瓣黄白色，倒卵状矩圆形，长 1.5 ~ 2 cm，宽 6 ~ 9 mm；雄蕊 15，花丝近基部宽展；子房 3 室，花柱 3。蒴果近球形，种子三棱形，稍弯，黑褐色，表面被小瘤状突起。花期 5 ~ 6 月，果期 7 ~ 9 月。

| 野生资源 | 生于海拔 3 600 m 的荒漠地带的干旱草地、绿洲边缘轻盐渍化的沙

地、壤质低山坡或河谷沙丘。新疆各地均有分布。

| 栽培资源 | 一、栽培条件

本种较耐旱、耐寒，多生于土壤和水分条件较好的地方，对地下水有较高的要求。

二、栽培区域。

新疆哈密市及和静县、巩留县等有栽培。

| 采收加工 | 夏、秋季采割全草，鲜用，或切段晒干。

| 药材性状 | 本品种子为圆锥状三角形的四面体，长 2 ~ 4 mm，中部直径 1 ~ 2 mm，先端较狭而尖，可见脐点，下端钝圆，表面粗糙，棕色至褐色。放大镜下可见表面皱缩，呈蜂窝状，用水浸泡后膨胀，表面平滑。气微，味苦。

| 功能主治 | 辛、苦，平；有毒。归心、肝、肺经。止咳平喘，祛风湿，消肿毒。用于咳嗽气喘，风湿痹痛，无名肿毒，皮肤瘙痒。

| 用法用量 | 内服煎汤，3 ~ 6 g。外用适量，鲜品煎汤洗；或捣敷。

| 附　　注 | 骆驼蓬 4 月下旬返青，5 月上旬分枝，6 月下旬开花，9 月中旬种子成熟，10 月底早霜来临后逐渐干枯。野生植株落粒性强，种子寿命长，休眠期亦长。播种当年植株生长缓慢，茎长 3 ~ 25 cm，根系入土深 40 ~ 80 cm；翌年茎长达 50 cm，根系入土深达 100 cm，地上部分能覆盖 0.2 m^2 的地面，每亩可产青草 50 ~ 500 kg，且能少量结实；生长多年的骆驼蓬，茎长超过 75 cm，分枝较多，可覆盖 0.44 m^2 以上的地面，每株重超过 0.5 kg，有的可达 5 kg，再生性较强。

芸香科 Rutacea 白鲜属 *Dictamnus* 凭证标本号 65422120150602041LY

新疆白鲜 *Dictamnus angustifolius* G. Don ex Sweet

| **物种别名** | 白藓。

| **药 材 名** | 白鲜皮。

| **形态特征** | 多年生草本。根肉质，粗壮，淡黄色。茎直立，基部木质，被白色柔毛，向上毛渐与褐色油点混生。叶多密集生于茎的中上部，小叶（3 ~ ）5 ~ 6（ ~ 7）对，卵状披针形或矩圆状披针形，先端渐尖，基部圆形或宽楔形，稍偏斜，无柄，边缘有细锯齿，背面有凹陷的油点，沿脉被柔毛，下面毛较多。总状花序顶生；苞片 2，狭披针形；萼片狭披针形，宿存；花瓣 5，淡红色并具深红色脉纹，倒卵状披针形，下面 1 稍下倾；雄蕊 10，伸出花瓣外；花梗、萼片及花瓣密生凸起的透明油点；子房卵圆形，先端具 5 齿，花柱从中间伸出，向上弯

曲。果实成熟后沿腹缝线开裂为5蓇葖果；蓇葖果宽肾形，先端具外弯的刺尖头，密生褐色油点，内果皮蜡黄色，呈镰状弯曲，有光泽；内有种子2～3。种子倒宽卵状球形，黑褐色，光滑。花期6～7月，果期7～8月。

| 野生资源 | 生于海拔880～2 000 m的山地草原和砾石质的灌丛。分布于新疆青河县、富蕴县、福海县、阿勒泰市、哈巴河县、和布克赛尔蒙古自治县、额敏县、塔城市、裕民县、托里县、霍城县、伊宁县、尼勒克县、新源县、巩留县、特克斯县等。

| 采收加工 | 春、秋季采挖根，洗去泥土，去掉粗皮，趁鲜用机械小刀纵向划开，抽去木心，晒干。

| 药材性状 | 本品呈卷筒状，长5～15 cm，直径1～2 cm，厚0.2～0.5 cm。外表面灰白色或淡灰黄色，具细纵皱纹和细根痕，常有凸起的颗粒状小点；内表面类白色，有细纵纹。质脆，折断时有粉尘飞扬，断面不平坦，略呈层片状，剥去外层，迎光可见闪烁的小亮点。有羊膻气，味微苦。以条大、皮厚、色灰白者为佳。

| 功能主治 | 苦，寒。祛风除湿，清热解毒，杀虫止痒。用于风湿性关节炎，外伤出血，荨麻疹等。

| 用法用量 | 内服煎汤，4.5 ~ 9 g；或入丸、散剂。外用适量，煎汤洗；或研末敷。

| 附　　注 | （1）市场信息。近年来，白鲜皮的市场价格逐年攀升。2015—2016 年，白鲜皮的市场价格为每千克 53 ~ 70 元；2017—2018 年，市场价格为每千克 70 ~ 75 元；2019 年上半年，市场价格为每千克 80 元左右，2019 年下半年，市场价格有所上涨，2019 年年末，市场价格达到每千克 120 元；2020 年上半年，市场价格维持在每千克 120 元左右。白鲜皮及其植物提取物是我国出口创汇的重要商品。

（2）物种鉴别。本种与白鲜的区别在于本种叶轴上无翅或翅甚窄；花瓣长 3 ~ 3.5 cm。《中国植物志》《内蒙古植物志》记载白鲜 *Dictamnus dasycarpus* Turcz. 在新疆有分布，但从植物区系的角度看，分布于新疆及中亚一带的应为新疆白鲜 *Dictamnus angustifolius* G. Don ex Sweet。

大戟科 Euphorbiaceae 大戟属 *Euphorbia* 凭证标本号 654021120913012

地锦草 *Euphorbia humifusa* Willd. ex Schltdl.

| **物种别名** | 千根草、小虫儿卧单、血见愁草、草血竭、小红筋草、奶汁草、红丝草。

| **药 材 名** | 地锦草。

| **形态特征** | 一年生草本。根纤细，长 10 ~ 18 cm，直径 2 ~ 3 mm，常不分枝。茎匍匐，自基部以上多分枝，偶先端斜向上伸展，基部常红色或淡红色，长 20（~ 30）cm，直径 1 ~ 3 mm，被柔毛。叶对生，矩圆形或椭圆形，长 5 ~ 10 mm，宽 3 ~ 6 mm，先端钝圆，基部偏斜，略渐狭，中部以上边缘具细锯齿；上面绿色，背面淡绿色，有时淡红色，两面被疏柔毛；叶柄极短，长 1 ~ 2 mm。花序单生于叶腋，基部具长 1 ~ 3 mm 的短柄；总苞陀螺状，长与直径各约 1 mm，边缘 4 裂，裂片三角形；腺体 4，矩圆形，边缘具白色或淡红色附属物；

雄花多数，与总苞边缘近等长；雌花 1，子房柄伸出至总苞边缘；子房三棱状卵形，光滑无毛；花柱 3，分离，柱头 2 裂。蒴果三棱状卵球形，长约 2 mm，直径约 2.2 mm，成熟时分裂为 3 分果爿，花柱宿存；种子三棱状卵球形，长约 1.3 mm，直径约 0.9 mm，灰色，棱面无横沟，无种阜。花果期 5 ~ 10 月。

| 野生资源 | 生于原野荒地、路旁、田间、沙丘、海滩、山坡等。主要分布于新疆喀什地区及伊宁县等。

| 栽培资源 | 一、栽培条件

喜温暖湿润的气候，稍耐阴，有较强的耐湿力，种植时应该选择土质疏松、肥沃、排水良好的砂壤土或壤土，也可以和玉米套作。若在荒地上种植，要多次深翻土壤，使土壤充分风化，根据土壤的肥料状况施入上基肥（基肥以有机肥为主），将肥料均匀地撒在土壤中，结合翻耕混合均匀，做畦或起垄。

二、栽培区域

新疆伊犁哈萨克自治州、和田地区、喀什地区等有栽培。

三、栽培要点

选择地势平坦、不积水的砂壤土，肥力不足的，每亩施入腐熟的农家肥 2 ~ 3 t 作底肥。春播在 4 月初进行，将种子与草木灰或消毒灭菌的细沙拌匀，每亩播种 0.5 kg，按行距 20 cm 开沟条播，沟深 2 ~ 3 cm，将种子均匀播入沟内，薄覆细土，稍加镇压，然后喷水浇透。播种后 3 ~ 5 天内、出苗前，喷施 1 次除草剂。出苗时间为播种后 10 ~ 20 天，出苗率可达 90%以上。出苗后，及时拔除杂草。当年平均苗高可达 0.65 m，平均地径可达 0.29 cm。在 10 月末叶子基本落光后，可以起苗、分级、入窖储存。也可以在封冻前对苗床浇 1 次水，让植株露天越冬。地锦草的病害主要为煤污病。防治方法：要加强田间管理，合理密植，及时剪掉病枝和密枝，增加植株间的通透性；在夏季高温多雨时，降低田间湿度，及时排水；发病时可喷洒药剂。虫害有蚜虫、蝽象、木虱等刺吸式害虫，发病后可喷洒生物农药进行防治。

四、栽培面积与产量

本种在新疆的栽培面积达 1 300 亩。2022 年产量达 585 t。

| 采收加工 | 秋季采收全草，鲜用或晒干。

| 药材性状 | 本品常皱缩卷曲。根细小。茎细，呈叉状分枝，表面带紫红色，光滑无毛或疏生白色细柔毛；质脆，易折断，断面黄白色，中空。单叶对生，具淡红色短柄或几无柄；叶片多皱缩或已脱落，展平后呈长椭圆形，长 5 ~ 10 mm，宽 4 ~ 6 mm；绿色或带紫红色，通常无毛或疏生细柔毛；先端钝圆，基部偏斜，边缘具小锯齿或呈微波状。杯状聚伞花序腋生，细小。蒴果三棱状球形，表面光滑。种子细小，卵形，褐色。气微，味微涩。

| 功能主治 | 苦、辛，平。归肝、胃、大肠经。清解热毒，活血止血，利湿退黄，解蛇毒。用于热毒、血瘀、出血、湿热所致病证，毒蛇咬伤。

| 用法用量 | 捣烂加米酒取汁内服，9 ~ 20 g，鲜品 30 ~ 60 g。外用适量。

| 附　　注 | （1）文献记载。地锦草始载于宋代的《嘉祐本草》，《本草纲目》《证类本草》亦有记载，《维吾尔药材标准（上册）》（1993 年）也有收录。

（2）现代研究。地锦草全草入药，是中医、维吾尔医常用的药材。维吾尔医称地锦草为夏塔热、雅丽蔓。现代药理学研究证明，地锦草及其复方具有抗菌、抗炎、抗氧化、抗过敏、调节免疫、保肝、止血等多种作用，抗真菌作用突出，是一种药用价值很高的植物，近年来引起了国内外学者的极大关注。

（3）市场信息。地锦草硬苗货的价格为每千克 7 ~ 9 元。

大戟科 Euphorbiaceae 大戟属 *Euphorbia* 凭证标本号 650121170731010LY

对叶大戟 *Euphorbia sororia* A. Schrenk

| 药 材 名 | 对叶大戟。

| 形态特征 | 一年生草本。根单一，细长，常弯曲。茎单一，上部多二叉分枝，光滑无毛。叶对生，线形或线状椭圆形，先端钝尖，基部渐狭；全缘；总苞叶和苞叶均 2，叶形同茎生叶；总伞幅 2。花序单生于二歧聚伞分枝的先端；总苞狭钟状，无柄，边缘 4 裂，裂片近三角形；腺体 4，新月形，两端具长角，淡黄色，且常背弯；雄花多数，伸出总苞之外；雌花 1；子房光滑无毛；花柱 3，分离，柱头 2 裂。蒴果三棱状卵球形，光滑无毛；种子圆柱状，黑色或灰褐色，具不规则的疣点状突起；种阜白色，略呈盾状，基部具柄，柄常贴伏于种皮表面，似无柄。花果期 6 ~ 7 月。

| 栽培资源 | 一、栽培条件

本种适应性强，适宜生长于沙地、山沟、坡地。

二、栽培区域

新疆和田地区有栽培。

三、栽培要点

选取生长健壮、高度适中、分枝低而多、花序多、管状花橘红色、无病虫害的植株作留种植株。

| 采收加工 | 6 ~ 7 月采收，晒干。

| 功能主治 | 消散寒气，燥湿开胃，开通阻滞，健脑益智。用于腹胀胃弱，食少健忘，语言不利，肢体瘫痪，皮肤疾病等。

| 用法用量 | 内服煎汤，3 ~ 6 g。

凤仙花科 Balsaminaccac 凤仙花属 *Impatiens* 凭证标本号 652924170718016LY

凤仙花 *Impatiens balsamina* L.

| 物种别名 | 金凤花、灯盏花、好女儿花、指甲花、海莲花、指甲桃花、金童花、竹盏花。

| 药 材 名 | 凤仙根、凤仙透骨草、凤仙花、急性子。

| 形态特征 | 一年生草本。高 60 ~ 100 cm。茎粗壮，肉质，直立，不分枝或有分枝，无毛或幼时疏被柔毛，基部直径可达 8 mm，具多数纤维状根，下部节常膨大。叶互生，最下部叶有时对生；叶片披针形、狭椭圆形或倒披针形，长 4 ~ 12 cm，宽 1.5 ~ 3 cm，先端尖或渐尖，基部楔形，边缘有锐锯齿，基部常有数对无柄的黑色腺体，两面无毛或疏被柔毛，侧脉 4 ~ 7 对；叶柄长 1 ~ 3 cm，上面有浅沟，两侧具数对有柄的腺体。花单生或 2 ~ 3 簇生于叶腋，无总花梗，白

色、粉红色或紫色，单瓣或重瓣；花梗长 2 ～ 2.5 cm，密被柔毛；苞片线形，位于花梗的基部；侧生萼片 2，卵形或卵状披针形，长 2 ～ 3 mm；唇瓣深舟状，长 13 ～ 19 mm，宽 4 ～ 8 mm，被柔毛，基部急尖成长 1 ～ 2.5 cm、内弯的距，旗瓣圆形，兜状，先端微凹，背面中肋具狭龙骨状突起，先端具小尖，翼瓣具短柄，长 23 ～ 35 mm，2 裂，下部裂片小，倒卵状长圆形，上部裂片近圆形，先端 2 浅裂，外缘近基部具小耳；雄蕊 5，花丝线形，花药卵球形，先端钝；子房纺锤形，密被柔毛。蒴果宽纺锤形，长 10 ～ 20 mm，两端尖，密被柔毛；种子多数，圆球形，直径 1.5 ～ 3 mm，黑褐色。花期 7 ～ 10 月。

| 栽培资源 |

一、栽培条件

喜阳光，怕湿，耐热，不耐寒。喜生长于向阳、疏松肥沃的土壤中，在较贫瘠的土壤中也可生长。

二、栽培区域

新疆各地均有栽培。

三、栽培要点

本种适应性较强，移植易成活，生长迅速。凤仙花采用种子繁殖，3 ～ 9 月播种，4 月播种者 6 月上旬、中旬即可开花，花期可保持 2 个多月。播种前，应将苗床浇透水，使其保持湿润。本种种子比较小，播后不能立即浇水，以免把种子冲掉。种子播于土中，再盖上厚 3 ～ 4 cm 的薄土，注意遮阴，约 10 天后可出苗。当小苗长出 2 ～ 3 叶时，开始移植，定植后，对植株主茎进行打顶，增强其分枝能力；基部的花随时摘去，以促进各枝顶部的花陆续开放。本种的主要虫害

是红天蛾，其幼虫会啃食凤仙花叶片，可人工捕捉灭除。可用 50% 甲基硫菌灵可湿性粉 800 倍液喷洒防治白粉病；可用 50% 多菌灵可湿性粉 500 倍液防治叶斑病。

| 采收加工 | **凤仙根：** 秋季采挖根，洗净，鲜用或晒干。

凤仙透骨草： 夏、秋季植株生长茂盛时割取地上部分，除去叶、花、果实，洗净，晒干。

凤仙花： 夏、秋季开花时采收花，鲜用，或阴干、烘干。

急性子： 8 ~ 9 月蒴果由绿转黄时采摘果实，脱粒，筛去果皮、杂质、收集种子。

| 药材性状 | **凤仙透骨草：** 本品茎呈长柱形，有少数分枝，长 30 ~ 60 cm，直径 3 ~ 8 mm。表面黄棕色至红棕色，干瘪皱缩，具明显的纵沟，节部膨大，叶痕深棕色。体轻质脆，易折断，断面中空，或有白色、膜质的髓部。气微，味微酸。以色红棕、不带叶者为佳。

凤仙花： 本品长 1 ~ 1.5 cm，宽 5 ~ 10 mm，皱缩，有时 2 或数朵粘连成较大的团块，黄棕色、淡棕色或淡红色。花冠单瓣或重瓣。萼片 2，细小，宽卵形，有稀疏的短柔毛；旗瓣圆形，先端凹，有小尖头，背面中肋有龙骨状突起；侧生的 4 花瓣成对结合成 2 裂的翼瓣，宽大，先端 2 浅裂，基部有短柄；唇瓣舟形，疏生短柔毛，基部延长成细而内弯的距，长 5 ~ 10 mm。花药与雌蕊顶部黏合成平面状，有数个凹陷的小窝。花的基部常有花梗，花梗长 1 ~ 2 cm，具短柔毛。气微，味微苦。

急性子： 本品呈椭圆形、扁圆形或卵圆形，长 2 ~ 3 mm，宽 1.5 ~ 2.5 mm。表面棕褐色或灰褐色，粗糙，有稀疏的白色或浅黄棕色小点，种脐位于狭端，稍凸出。质坚实，种皮薄，子叶灰白色，半透明，油质。无臭，味淡、微苦。

| 功能主治 | **凤仙根：** 苦、辛，平；有小毒。活血止痛，利湿消肿。用于跌扑肿痛，风湿骨痛，带下，水肿。

凤仙花： 甘、苦，微温。祛风除湿，活血止痛，解毒杀虫。用于风湿肢体痿废，腰胁疼痛，经闭腹痛，产后瘀血未尽，跌打损伤，骨折，痈疽疮毒，毒蛇咬伤，带下，鹅掌风，灰指甲。

急性子： 辛、微苦，温；有小毒。行瘀降气，软坚散结。用于经闭，痛经，难产，产后胞衣不下，噎膈，痞块，骨鲠，龋齿，疮疡肿毒。

| 用法用量 |

凤仙根：内服煎汤，6 ~ 15 g；或研末，3 ~ 6 g；或浸酒。外用适量，捣敷。

凤仙花：内服煎汤，2.5 ~ 5 g，鲜品 5 ~ 15 g；或研末；或浸酒。外用适量，捣汁滴耳；或捣敷；或煎汤熏洗。

急性子：内服煎汤，3 ~ 5 g。

葡萄科 Vitaceae 葡萄属 *Vitis* 凭证标本号 652122200612001LY

葡萄 *Vitis vinifera* L.

| 物种别名 | 蒲陶、草龙珠、赐紫樱桃、琐琐葡萄、山葫芦、菩提子、索索葡萄、乌珠玛、葡萄秧。

| 药 材 名 | 琐琐葡萄。

| 形态特征 | 高大缠绕藤本。幼茎秃净或略被绵毛；卷须二叉分枝，与叶对生。叶互生；叶柄长 4 ~ 8 cm；叶片纸质，圆卵形或圆形，宽 10 ~ 20 cm，常 3 ~ 5 裂，基部心形，边缘有粗而稍尖锐的齿缺，下面常密被蛛丝状绵毛。花杂性，异株；圆锥花序大而长，与叶对生，疏被蛛丝状柔毛；花序梗无卷须；花萼极小，杯状，全缘或边缘具不明显的 5 齿裂；花瓣 5，黄绿色，先端黏合不展开，基部分离，开花时呈帽状整块脱落；雄蕊 5；花盘隆起，由 5 腺体组成，基部

与子房合生；子房 2 室，花柱短，圆锥形。浆果卵圆形至卵状长圆形，富汁液，成熟时紫黑色或红色而带青色，外被蜡粉。花期 6 月，果期 9 ~ 10 月。

| 栽培资源 | 一、栽培条件

喜光，通常栽培于壤土或砂壤土中。

二、栽培区域

本种在新疆高昌区、鄯善县、和田市等有少量栽培，资源量总体较少。

三、栽培要点

春季日平均气温稳定在 10 ℃以上时，去土，引蔓上架。在葡萄出土上架后，用石硫合剂对葡萄枝蔓、架面、水泥柱、地面、小林带等进行全面彻底的喷洒。开墩后浇水，沙土地全年浇水 15 ~ 16 次，黏土地全年浇水 10 ~ 15 次。第 1 次浇水前追施尿素，葡萄果粒绿豆大小时，追施尿素和硫酸钾，10 天后追施尿素，果粒膨大期连续追肥 2 次；6 月 20 日以后，不再追施化肥，傍晚喷施 0.3% ~ 0.4% 磷酸二氢钾叶面肥，10 天后再喷施 1 次；秋季在离葡萄主干 35 ~ 45 cm 处施腐熟的有机肥。新梢发出后，将多余萌芽抹除，抹芽 2 次；第 1 次在新梢长 4 ~ 5 cm 时进行，第 2 次在新梢长 15 cm、花序大部分长出时进行。果期的抹芽原则为“留稀不留密，留强不留弱，留花芽不留叶芽”。将果穗下位、靠近基部的 1 营养枝培养成翌年的结果母枝。结果枝摘心可提高坐果率和产量。在果实长至豌豆大小时进行疏果。全年疏枝 3 次。在果实色泽亮丽、糖酸比适宜、口感好、糖度达到 18° 以上即可采收，采收宜分批进行，不宜提前采收，否则葡萄糖分低，品质差。病虫害防治尽可能采取物理和生物防治，减少化学防治。葡萄秋季修剪，埋墩时间应选择在秋季修剪后至土壤冻结前。

| **采收加工** | 秋季果实成熟时剪下果序，阴干。

| **药材性状** | 本品呈类圆形，表面皱缩不平，直径 2 ~ 10 mm。表面呈暗红色或棕红色，先端有 1 点状突起，底部常有残存的棕红色果柄，果柄长 2 ~ 6 mm。质较柔软，易被撕裂，富糖质。气微，味甜、微酸。

| **功能主治** | 清热消炎，止咳化痰，祛风透疹。用于呼吸道炎症，发热，急性肺炎，咽喉炎，咳嗽气短，小儿麻疹，急性肝炎等。

| **用法用量** | 内服煎汤，15 ~ 30 g。

| **附　　注** | （1）文献记载。《本草纲目拾遗》记载琐琐葡萄“出吐鲁番，北京货之，形如胡椒，系葡萄之别种也”。琐琐葡萄在新疆为维吾尔医的常用药材，但使用量有限，人工种植面积不大。

（2）市场信息。根据市场流通情况及直径、纯度等，将琐琐葡萄分为一等、二等和三等 3 个等级。一等品的半径大多在 0.7 cm 以上，2022 年价格为每千克 150 ~ 200 元；二等品的半径为 0.5 ~ 0.7 cm，2022 年价格为每千克 120 ~ 150 元；三等品的半径大多在 0.5 cm 以下，常含有杂质和破碎的药材，2022 年价格为每千克 80 ~ 120 元。

（3）其他。琐琐葡萄是传统的中药材，但在新疆主要作为维吾尔医的常用药材使用，亦可作为干果直接食用。

锦葵科 Malvaceae 蜀葵属 *Alcea* 凭证标本号 652201150702007LY

蜀葵 *Alcea rosea* L.

| 物种别名 | 淑气、一丈红、麻杆花、棋盘花、栽秧花、斗蓬花、阿克来依里。

| 药 材 名 | 蜀葵。

| 形态特征 | 二年生直立草本。茎枝密被刺毛。叶近圆心形，掌状 5 ~ 7 浅裂或有波状棱角，裂片三角形或圆形，中裂片上面疏被星状柔毛，粗糙，下面被星状长硬毛或绒毛；叶柄被星状长硬毛；托叶卵形，先端具 3 尖。花腋生、单生或近簇生，排列成总状花序式；苞片叶状，小苞片杯状，常 6 ~ 7 裂，裂片卵状披针形，密被星状粗硬毛，基部合生；花萼钟状，5 齿裂，裂片卵状三角形，密被星状粗硬毛；花大，红色、紫色、白色、粉红色、黄色或黑紫色，单瓣或重瓣，花瓣倒卵状三角形，先端凹缺，基部狭，爪被长髯毛；雄蕊柱无毛，花丝

纤细，花药黄色；花柱分枝多数，微被细毛。果实盘状，被短柔毛，分果爿近圆形，多数，具纵槽。花期 2 ~ 8 月。

| 栽培资源 | 一、栽培条件

本种通常采用种子繁殖，也可进行分株繁殖。分株繁殖在春季进行。沙土、坡地、平原地带均可栽培。

二、栽培区域

新疆乌鲁木齐市、克拉玛依市、昌吉回族自治州、巴音郭楞蒙古自治州、哈密市、阿克苏地区、阿勒泰地区、和田地区、喀什地区、吐鲁番市等有栽培。

三、栽培要点

合理密植，保证充足的强日照。

| 采收加工 | 8 月上旬至 9 月上旬采收全草，晾干或晒干。

| 药材性状 | 本品茎枝密被刺毛。叶近圆心形，掌状 5 ~ 7 浅裂或有波状棱角，裂片三角形或圆形，中裂片上面疏被星状柔毛，粗糙，下面被星状长硬毛或绒毛；叶柄被星状长硬毛；托叶卵形，先端具 3 尖。花腋生、单生或近簇生，排列成总状花序式；苞片叶状，被星状长硬毛，小苞片杯状，常 6 ~ 7 裂，裂片卵状披针形，密被星状粗硬毛，基部合生；老萼钟状，5 齿裂，裂片卵状三角形，密被星状粗硬毛；花大，红色、紫色、白色、粉红色、黄色或黑紫色，单瓣或重瓣，花瓣倒卵状三角形，先端凹缺，基部狭，爪被长髯毛；雄蕊柱无毛，花丝纤细，花药黄色；花柱分枝多数，微被细毛。果实盘状，被短柔毛，分果爿近圆形，

多数，背部具纵槽；种子肾形。

|**功能主治**| 甘，凉。全草，清热止血，消肿解毒。用于吐血，血崩。根，清除内热，解毒，利尿。种子，利尿通淋。花，通大小便，解毒散结；外用于痈肿疮疡，烫火伤等。

|**用法用量**| 内服煎汤，3 ~ 6 g。

|**附　　注**| 茎皮含纤维，可代麻用。

堇菜科 Violaceae 堇菜属 *Viola* 凭证标本号 60121202406200001LY

天山堇菜 *Viola tianshanica* Maxim.

| 物种别名 | 蓝堇。

| 药 材 名 | 堇菜。

| 形态特征 | 多年生草本。高 4 ~ 7 cm，全株光滑。根茎多粗短；主根圆柱状或倒长圆锥形，长 2 ~ 5 cm，黄白色或淡棕色，具少数须根。无地上茎和匍匐枝。叶基生，长 1 ~ 3 cm，宽 0.5 ~ 0.8 cm，叶片卵状或长圆状卵形，较厚，全缘或具圆齿，先端钝，基部收缩成柄；叶柄与叶片近等长；托叶披针形或宽披针形，膜质，白色，边缘有短流苏状腺毛，3/4 与叶柄合生。花单生于先端；花梗与叶等长或稍长于根生叶；苞片位于花萼中部，2 苞片对生，线状披针形，边缘具腺，着生在中部以下；萼片 5，长圆状卵形，先端渐尖，基部有带状附属

器；花两侧对称，直径 0.5 ~ 1 cm，花瓣 5，白色，具淡紫色条纹，倒卵形，侧瓣无髯毛，下面 1 瓣较大，呈倒心形，基部有短距，稍长于萼片附属器；花丝短而阔；子房上位，光滑，花柱先端弯曲。蒴果卵形，光滑。花期 6 ~ 7 月，果期 7 ~ 8 月。

| 野生资源 | 生于高山或亚高山的草甸、山坡、山地草原及灌丛中。分布于新疆伊犁哈萨克自治州、和田地区（墨玉县、和田县）及塔什库尔干塔吉克自治县等。

| 栽培资源 | 一、栽培条件

喜生于高山及亚高山草甸、山坡林下、草地等。

二、栽培区域

和田地区（于田县、策勒县）及塔什库尔干塔吉克自治县的山区有栽培。

| 采收加工 | 夏季初花期采收全草，晒干，除去杂质。

| 药材性状 | 本品多皱缩，破碎，完整者长 3 ~ 7 cm。主根较粗壮，圆锥形，长 0.5 ~ 2 cm，浅褐色至灰白色，有不规则的纵皱纹。根茎粗短，长 2 ~ 4 cm，直径 2 ~ 4 cm，具环纹及叶柄残基。叶基生，皱缩，完整者湿润展开后呈匙形或椭圆形，灰绿色，先端钝圆，基部楔形，下延，有长柄。花灰蓝色，萼片 5，披针形；花瓣 5，倒卵形，下面 1 瓣较大，具距。气微芳香，味微辛。

| 功能主治 | 清热解毒，消炎退烧，润肺消肿，润喉止咳，通利二便。用于发热，乃孜来性感冒，干热性头痛及急性胸膜炎，肺炎，咽干咳嗽等。

| 用法用量 | 内服煎汤，6 ~ 12 g。外用适量。本品可入汤剂、糖浆剂、糖膏剂、小丸剂、蜜膏剂、泡茶剂、油剂、洗剂、药浴剂、敷剂等。

| 附　　注 | （1）文献记载。《保健药园》记载："堇菜，是一种草本植物。它有野生和家生两种，叶与榅桲叶相似，花与马齿苋的花相似，春季开花，气味芳香。"《药物之园》记载："堇菜，高约一拃，叶从根生，小而众多，叶与石榴相似，但叶片卵状或长圆状卵形；花单生于长梗顶端，花瓣淡蓝色，有淡紫色条纹，气味芳香。"

（2）市场信息。天山堇菜在新疆主要作为民族药的常用药材，近年来干品市场售价为每千克 3 000 元左右。

（3）使用注意。用量过多可引起心虚，矫正药为莲花、洋茴香。

（4）代用药。若本品缺货，可用牛舌草、冬葵叶代替。

瑞香科 Thymelaeaceae 瑞香属 *Daphne* 凭证标本号 H0025

阿尔泰瑞香 *Daphne altaica* Pall.

| 药 材 名 | 瑞香。

| 形态特征 | 灌木。小枝纤细，具短伏毛；老枝红褐色，无毛。叶互生，簇生于茎顶，倒卵状披针形，先端钝圆，具短尖头或渐尖，基部楔形，全缘或中下部有疏齿。总状花序顶生；花白色；花萼筒状，先端 4 裂，裂片矩圆形或卵状长圆形；雄蕊 8，排成 2 列，上列在花萼筒喉部稍下，下列在花萼筒中部稍上，花丝极短；子房长椭圆形或矩圆形，具柄，无毛，花柱极短，柱头圆形。

| 野生资源 | 生于海拔 1 100 ~ 1 600 m 的山地草原及山地灌丛中。分布于新疆哈巴河县、阿勒泰市、塔城市、霍城县等。

| 采收加工 | 夏季采集根皮、茎皮和叶，晒干。

| 功能主治 | 发汗解表，止咳祛痰，止痛。用于风寒感冒，气管炎，咳嗽，胃痛。

| 用法用量 | 内服煎汤，1 ~ 2 g。

胡颓子科 Elaeagnaccac 沙棘属 *Hippophae* 凭证标本号 65220120150720018LY

蒙古沙棘 *Hippophae rhamnoides* Linn. subsp. *mongolica* Rousi

| 物种别名 | 醋柳果、醋刺柳、酸刺。

| 药 材 名 | 沙棘。

| 形态特征 | 落叶灌木。高 2 ~ 6 m。幼枝灰色或褐色；老枝粗壮，侧生棘刺较长而纤细，常不分枝。叶互生，长 40 ~ 60 mm，宽 5 ~ 8 mm，中部以上最宽，先端钝形，上面绿色或稍带银白色。果实圆形或近圆形，长 6 ~ 9 mm，直径 5 ~ 8 mm；果柄长 1 ~ 3.5 mm；种子椭圆形，长 3.8 ~ 5 mm。

| 野生资源 | 生于海拔 1 800 ~ 2 000 m 的河漫滩。分布于新疆伊吾县、策勒县、和静县等。

| 栽培资源 | 一、栽培条件

喜光，耐旱，耐热，植株生长需要充足的水分。苗圃应选择地势平坦开阔、光照充足、水源方便的地方，土壤应选择深厚、疏松肥沃的砂壤土或黏壤土。

二、栽培区域

新疆阿勒泰地区（青河县、福海县、哈巴河县）等有栽培。

三、栽培要点

沙棘为雌雄异株植物，有性繁殖的植株后代容易变异；而无性扦插可以保持其优良特性。幼苗期要适量浇水，让其有良好的长势；挂果期植株需要充足的光照，此时要适量地浇水施肥。

| 采收加工 | 剪枝采集：9 ~ 10 月果实成熟时，用镰刀或枝剪截取附有果实的小枝，晒干，打下果实，除去枝叶等杂质，晒干。

冻打采集：冬季果实冻结后，用木棍打下果实，烘干。

| 药材性状 | 本品呈类球形或扁球形，有的数个粘连，单个直径 5 ~ 8 mm；表面橙黄色或棕红色，皱缩，先端有残存花柱，基部具短小的果柄或果柄痕。果肉油润，质柔软。种子斜卵形，长约 4 mm，宽约 2 mm；表面褐色，有光泽，中间有 1 纵沟；种皮较硬；种仁乳白色，有油性。气微，味酸、涩。

| 功能主治 | 健脾消食，止咳祛痰，活血散瘀。用于脾虚食少，食积腹痛，咳嗽痰多，胸痹心痛，瘀血经闭，跌扑瘀肿。

| 用法用量 | 内服煎汤，3 ~ 9 g；或入丸、散剂。外用适量，捣敷；或研末撒。

胡颓子科 Elaeagnaceae 沙棘属 *Hippophae* 凭证标本号 65272320150711936LY

中亚沙棘 *Hippophae rhamnoides* L. subsp. *turkestanica* Rousi

| 物种别名 | 醋柳果、醋刺柳、酸刺。

| 药 材 名 | 沙棘。

| 形态特征 | 落叶灌木或小乔木。高达 6 m，稀至 15 m。嫩枝密被银白色鳞片，一年以上生枝鳞片脱落，表皮呈白色，光亮；老枝树皮部分剥裂；刺较多而短，有时分枝；节间稍长；芽小。单叶互生，线形，长 15 ~ 45 mm，宽 2 ~ 4 mm，先端钝形或近圆形，基部楔形，两面银白色（稀上面绿色），密被鳞片，无锈色鳞片；叶柄短，长约 1 mm。果实阔椭圆形或倒卵形至近圆形，长 5 ~ 7（~ 9）mm，直径 3 ~ 4 mm（栽培者长 6 ~ 9 mm，直径 6 ~ 8 mm），干时果肉较脆；果柄长 3 ~ 4 mm；种子形状不一，常稍扁，长 2.8 ~ 4.2 mm。花期 5 月，果期 8 ~ 9 月。

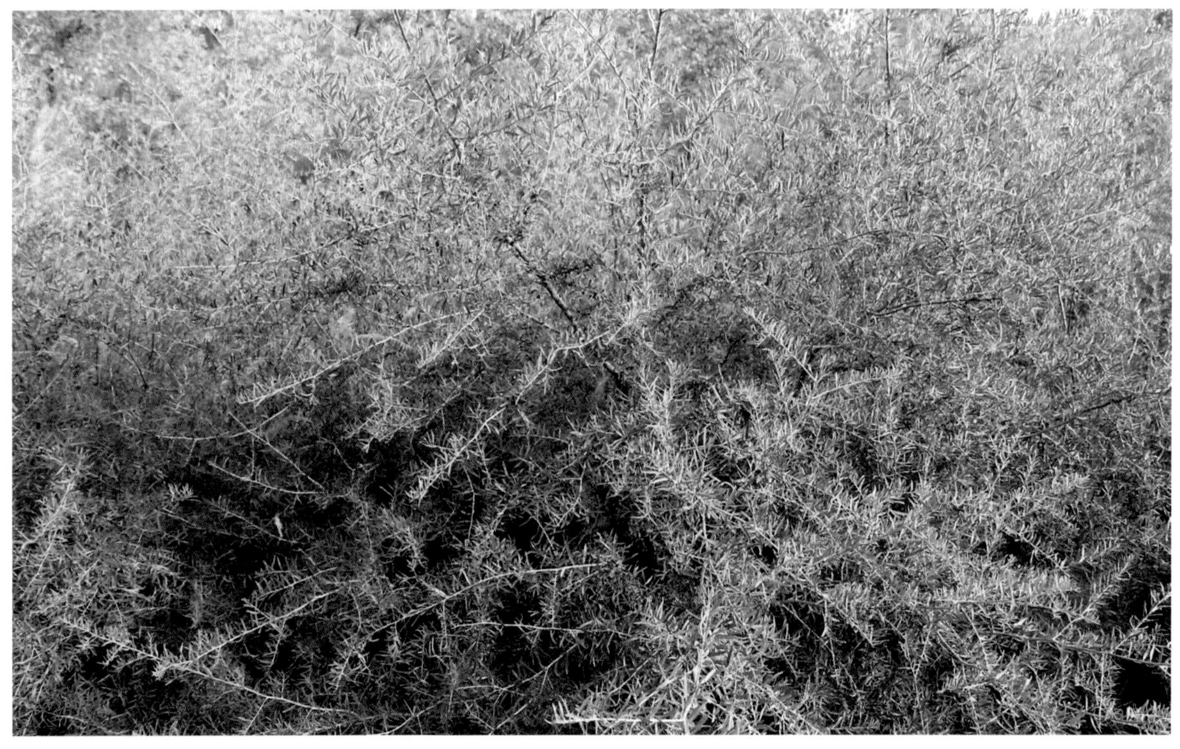

| 野生资源 | 生于海拔 800 ～ 3 000 m 的河谷台阶地、开旷山坡、河漫滩。分布于新疆哈密市及塔城市、博乐市、奇台县、玛纳斯县、精河县、霍城县、伊宁市、昭苏县、和静县、温宿县、疏附县、阿克陶县、策勒县、石河子市等。

| 栽培资源 | 一、栽培条件

同“蒙古沙棘”。

二、栽培区域

新疆阿勒泰地区种植较多。

三、栽培要点

同“蒙古沙棘”。

| 采收加工 | 同“蒙古沙棘”。

| 药材性状 | 本品呈类球形或扁球形，有的数个粘连，单个直径 5 ～ 8 mm。表面橙黄色或棕红色，皱缩，先端有残存花柱，基部具短小的果柄或果柄痕。果肉油润，质柔软。种子斜卵形，长约 4 mm，宽约 2 mm；表面褐色，有光泽，中间有 1 纵沟；种皮较硬；种仁乳白色，有油性。气微，味酸、涩。

| 功能主治 | 健脾消食，止咳祛痰，活血散瘀。用于脾虚食少，食积腹痛，咳嗽痰多，胸痹心痛，瘀血经闭，跌扑瘀肿。

| 用法用量 | 内服煎汤，3 ～ 9 g；或入丸、散剂。外用适量，捣敷；或研末撒。

石榴科 Punicaceae 石榴属 *Punica* 凭证标本号 20120620137

石榴 *Punica granatum* L.

| 物种别名 | 若榴木、丹若、山力叶、安石榴、花石榴。

| 药 材 名 | 石榴花、石榴子、石榴皮。

| 形态特征 | 落叶灌木或乔木。高 3 ~ 5 m，稀达 10 m。枝顶常有尖锐长刺；幼枝具棱角，无毛；老枝近圆柱形。叶通常对生，纸质，矩圆状披针形，长 2 ~ 9 cm，先端短尖、钝尖或微凹，基部短尖至稍钝形，上面光亮，侧脉稍细密；叶柄短。花 1 ~ 5 生于枝顶；花萼筒长 2 ~ 3 cm，通常红色或淡黄色，裂片略外展，卵状三角形，长 8 ~ 13 mm，外面近先端有 1 黄绿色腺体，边缘有小乳突；花瓣通常大，红色、黄色或白色，长 1.5 ~ 3 cm，宽 1 ~ 2 cm，先端圆形；花丝无毛，长达 13 mm；花柱长超过雄蕊。浆果近球形，直径 5 ~ 12 cm，通常为淡

黄褐色或淡黄绿色，有时白色，稀暗紫色；种子多数，钝角形，红色至乳白色，外种皮肉质。

| 野生资源 | 生于海拔 300 ~ 1 000 m 的山上。分布于新疆策勒县、喀什市、阿克苏市、沙雅县、乌鲁木齐县等。

| 栽培资源 | 一、栽培条件

石榴喜温暖向阳的环境，耐寒，耐瘠薄，不耐涝。不耐阴；对土壤要求不严，但宜栽培于排水良好的砂壤土中。

二、栽培区域

新疆塔里木盆地周边有栽培。

三、栽培要点

选择附近无污染、无其他不利条件、便于交通运输及销售加工、大于 10 ℃的年有效积温 3 500 ℃以上、光照充足、地形坡降不大于 3%、有排灌条件的区域作为适宜种植区；土层厚度要求 1 m 以上，pH 7 ~ 8.2，地下水位低于 2 m，土壤有机质含量不低于 1%。若种植当地产的苗木，应当边起苗边栽植；若种植外地产的苗木，应按标准包装、运输。栽植前对苗木根系进行修整，剪除干枯、霉烂、劈裂、伤残部分。秋季落叶后至翌年春季石榴树萌芽前均可栽植，以春栽为宜。栽植密度为每亩 32 ~ 56 株（根据需要稀植或密植）。先开沟，再于沟中挖穴，定植穴直径不小于 80 cm，深度不小于 60 cm，每株施腐熟的有机肥 10 ~ 12 kg、氮磷复合肥或油渣 0.5 ~ 1.0 kg。栽植前先回填混合肥土至穴深的 1/2 处，再将石榴苗摆放于穴中使根茎与地面相平，苗朝南倾斜 45° ，东西向取土。边填土边拌动根系，踏实，填土至与地面相平，随即浇 1 次透水，待水分完全渗入后再浇水 1 次，用湿土覆盖。定植后及时埋土，以提高成活率。栽植后根据密度选定适宜的树形，并在幼树期、初果期、盛果期对树体进行修剪，确保树体有固定的树形。采收后至土壤结冻前（10 月中下旬至 11 月中下旬）施肥，幼树每株施腐熟有机肥 10 ～ 15 kg，盛果期每株施腐熟有机肥 15 ～ 20 kg，并加施化肥 0.5 ～ 1 kg。幼树期按 2 ∶ 1 的比例施用氮、磷肥，盛果期采用株距间坑施或顺行向沟施的方法按 1 ∶ 1 的比例施用氮、磷肥，6 月中下旬结合果园间作追肥，施入浅沟或撒于树冠下，刨翻入土，花后在叶面喷施 1 次有机复合微肥，8 月下旬至 9 月结合疏枝再喷施 1 次。全年浇水重点为 4 月上中旬的开墩水、5 月中旬的花前水、7 月上中旬的催果水、11 月中下旬的封冻水，花后及 8 月中旬可各增加 1 次浇水，盛花期及石榴成熟前 1 个月禁止浇水，以防裂果，影响品质。建园初期，可间作绿肥等矮秆作物；6 月下旬至 8 月中旬，结合浇水中耕 2 ～ 3 次，果实成熟前保持树冠下无杂草。秋季采收果实后或早春结合施基肥进行土壤耕翻。

病害主要有石榴干腐病、黑斑病、果腐病、疮痂病等。干腐病：发病时期为花蕾到果实采收前，主要为 7 月和 8 月，干腐病的发生与温度、湿度、降雨、虫害有关，发病后幼果呈现豆粒大小的浅褐色不规则病斑，病斑颜色逐渐加深，中间凹陷至果实内，直至整个果实变褐腐烂落果；若果实在发育后期发病，则渐失水干缩，变成僵果悬挂枝梢。黑斑病：发病期主要为果实采摘前的 1 ～ 2 个月；病果刚染病时呈现针眼状黑褐色斑点，后斑点逐渐扩大为圆形、方形或不规则斑块，严重时病斑可覆盖果实的 1/2 左右，后期病斑黑色且微凹。果腐病：发病期主要集中在果实成熟前 1 个月到果实采摘后和果实贮藏期；该病由褐腐病菌引起，染病初期果皮上有淡褐色水浸状斑点，后斑点逐渐扩大，出现灰褐色霉层，局部果皮微现淡红色，果皮内部籽粒也随之腐烂，后期果实内部腐坏，呈红褐色浆汁。疮痂病：发病期伴随整个生育期，5 月初出现病斑，6 ～ 7 月病斑加重，9 月病斑扩展，11 月病斑基本停止扩展；病斑主要出现在自然孔口，起初呈水湿状，渐变为红褐色、紫褐色至黑褐色，单个病斑呈圆形或椭圆形，后期病斑融合成不规则的疮痂状，粗糙变硬，龟裂严重，湿度大时，病斑内产生淡红色粉状的分生孢子盘或分生孢子。虫害主要有介壳虫、蚜虫、叶螨、桃蛀螟等。防治方法为综合运用农业、生物、物理、化学等防治措施，选用抗病品种，及时做好清园工作，加强管理，尽可能将石榴的主要病虫危害控制在经济阈值之下；当病虫害的发生数量及危害程度达到防治指标时，及时选用已登记、用于防治石榴病虫害的农药，进行药剂防治。

| 采收加工 | **石榴花：**开花后，收集自然脱落的花瓣，晾干。

石榴子：秋季果实成熟后采摘果实，收集种子，晒干。

石榴皮：秋季果实成熟后采摘果实，收集果皮，晒干。

| 药材性状 | **石榴花：**本品多皱缩，有的破碎，完整者展平后呈卵形或卵圆形，长 20 ~ 30 mm。花瓣红色或暗红色，先端圆形，边缘微波状，具疏而浅的钝锯齿，基部宽楔形或近圆形。网脉羽状，主脉基部宽，先端渐细。薄而质脆，易碎。气微，味苦、涩。

石榴子：本品为略长而具棱的颗粒，常粘连成团块。单粒一端较大，长 5 ~ 9 mm，直径 3 ~ 4 mm。外层为黄红色至暗褐色的肉质外种皮，有皱纹，富糖性而黏。中层为淡黄棕色至淡红棕色的内种皮，质较硬。种仁乳白色。气微，味酸、微甜。以粒大、色红、味浓者为佳。

石榴皮：本品呈不规则的片状或瓢状，大小不一，厚 1.5 ~ 3 mm。外表面红棕色、棕黄色或暗棕色，略有光泽，粗糙，有多数疣状突起，有的有凸起的筒状宿萼及粗短的果柄或果柄痕。内表面黄色或红棕色，有隆起呈网状的果蒂残痕。质硬而脆，断面黄色，略显颗粒状。气微，味苦、涩。以块大、皮厚、外表面色红棕者为佳。

| 功能主治 | **石榴花：**酸、涩，平。凉血，止血。用于衄血，吐血，外伤出血，月经不调，崩漏，带下，中耳炎。

| 用法用量 | **石榴花、石榴子、石榴皮：**内服适量，煎汤。

| 附　　注 | 市场信息。石榴从汉代传入我国新疆，至今已有 2 100 多年的历史。市场上的石榴皮质量不等，价格存在较大差异，现石榴皮药厂货价为每千克 5 ~ 6 元，好统片价格为每千克 9 元左右，选片价格为每千克 12 元。

锁阳科 Cynomoriaceae 锁阳属 *Cynomorium* 凭证标本号 650102190823076LY

锁阳 *Cynomorium songaricum* Rupr.

| 物种别名 | 乌兰高腰、地毛球、羊锁不拉。

| 药 材 名 | 锁阳。

| 形态特征 | 多年生肉质寄生草本。全株红棕色，大部分埋于沙中。寄生根上着生大小不等的锁阳芽体，初近球形，后变椭圆形或长柱形，具多数须根与脱落的鳞片叶。茎圆柱状，直立，棕褐色，埋于沙中的茎具细小的须根，须根在基部较多，茎基部略增粗或膨大。脱落性的鳞片叶螺旋状着生于茎上，中部或基部较密集，向上渐疏；鳞片叶卵状三角形，先端尖。肉穗花序生于茎顶，伸出地面，棒状，有密集的小花，散生鳞片叶；雄花、雌花和两性花相伴杂生，有香气。雄花花被片通常 4，离生或稍合生，倒披针形或匙形，下部白色，上

部紫红色；蜜腺近倒圆形，亮鲜黄色，半抱花丝；雄蕊 1，花丝粗，深红色，当花盛开时超出花冠；花药呈“丁”字形着生，深紫红色，矩圆状倒卵形；雌蕊退化。雌花花被片条状披针形；花柱棒状，上部紫红色；柱头平截；子房半下位，内含一顶生下垂的胚珠；雄花退化。两性花少见，花被片披针形；雄蕊 1，着生于雌蕊和花被之间、下位子房的上方；花丝极短，花药同雄花；雌蕊也同雌花。果实小坚果状，多数非常小，2 ~ 3 万粒，近球形或椭圆形，果皮白色，先端有宿存、浅黄色的花柱；种子近球形，直径约 1 mm，深红色；种皮坚硬而厚。花期 5 ~ 7 月，果期 6 ~ 7 月。

| 野生资源 | 生于海拔 500 ~ 2 700 m 的含盐碱的沙地，寄生于白刺、柽柳等植物的根上。分布于新疆哈密市及奇台县、沙湾市、焉耆回族自治县、若羌县、库车市、阿克陶县、乌恰县、叶城县等。

| 栽培资源 | 一、栽培条件

选择半流动沙丘、戈壁荒漠、新垦荒地作栽培基地，基地须禁止放牧或防止野生动物啃食白刺、锁阳，也可以在自然生长白刺种群的地域接种。

二、栽培要点

1. 寄主白刺的栽培

育苗：在栽培基地附近，选择土层深厚、土壤肥沃、交通便利、四周无遮阴物，排灌方便的农田地作育苗基地，将采集的白刺种子做层积处理，然后播种，或在第 1 年 6 ~ 7 月采集健壮白刺的新梢，剪成长 15 cm 的插穗，全光照育苗，培育扦插无性苗。白刺苗定植：10 月底至 11 月中下旬、土壤封冻前或春季 3 月

中下旬地表泛白时，按旱塘 2 m、沟深 50 cm、沟宽 80 cm 的间距做畦，在畦沟内按株距 1 m 挖直径约 60 cm、深度约 80 cm 的定植坑，在坑底施入腐熟的有机肥和复合肥，将一年生健壮的白刺实生苗或扦插苗定植，迅速浇透坐苗水，然后再覆土踩实。

2. 锁阳种子的处理与接种

种子处理：取干燥的锁阳种子，与含水量 15% 的湿沙混匀，置于 0 ～ 3 ℃的条件下冷藏 50 天，用 0.8 mm 的尼龙纱布在水中揉搓种子和湿沙混合物，剔除种皮附属物，洗出锁阳种子，干燥。定植寄主接种：4 月底 5 月初或 9 月底 10 月初，将处理后的锁阳种子接种于定植成活的白刺上。在旱塘上距植株 40 ～ 60 cm 处挖宽约 30 cm、深 50 ～ 70 cm 的定植沟，每 10 m 施入腐熟的有机肥 10 kg，覆土约 10 cm，将种子掺沙撒播，播种量为 0.1 g/m^2，然后回填适量细土，踩实；及时灌溉。直接在野生寄主上接种：在野生寄主的外根系密集区，挖长约 1 m、宽约 30 cm、深 50 ～ 70 cm 的坑，施入腐熟的有机肥 1 kg，覆土约 10 cm，将种子掺沙撒播，每穴播种量为 0.1 g，然后回填适量细土至坑沿下方 10 cm 左右，不可填满，以利于贮存灌水、雪水或雨水。回填表土，踩实，及时灌溉。

3. 田间管理

白刺造林初期适量浇水，以保证寄主成活与生长，但要防止水漫旱塘。肥料应选农家肥，禁施化肥。为防寄主根被风吹裸露，在寄生根附近培土或用树枝围绕，寄主根部的土壤要保持湿润；及时拔除其他植物和杂草，防止草荒。

4. 病虫害防治

白刺白粉病：用抗菌类生物制剂 300 倍液或 25% 粉锈宁 4 000 倍液喷雾防治。白刺根腐病：发生期可用 50% 多菌灵 1 000 倍液灌根。种蝇：在危害发生期，用 90% 敌百虫 800 倍液或 40% 乐果乳油喷洒于地上部分或浇灌根部。大沙鼠：可用毒饵诱杀或捕杀。

| 采收加工 | 春、秋季均可采挖肉质茎，除去花序，折断成节，晒干。

| 药材性状 | 本品呈扁圆柱形，微弯曲，长 5 ～ 15 cm，直径 1.5 ～ 5 cm。表面棕色或棕褐色，粗糙，具明显的纵沟及不规则凹陷，有的残存三角形的黑棕色鳞片。体重，质硬，难折断；断面浅棕色或棕褐色，有黄色三角状维管束。气微，味甘而涩。

| 功能主治 | 甘，温。归肝、肾、大肠经。补肾阳，益精血，润肠通便。用于肾阳不足，精血亏虚，腰膝痿软，阳痿滑精，肠燥便秘。

|用法用量| 内服煎汤，5 ~ 15；或入丸、散剂；或熬膏。

|附　　注| （1）市场信息。市场上统货价格为每千克 47 ~ 48 元，切片的价格为每千克 52 ~ 53 元。

（2）用药禁忌。阴虚火旺、脾虚泄泻及实热便秘者禁服锁阳；泄泻及阳易举而精不固者忌锁阳；大便滑、心虚气胀者禁用锁阳。

伞形科 Umbelliferae 莳萝属 *Anethum* 凭证标本号 653223180819009LY

莳萝 *Anethum graveolens* L.

| 物种别名 | 野茴香、山茴香。

| 药 材 名 | 莳萝。

| 形态特征 | 一年生或二年生草本。高 50 ~ 100 cm。根直，黄白色。茎直立，圆柱形，有细棱槽，光滑。基生叶卵形，长 10 ~ 40 cm，3 ~ 4 回羽状全裂，裂片呈线形，末回裂片长 0.4 ~ 2 cm，宽不及 0.5 mm；叶柄长 5 ~ 6 cm，基部扩展成鞘，长 1.5 ~ 2 cm，边缘膜质，白色。复伞形花序顶生，直径 3 ~ 15 cm；总花梗长 5 ~ 15 cm；无总苞及小总苞；伞幅 10 ~ 25，不等长；小花梗 20 ~ 50，长 5 ~ 10 mm；花黄色，5 瓣，内曲，早落。果实宽椭圆形，长 3 ~ 4 mm，宽 1.5 ~ 3 mm，背棱微凸起，侧棱增宽成翅状。花期

6 ~ 7 月，果期 7 ~ 8 月。

| 野生资源 | 分布于新疆伊犁哈萨克自治州、和田地区、博尔塔拉蒙古自治州等。

| 栽培资源 | 一、栽培条件

喜温暖干燥的气候，宜栽培于平坦、土层深厚、疏松肥沃、富含腐殖质的土壤中。

二、栽培区域

新疆和田地区（墨玉县、于田县、皮山县、洛浦县）、伊犁哈萨克自治州、昌吉回族自治州等有栽培。

三、栽培要点

春季按行距 40 cm、沟深约 3 cm 开浅沟，将种子均匀撒入沟内，覆土，每亩播种量为 1 ~ 1.2 kg。当苗高 5 ~ 6 cm 时，间去过密的苗；当苗高 10 ~ 15 cm 时，按株距约 20 cm 定苗。苗高 25 cm 时追肥 1 次，肥料以磷肥为好，视植株生长情况进行除草和浇水。喷洒 1 ∶ 100 的波尔多液防治灰斑病，喷洒 90% 敌百虫 1 000 倍稀释液防治虫害。

| 采收加工 | 夏、秋季采收果实，贮于阴凉处。

| 药材性状 | 本品双悬果多数开裂为分果，呈扁平的广椭圆形，长 4 ~ 5 mm，宽 2 ~ 3 mm，厚约 1 mm，表面呈棕黄色至棕灰褐色，背面有 3 微凸起的棱肋，两侧肋线则扩展成翅状，边缘灰白色。少数未分离的双悬果的基部常残存有细短的果柄。气芳香，味辛。

| 功能主治 | 利尿退肿，除胀止痛。用于小便不通，肝痛腹痛等。

| 用法用量 | 内服，2 ~ 3 g。外用适量。可入汤剂、消食膏剂、洗剂、油剂、灌阴液、敷剂等。

| 附　　注 | （1）文献记载。《药物之园》记载：“莳萝子，是众所周知的一种植物的种子；原植物莳萝与小茴香相似，茎直立，枝和叶细小，花伞状；种子与小茴香相似，但比它小而短。”

（2）市场信息。莳萝主要供药用及用作香料。近年市场售价为每千克 50 ~ 60 元。

（3）用药禁忌。本品对热性气质者有害，并有降低脑力、视力和性欲的副作用。矫正药：对热性气质者，服用各种醋类、糖浆类和酸味食品；对寒性气质者，服用丁香、肉桂、蜂蜜等。

伞形科 Umbelliferae 芹属 *Apium* 凭证标本号 652924170718018LY

旱芹 *Apium graveolens* L.

| 物种别名 | 芹菜。

| 药 材 名 | 芹菜子。

| 形态特征 | 一年生或二年生草本。全株无毛，具强烈的气味。根圆锥形，有多数支根，褐色。茎中空，表面有棱槽，中部以上分枝。基生叶有长柄，叶柄的基部略扩大成鞘，叶片长圆形至倒卵形，1 ~ 2 回羽状全裂或三出式全裂，裂片近菱形，边缘有圆齿或锯齿，两面叶脉隆起；茎生叶有短柄，叶片为宽三角形，三出式全裂，裂片楔形，上部全缘或边缘浅裂，有齿和缺刻，叶鞘边缘白色膜质。复伞形花序顶生或与叶对生；花序梗短或无，伞幅 3 ~ 16，长达 2.5 cm，不等长；总苞片无；小伞形花序有花 7 ~ 29，花梗长 1 ~ 1.5 mm，小总苞片

无；花白色或黄绿色，萼齿小或不明显；花瓣近圆形，先端微凹，具内折的小舌片；花柱基短圆锥状或扁压，花柱短，成熟时向外反曲。果实近圆形至椭圆形，两侧稍扁压，长约 1.5 mm，宽 1.5 ～ 2 mm；果棱凸起，尖锐；油管在每个棱槽中单一，合生面油管 2。花期 6 ～ 7 月，果期 7 ～ 8 月。

| 栽培资源 | 一、栽培条件

本种为耐湿性蔬菜，喜冷凉湿润的环境，生长适温为 15 ～ 20 ℃，0 ℃时不受冻害；不耐高温，气温 30 ℃以上时生长不良。

二、栽培区域

新疆各地均有栽培。

三、栽培要点

本种对光照要求不严格，根系细而浅，不耐干旱，宜在疏松、通透性良好的中性土壤中栽培。

四、产量

本种每亩产量一般为 3 000 ～ 5 000 kg。

| 采收加工 | 夏季果实成熟时，割取果枝，晒干后打下果实，晒干。

| 药材性状 | 本品呈近圆形至椭圆形，细小，长 1 ～ 1.5 mm，宽 1 ～ 1.2 mm，灰绿色至棕黄绿色。分果卵圆形，先端稍尖，有残留的花柱基，圆锥状，底端钝圆；微向腹面弯曲，背肋 3，微凸起，侧肋 2，均呈黄白色，横切面近五角形，肋间油管多为 1（少数 2），结合面油管 2。气清香而特异，味辛，微有麻舌感而回甜。

| 功能主治 | 清肝息风，祛风利湿。用于眩晕头痛，面红目赤，湿疹，疮肿。

| 用法用量 | 内服煎汤，9 ～ 15 g，鲜品 30 ～ 60 g；或绞汁；或入丸剂。外用适量，捣敷；或煎汤洗。

| 附　　注 | （1）文献记载。维吾尔医药古籍文献《药物之园》记载：“芹菜子，是芹菜的种子；芹菜，是众所周知的蔬菜之一，气味芳香，家生和野生两种，在这里指的是家生者之种子；种子细小，灰绿色，药力比全草强。”

（2）资源利用。维吾尔医中旱芹 *Apium graveolens* L. 的根皮（开热非谢依力提孜破斯提）、全草（开热非谢）也作药用，根皮的功能主治与种子较相似，但与全草不同。

伞形科 Umbelliferae 山芎属 *Conioselinum* 凭证标本号 650121170731003LY

鞘山芎 *Conioselinum vaginatum* (Spreng.) Thell.

| 物种别名 |

新疆藁本。

| 药 材 名 |

新疆藁本。

| 形态特征 |

多年生草本。高 50 ~ 120 cm，全株无毛。根茎短，环节状，表面有圆盘状的茎基疤痕，节上生多数索状根，有强烈的气味。茎单一，稀多数，直立，圆柱形，有棱槽，中空，从上部分枝。基生叶和茎下部叶有长柄，叶柄的基部扩展成鞘；叶片三角状卵形，长 15 ~ 25（~ 35）cm，宽 10 ~ 23（~ 30）cm，2 ~ 3 回三出式羽状全裂，1 回羽片有柄，末回羽片长卵形至披针形，长 1.5 ~ 2 cm，宽 5 ~ 8 mm，边缘羽状深裂；茎中部叶和上部叶渐小，无柄，有窄披针形的鞘。复伞形花序生于茎枝先端，直径 5 ~ 10 cm，伞幅 10 ~ 14，近等长，长 2 ~ 4 cm；总苞片 1 ~ 3，早脱落；小伞形花序有花 10 ~ 20；小总苞片 5 ~ 8，线形，长约 5 mm，长于花梗；花白色；萼齿不明显；花瓣倒卵形，具内折的小舌片；花柱基扁平圆锥状，花柱短，外弯。果实卵形或椭圆形，背腹略压扁，

背棱窄翅状，侧棱较宽；每个棱槽内有油管 2 ~ 3，合生面油管 4 ~ 6。花期 7 ~ 8 月，果期 8 ~ 9 月。

| 野生资源 | 生于海拔 1 100 ~ 2 300 m 的山地草甸、林缘、草原山坡、河谷及山地灌丛中。分布于新疆布尔津县、哈巴河县、裕民县、托里县、伊宁县、察布查尔锡伯自治县、尼勒克县、新源县、巩留县、昭苏县等。

| 栽培资源 | 一、栽培条件

选择海拔 1 300 ~ 1 800 m、排水良好、降水量丰沛、夏季凉爽湿润、土质肥沃疏松且土层深厚的黑钙土种植。本种耐寒，忌高温，怕涝，黏土或干燥瘠薄的土地不宜种植，忌连作。

二、栽培区域

新疆伊犁哈萨克自治州等有栽培。

三、栽培要点

1. 播种

选用麦茬地，每亩施腐熟的有机肥 1.5 t。播种方法：9 月下旬至 10 月上旬播种，采用机力条播的方法，播深 1.5 ~ 2.5 cm，行距 30 cm，每亩播种量 0.6 ~ 1.0 kg。不使用化肥和高毒、剧毒农药，人工拔除杂草，全生育期人工除草 3 次以上。

2. 田间管理

为保证苗健壮，不出现脱肥现象，在秋季或春季开沟，每亩追施有机肥 500 kg 或油渣 15 kg。种子繁殖者 3 年可收获，根芽繁殖者 2 年可收获。

3. 病虫害防治

病害主要有锈病、褐斑病、白粉病。锈病、褐斑病，用300倍的波尔多液喷洒。白粉病夏、秋季多发，危害叶片，防治方法：清洁田园，烧毁病株；发病初期喷50%甲基托布津800 ~ 1 000倍液，每周1次，连喷2 ~ 3次。

四、栽培面积与产量

2022年新疆本种的栽培面积约2 200亩，2022年产量约1 000 t。

| 采收加工 | 春、秋季挖出根及根茎，除去残茎，洗净，切片，晒干。

| 药材性状 | 本品呈棕褐色或黑色，粗糙，有纵皱纹，上侧残留数个凹陷的圆形茎基。主根明显，须根呈柱状，较直较硬，下侧有多数点状凸起的根痕及残根。体轻，质较硬，不易折断；断面黄色或黄白色，黑皮下有1层白色的肉质层，里层是黄色木质芯，木质芯纤维状。气浓香，类似胡萝卜，白色肉质部分味微辛，嚼之麻舌。

| 功能主治 | 发散风寒，祛湿止痛，镇静，镇痛，降血压。用于风寒感冒，头痛，腹痛，泄泻。

| 用法用量 | 内服煎汤，6 ~ 10 g。

| 附　　注 | （1）道地沿革。藁本始载于《神农本草经》，为中品，传统药用藁本为《中华人民共和国药典》（以下简称《中国药典》）收载的藁本及辽藁本，而全国习用藁本有10余种，其中产量最大的是20世纪60年代发展起来的新疆藁本。本种主产于新疆伊犁哈萨克自治州，行销全国20余个省市、自治区，后因不符合《中国药典》规定，仅限当地使用。

（2）市场信息。目前市场流通的藁本药材野生品和栽培品均有，就市场流通的品种而言，除上述藁本外，新疆藁本占有一定比例，该现象在各个药材市场普遍存在。本品作为藁本的代用品，以统货的形式直接进入各地药材市场。2018年至2023年8月，新疆藁本的价格为每千克20 ~ 45元。

（3）资源利用。新疆藁本 *Conioselinum vaginatum* (Spreng.) Thell. 与藁本 *Ligusticum sinense* Oliv. 和辽藁本 *Ligusticum jeholense* Nakai et Kitag. 相比，新疆藁本的挥发油中阿魏酸和肉豆蔻醚的含量高，并含有与辽藁本相同的16种化合物；解痉镇痛作用与辽藁本近似，但抗皮肤真菌作用较强。因此新疆藁本具有很好的开发和利用前景。

伞形科 Umbelliferae 孜然芹属 *Cuminum* 凭证标本号 65230020240615002LY

孜然 *Cuminum cyminum* L.

|物种别名| 孜然芹、家茴香。

|药 材 名| 孜然。

|形态特征| 一年生草本。高 20 ~ 40 cm。茎光滑，从基部开始分枝。叶片 2 回羽状分裂，裂片线形，长 3 ~ 4 cm，无毛，有扩张未抱茎的鞘。复伞形花序有 3 ~ 5 伞幅；总苞片与叶的裂片相似，2 裂或 3 裂，与花序近等长；小总苞片刚毛状，几乎与小伞形花序等长；小伞形花序通常具 6 ~ 8 花；花萼具 5 明显尖锐的齿；花冠紫红色，花瓣椭圆形。果实两侧压扁，长椭圆形，长 4 ~ 6 mm，密生短柔毛；果棱线形；花柱基圆锥形，花柱稍外倾；胚乳肾形，腹面稍凹；油管在果棱间单生，合生面有油管 2。花期 4 ~ 5 月，果期 6 月。

| 栽培资源 |

一、栽培条件

喜潮湿凉爽的气候，对土壤要求不严，但以疏松、湿润、含腐殖质多的砂壤土为佳。

二、栽培区域

新疆和田地区（洛浦县、墨玉县、皮山县）、吐鲁番市有栽培。

三、栽培要点

1. 繁殖方法

用厩肥、堆肥、草木灰、过磷酸钙等作基肥，将地翻耕耙平，做宽 1.5 m 的高畦。播种期：南疆在 4 月上旬，北疆在 5 月。①直播法：按株行距各 30 ~ 40 cm 开穴，每穴点播种子 8 ~ 10 粒，薄覆细土；待幼苗高达 10 cm 时间苗，每穴留苗 2 ~ 3 株。②育苗移植法：在宽约 1 m 的苗床上，用撒播或条播法将种子均匀播下，薄覆细土及草木灰 1 层，播后 10 ~ 15 天即可出苗；按株行距各 40 ~ 60 cm 开穴，每穴栽植 2 株，覆土压实。

2. 田间管理

在 5 ~ 6 月，植株生长旺盛时，松土除草 2 ~ 3 次。苗高 30 cm 左右，应追肥 1 次，每亩可施有机肥 1 000 kg 及磷肥和钾肥，再追肥 2 次。施肥宜在株间掘穴，施肥后覆土。

四、栽培面积

新疆现有孜然种植面积约 26 万亩。

| 采收加工 | 夏季果实成熟后，割取全株，打下果实，除去杂质，簸净，晒干。

| **药材性状** | 本品呈细卵状长圆形，两端稍弯，略呈半月形，灰黄绿色、灰黄色或灰绿色。分果具众多短毛，两侧稍扁压，长 3 ~ 6 mm，直径 1 ~ 1.5 mm，合面内凹，果棱 5，主棱与副棱同形，侧间有短硬毛。花萼柱头宿存，锥状。气芳香特异，味微辛、麻。

| **功能主治** | 温热开胃，通气止痛，燥湿止泻，通经利尿。用于湿寒性胃虚、胃胀、腹痛、肠虚、腹泻、闭尿、小儿疝气。

| **用法用量** | 内服，2 ~ 6 g。外用适量。可入消食膏剂、散剂、蜜膏剂、敷剂等。

| **附　　注** | （1）文献记载。《注医典》记载："孜然，是一种草的种子。它分为野生和家种两种，药用家生。原植物高约一尺，茎光滑，从下部开始分枝。叶片二回羽状裂，裂片线形，长 2 指，叶与欧烟堇相似。复伞形花序有 3 ~ 5 伞辐，几乎等长于小伞形花序，小伞形花序通常具有 6 ~ 8 花；花冠紫红色；果实两侧压扁，长椭圆形，密生短柔毛，果棱线形。"《药物之园》记载："孜然，是一种草的种子。果实比小茴香小，颜色墨绿色，气味芳香，是一种很好的调味品。原植物比小茴香的植物小一些。"

（2）市场信息。孜然在市场上属于热门香料和调味品，市场需求量大，近年市场售价为每千克 40 ~ 47 元。

（3）用药禁忌。本品对肺脏有害，矫正药为西黄芪胶。

（4）代用品。若本品缺货，可用藏茴香、卷心菜子代替。

伞形科 Umbelliferae 阿魏属 *Ferula* 凭证标本号 654021120525002LY

新疆阿魏 *Ferula sinkiangensis* K. M. Shen

| 药 材 名 |

阿魏。

| 形态特征 |

多年生一次结果草本。高达 1.5 m，全株有强烈的葱蒜样臭味。根粗壮，纺锤形或圆锥形；根茎上有残存的褐色枯叶鞘纤维。茎通常单一，稀 2 ~ 5，粗壮，有细棱槽，被短柔毛，从近基部向上分枝成圆锥状，下部枝互生，上部枝轮生，通常带紫红色。叶灰绿色，表面有疏毛，背面有密集的短柔毛；基生叶多数，莲座状，有短柄，叶柄基部扩展成披针形的鞘，叶片三角状卵形或广卵形，三出式 3 回羽状全裂，末回裂片广椭圆形，边缘浅裂或上部具齿，基部渐狭并下延，长约 10 mm，早枯萎；茎生叶向上逐渐变小，简化，叶鞘三角状卵形或卵状披针形，最上部仅有叶鞘。复伞形花序生于茎枝先端，直径 8 ~ 12 cm，伞幅 5 ~ 25，近等长，被短柔毛，无总苞片，中央花序近无梗，侧生花序 1 ~ 4，较小，在枝上对生或轮生，稀单生，比中央花序长，植株成熟时增粗；小伞形花序有花 10 ~ 20，花梗近等长，小总苞片宽披针形，脱落；花黄色，萼齿小，花瓣椭圆形，长达 2 mm，沿中脉向里微凹，背面有毛，

先端渐尖，向内弯曲，花柱基扁平圆锥状，基部增宽，沿缘波状，花柱延长，明显长于花柱基，柱头头状。果实椭圆形，长 10 ~ 12 mm，宽 5 ~ 6 mm，有稀疏的毛；果棱凸起，侧棱增宽或呈翅状；每个棱槽内有油管 3 ~ 4，大小不一，合生面有油管 12 ~ 14。花期 4 ~ 5 月，果期 5 ~ 6 月。

| 野生资源 | 生于海拔 700 ~ 850 m 的黏质黄土或带砾石的黏土坡上。分布于新疆玛纳斯县（黑良湾）、沙湾市、伊宁县、尼勒克县等。

| 栽培资源 | 一、栽培条件

抚育基地宜选海拔 850 ~ 1 300 m 的荒漠区，优选新疆阿魏原生或历史分布区，地形地势以缓坡最为适宜，土壤类型为灰钙土，有灌水条件的土地更佳；且 3 ~ 5 月月平均相对湿度不低于 45%，3 ~ 4 月 10 cm 深的平均土壤相对湿度不低于 15%，2 ~ 3 月平均气温为 3.5 ~ 4.5 ℃，年极端最低气温 −20 ℃，年极端最高气温 40 ℃。

二、栽培区域

新疆伊犁哈萨克自治州等有栽培。

三、栽培要点

选基地周边浇水、排水便利的成熟耕地栽培。秋播：每年地面封冻前播种，行距 30 ~ 35 cm，播种后用细沙土覆盖，厚度不超过 1 cm。春播：提前将种子拌于湿的细沙中，4 ℃条件下低温处理 40 ~ 50 天，于 3 月中旬至 4 月中旬播种，

然后覆盖草帘，保持湿度 50% ~ 60%；苗出齐后揭开草帘。干旱季节可适当浇水 1 ~ 2 次。

四、栽培面积

新疆本种的栽培面积小于 100 亩。

| 采收加工 | 春末夏初盛花期至初果期，分次由茎上部往下斜割，收集渗出的乳状树脂，阴干。

| 药材性状 | 本品呈不规则的块状和脂膏状。颜色深浅不一，表面蜡黄色至棕黄色。块状者体轻，质地似蜡，断面稍有孔隙；新鲜切面颜色较浅，放置后色渐深。脂膏状者黏稠，灰白色。具强烈而持久的蒜样特异臭气，味辛、辣，嚼之有灼烧感。

| 功能主治 | 消积，化癥，散痞，杀虫。用于肉食积滞，瘀血癥瘕，腹中痞块，虫积腹痛。

| 用法用量 | 内服煎汤，1 ~ 1.5 g，多入丸、散剂。外用适量，入膏药剂。

| 附　　注 | （1）道地沿革。阿魏始载于唐代的《新修本草》，该书记载："体性极臭而能止臭，亦为奇物也。"因疗效显著，唐代及以后，历代本草都有记载。阿魏在各少数民族地区应用广泛，维吾尔族称"英"，哈萨克族叫"萨斯克"，蒙古族、藏族称之为"兴滚"，傣族与拉祜族称其为"愤幸""阿味"等。由于阿魏的原植物不产于我国，阿魏长期依赖进口，价格十分昂贵。1958 年资源普查发现新疆有大面积的阿魏生长，采脂验证证明新疆阿魏与进口阿魏的树脂相似。1977 年版《中国药典》将新疆阿魏 *Ferula sinkiangensis* K. M. Shen 和阜康阿魏 *Ferula fukangensis* K. M. Shen 作为阿魏的基原植物。新疆阿魏是新疆的道地药

材，主要分布在伊宁县喀什乡的山区，是我国唯一的阿魏产区。但新疆阿魏的野生资源极度匮乏，人工种植及野生抚育是必然趋势。

（2）濒危情况和可持续发展。本种被列为《国家重点保护野生植物名录》二级保护物种，《世界自然保护联盟濒危物种红色名录》将本种列为极危（CR）。由于多年的大量采挖，新疆阿魏野生资源遭到严重破坏，目前处于濒危状态，在积极保护新疆阿魏的同时，应大力支持和发展新疆阿魏的人工栽培及野生抚育。目前，新疆伊宁市、伊宁县等地有少量的新疆阿魏栽培实验基地。

（3）其他。新疆阿魏除了作为传统中药材使用外，也是维吾尔医、哈萨克医及蒙医等民族医的常用药材，功能和主治与传统中医相似，但民族医还药用根和树脂。

伞形科 Umbelliferae 茴香属 *Foeniculum* 凭证标本号 53222180831004LY

茴香 *Foeniculum vulgare* Mill.

| 物种别名 | 小茴香、土茴香。

| 药 材 名 | 小茴香。

| 形态特征 | 一年生草本。高 0.5 ~ 1.5 m，全体无毛。茎直立，圆柱形，上部分枝，表面有细而纵直的浅沟纹，被白霜，呈灰绿色。茎生叶互生，有长柄；叶柄长 3 ~ 5 cm，由下而上渐短，近基部呈鞘状，宽大抱茎，边缘有膜质、波状的狭翅；叶片 3 ~ 4 回羽状分裂，末回裂片呈线形或丝状。复伞形花序顶生，伞幅多不等长，长 5 ~ 25 cm；无总苞和小总苞；小伞形花序有花 5 ~ 30，小伞梗纤细，长 4 ~ 10 mm；花萼无；花瓣 5，金黄色，广卵形，长约 1.5 mm，宽约 1 mm，先端渐尖，内折；雄蕊 5，与花瓣互生，花药卵形；雌蕊 1，子房下位，

2 室，花柱 2，花柱基圆锥形。双悬果长卵形，有 5 隆起的纵棱，每棱间有油管 1，合生面有油管 2。花期 5 ~ 8 月，果期 7 ~ 10 月。

| 栽培资源 |

一、栽培条件

喜潮湿凉爽的气候，对土壤要求不严，但以疏松、湿润、含腐殖质较多的砂壤土为佳。

二、栽培区域

新疆昌吉回族自治州（阜康市）、阿勒泰地区、喀什地区及铁门关市、昆玉市等有栽培。

三、栽培要点

1. 繁殖方法

用厩肥、堆肥、草木灰、过磷酸钙等作基肥，将地翻耕耙平，做成宽 1.5 m 的高畦。北疆 4 月上旬播种，南疆 3 月播种。播种方法有直播与育苗移栽 2 种。①直播法：按株行距各 30 ~ 40 cm 开穴，每穴点播种子 8 ~ 10 粒，薄覆细土；待幼苗高达 10 cm 时间苗，每穴留苗 2 ~ 3 株。②育苗移栽法：在宽约 1 m 的苗床上，用撒播或条播法将种子均匀播下，薄覆细土及草木灰 1 层，播后 10 ~ 15 天即可出苗。春播者在当年 9 月下旬至 10 月上旬定植，秋播者翌年 4 ~ 5 月定植，株行距各 40 ~ 60 cm，每穴栽植 2 株，覆土压实。

2. 田间管理

5 ~ 9 月，植株生长旺盛时，松土除草 2 ~ 3 次。苗高 20 cm 左右时追肥 1 次，每亩施有机肥 66.7 kg，并加施磷肥和钾肥。每年 12 月至翌年 3 月施堆肥 1 次，5 月上旬至秋末再追肥 2 次。施肥宜在株间穴施并覆土。

3. 病虫害防治

病害为灰斑病，防治方法为播种前将种子在 50 ℃的水中浸 3 ~ 5 分钟，晾干后播种。虫害有黄翅茴香螟，可喷洒微生物杀虫剂粉来防治幼虫，效果可达 87% ~ 99%。

四、栽培面积

昌吉回族自治州（阜康市）及铁门关市、昆玉市、哈巴河县、福海县、富蕴县、青河县、岳普湖县等的栽培总面积为 11.07 万亩。

| 采收加工 | 8 ~ 10 月果实呈黄绿色并有淡黑色纵线时，选晴天割取地上部分，脱粒，扬净杂质，收集果实，亦可采摘成熟果实，晒干。

| 药材性状 | 本品呈细圆柱形，两端略尖，有时略弯曲，长 4 ~ 8 cm，直径 1.5 ~ 2.5 mm；表面黄绿色至棕色，光滑无毛，先端有圆锥形黄棕色的花柱基，有时基部有小果柄。分果长椭圆形，背面隆起，有 5 纵直的棱线，合生面平坦，中央色较深，有纵沟纹。横切面近五角形，背面的四边约等长。气特异而芳香，味微甜而辛。以粒大饱满、色黄绿、气味浓者为佳。

| 功能主治 | 健胃，明目，通络。用于胃液过多引起的胃纳不佳、胃寒腹胀、恶心、呃逆，脑虚、肝虚引起的视力下降，肾虚引起的尿道不通等。

| 用法用量 | 内服煎汤，3 ~ 6 g。外用适量。可入蜜膏剂、消食膏剂、糖浆剂、汤剂、散剂、洗剂、油剂等。

| 附　　注 | （1）文献记载。《注医典》记载：“小茴香中形似芫荽子者，药力与野生茴香者接近。”《拜地依药书》记载：“小茴香分家生和野生两种，家生的称‘麻尔屯’，野生的称‘库麻尔屯’，家生者为上品。”《药物之园》记载：“小茴香是众所周知的一种种子，分家生和野生两种，家生的称‘麻尔孙’，野生的称‘库麻尔孙’，家生者为上品。”依据上述记载，维吾尔医古代本草所述的小茴香与现代维吾尔医所用的小茴香一致。

（2）市场信息。本种在我国主要作为食用调料，适量药用，近年市场售价为每千克 46 ～ 58 元。

（3）用药禁忌。不用于气质干热性者，用时应与檀香、醋糖浆剂同服。

杜鹃花科 Ericaceae 越橘属 *Vaccinium* 凭证标本号 654301170817018LY

黑果越橘 *Vaccinium myrtillus* L.

| 物种别名 | 蓝莓。

| 药 材 名 | 黑果越橘。

| 形态特征 | 落叶灌木。茎和枝无毛，淡灰绿色。叶椭圆形或卵圆形，先端急尖或钝形，边缘具细锯齿，基部卵圆形。花单一，生于当年生枝的叶腋，下垂；花下面不具苞片；花萼 4 ~ 5 裂，裂片近全缘，不明显；花冠坛状球形，淡绿色，口部 4 ~ 5 浅裂；雄蕊 8 ~ 10，花丝上部窄，基部宽，不具毛，花药具 2 长芒；子房下位，5 室。浆果直径 0.5 ~ 0.9 cm，球形，黑色，具蓝色粉霜，果汁淡红色。花期 6 ~ 8 月，果期 7 ~ 9 月。

| 野生资源 | 生于海拔 1 300 ~ 2 400 m 的阿尔泰山山地草甸、针叶林及针阔叶混交林下。分布于新疆布尔津县、阿勒泰市、哈巴河县、富蕴县、福海县等。

| 采收加工 | 5 ~ 6 月花开时采收，鲜用或阴干；秋季果实成熟时采收果实，晒干。

| 功能主治 | 散风止痛，解毒利尿，通经活络。用于尿道炎，膀胱炎，肾炎，肠炎，痢疾。

| 用法用量 | 内服煎汤，5 ~ 10 g。

| 附　　注 | 以本种药材为原料制成的柯孜木克颗粒对于尿路感染、膀胱炎、肾盂肾炎、肾病综合征、前列腺肥大、小便不畅疗效显著，也可用作全身强壮剂。

夹竹桃科 Apocynaceae 罗布麻属 *Apocynum* 凭证标本号 652222150810046LY

罗布麻 *Apocynum venetum* L.

| **物种别名** | 茶叶棵子、吉吉麻、红麻、披针叶茶叶花、小花野麻、野茶叶、草本夹竹桃、小花罗布麻、红柳子、泽漆棵、盐柳、野柳树。

| **药 材 名** | 罗布麻叶。

| **形态特征** | 直立半灌木。具乳汁。枝条对生或互生，圆筒形，光滑无毛，紫红色或淡红色。叶对生，仅在分枝处为近对生；叶片椭圆状披针形至卵圆状长圆形，先端急尖至钝，具短尖头，基部急尖至钝，边缘具细牙齿，两面无毛，叶脉纤细，在叶背微凸或扁平，在叶面不明显，侧脉每边 10 ~ 15，在叶缘前网结；叶柄长 3 ~ 6 mm，叶柄间具腺体，老时腺体脱落。圆锥状聚伞花序 1 至多歧，通常顶生，有时腋生；花梗长约 4 mm，被短柔毛；苞片膜质，披针形；花萼 5 深裂，裂片

披针形或卵圆状披针形，两面被短柔毛，边缘膜质；花冠圆筒状钟形，紫红色或粉红色，两面密被颗粒状突起，花冠裂片基部向右覆盖，裂片卵圆状长圆形，稀宽三角形，先端钝或浑圆，与花冠筒几乎等长，每裂片内外均具 3 明显的紫红色脉纹；雄蕊着生在花冠筒基部，与副花冠裂片互生；花药箭头状，先端渐尖，隐藏在花喉内，背部隆起，腹部粘生在柱头基部，基部具耳，耳通常平行，有时紧接或辏合；花丝短，密被白茸毛；花柱短，上部膨大，下部缩小，柱头基部盘状，先端钝，2 裂；子房由 2 离生的心皮组成，被白色茸毛，每心皮有胚珠多数，着生在子房的腹缝线侧膜胎座上；花盘环状，肉质，先端不规则 5 裂，基部合生，环绕子房，着生在花托上。蓇葖果 2，平行或叉生，下垂，箸状圆筒形，先端渐尖，基部钝；外果皮棕色，无毛，有细纵纹；种子多数，卵圆状长圆形，黄褐色，先端有 1 簇白色绢质的种毛；子叶长卵状圆形，与胚根近等长，胚根在上。花期 4 ~ 9 月（盛开期 6 ~ 7 月），果期 7 ~ 12 月（成熟期 9 ~ 10 月）。

| 野生资源 | 生于盐碱荒地、沙漠边缘、河流两岸冲积平原、湖泊周围及戈壁荒滩上。分布于新疆阿勒泰市、博乐市、库尔勒市、尉犁县、和田市、阿克苏市、温宿县、喀什市等。

| 栽培资源 | 一、栽培条件

本种对环境条件要求不严，大量成片地分布于盐碱、沙荒地区，耐寒、耐旱，耐碱又耐风，适于多种气候和土质，即使在夏季干旱、温度 50 ℃以上的吐鲁番盆地也能生长良好。

二、栽培区域

新疆阿勒泰市、图木舒克市等有栽培。

三、栽培要点

1. 繁殖方法

繁殖方法有种子繁殖、根茎切段繁殖和分株繁殖 3 种。①种子繁殖：罗布麻种子小，每克种子有 2 000 粒，宜在含盐碱较少的砂壤土上直播；4 月上旬做畦，每亩播种量 0.5 kg，将种子与湿沙拌匀播下；幼苗出土后，锄草松土，加强管理，可留苗 15 万余株，其余幼苗移栽别处，风沙大的地区宜育苗移栽。②根茎切段繁殖：将直根和横走根切成长 10 ~ 15 cm 的小段，每段上带不定芽，按株行距 30 cm × 60 cm 挖穴，每穴栽 1 ~ 2 段，早春或冬季栽植最好。③分株繁殖：春、秋季将近地面根茎处的发生株丛铲下，带少量须根，进行分株移栽。

2. 田间管理

出苗后，要及早除草间苗，追施硫酸铵 1 次；植株长出 5 对真叶后即可移栽定植。生长过程中横走根能不断发出新苗，使植株增多，当新苗过多时要移出，以利通风透光，使苗正常生长。

四、栽培面积与产量

阿勒泰市罗布麻的栽培面积有 3.7 万余亩，图木舒克市栽培面积有 1 000 亩，亩产量约 200 kg。

| 采收加工 | 种子繁殖者 8 月采收叶，以后每年 6 月和 9 月各采收 1 次，在初花期前，将距根部 15 ~ 20 cm 以上的部分割下，第 2 次从近地处割下全株，趁鲜摘下叶片，除去杂质，干燥。

| 药材性状 | 本品多皱缩卷曲，有的破碎，完整者展平后呈椭圆状披针形或卵圆状披针形，长 2 ~ 5 cm，宽 0.5 ~ 2 cm，淡绿色或灰绿色，先端钝，具小芒尖，基部钝圆或楔形，边缘具细齿，常反卷，两面无毛，下面叶脉凸起。叶柄细，长约 4 mm。质脆。气微，味淡。以完整、色绿者为佳。

| 功能主治 | 清火，降血压，强心，利尿。用于心脏病，高血压，神经衰弱，肝炎腹胀，肾炎浮肿。

| 用法用量 | 内服煎汤，6 ~ 12 g；或泡茶饮。

| 附　　注 | （1）栽培历史。1955 年，新疆库尔勒纤维作物试验站进行了罗布麻的人工栽

培试验。2002 年，新疆罗布麻人工引种取得成功，并在阿勒泰地区建成我国首个罗布麻研发基地——阿勒泰戈宝红麻研发基地。2007 年，戈宝红麻“大规模优化仿生培植”取得成功；2010 年，戈宝红麻栽培面积已达 50 250 亩。

（2）市场信息。市场上天津产的罗布麻叶价格为每千克 29 ~ 32 元，新疆货质量偏差，价格为每千克 22 元左右。亳州中药材市场：2021 年，罗布麻叶产新货量不大，随着市场库存见底，罗布麻叶新货价格为每千克 30 元左右。玉林中药材专业市场：罗布麻叶货量有限，新疆货价格为每千克 23 元，天津货价格为每千克 30 元，质量稍差的价格为每千克 25 元。

（3）用药禁忌。脾虚慢惊者慎用。

紫草科 Boraginaceae 软紫草属 *Arnebia* 凭证标本号 650121170627013LY

软紫草 *Arnebia euchroma* (Royle) Johnst.

| 物种别名 | 新疆紫草。

| 药 材 名 | 软紫草。

| 形态特征 | 根粗壮，富含紫色物质。茎 1 或 2，直立，仅上部花序分枝，基部有残存叶基形成的茎鞘，被开展的白色或淡黄色长硬毛。叶无柄，两面均疏生半贴伏的硬毛；基生叶线形至线状披针形，先端短渐尖，基部扩展成鞘状；茎生叶披针形至线状披针形，较小，无鞘状基部。镰状聚伞花序生于茎上部叶腋，最初有时密集成头状，含多数花；苞片披针形；花萼裂片线形，先端微尖，两面均密生淡黄色硬毛；花冠筒状钟形，深紫色，有时淡黄色带紫红色，外面无毛或稍有短毛，筒部直，裂片卵形，开展；雄蕊着生于花冠筒中部（长柱花）或喉

部（短柱花）；花柱长达喉部（长柱花）或仅达花冠筒中部（短柱花），柱头2，倒卵形。小坚果宽卵形，黑褐色，有粗网纹和少数疣状突起，先端微尖，背面凸，腹面略平，中线隆起，着生面略呈三角形。花果期6～8月。

| 野生资源 |

生于海拔1 000～4 000 m的阿尔泰山、天山、帕米尔高原及昆仑山的洪积扇、前山和中山山坡。分布于新疆焉耆回族自治县、精河县、霍城县、阿克陶县、乌什县、沙湾市、富蕴县、察布查尔锡伯自治县、伊宁县、新源县、特克斯县、巩留县、昭苏县、博乐市、温泉县、玛纳斯县、乌鲁木齐县、和静县、库车市、拜城县、阿图什市、温宿县、乌恰县、塔什库尔干塔吉克自治县、裕民县等。

| 栽培资源 |

一、栽培条件

本种的栽培基地应优选天山山区海拔大于2 000 m、有野生紫草分布的草料地、撂荒地或草场，以排水良好、有机质丰富、土层深厚、土壤肥沃疏松、pH 7.5～8.5、平均年降水量≥300 mm、极端高温≤28 ℃、4～9月平均气温为5～15 ℃的凉爽、湿润的坡地为宜。

二、栽培区域

新疆巴音郭楞蒙古自治州、伊犁哈萨克自治州等有栽培。

三、栽培要点

栽培环境要求远离农药的污染。本种的主要繁殖方式为种子繁殖和育苗移栽。①种子繁殖：播种前用30 ℃温水浸泡24～48小时至种子微胀，穴播2～3粒种子，穴深1～2 cm，株距25 cm以上、行距40 cm以上。②育苗移栽：3月中下旬育苗，当5月中下旬环境温度为15～20 ℃、幼苗长出4片真叶后，在

25 ℃以下的阴天移栽。栽植前 1 周应在同海拔区炼苗。适时拔除高度＞ 20 cm 的杂草。

四、栽培面积与产量

新疆软紫草的栽培面积为 400 亩左右，亩产量为 100 kg 左右。

| 采收加工 | 春、秋季采挖根，除去泥沙，晒干或微火烘干。

| 药材性状 | 本品呈不规则的长圆柱形，多扭曲，长 7 ~ 20 cm，直径 1 ~ 2.5 cm。表面紫红色或紫褐色，皮部疏松，呈片状条形，常 10 余层重叠，易剥落，先端有的可见分歧的茎残基。体轻，质松软，易折断；断面不整齐，木部较小，黄白色或黄色。气特异，味微苦、涩。

| 功能主治 | 凉血，活血，清热，解毒。用于温热斑疹，湿热黄疸，紫癜，吐血，衄血，尿血，淋浊，热结便秘，烧伤，湿疹，丹毒，痈疡。

| 用法用量 | 内服煎汤，5 ~ 10 g。外用适量，熬膏或用植物油浸泡涂擦。

| 附　　注 | （1）本草溯源。新疆紫草是中药紫草的来源之一。紫草作为药材使用始载于《神农本草经》，被称为紫丹或紫芙，具有补中益气、通水道的功效。《吴普本草》《本草经集注》《本草纲目》《本草图经》《重修政和经史证类备用本草》《汤液本草》《本草品汇精要》《晶珠本草》《本草从新》《中华本草》等专著均记载了紫草。中华人民共和国成立后，众多药学专家对紫草的基原进行了追溯与整理，普遍认为古时药用的紫草以紫草 *Lithospermum erythrorhizon* Sieb. et Zucc. 为主，部分地区用滇紫草 *Onosma paniculatum* Bur. et Franch.。谢宗万的《中药材品种论述》（上册）收录了紫草的 4 种药用基原，分别是新疆紫草 *Arnebia euchroma* (Royle.) Johnst.、紫草 *Lithospermum erythrorhizon* Sieb. et Zucc.、滇紫草 *Onosma paniculatum* Bur. et Franch.、火黄花紫草 *Arnebia guttata* Bge.，并粗略记载了几个基原的中药材外观和产地，这与现在业内通行的判断标准一致，同时明确指出“以上，除新疆紫草商品习惯称软紫草外，其余三种则均属硬紫草之类型”，并记载了当时市场均以新疆紫草为紫草中的佳品。自 1963 年至今，历版《中国药典》均收载了新疆紫草。新疆紫草多为野生，主产于新疆。《常用中药材品种整理和质量研究》（南方协作组　第一册）对紫草的药源调查较为详细，该书记载新疆紫草主产于新疆巴音郭楞蒙古自治州、伊犁哈萨克自治州、昌吉回族自治州、博尔塔拉蒙古自治州和克孜勒苏柯尔克孜自治州等。

（2）市场信息。根据市场流通情况，新疆紫草分为野生货、栽培货和进口货，其中野生货质量最佳，价格最高。由于新疆紫草野生资源有限，已经严禁采挖，但市场上仍有野生药材流出，2023 年的野生药材价格为每千克 500 元左右；自 2017 年开始，新疆紫草开始逐步进行人工栽培，但由于紫草栽培目前还处于种子繁育阶段，人工栽培产出的药材较少，2023 年栽培货市场价格为每千克 300 ～ 400 元；由于药材资源的紧缺，大部分药材由吉尔吉斯斯坦、哈萨克斯坦进口，进口货价格为每千克 250 ～ 300 元。

（3）濒危情况、资源利用和可持续发展。本种被列为《国家重点保护野生植物名录》二级保护物种，《世界自然保护联盟濒危物种红色名录》将本种列为濒危（EN）。由于多年的大量采挖，新疆紫草的野生资源遭到严重破坏，目前处于濒危状态，在积极保护新疆紫草的同时，应大力支持和发展人工栽培。目前，新疆和静县、昭苏县、巩留县等地开始大面积种植新疆紫草。

（4）其他。新疆紫草除了作为传统中药材使用外，也是维吾尔医、哈萨克医及蒙医等民族医的常用药材，功能主治与传统中医相似。

唇形科 Lamiaceae 藿香属 *Agastache* 凭证标本号 654025120905015LY

藿香 *Agastache rugosa* (Fisch. & C. A. Mey.) Kuntze

| 物种别名 | 拼纳、家薄荷。

| 药 材 名 | 藿香、广藿香。

| 形态特征 | 多年生草本。茎直立，高 50 ~ 100 cm，四棱形，略带红色，上部被极短的毛，下部无毛。叶心状卵形至长，椭圆状披针形，长 4 ~ 11 cm，宽 2 ~ 6.5 cm，先端渐尖，基部微心形，稀截形边缘具粗齿，上面近无毛，下面被微柔毛及点状腺体；叶柄长 1 ~ 4 cm。轮伞花序聚成顶生密集的圆筒形穗状花序；苞片形状与荷叶相似，较小；萼筒种形，被微柔毛及小腺体；花冠二唇形，淡紫蓝色，长约 8 mm，上唇四方形或卵形，先端微凹，下唇 3 裂，两侧裂片短，

中间裂片较宽大，边缘波状；雄蕊 4，二强，伸出花冠外；子房 4 深裂，花柱着生于子房底部中央，伸出花外，柱头 2 裂。小坚果长圆形。花期 6 ~ 9 月，果期 9 ~ 11 月。

| 野生资源 | 生于山坡林缘、灌丛中。分布于新疆伊犁哈萨克自治州、博尔塔拉蒙古自治州、塔城地区、哈密市等。

| 栽培资源 | 一、栽培条件

本种喜温暖湿润的气候，忌干旱、霜冻。宜在排水良好、深厚肥沃而疏松的砂壤土中栽培。

二、栽培区域

新疆和田地区（墨玉县、于田县、民丰县、策勒县）、伊犁哈萨克自治州（伊宁县、新源县）等有栽培。

三、栽培要点

1. 种子繁殖

春播在 3 ~ 4 月，秋播在 9 ~ 10 月，播种方法分为撒播、点播、条播 3 种。将种子与细土拌匀后，按行距 30 cm、株距 20 cm 均匀撒入，覆土厚 1 cm 左右，镇压后浇水。

2. 田间管理

生长期间需松土除草 3 次，并结合施肥，一般用有机肥、饼肥作追肥，亦可用硫酸铵、过磷酸钙作追肥。干旱时须及时浇水。

3. 虫害防治

虫害主要有地老虎、叶跳蚤等，用化学药品毒杀。

| 采收加工 | 6 ~ 7 月花序抽出而未开花时采收第一次，选择晴天采收，薄摊晒至日落后收回，堆叠过夜，翌日再晒。10 月采收第二次，迅速晾干，晒干或烤干。

| 药材性状 | 本品长 60 ~ 90 cm。茎呈方柱形，四角有棱脊，直径 3 ~ 10 mm，表面黄绿色或灰黄色，毛茸稀少或近无毛。叶对生；叶片深绿色，皱缩或破碎，完整者展平后呈卵形，边缘有钝锯齿，两面微具毛茸。轮伞花序穗状。气芳香，味淡而微凉。

| 功能主治 | 降压强心，安神补脑，清暑化湿，健胃开胃，行气止痛。用于寒性心脏虚弱，慢性血压偏高，神经衰弱，湿寒性肠胃疾病，胃纳不佳，腹痛腹胀，风寒头痛，耳痛，牙痛，疮疡等。

| 用法用量 | 内服，6 ~ 9 g。外用适量。可入花膏剂、糖浆剂、蒸露剂、醋糖浆剂、散剂、汤剂、敷剂、软膏剂、阴道栓剂、滴剂等制剂。

| 附　　注 | （1）文献记载。《药物之园》记载："藿香，是众所周知的植物，它分为野生和家种两种。前者叶子较为粗糙，较为细小；后者叶子较嫩，较软。"依据上述记载，维吾尔医古代本草所述的两种藿香特征与现代维吾尔医所用的两种藿香特征基本一致。

（2）市场信息。藿香在新疆南部地区主要作为烹饪食物、药及药茶使用，近年市场售价为每千克 20 ~ 30 元。

（3）用药禁忌。藿香用量过多或长期服用可引起腹胀、喉干，可用芹菜加以矫正。

（4）代用品。若本品缺货，可用薄荷替代。

唇形科 Lamiaceae 青兰属 *Dracocephalum* 凭证标本号 653201180815006LY

香青兰 *Dracocephalum moldavica* L.

| 物种别名 | 青兰、蜜蜂花。

| 药 材 名 | 香青兰。

| 形态特征 | 多年生草本。高 50 ~ 120 cm，具柠檬香气。地下根茎强烈分枝；茎直立，四棱形，多分枝，具腺毛和单细胞毛。叶具柄；叶片对生，卵形或卵状心形，长 3 ~ 4 cm，宽 1.5 ~ 3 cm，边缘有圆齿状锯齿，被腺毛和柔毛。轮伞花序，生于枝上部的叶腋，每轮有花 6 ~ 10；小苞片长圆形，短于花；花萼狭钟状，花后下垂，二唇形；花冠白色或浅玫瑰红色，凋落。小坚果长卵圆形，栗褐色。花期 6 ~ 8 月，果期 8 ~ 9 月。

| 野生资源 | 生于山坡草地。分布于新疆阿勒泰地区、哈密市及塔什库尔干塔吉克自治县等。

| 栽培资源 | 一、栽培条件

喜温暖、喜光，耐干旱，适应性强，对土壤要求不严，苗期要求土壤湿润，成株较耐旱。

二、栽培区域

新疆和田地区（墨玉县、皮山县、于田县）、昌吉回族自治州（吉木萨尔县）等有栽培。

三、栽培要点

1. 种子繁殖

乌鲁木齐市于 4 月上中旬播种，采用开沟条播法，将土地整平整细，开行距 40 ~ 46 cm 的沟，将种子均匀撒入沟内，播深 2 cm，覆土压实，每亩用种量 1.5 ~ 2 kg。播后 10 ~ 15 天出苗，浸种处理的种子播后 6 天出苗。

2. 田间管理

播后 14 天苗可出齐，苗高 5 ~ 7 cm 时定苗，10 cm 留苗 1 株，药用全草者可稍密植，留种者株距 15 cm。生长期间注意除草、松土和浇水。6 月现蕾时追肥 1 次，以氮肥、磷肥为主，每亩用尿素 20 kg、过磷酸钙 30 kg，以提高全草的产量和挥发油的含量。留种田施肥可以使种子更加饱满，提高种子的产量。

四、栽培面积

新疆和田地区（墨玉县、策勒县）、昌吉回族自治州（吉木萨尔县）等的栽培面积达 600 亩。

| 采收加工 | 夏季初花期割下地上部分，摘取叶片，晒干。

| 药材性状 | 本品呈卵圆形或少数为心形，长 2 ~ 4 cm，宽 1.5 ~ 3 cm。下部叶具略长的柄，叶薄，上面有较大的刚毛，并有散在的腺点，下面腺点较多，并有单细胞非腺毛，先端钝圆或微尖，基部钝圆、平截或心形，边缘有圆锯齿。质薄易碎。有柠檬香气，味辛、微苦。

| 功能主治 | 温补心脏，散寒止痛，除烦安神，净血降压，燥湿养筋，祛寒平喘，消炎解毒。用于寒性心虚，心绞痛，心慌，心烦，高血压，眩晕，湿性瘫痪，面瘫，哮喘，乳腺炎等。

| 用法用量 | 内服煎汤，3 ~ 9 g，鲜品视患者性别酌情可用 10 ~ 60 g。外用适量。可入糖浆剂、心舒膏剂、蒸露剂、煎剂、舔剂、洗剂、敷剂、鼻闻剂、漱口剂等制剂。

| 附　　注 | （1）市场信息。近年市场售价为每千克 45 ~ 60 元。

（2）用药禁忌。本品可引起两肋疼痛，矫正药为阿拉伯胶和乳香。

（3）代用品。若本品缺货，可用蚕茧代替。

唇形科 Lamiaceae 神香草属 *Hyssopus* 凭证标本号 654301170718057LY

硬尖神香草 *Hyssopus cuspidatus* Boriss.

| 物种别名 | 白花硬尖神香草。

| 药 材 名 | 神香草。

| 形态特征 | 半灌木。茎基部粗大，木质，褐色，常扭曲，有不规则剥落的皮层；自基部帚状分枝，因而当年生茎多数而密集；幼茎基部带紫色，节间短小，上部绿色，节间伸长，四棱形，上面略具沟，无毛或近无毛。叶线形，大多长于节间，先端锥尖，具近脱落的锥状尖头，基部渐狭，无柄，上面绿色，下面灰绿色，中肋在上面凹陷，在下面隆起，两面无毛，边缘有极短的糙伏毛，不内卷，但多少下弯。穗状花序多花，生于茎顶，由轮伞花序组成；轮伞花序通常具 10 花，具短花梗，常偏向一侧而呈半轮伞状；苞片及小苞片线形，长超过

花梗，先端具锥状尖头；花萼管状，喉部稍增大，具明显的 15 脉，外面脉及萼齿上被微柔毛，散布黄色腺点，内面无毛，齿间凹陷而多少呈瘤状，萼齿 5，等大，长三角状披针形，先端具锥状尖头；花冠紫色，外面被微柔毛及黄色腺点，内面无毛，花冠筒略下弯，向上渐扩大，冠檐二唇形，上唇直伸，先端 2 浅裂，裂片锐尖，下唇长 4 mm，3 裂，中裂片倒心形，先端凹陷，宽不超过两侧的裂片，侧裂片宽卵形；雄蕊 4，前对较长，后对较短，均超出花冠；花丝丝状，无毛；花药 2 室，室极叉开；花柱与雄蕊近等长或稍伸出雄蕊，先端有相等的 2 浅裂，裂片钻形；花盘平顶；子房先端具腺点。小坚果长圆状三棱形，褐色，先端圆，具腺点，基部具 1 白痕。花期 7 ～ 8 月，果期 8 ～ 9 月。

| 野生资源 | 生于海拔 1 000 ～ 1 500 m 的阿尔泰山、塔尔巴哈台山的山地草原及砾石山坡。分布于新疆阿勒泰地区、塔城地区等。

| 栽培资源 | 一、栽培条件

喜温暖，发芽适温为 18 ～ 25 ℃，生长适温为 15 ～ 28 ℃。选择阳光充足、地势平坦、排水良好、土壤肥力一致、pH 小于 8 的砂壤土。种植 5 ～ 6 年后需要重新播种。

二、栽培区域

新疆伊犁哈萨克自治州（察布查尔锡伯自治县）等有栽培。

三、栽培要点

繁殖方法以种子繁殖为主。一般在 4 ～ 5 月播种，播种后用细土覆盖，厚度 2 ～ 3 mm，保持温度在 15 ～ 20 ℃。当苗高 8 ～ 10 cm 或有 6 片真叶时（5 月上旬或秋季 9 月中旬左右）定植。神香草缓苗后，应及时中耕，深度为 5 ～ 8 cm，一般生长周期中耕 3 ～ 4 次。缓苗期可在叶面喷施 1 000 ～ 1 500 倍的磷酸二氢钾叶面肥，快速生长期每亩追施尿素 15 kg、磷钾肥 2 kg、微量元素肥 2 kg。

四、栽培面积

栽培面积 60 余亩。

| 采收加工 | 7 ～ 8 月开花期割取地上部分，除去杂草和其他杂质，晒干。

| 功能主治 | 清热发表，化痰止咳。用于感冒发热，痰热咳嗽。

|**用法用量**| 内服煎汤，3 ~ 9 g。

|**附　　注**| 用药禁忌。维吾尔医中本品对肝有害，矫正药为酸石榴、破布木实、大枣。

唇形科 Lamiaceae 薰衣草属 *Lavandula* 凭证标本号 653124180825005LY

薰衣草 *Lavandula angustifolia* Mill.

| 药 材 名 | 薰衣草。

| 形态特征 | 半灌木或矮灌木。茎分枝，被星状绒毛，毛在幼嫩部分较密；老枝灰褐色或暗褐色，皮层呈条状剥落，具长的花枝及短的更新枝。叶线形或披针状线形，先端钝，基部渐狭成极短的叶柄，全缘，边缘外卷，中脉在下面隆起，侧脉及网脉不明显；在花枝上的叶较大，疏离，被密或疏的灰色星状绒毛，干时灰白色或榄绿色；在更新枝上的叶小，簇生，密被灰白色星状绒毛，干时灰白色。轮伞花序通常具 6 ~ 10 花，在枝顶聚集成间断或近连续的穗状花序；苞片菱状卵圆形，先端渐尖成钻状，具 5 ~ 7 脉，干时常带锈色，被星状绒毛，小苞片不明显；花梗短，蓝色，密被灰色、分枝或不分枝的绒毛；花萼卵状管形或近管形，有 13 脉，内面近无毛，二唇形，上唇

1 齿较宽而长，下唇具 4 短齿，齿相等而明显；花冠长约为花萼的 2 倍，具 13 脉纹，外面被与花萼相同的毛被，但基部近无毛，内面在喉部及冠檐部被腺状毛，中部具毛环，冠檐二唇形，上唇直伸，2 裂，裂片较大，圆形，且彼此稍重叠，下唇开展，3 裂，裂片较小；雄蕊 4，着生在毛环上方，不外伸，前对较长，花丝扁平，无毛，花药被毛；花柱被毛，先端压扁，卵圆形；花盘 4 浅裂，裂片与子房裂片对生。小坚果 4，光滑。花期 6 月。

| 栽培资源 |

一、栽培条件

喜光，喜温暖的气候，在肥沃干燥的砂壤土中生长良好。

二、栽培区域

新疆伊犁哈萨克自治州（伊宁县、霍城县）及泽普县、昌吉市等有栽培。

三、栽培要点

合理密植，保证充足的强日照。

四、栽培面积与产量

新疆现有薰衣草种植面积约 8 万亩。年产薰衣草干品 2 000 t 左右。

| 采收加工 | 头茬花一般在 6 月下旬至 7 月中旬采收，二茬花在 9 月下旬至 10 月上旬采收，晴天 10 点以后，采收全草，阴干。

| 药材性状 | 本品花梗短，蓝色。叶片线形或披针状线形，在花枝上的叶较大，疏离，基部渐狭成极短的叶柄，全缘，边缘外卷，中脉在下面隆起，侧脉及网脉不明显。小坚果椭圆形，光滑，有光泽，有 1 基部着生面。全株略带木头甜味的清淡香气，因花、叶和茎上的绒毛均有油腺，轻轻碰触，油腺即破裂而释放出香味。

| 功能主治 | 清热解毒，散风止痒。

| 用法用量 | 内服煎汤，3 ~ 9 g。外用适量，捣敷。

唇形科 Lamiaceae 薄荷属 *Mentha* 凭证标本号 652222150810047LY

薄荷 *Mentha canadensis* L.

| 物种别名 | 香薷草、鱼香草、土薄荷、水薄荷、接骨草、水益母、见肿消、野仁丹草、夜息香、南薄荷、野薄荷。

| 药 材 名 | 薄荷。

| 形态特征 | 多年生草本。高 30 ~ 60 cm。根均较细，具纤细的须根及水平匍匐的根茎。茎四棱形，被微柔毛，从基部多分枝。叶片长圆状披针形、披针形、椭圆形，长 3 ~ 4（~ 7）cm，宽 0.5 ~ 1.5（~ 3）cm，先端锐尖，基部楔形至近圆形，边缘基部以上具较粗大的牙齿状锯齿，两面均被较密的柔毛。轮伞花序腋生，外轮廓球形，花梗有或无，被微柔毛；花萼管状钟形，长约 2.5 mm，外被微柔毛及腺点，具 10 脉纹；萼齿 5，狭三角状钻形，先端长锐尖；花冠淡紫色，长

4 mm，外面略被微柔毛，内面喉部以下被微柔毛，冠檐 4 裂，上裂片先端 2 裂，较大，其余 3 裂片近等大，长圆形，先端钝；雄蕊 4，前对较长，伸出花冠之外或不伸出花冠，仅达花冠的一半，花丝丝状，花药卵圆形，2 室；花柱略超出雄蕊，先端有近相等的 2 浅裂，裂片钻形；花盘平顶。小坚果卵圆形。花期 7 月，果期 8 ～ 9 月。

| 野生资源 | 生于平原绿洲、农田附近的湿地及水沟边。新疆各地均有分布。

| 栽培资源 | 一、栽培条件

喜阳，喜温暖湿润的气候环境，应选择平整、向阳、排水良好、土壤疏松肥沃的地块，最好选择夹沙土，并且保证地块 3 年内未种植过薄荷。干燥、低洼、有树荫或易积水的地方，土壤黏重、瘠薄、偏酸或偏碱的地方，均不适宜种植薄荷。

二、栽培区域

新疆伊犁哈萨克自治州、和田地区、博尔塔拉蒙古自治州、塔城地区等有栽培。

三、栽培要点

1. 繁殖方法

①种子直播：播种时间为 4 ～ 5 月或 9 ～ 10 月，将薄荷种子撒播在土里，并覆薄土及稻草，播种后及时浇水。②扦插繁殖：扦插繁殖的时期为 5 ～ 9 月，扦插后浇水，适当遮阴，保持土壤湿润，待薄荷生根发芽后移栽至大田中进行培育。③根茎繁殖：9 月下旬至 10 月上旬把生长健壮、节间较短的薄荷白嫩新根茎剪成长约 10 cm 的小段栽入沟内，株距约 15 cm，栽后薄施粪水，再覆盖细土，将

土壤耙平并压实。

2. 田间管理

长期连作容易造成薄荷减产、品质降低且病虫害严重，因此一般产地在栽培2 ~ 3年时需进行换茬。薄荷种植过程中需注意合理密植。当采用根茎繁殖时，需在苗高约9 cm（或栽植的幼苗成活后）进行第1次中耕除草，并在植株封垄前进行第2次中耕除草，每次收获后，也要进行中耕。注意及时采收，避免薄荷高度过高而引发倒伏；同时也要注意防止薄荷开花结籽，在将要结籽时，将上面的茎叶割除。施肥时应适时适量多次追肥，生长发育前期肥料以氮肥为主。及时清理排水沟以排除积水，在高温干旱时及时进行灌溉。

四、栽培面积与产量

新疆本品的栽培面积约1万亩，2022年产量约为1 000 t。

| 采收加工 | 夏、秋季选晴天，分次采割地上部分，晒干。

| 药材性状 | 本品茎呈方柱形，有对生的分枝，长15 ~ 40 cm，直径0.2 ~ 0.4 cm；表面紫棕色或淡绿色，棱角处具茸毛，节间长2 ~ 5 cm；质脆，断面白色，髓部中空。叶对生，有短叶柄；叶片皱缩卷曲，完整者展平后呈宽披针形、长椭圆形或卵形，长2 ~ 7 cm，宽1 ~ 3 cm；上表面深绿色，下表面灰绿色，稀被茸毛，有凹点状腺鳞。轮伞花序腋生；花萼钟状，先端5齿裂；花冠淡紫色。揉搓后有特殊的清凉香气，味辛、凉。

| 功能主治 | 疏散风热，清利头目，利咽，透疹，疏肝行气。用于风热感冒，风温初起，头痛，目赤，喉痹，口疮，风疹，麻疹，胸胁胀闷。

| 用法用量 | 内服煎汤，2 ~ 10 g。

| 附　　注 | （1）道地沿革。薄荷是我国的原产植物，始载于《新修本草》，唐代以前就有种植。宋代，薄荷已广泛栽培，道地产区为江苏苏州、河南商丘和湖南岳阳。明代《本草品汇精要》记载："出南京、岳州及苏州郡学前者为佳。"1963年版《中国药典》记载薄荷"主产于江苏、浙江、江西等地"。《中国药材学》记载："全国各地有分布。生于溪边、沟边等湿地；常为栽培……主要栽培于江苏、安徽及江西。江苏、安徽所产者为苏薄荷，主销上海、北京、天津等地。其余各地栽培薄荷的多自产自销。"《中药大辞典》记载："生于溪沟旁、路边及山野湿地……分布于华北、华东、华中、华南及西南各地。"薄荷在我国

分布极广，野生和栽培都有，主要产于江苏、河南、安徽和江西等地，江苏为薄荷的道地产区。

（2）市场信息。薄荷药材主要分为薄荷选货、薄荷灰绿色统货、薄荷褐色统货、薄荷选段、薄荷灰绿色统段、薄荷褐色统段等规格；影响薄荷规格等级的主要因素是叶的颜色，薄荷新货多为灰绿色，没有及时晾晒或存储时间过长，颜色易变为褐色，若秋季后期采收，老叶或者掉落叶也多呈褐色。2018 年至 2023 年 9 月，薄荷的市场价格为每千克 4 ～ 14 元。

（3）拉丁名修订。2020 年版《中国药典》、地方标准及各类药志中本种常使用的拉丁名为 *Mentha haplocalyx* Briq.，《中国植物志》对其进行了修订，修订后的拉丁名为 *Mentha canadensis* Linnaeus。

唇形科 Lamiaceae 薄荷属 *Mentha* 凭证标本号 654025120726009LY

留兰香 *Mentha spicata* L.

| 物种别名 | 绿薄荷、香花菜、香薄荷、青薄荷、血香菜、狗肉香、土薄荷、鱼香菜、鱼香、鱼香草、狗肉香菜、假薄荷。

| 药 材 名 | 留兰香。

| 形态特征 | 多年生草本。茎直立，无毛或近无毛，绿色，钝四棱形，具槽及条纹；不育枝仅贴地生。叶无柄或近无柄，卵状长圆形或长圆状披针形，先端锐尖，基部宽楔形至近圆形，边缘具尖锐而不规则的锯齿，草质，上面绿色，下面灰绿色，侧脉 6 ~ 7 对，叶脉在上面多少凹陷，在下面明显隆起且带白色。轮伞花序生于茎及分枝先端，呈间断、但向上密集的圆柱形穗状；小苞片线形，长于花萼；花梗无毛；花萼钟形，外面无毛，具腺点，内面无毛，5 脉，不显著，萼齿 5，三

角状披针形；花冠淡紫色，两面无毛，冠檐具 4 裂片，裂片近等大，上裂片微凹；雄蕊 4，伸出，近等长，花丝丝状，无毛，花药卵圆形，2 室；花柱伸出花冠很多，先端有相等的 2 浅裂，裂片钻形；花盘平顶；子房褐色，无毛。花期 7 ~ 9 月。

| 栽培资源 | 一、栽培条件

本种喜阳光和温暖的气候，沙土、坡地均可栽培。

二、栽培区域

新疆乌鲁木齐市及伊宁市、霍城县、阿勒泰市、青河县等有栽培。

三、栽培要点

合理密植，保证充足的强日照。

| 采收加工 | 7 ~ 9 月采收全草，鲜用。

| 功能主治 | 辛、甘，微温。祛风散寒，止咳，消肿解毒。用于感冒，咳嗽，胃痛，腹胀，神经性头痛；外用于跌打肿痛，结膜炎，小儿疮疖。

| 用法用量 | 内服煎汤，3 ~ 9 g。

| 附　　注 | （1）化学成分。本种含芳香油，含油率 0.6% ~ 0.7%，芳香油称为留兰香油或绿薄荷油，主要成分为香旱芹子油菇酮（含量为 60% ~ 65%），此外还有柠檬烃、水芹香油烃等。本种主要用作糖果、牙膏的香料，亦供医药用。

（2）其他。叶、嫩枝亦入药，用于感冒发热、咳嗽、伤风感冒、咽痛、神经性头痛、胃肠胀气、跌打瘀痛、目赤辣痛、鼻衄、乌疔、全身麻木及小儿疮疖。嫩枝、叶常作调味香料使用。

唇形科 Lamiaceae 罗勒属 *Ocimum* 凭证标本号 654226150829005LY

罗勒 *Ocimum basilicum* L.

| **物种别名** | 翳子草。

| **药 材 名** | 罗勒。

| **形态特征** | 一年生草本。主根圆锥形，密生须根。茎直立，钝四棱形，上部微具槽，基部无毛，上部被倒向的微柔毛，绿色，常染有红色，多分枝。叶卵圆形至卵圆状长圆形，先端微钝或急尖，基部渐狭，边缘具不规则的牙齿或近全缘，两面近无毛，下面具腺点，侧脉 3 ~ 4 对，叶脉在上面平坦，在下面明显；叶柄伸长，近扁平，向叶基多少具狭翅，被微柔毛。总状花序顶生于茎、枝上，各部均被微柔毛，由多数具 6 花、交互对生的轮伞花序组成，下部的轮伞花序距离较远，上部轮伞花序距离较近；苞片细小，倒披针形，

短于轮伞花序，先端锐尖，基部渐狭，无柄，边缘具纤毛，常具色泽；花梗明显，果时伸长，先端明显下弯；花萼钟形，外面被短柔毛，内面喉部疏被柔毛，萼齿 5，呈二唇形，上唇 3 齿，中齿最宽大，近圆形，内凹，具短尖头，边缘下延至萼筒，侧齿宽卵圆形，先端锐尖，下唇 2 齿，披针形，具刺尖头，齿边缘均具缘毛，果时花萼宿存，明显增大、下倾，脉纹显著；花冠淡紫色，或上唇白色，下唇紫红色，伸出花萼，唇片外面被微柔毛，内面无毛，花冠筒内藏，喉部多少增大，冠檐二唇形，上唇宽大，4 裂，裂片近相等，近圆形，常具波状皱曲，下唇长圆形，下倾，全缘，近扁平；雄蕊 4，分离，略超出花冠，插生于花冠筒中部，花丝丝状，后对花丝基部具齿状附属物，有微柔毛，花药卵圆形，汇合成 1 室；花柱超出雄蕊之上，先端有相等的 2 浅裂；花盘平顶，具 4 齿，齿不超出子房。小坚果卵珠形，黑褐色，有具腺的穴陷，基部有 1 白色果脐。花期通常 7 ~ 9 月，果期 9 ~ 12 月。

| 栽培资源 |

一、栽培条件

喜光，喜温暖的气候，怕涝，在肥沃干燥的砂壤土中生长最好。

二、栽培区域

新疆伊宁市、和布克赛尔蒙古自治县、沙雅县、温泉县等有栽培。

三、栽培要点

合理密植，保证充足的强日照。

| 采收加工 | 7 ~ 8 月割取全草，除去细根和杂质，晒干。

| 药材性状 | 本品茎呈方柱形，长短不等，表面紫色或黄紫色，有纵沟纹，具柔毛；质坚硬，折断面纤维性，黄白色，中央有白色的髓。叶多脱落或破碎，完整者展平后呈卵圆形或卵状披针形，先端钝或尖，基部渐狭，边缘有不规则的牙齿或近全缘，两面近无毛，下面有腺点；叶柄被微柔毛。总状花序微被毛，花冠脱落；苞片倒披针形；宿萼钟状，黄棕色，膜质，有网纹，外被柔毛，内面喉部被柔毛。宿萼内含小坚果。搓碎后有强烈香气，味辛，有清凉感。以茎细、无根者为佳。

| 功能主治 | 消暑，解毒，去痛健胃，益力添精，通血脉。用于偏头痛，耳痛，鼻窦炎，支气管炎，伤风感冒，气喘，打嗝，胃痛，胃痉挛，胃肠胀气，消化不良，肠炎腹泻，尿酸过多，肌肉酸痛，皮肤松软，胸痛，跌打损伤，瘀肿，风湿性关节炎，小儿发热，肾炎，蛇咬伤，湿疹，皮炎，面疱，粉刺，癫痫，月经不调，乳汁不足，乳房充血发炎。

| 用法用量 | 内服煎汤，9 ~ 15 g。外用适量，鲜品捣敷；或煎汤洗。

| 附　　注 | （1）化学成分。茎、叶及花穗含芳香油，一般含油 0.1% ~ 0.12%，油的比重（15 ℃）为 0.900 ~ 0.930，折光度（20 ℃）1.4800 ~ 1.4950，旋光度（20 ℃）−6° ~ 20°，其主要成分为草藁素（含量在 55% 左右）、芳樟醇（含量 34.5% ~ 40%）及其他成分（如乙酸芳樟酯、丁香酚）等。

（2）资源利用。嫩叶可食，亦可泡茶饮，有祛风、芳香、健胃及发汗的作用。茎、叶为产科要药，可使产妇分娩前血行良好。种子名光明子，主治目翳，并适用于避孕。

地骨皮：本品呈筒状或槽状，长 3 ~ 10 cm，宽 0.5 ~ 1.5 cm，厚 0.1 ~ 0.3 cm。外表面灰黄色至棕黄色，粗糙，有不规则纵裂纹，易呈鳞片状剥落。内表面黄白色至灰黄色，较平坦，有细纵纹。体轻，质脆，易折断，断面不平坦，外层黄棕色，内层灰白色。气微，味微甘而后苦。

| 功能主治 | **枸杞子：**滋补肝肾，益精明目。用于虚劳精亏，腰膝酸痛，眩晕耳鸣，阳痿遗精，内热消渴，血虚萎黄，目昏不明。

地骨皮：凉血除蒸，清肺降火。用于阴虚潮热，骨蒸盗汗，肺热咳嗽，咯血，衄血，内热消渴。

| 用法用量 | **枸杞子：**内服煎汤，6 ~ 12 g。

地骨皮：内服煎汤，9 ~ 15 g。

| 附　　注 | 新疆尚有黑果枸杞 *Lycium ruthenicum* Murr.、新疆枸杞 *Lycium dasystemum* Pojark. 等，与本种同等药用。

茄科 Solanaceae 酸浆属 *Physalis* 凭证标本号 654023190625027LY

酸浆 *Physalis alkekengi* L.

| **物种别名** | 锦灯笼、红姑娘、挂金灯。

| **药 材 名** | 锦灯笼。

| **形态特征** | 多年生草本。高 30 ~ 80 cm。地下根茎横卧；地上茎直立，通常分枝，茎上部绿色，下部常带紫红色。茎下部叶互生，茎中、上部叶呈假对生；叶柄长 1 ~ 3 cm；叶片呈卵形、长卵形或菱状卵形，长 6 ~ 12 cm，宽 4 ~ 8 cm，多数全缘，少数边缘呈波状或具粗齿。花单生于叶腋；花梗细，长 1 ~ 2 cm；花萼钟状，5 裂，宿存，被毛，果期膨大成囊状；花冠广钟状，白色，直径 1.5 ~ 2 cm，裂片 5，宽而短，先端急尖，外有短毛；雄蕊 5，短于花冠，花丝长约 2 mm，基部扁阔，着生在花冠近基部，花药椭圆形，长约 3 mm，

黄色；雌蕊 1，长约 7 mm，花柱细长，柱头 2 浅裂，子房上位，2 室。浆果球形，直径 1 ～ 1.5 cm，包藏于宿存的萼内；萼成熟后长 3 ～ 4.5 cm，直径 2.5 ～ 3.5 cm，橙红色，具网格，下垂，似灯笼；果柄长约 2 cm。花期 6 ～ 7 月，果期 8 ～ 9 月。

| 野生资源 | 常生于空旷地、山坡、林下、路旁及田野草丛。分布于新疆伊犁哈萨克自治州、塔城地区、阿勒泰地区等。

| 栽培资源 | 一、栽培条件

应选择避风向阳、地块比较平坦的地方作为育苗地块。

二、栽培区域

新疆各地均有栽培。

三、栽培要点

育苗时应搭建育苗棚，4 月初在棚内育苗，把配制好的营养土置于苗床上，在 80% 的种子露出胚根时，就可以进行播种了。苗壮的基本标准是，在 30 ～ 35 天苗龄时，植株有 6 ～ 8 片真叶，植株的高度在 20 ～ 25 cm，茎的直径约 0.4 cm，呈现 30% 的花蕾。在移栽前 7 ～ 10 天，可以根据土壤的湿润度进行覆膜升温。每年 5 月中旬左右进行移栽，株距 30 ～ 32 cm，每亩种植 3 500 株左右。

四、栽培面积

新疆昌吉回族自治州（呼图壁县）、伊犁哈萨克自治州（新源县）、塔城地区（沙湾市）等均有栽培，栽培面积 80 亩左右。

| 采收加工 | 秋季当宿存萼的基部至先端由绿色变为橙红色时，采摘带萼的浆果，晒干。

| 药材性状 | 本品常破碎或压扁。完整的宿萼膨胀成略具 5 角的阔卵形囊状物，长 3 ～ 4 cm，直径 2.5 ～ 3.5 cm，表面有棱肋 10，肋间网状脉明显，先端尖，闭合成 5 微裂，基部平截或略内凹，橙红色至鲜红色，有时中、上部色较浅。撕开宿存萼，可见浆果 1，完整浆果呈圆球形，直径 1 ～ 1.5 cm；表面光滑，橙红色至朱红色，基部与萼和果柄相连。果柄长 2 ～ 3 cm。种子众多，阔扁卵形，具钩状小尖头，长近 2 mm；表面密被细网纹，淡黄白色。气微，宿存萼味淡而微辛、微苦，浆果微甜、酸。

| 功能主治 | 清热消炎，除腐排脓，利尿通阻，抗孕。用于扁桃体炎，肾脏脓疮，膀胱疮疡，尿中带脓等湿热性疾病。

｜用法用量｜ 内服，5 ~ 7 g。外用适量。可入丸剂、片剂、蜜膏剂、蒸露剂、漱口剂等制剂。

｜附　　注｜ （1）文献记载。《注医典》记载："酸浆，植物酸浆的果实；原植物与龙葵相似，花白色，花萼钟状，形似膀胱，未成熟时蓝色，成熟后红色，内有果实，浆果球形，形似乳头果，包藏于宿存萼内，成熟时红色。酸浆，分家生和野生两种，一般药用家生的果实。"

（2）市场信息。酸浆主要作为药材进行市场流通，近年市场售价为每千克 40 ~ 60 元。

（3）其他。具有降低各器官功能的副作用，矫正药为古力坎尼（克孜力古丽花膏）。

列当科 Orobanchaceae 肉苁蓉属 *Cistanche* 凭证标本号 653201240515001LY

管花肉苁蓉 *Cistanche tubulosa* (Schenk) Wight

| 物种别名 | 大芸、苁蓉。

| 药 材 名 | 肉苁蓉。

| 形态特征 | 多年生寄生草本。植株高 60 ~ 100 cm，地上部分高 30 ~ 35 cm。茎不分枝，基部直径 3 ~ 4 cm。叶乳白色，干后变褐色，三角形，长 2 ~ 3 cm，宽约 5 mm；茎上部叶渐狭为三角状披针形或披针形。穗状花序，长 12 ~ 18 cm，直径 5 ~ 6 cm；苞片长圆状披针形或卵状披针形，长 2 ~ 2.7 cm，宽 5 ~ 6.5 mm，边缘被柔毛，两面无毛；小苞片 2，线状披针形或匙形，长 1.5 ~ 1.7 cm，宽 2.5 mm，近无毛；花萼筒状，长 1.5 ~ 1.8 cm，先端 5 裂至近中部，裂片乳白色，干后变黄白色，近等大，长卵状三角形或披针形，长 0.6 ~ 1 cm，宽 2.5 ~

3 mm；花冠筒状漏斗形，长约 4 cm，先端 5 裂，裂片在花蕾时带紫色，干后变棕褐色，近等大，近圆形，长约 8 mm，宽约 1 cm，两面无毛；雄蕊 4，花丝着生于距筒基部 7 ~ 8 mm 处，长 1.5 ~ 1.7 cm，基部膨大，密被黄白色长柔毛，花药卵形，长 4 ~ 6 mm，密被黄白色长柔毛，基部钝圆，不具小尖头；子房长卵形，花柱长 2.2 ~ 2.5 cm，柱头扁圆球形，2 浅裂。蒴果长圆形，长 1 ~ 1.2 cm，直径 7 mm；种子多数，近圆形，干后变黑褐色，外面网状。花期 5 ~ 6 月，果期 7 ~ 8 月。

| 野生资源 | 生于水分较充足的柽柳丛中及沙丘地，常寄生于柽柳属植物的根上。分布于新疆和田地区、喀什地区等。

| 栽培资源 | 一、栽培条件

选择地下水位在 3 m 以下、光照充足、昼夜温差大、排水良好、土壤呈中性或偏碱性、有较好灌溉条件的沙地或半流沙荒漠地带栽培。

二、栽培区域

新疆塔克拉玛干沙漠周边及吐鲁番市（托克逊县）、哈密市等有栽培。

三、栽培要点

1. 种子繁殖

在天然柽柳林较集中的沙漠地或培育人工柽柳林周围 50 ~ 80 cm 处挖苗床，苗床长 1 ~ 2 m，宽 1 m 左右，深 50 ~ 80 cm，寄生密集处可挖一条大苗床沟，将种子穴播于苗床上，施牛羊粪等，覆土 30 ~ 40 cm，上面留沟或苗床坑，以便浇水。播种后保持苗床湿润，使寄主根延伸至苗床上。春、秋季播种，2 年

内部分床内肉苁蓉开始寄生，少数出土生长，大部分在 2 ~ 4 年出土，开花结实。

2. 田间管理

沙漠风大，要注意对被风吹裸露的寄主根进行培土，或用树枝围在寄主根附近防风。苗床要经常浇水保墒，除掉其他植物。5 月开花时，要进行人工授粉，以提高结实率。

3. 病虫害防治

病害有白粉病、根腐病。白粉病可用 Bo-10 生物制剂 300 倍液或 25% 粉锈宁 4 000 倍液喷雾防治。根腐病发生期用 50% 多菌灵 1 000 倍液灌根防治。

虫害有种蝇和大沙鼠。种蝇可用 90% 敌百虫 800 倍液或 40% 乐果乳油 1 倍液喷雾或浇灌根部防治。大沙鼠可用磷化锌或 0.005% 溴鼠灵毒饵于洞外诱杀。

四、栽培面积

新疆塔克拉玛干沙漠周边栽培面积达 17.95 万亩，吐鲁番市（托克逊县）、哈密市等栽培总面积达 2 000 亩。

| 采收加工 | 春季苗未出土或刚出土时采挖，除去花序，切断晒干。

| 药材性状 | 本品茎肉质，长圆柱形，有时稍扁，略弯曲，长 3 ~ 15 cm，向上渐细，直径 2 ~ 5 cm；表面灰棕色或棕褐色，有纵沟，密被覆瓦状排列的肉质鳞叶。鳞叶菱形或三角形，宽 0.5 ~ 1.5 cm，厚约 2 mm，尚可见鳞叶脱落后留下的弯月形叶迹。质坚实，不易折断，断面棕色，有淡棕色维管束小点，维管束小点环列成深波状或锯齿状，木部约占断面的 4/5，有时中空，表面和断面在光亮处有时

可见结晶样小亮点。气微，味甜、略苦。以条粗壮、密生鳞叶、质柔润者为佳。

| 功能主治 | 温补肾脏，填补精液，润肠通便，健身安神。用于肾脏寒虚，性欲减退，宫寒不孕，精液不足，遗精早泄，老年性便秘，筋肌虚弱，失眠。

| 用法用量 | 内服煎汤，6 ~ 10 g；或入丸、散剂；或浸酒。

| 附　　注 | 近年肉苁蓉市场售价为每千克 80 ~ 120 元。

菊科 Compositae 蒿属 *Artemisia* 凭证标本号 650107170804010LY

岩蒿 *Artemisia rupestris* L.

| 物种别名 | 一枝蒿、新疆一枝蒿、鹿角蒿、岩生蒿、黑一枝蒿。

| 药 材 名 | 一枝蒿。

| 形态特征 | 多年生草本。根及根茎粗壮，外皮褐色，被黄色鳞片状腺体，里面淡黄色，有甜味。茎直立，基部带木质，多分枝。托叶小三角状披针形，褐色，早落；叶柄、叶轴均密被褐色鳞片状腺点，幼时密被短柔毛；小叶 3 ～ 7（～ 9），卵状椭圆形或长圆形，先端锐尖或钝，基部近圆形，上面暗绿色，下面淡绿色，两面被黄褐色腺点，沿脉疏被短柔毛，边缘或多或少呈波状。头状花序半球形或近球形，直径 4 ～ 7 mm，具短梗或近无梗，下垂或斜展，基部常有羽状分裂的小苞叶，在茎上排成穗状花序或近总状花序，稀在茎上排成狭窄

的穗状花序状的圆锥花序；总苞片 3 ~ 4 层，外层、中层总苞片长卵形、长椭圆形或卵状椭圆形，背面有短柔毛，边缘膜质，呈撕裂状，内层总苞片椭圆形，膜质；花序托凸起，半球形，具灰白色托毛；雌花 8 ~ 16，1 层，花冠近瓶状或狭圆锥状，檐部具 3 ~ 4 裂齿，内面常有退化雄蕊的花丝痕迹，花柱略伸出花冠外，先端分叉略长，叉端钝尖；两性花 30 ~ 70，5 ~ 6 层，花冠管状，花药线形，先端附属物尖，长三角形，基部圆钝，花柱与花冠等长，先端分叉，叉端截形。瘦果长圆形或长圆状卵形，先端常有不对称的膜质冠状边缘。花果期 7 ~ 10 月。

| 野生资源 | 生于海拔 2 000 ~ 4 000 m 的荒漠草原、草原、草甸、河谷地带、林缘、灌丛。分布于新疆乌鲁木齐市、哈密市（伊吾县）、吐鲁番市及阿勒泰市、和布克赛尔蒙古自治县、精河县、库车市、塔什库尔干塔吉克自治县等。

| 栽培资源 | 一、栽培条件

本种对气候的适应性较强，在向阳的山区或平坝均可栽培，以肥沃、疏松、排水良好的土壤为好。

二、栽培区域

新疆阜康市、富蕴县、乌鲁木齐县等有栽培。

三、栽培要点

繁殖方法有种子繁殖和分株繁殖。①种子繁殖：新疆北疆地区 9 ~ 10 月采收种子，然后播种；播时把种子与拌有人畜粪水的火灰混匀，制成种子灰，每亩需种子 100 ~ 150 g；在整好的土地上，开宽 1.3 m 的高畦，按行、穴距各约 33 cm 开穴，穴深 3 ~ 6 cm，施入人畜粪后，把种子灰均匀地撒入穴内。②分株繁殖：3 ~ 4 月，将生长健壮的幼苗，连同地下根茎分成数蔸，按种子繁殖法开穴栽种，栽后浇水。种子出苗后，当苗高 6 ~ 10 cm 时，结合浅薅进行匀苗、补苗，每穴留苗 4 ~ 5 株，并追肥 1 次；翌年 3 月和 6 月各进行 1 次中耕除草和追肥，秋季收获后，中耕除草和追肥各 1 次。连续收获 3 年后，翻蔸另栽。分株繁殖者在苗成活后，追肥 1 次，6 月再进行 1 次中耕除草和追肥。

四、栽培面积与产量

新疆本种栽培面积约 900 亩，每亩产量超过 300 kg。

| 采收加工 | 7 ~ 8 月采收，阴干，或扎成把晒干。

| 药材性状 | 本品长 10 ~ 50 cm。茎单一或数个，于根茎处弯曲，直径 1.5 ~ 3 mm；幼枝和花枝上部密被短绒毛，老枝下部光滑，有不显著的细纵条纹，表面常为紫红色，断面白色，中空。叶多卷曲，破碎或脱落；基生叶 2 回羽状深裂，末回裂片狭披针形，具柄；茎生叶互生，向上渐小，羽裂或不裂，疏被绒毛。头状花序半球形，生于叶腋或枝端，集成总状狭圆锥花丛；总苞片 3 ~ 4 层，外层条形，绿色，内层卵形，边缘略带棕色；管状花黄色，边花 1 列，雌性，中间为两性花；托毛白色。气芳香特异，味微苦。

| 功能主治 | 清热，消炎止痛，凉血解毒。用于热性感冒，发热，头痛，胃痛，腹胀，肝炎，荨麻疹，毒虫咬伤等。

| 用法用量 | 内服煎汤，10 ~ 15 g；或入丸剂。外用适量，熬膏；或浸酒涂敷。

| 附　　注 | （1）栽培历史。2003 年岩蒿人工驯化种植研究取得成功。目前岩蒿主要由新疆银朵兰维药股份有限公司种植，总年产量已突破 44 000 kg，根据规划该公司将于 2025 年在新疆建立 5 ~ 8 个一枝蒿药材种植基地。

（2）市场信息。一枝蒿药材主要在新疆市场流通，多为野生品，药材价格为每千克 25 ~ 35 元。药企收购一枝蒿药材统货（药农种植）的价格约为每千克 18.5 元，并逐年上调收购价格。随着药企生产规模的不断扩大，一枝蒿药材的需求量增加，种植基地生产的一枝蒿已不能满足制剂生产的需求，因此应扩大一枝蒿药材的栽培面积。

菊科 Compositae 红花属 *Carthamus* 凭证标本号 650104210607003LY

红花 *Carthamus tinctorius* L.

| 物种别名 | 红蓝花、刺红花、草红花。

| 药 材 名 | 红花。

| 形态特征 | 一年生草本。茎直立，上部分枝，全部茎枝白色或淡白色，光滑，无毛。茎中下部叶披针形或长椭圆形，边缘有大锯齿、重锯齿、小锯齿或全缘，极少羽状深裂，齿顶有针刺；向上的叶渐小，披针形，边缘有锯齿，齿顶针刺较长；全部叶质地坚硬，革质，两面无毛，无腺点，有光泽，基部无柄，半抱茎。头状花序多数，在茎枝先端排成伞房花序，为苞叶所围绕；苞片椭圆形或卵状披针形，边缘有针刺或无针刺，先端渐长，有篦齿状针刺；总苞卵形，总苞片4层，外层竖琴状，中部或下部有收缢，收缢以上叶质，绿色，边缘无针

刺或有篦齿状针刺，针刺先端渐尖，收缢以下黄白色，中内层硬膜质，倒披针状椭圆形至长倒披针形，先端渐尖，全部苞片无毛，无腺点；小花红色、橘红色，全部为两性花，花冠裂片几达檐部基部。瘦果倒卵形，乳白色，有 4 棱，棱在果顶伸出，侧生着生面，无冠毛。花果期 5 ~ 8 月。

｜栽培资源｜ 一、栽培条件

喜温暖干燥的气候，耐寒，耐旱，耐盐碱，耐瘠薄，以向阳、地势高、土层深厚、中等肥力、排水良好的砂壤土栽培为宜，忌连作，花期忌涝。上茬作物以豆科、禾本科作物为好，可与蔬菜间作。

二、栽培区域

新疆伊犁哈萨克自治州、阿勒泰地区、昌吉回族自治州、阿克苏地区等有栽培。

三、栽培要点

选种可用单株混合选择法。选取生长健壮、高度适中、分枝低而多、花序多、管状花橘红色、无病虫害的植株作留种植株。

四、栽培面积与产量

新疆现有红花种植面积约 377 798 亩。产量约 5 000 t。

｜采收加工｜ 5 ~ 6 月当花瓣由黄变红时采摘管状花，晒干、阴干或烘干。

｜药材性状｜ 本品橙红色，花管狭细，先端 5 裂，裂片狭线形。雄蕊 5，花药黄色，连合成管，高出裂片之外，中央有柱头露出。具特异香气，味微苦。以花片长、色鲜红、质柔软者为佳。

| 功能主治 | 辛、温。归心、肝经。活血通经，祛瘀止痛。用于经闭，癥瘕，难产，死胎不下，产后恶露不行，瘀血作痛，痈肿，跌扑损伤。

| 用法用量 | 内服煎汤，3 ~ 10 g。外用适量，研末撒。

| 附　　注 | 国内市场对红花的需求量大，近年市场售价为每千克 150 元。

菊科 Compositae 菊苣属 *Cichorium* 凭证标本号 653223180819004LY

菊苣 *Cichorium intybus* L.

| 物种别名 | 毛菊苣。

| 药 材 名 | 菊苣。

| 形态特征 | 多年生草本。高 50 ~ 100 cm。根粗壮。茎具条棱，合轴分枝，有糙毛。基生叶倒披针形，长 10 ~ 20 cm，大头羽状深裂或浅裂，基部下延成有翅的叶柄，中脉及叶柄密布白色粗绢毛；茎生叶小或退化成鳞片状，全缘或边缘浅裂。头状花序单生或数个集生于茎顶、枝端；总苞圆柱状，总苞片 2 层，外层 5，内层 8，上缘有毛；花为舌状花，蓝色；聚药雄蕊蓝色，柱头 2 裂，具刷状毛。瘦果具短冠毛。花果期 5 ~ 10 月。

| 野生资源 | 生于荒地、河边、水沟、山坡等。分布于新疆伊犁哈萨克自治州、博尔塔拉蒙古自治州、昌吉回族自治州、塔城地区、阿勒泰地区及乌鲁木齐县等。

| 栽培资源 | 一、栽培条件

喜冷凉、湿润的气候，耐寒性和耐盐碱性都比较好。种植菊苣需选择中性或弱酸性、具灌溉条件的肥沃土壤，肥力不足、土质差的土地种植本种存在越夏死亡率高的问题。整地前应施足基肥，每亩可施畜粪肥 3 000 ～ 5 000 kg。

二、栽培区域

新疆昌吉回族自治州（吉木萨尔县、阜康市）、和田地区（墨玉县、洛浦县、皮山县）等有栽培。

三、栽培要点

将种子与细土拌匀，均匀撒播，播种以后，5 ~ 8 天即可发芽，待长出 4 ~ 5 片叶时按行距 25 ~ 30 cm、株距 10 ~ 15 cm 移栽。菊苣种子生命力和适应性强，播种后易出苗，甚至在无土覆盖的情况下都能立苗。立苗后杂草的竞争力没有菊苣强，在生长过程中，杂草自然减灭，出苗后半个月至 1 个月间去小苗、劣苗，追肥 1 次，每次刈割后，及时浇灌施肥，以促使植株再生。出苗后应追施速效氮肥，每亩施尿素 13 kg，以促使幼苗快速生长。

四、栽培面积

新疆昌吉回族自治州、和田地区合计栽培面积超过 600 亩。

| 采收加工 | 夏、秋季盛花期采收全草，晒干。

| 药材性状 | 本品茎圆柱形，稍弯曲，表面黄绿色或淡紫色，具明显的纵向棱，无毛或疏被糙毛，叉状分枝的折断面呈浅黄色，中空。基部叶多脱落，茎上部叶退化成鳞片状三角形，无柄，具糙毛。头状花序单生或 2 ~ 3 簇生；总苞片 2 层，外层 5，内层 8；舌状花多萎缩，蓝色。果实倒卵形，有棱角，具鳞片状冠毛，长 0.2 ~ 0.8 mm。气微芳香，味淡、微苦。

| 功能主治 | 降低肝火，清胃之热，消除黄疸，利尿退肿。用于热性肝炎，胃炎，脾肿大，黄疸，尿闭水肿等。

| 用法用量 | 内服煎汤，5 ~ 10 g。外用适量。可入蒸露剂、糖浆剂、汤剂、敷剂等制剂。

| 附　　注 | （1）文献记载。《注医典》记载：“菊苣，是一种植物，它分家生和野生两种，野生的叶比家生的叶较宽；家生的又分两种，一种的叶较宽，与莴苣叶相似，另一种的叶较细，较长，味辛。”

（2）市场信息。菊苣主要作为民族药使用。近年市场售价为每千克 40 ~ 60 元。

（3）用药禁忌。本品用量过多可引起咳嗽，矫正药为白砂糖、天山堇菜花或谢日比提　比乃非谢　糖浆。

（4）代用品。若本品缺货，可用蜀葵、冬葵代替。

菊科 Compositae 母菊属 *Matricaria* 凭证标本号 650107170711003LY

母菊 *Matricaria chamomilla* L.

| 物种别名 | 幼母菊、洋甘菊。

| 药 材 名 | 洋甘菊。

| 形态特征 | 一年生草本。高约 30 cm，全株无毛。茎有粗细不等的棱槽，上部多分枝。下部茎生叶椭圆形或倒披针形，长 3 ~ 4 cm，宽 1.5 ~ 2 cm，2 回羽状全裂，无柄，基部稍扩大，裂片条形，先端具短尖；上部茎生叶倒卵形或长倒卵形。头状花序花异型，直径 1 ~ 1.5 cm，在茎枝先端排列成伞房状；花序梗长 2 ~ 4 cm；总苞片 2 层，绿色，先端钝，具白色宽膜质边缘；花托长圆锥状，中空；边缘的舌状花白色，舌片反折，长约 6 mm，宽 2.5 ~ 3 mm；中央的管状花多数，黄色，长约 1.5 mm，先端 5 裂。瘦果小，长 0.8 ~ 1 mm，宽约 0.3 mm，

淡绿色，侧扁，略弯，先端斜截形，背面有圆形突起，腹面及两侧有 5 白色细肋，无冠毛。花果期 5 ～ 7 月。

| 野生资源 | 生于河谷旷野、田边。分布于新疆昭苏县等。

| 栽培资源 | 一、栽培条件

本种需要充足的阳光和透气性好的土壤，土壤以肥沃、疏松、排水良好、无杂草、pH 6.5 ～ 8.4 的砂壤土为宜。生长发育的下限温度为 10 ℃。

二、栽培区域

新疆伊犁哈萨克自治州、昌吉回族自治州等有栽培。

三、栽培要点

本种的栽培环境要求远离工矿企业、农药污染。播种前应将前茬作物残株覆盖到地下中等深度（18 ～ 22 cm），土地处理至土壤平坦、无结块。5 月前后播种，可用锯末或草末与种子按比例均匀混合，采用人工撒播的方式播种，撒播完后用土轻轻覆盖，若土壤干燥应立即浇水，保持幼苗出土前地面湿润。采用人工除草的方式除草，禁止使用除草剂；安装黑光灯诱杀害虫。

四、栽培面积与产量

新疆本种的栽培面积为 1 050 亩左右，2022 年产量约为 200 t。

| 采收加工 | 夏、秋季采收全草或花，除去泥沙，晾干。

| 药材性状 | 本品为不规则的段。茎枝细弱，具纵棱，直径 1 ～ 2 mm，绿色至红褐色。总苞呈半圆形，2 层，边缘宽膜质，长卵形，内、外层均为绿色，外层苞片具绒毛；花托呈圆锥形，宽 1.5 ～ 2 mm；边花舌状，雌性，花瓣宽卵形，白色，宽 2 mm，先端浅裂；中央花两性，管状，黄色，先端 4 ～ 5 齿裂。气芳香，味苦。

| 功能主治 | 促进消化，散气消炎，健脑强筋，祛风止痛，利尿通经。用于胃虚纳差，消化不良，脘胀腹胀，筋肌松弛，各种炎肿，关节肿痛，闭经，闭尿等。

| 用法用量 | 内服煎汤，2 ～ 10 g。外用适量。

| 附　　注 | （1）道地沿革。洋甘菊作为维吾尔医的常用药，始载于维吾尔医学著作《注医典》，《中华人民共和国卫生部药品质量标准·维吾尔药分册》也收载了洋甘菊。洋甘菊原生于欧洲和亚洲北部、西部，我国新疆有野生分布，也有一定规模的人工栽培。

（2）市场信息。近年来，维吾尔药制剂生产企业在新疆南疆、新疆北疆各地开展了人工栽培洋甘菊，但以自产自销为主。2023 年，洋甘菊药材市场统货价格约为每千克 165 元。

菊科 Compositae 漏芦属 *Rhaponticum* 凭证标本号 654201150726053LY

鹿草 *Rhaponticum carthamoides* (Willd.) Iljin

| 物种别名 | 漏草、圆叶。

| 药 材 名 | 鹿草。

| 形态特征 | 多年生草本。高 50 ~ 100 cm。根茎粗壮，木质化，平展，具特殊的气味。茎直立，粗壮，中空，外面有细棱槽，被稀疏的蛛丝状柔毛，不分枝。叶两面绿色，质薄，被稀疏的蛛丝状柔毛，毛仅沿脉较密集；茎中、下部叶较大，椭圆形、披针形或倒披针形，羽状深裂或近全裂，裂片 5 ~ 8 对，披针形或线状披针形，边缘具锯齿，顶裂片较大，有短柄或几无柄；茎中部以上的叶渐小，长椭圆形或披针形，边缘具锯齿或仅近基部和下半部有 3 ~ 4 对浅裂或深裂的裂片。头状花序大，直径 4 ~ 6 cm，单生于茎的先端；总苞半球

形；总苞片通常有 12 层，外层和中层的总苞片卵形或长圆状卵形，褐色，上部红紫色，长 5 ~ 10 mm，先端有褐色膜质的附属物，附属物卵形，宽三角形或近菱形，长达 7 mm，两面密被白色长毛，内层总苞片披针形或线状披针形，长 1.5 ~ 1.8 cm，先端附属物长卵形，长 6 ~ 8 mm，褐色，两面密被白色长毛；小花紫红色，花冠长 2.5 cm，细管部长 1.4 cm，檐部先端 5 裂，裂片线形，长约 7 mm。瘦果长椭圆形，长约 7 mm，褐色，有棱；冠毛淡褐色，短羽毛状，长达 1.8 cm。花果期 7 ~ 9 月。

| 野生资源 | 生于海拔 1 950 ~ 2 700 m 的高山草甸、亚高山草甸、林下草甸。分布于新疆富蕴县、布尔津县、哈巴河县、额敏县、塔城市等。

| 采收加工 | 春、秋季采挖根茎，除去泥土，洗净，晒干。

| 功能主治 | 补气，健脑，补肾壮阳。用于肾虚腰痛，阳痿，早泄，体虚多病，食欲不振，神经衰弱，健忘等。

| 用法用量 | 内服煎汤，6 ~ 10 g。

| 附　　注 | 本种药材为哈萨克医的常用药材，本种被《世界自然保护联盟濒危物种红色名录》列为易危（VU）。

菊科 Compositae 风毛菊属 *Saussurea* 凭证标本号 654223170803028LY

雪莲花 *Saussurea involucrata* (Kar. et Kir.) Sch.-Bip

| 物种别名 | 塔格来利斯、雪莲、雪荷花。

| 药 材 名 | 天山雪莲。

| 形态特征 | 多年生草本。高 15 ~ 35 cm。根茎粗，颈部被多数褐色的叶残迹。茎粗壮，无毛。叶密集，基生叶和茎生叶无柄；叶片椭圆形或卵状椭圆形，先端钝或急尖，基部下延，边缘有尖齿，两面无毛；最上部叶苞叶状，膜质，淡黄色，宽卵形，包围总花序，边缘有尖齿。头状花序 10 ~ 20，在茎顶密集成球形的总花序，无小花梗或有短小花梗；总苞半球形；总苞片 3 ~ 4 层，边缘或全部紫褐色，先端急尖，外层被稀疏的长柔毛，长圆形，中层及内层披针形；小花紫色。瘦果长圆形；冠毛污白色，2 层，外层小，糙毛状，内层长，羽毛状。花果期 7 ~ 9 月。

| 野生资源 | 生于海拔 3 000 m 以上的高山岩缝、砾石和砂质河滩中。分布于新疆和静县、昭苏县、新源县、沙湾市、昌吉市、呼图壁县、乌鲁木齐县、阜康市、拜城县等。

| 栽培资源 | 一、栽培条件

本种的生长环境特殊，生长发育过程中对生态条件要求严格。人工种植须在海拔 1 800 m 以上、无霜期至少 100 天、土壤具有较好的保水能力且有机质含量大于 9.5% 的高山草甸。

二、 栽培区域

新疆哈密市及奇台县、巩留县等有栽培。

三、栽培要点

宜选择海拔 1 800 ～ 2 200 m、7 月平均气温低于 15 ℃的高山草甸或砾石坡作为栽培地，要求地面坡度小于 15° ；以厚度 >10 cm、长 >45 cm、宽 >30 cm 的水泥板或直径 >30 cm 的鹅卵石为伴生物，呈环形或条形放置。条形成排放置时，行距为 30 ～ 50 cm。伴生物的 1/3 埋入土中，方向与坡向垂直，地上高度为 15 ～ 20 cm，把周围的土踏实。春季气温稳定、土壤湿度为 60% ～ 70% 时，将种子点播在伴生物根部 5 cm 以内的土壤中，每件伴生物点播 2 ～ 3 穴，每穴 3 ～ 5 粒种子，播种深度 1 cm，不可超过 1.5 cm。

| 采收加工 | 夏、秋季花开时采收全草，阴干。

| 药材性状 | 本品茎呈圆柱形，表面黄绿色或黄棕色，有的微带紫色，具纵棱，断面中空。

茎生叶排列密集，无柄，或脱落留有残基，完整叶片呈卵状长圆形或广披针形，边缘有缘毛，主脉明显。头状花序顶生，密集成圆球形，无花梗；苞叶长卵形或卵形，无柄，中部凹陷，呈舟状，膜质，半透明；总苞片 3 ~ 4 层，披针形，等长，外层多呈紫褐色，内层棕黄色或黄白色；管状花紫红色，柱头 2 裂。瘦果圆柱形，具纵棱，羽状冠毛 2 层。体轻，质脆。气微香，味微苦。

| 功能主治 | 甘、微苦，温；有毒。归肝、肾经。温肾助阳，祛风胜湿，通经活血。用于风寒湿痹痛，类风湿关节炎，小腹冷痛，月经不调等。

| 用法用量 | 内服煎汤，3 ~ 6 g；或浸酒。外用适量。

| 附　　注 | （1）文献记载。本种始载于《本草纲目拾遗》，该书记载："产伊犁西北及金川等处大寒之地，积雪春夏不散，雪中有草，类荷花，独茎亭亭，雪间可爱。戊戌春，予于史太守处亲见之，较荷花略细，其瓣薄而狭长，可三四寸，绝似笔头，云浸酒则色微红，彼处土人服之，为助阳要药。"该书记载的雪荷花与现今所用的天山雪莲基本一致。清代《阅微草堂笔记》正式使用"雪莲"之称，书中描述："塞外有雪莲，生崇山积雪中，状如今之洋菊，名以莲耳。"《新疆杂记》记载："雪莲为菊科草本。生雪山深处，产拜城、哈密山中。"上述记载，与现在天山雪莲的形态、地理分布、生长环境及某些功用相符。《中国药典》（2005 年版）正式收载了天山雪莲，天山雪莲也是唯一被收录到药典的雪莲品种。

（2）市场信息。天山雪莲的价格基本呈现上涨的趋势，从每千克 100 元上涨至现今的每千克 400 元左右，全国的几大药材交易市场价格趋势一致。天山雪莲被列入《国家重点保护野生植物名录》中，因此新疆各地的林草部门加大了对采集、采挖天山雪莲的管控力度，再加上天山雪莲人工栽培较少，药用雪莲的主要来源为野生资源，因此，随着货源的逐渐减少，天山雪莲的价格会持续上升。

（3）濒危情况、资源利用和可持续发展。天山雪莲为国家二级保护野生植物。由于大量采挖，天山雪莲野生资源遭到严重破坏，目前处于濒危状态，因此急需对野生天山雪莲加以保护，并积极进行人工栽培。

菊科 Compositae 斑鸠菊属 *Vernonia* 凭证标本号 653223180819021LY

驱虫斑鸠菊 *Vernonia anthelmintica* (L.) Willd.

| 物种别名 |

铁草、野孜然、印度山茴香、紫虱草、艾特日拉力。

| 药 材 名 |

驱虫斑鸠菊。

| 形态特征 |

一年生高大草本。茎直立，粗壮，高达 60 cm，上部多分枝，具明显的槽沟，被腺状柔毛。叶膜质，卵形、卵状披针形或披针形，长 6 ~ 15 cm，宽 1.5 ~ 4.5 cm，先端尖或渐尖，基部渐狭成长 1 cm 的叶柄，边缘具粗或锐的锯齿，侧脉 8 对或更多，细脉密，网状，两面被短柔毛，下面的脉上毛较密，有腺点。头状花序多数，较大，直径 15 ~ 20 mm，在茎和枝端排列成疏伞房状；花序梗长 5 ~ 15 mm；苞片线形，先端稍增粗，密被短柔毛及腺点；总苞半球形；总苞片约 3 层，近等长，外层线形，稍开展，长 10 ~ 12 mm，绿色，叶质，外面被短柔毛和腺点，中层长圆状线形，先端尖，上部常缩狭，绿色，叶质，内层长圆形，从基部向先端渐膜质，先端尖，总苞片在结果后全部反折；花托平或稍凹，有蜂窝状突起；小花

40 ~ 50，淡紫色，全部结实，花冠管状，长 9 ~ 10 mm，管部细长，长 6 ~ 7 mm，檐部狭钟状，有 5 披针形裂片。瘦果近圆柱形，基部缩狭，黑色，长约 4 mm，具 10 纵肋，被微毛，肋间有褐色腺点；冠毛 2 层，淡红色，外层极短，近膜片状，宿存，内层糙毛状，易脱落。花期 9 月至翌年 2 月。

| 野生资源 | 生于干旱、半干旱的砂土和壤土中。分布于新疆和田县、皮山县等。

| 栽培资源 | 一、栽培条件

本种喜光照，忌潮湿阴冷，较耐旱，对土壤要求不严，但以疏松、不过于黏重的微碱性土为宜，适合在降水量较少、积温充足的环境中栽培。

二、 栽培区域

新疆和田县、皮山县等有栽培。

三、栽培要点

选择阳光充足、土层深厚、平整、具有灌溉和排水条件的砂土或壤土。春耕前根据土壤肥力条件，适当施用有机肥并翻埋入土，浇足春水，保证土壤墒情；春耕深度要一致，地表有植株残茬时，也应翻埋入土。耕后整地，保证土地平整，防止灌溉积水。剪下头大、饱满的花序，晒干，搓下种子，簸去杂质，装于布袋内，贮存于干燥冷凉处，新采收的种子不发芽，贮存 1 年以后才能发芽，可保存 2 ~ 3 年。种子发芽适宜温度为 20 ~ 25 ℃，一般于每年 4 月播种，采用条播的方式，按行距 40 ~ 45 cm 开深 3 ~ 4 cm 的沟，将种子均匀撒入沟内，覆土压实，浇水。播后 10 天左右出苗。种植当年，在苗出齐后进行间苗；苗高 5 ~ 7 cm 时定苗，按株距 15 cm 左右留壮苗 1 株。结合间苗及时进行松土除草，干旱时要注意浇水。禁止使用化学除草剂，及时人工除草。适时适量灌溉是保证质量和产量的关键，具体灌溉应视土壤墒情及土壤理化性质而定。种植一般采用干播湿出的方法，播种后即浇水或滴水，确保出苗期土壤湿润。

四、栽培面积

新疆本种的栽培面积为 5 000 亩。

| 采收加工 | 秋季果实成熟时采收果实，除去杂质，晒干。

| 药材性状 | 本品呈倒圆锥形或圆柱形，表面呈棕绿色或墨绿色，具 10 纵向凸起的棱肋。放大镜下可见棱肋处有非腺毛，肋间凹陷处有腺毛。先端平截，下端稍细，被微毛，先端具淡褐色的冠毛，冠毛羽状。

| 功能主治 | 苦，凉。祛风活血，杀虫解毒。用于白癜风，蛔虫病，蛲虫病，疮疖肿痛。

| 用法用量 | 内服入丸、散剂，2 ~ 4 g。外用适量，研末调敷。

| 附　　注 | （1）现代研究。研究表明，本种种子中所含的斑鸠菊大苦素、斑鸠菊醇对白血病细胞的增殖有一定的抑制作用。本种的提取物对乳腺肿瘤细胞的增殖有抑制作用。本种的全草有驱蛔虫，消炎的功效。

（2）市场信息。本种药材的统货价格为每千克 60 ~ 80 元。

下篇

新疆维吾尔自治区中药资源各论

蕨类植物

中国蕨科 Sinopteridaceae 粉背蕨属 *Aleuritopteris*

银粉背蕨 *Aleuritopteris argentea* (Gmel.) Fée

| 药材名 | 通经草（药用部位：全草）。

| 形态特征 | 根茎短而直立，有许多肉质、几不分枝的粗根。总叶柄长 4 ~ 12 cm，直径 2 ~ 3 mm，多汁，草质，干后扁平，淡绿色，光滑无毛，基部有棕色或深棕色的托叶状苞片，长 2 ~ 3 cm，宿存；不育叶为阔披针形，同总柄成锐角，斜向上方，长 3 ~ 8 cm，宽 1.5 ~ 2.5 cm 或稍宽，具圆头或圆钝头，几无柄或有短柄，柄长 5 ~ 10 mm，基部不变狭，一回羽状，羽片 4 ~ 6 对，对生或近对生，初生时彼此密接，以后分开，下部 1 ~ 2 对相距 1 ~ 2 cm，向上渐接近，下部几对稍大，长、宽均 1 ~ 2 cm，扇形、肾圆形或半圆形，基部楔形，无柄，与中轴多少合生，全缘、波状或多少分裂，向顶部的羽片较小，合生，

外边缘分裂；叶半肉质，干后稍皱凸，淡绿色；叶脉扇状分离，不甚明显或隐约可见。孢子叶自不育叶的基部抽出，柄长 4 ~ 7 cm；孢子囊穗长 3 ~ 6 cm，宽 1.5 ~ 2 cm，2 ~ 3 次分裂，呈狭圆锥形，直立，光滑无毛。

| 生境分布 | 生于海拔 1 500 ~ 3 000 m 的山地、温带草原、草甸或林下。分布于新疆伊宁县、昭苏县、博乐市、温泉县、阜康市、乌鲁木齐县、玛纳斯县、昌吉市等。

| 资源情况 | 野生资源一般。药材来源于野生。

| 采收加工 | 夏、秋季采收，去净泥土，捆成小把，晒干。

| 功能主治 | 辛、甘，平。归肺、肝经。调经，活血，止痛。用于月经不调，经闭腹痛，赤白带下，肺痨咯血，泄泻，小便涩痛，肺痈，乳痈，风湿关节痛，跌打损伤，肋间神经痛，暴发火眼，疮肿。

| 用法用量 | 内服煎汤，9 ~ 15 g。外用适量，煎汤熏洗；或捣敷。

蹄盖蕨科 Athyriaceae 冷蕨属 *Cystopteris*

高山冷蕨 *Cystopteris montana* (Lam.) Bernh. ex Desv.

| 药材名 | 贯众（药用部位：根茎、叶柄残基）。

| 形态特征 | 植株高 15 ~ 40 cm。根茎细长，横走，密被棕色披针形的鳞片。叶远生或近生；叶柄长 5 ~ 20 cm，直径约 1 mm，纤细，栗黑色，有光泽，基部被与根茎上同样的鳞片，向上光滑；叶片卵状三角形，长 10 ~ 25 cm，宽 8 ~ 16 cm，具尖头，基部楔形，中部以下多为二回羽状，中部以上为一回奇数羽状；羽片 3 ~ 5 对，互生，斜向上，有柄，柄长可达 1.5 cm，基部 1 对较大，长 4.5 ~ 9 cm，宽 2.5 ~ 4 cm，长圆状卵形，具圆钝头，一至二回奇数羽状，侧生末回小羽片 2 ~ 4 对，互生，斜向上，相距 6 ~ 15 mm，大小近相等或基部 1 对略大，对称或不对称的斜扇形或近斜方形，长 1.2 ~ 2 cm，宽 1 ~ 1.5 cm，

上缘圆形，具 2 ~ 4 浅裂或深裂成条状的裂片，不育裂片先端钝圆形，具阔三角形的小锯齿或啮蚀状的小齿，能育裂片先端截形、直或略下陷，全缘或两侧具啮蚀状的小齿，两侧全缘，基部渐狭成偏斜的阔楔形，具纤细的栗黑色短柄，柄长 1 ~ 2 mm，顶生小羽片扇形，基部为狭楔形，通常大于其下的侧生小羽片，柄长可达 1 cm，第 2 对羽片距基部 1 对羽片 2.5 ~ 5 cm，向上各对羽片均与基部 1 对羽片同形而渐小。叶脉多回 2 歧分叉，直达边缘，两面均明显；叶干后

薄草质，草绿色或褐绿色，两面均无毛；叶轴、各回羽轴和小羽柄均与叶柄同色，往往略曲折。孢子囊群每羽片 3 ~ 10，横生于能育的末回小羽片的上缘；囊群盖长，长肾形或圆肾形，上缘平直，淡黄绿色，老时棕色，膜质，全缘，宿存。孢子周壁具粗颗粒状纹饰，处理后常保存。

| 生境分布 | 生于海拔 1 500 ~ 2 800 m 的常流水溪旁石灰岩上或石灰岩洞底、滴水岩壁上。分布于新疆伊宁县、伊宁市、巩留县、呼图壁县、昭苏县等。

| 资源情况 | 野生资源一般。药材来源于野生。

| 采收加工 | 秋季采收，清水稍浸，取出，早晚各洒水 1 次，润软，切片，晒干。

| 功能主治 | 清热解毒，止血，活血杀虫。用于风热感冒，温热斑疹，吐血，咯血，衄血，便血，崩漏，血痢，带下，钩虫病，蛔虫病，绦虫病。

| 用法用量 | 内服煎汤，4.5 ~ 9 g。外用适量。

铁角蕨科 Aspleniaceae 铁角蕨属 *Asplenium*

药蕨 *Asplenium ceterach* L.

| 药 材 名 | 药蕨（药用部位：全草）。

| 形态特征 | 植株高达 12 cm。根茎短而直立，先端连同叶柄密被小鳞片；鳞片褐棕色至浅棕色，卵状披针形，薄膜质，透明，边缘有疏齿。叶簇生；柄短，长 2 ~ 4 cm，直径不足 1 mm，棕色；叶片长 5 ~ 8 cm，中部宽 1 ~ 1.6 cm，披针形或近倒披针形，具钝头，向基部略变狭，羽状深裂或近一回羽状；裂片 6 ~ 8 对，互生，三角形至椭圆形，具圆钝头，基部和叶轴合生，全缘或略呈波状，缺刻倒三角形，上部宽约 5 mm，主脉不太明显，基部以锐角沿叶轴下延，侧脉斜上，在裂片上有 2 ~ 4 叉，基部上侧 1 脉几与叶轴平行，近叶缘处联结成近六角形网眼，网眼以外的小脉分离，不达叶边；叶近革质，干后棕绿色或褐绿色，上面光滑，仅幼时沿叶轴偶有灰白色的卵状披

针形、具长渐尖头的薄膜质小鳞片，老时脱落，下面密被浅棕色、卵状披针形或卵形的薄膜质小鳞片。孢子囊群线形，位于主脉和叶边之间，沿小脉一侧着生；囊群盖不发育，或仅为不完整的黄棕色膜质盖。

| 生境分布 | 生于海拔 1 400 ~ 2 600 m 的干旱的石缝间。分布于新疆和硕县、伊宁县、巩留县、察布查尔锡伯自治县等。

| 资源情况 | 野生资源一般。药材来源于野生。

| 采收加工 | 夏、秋季采收，洗净，鲜用或晒干。

| 功能主治 | 清热，降气，化痰。用于食膈，气膈，肠风热毒。

| 用法用量 | 内服煎汤，15 ~ 50 g。外用适量，捣敷。

铁角蕨科 Aspleniaceae 铁角蕨属 *Asplenium*

西北铁角蕨 *Asplenium nesii* Christ

| 药 材 名 | 铁角蕨（药用部位：全草）。

| 形态特征 | 植株高 8 ~ 15 cm。根茎短而直立或长而斜升，直径 1 ~ 1.5 mm，栗褐色，先端密被鳞片；鳞片披针形，长约 2.5 mm，基部宽约 0.5 mm，膜质，黑色，有红色光泽，全缘。叶簇生；叶柄长 2 ~ 7 cm，直径约 0.5 mm，红棕色或栗褐色，向上部为草绿色，有光泽，略被褐色纤维状的鳞片，不久逐渐脱落而变光滑；叶片线形，长 6 ~ 12 cm，中部宽 1 ~ 1.2 cm，两端渐狭，先端长渐尖，一回羽状；羽片 14 ~ 16 对，基部的对生，向上互生，平展，中部羽片略大，长、宽近相等，4 ~ 6 mm，近斜方形，先端钝圆，外缘有粗圆齿，基部圆楔形而全缘，上侧与叶轴平行或略覆盖叶轴，有极细柄，彼此接近，相距 4 ~ 5 mm，下部 2 ~ 3 对羽片略变小，并渐变为等边三角形，

基部近平截，彼此疏离，相距 7 ~ 9 mm，顶部羽片彼此密接，向先端渐变为椭圆形，无柄；叶脉羽状，两面略可见，纤细，小脉多为 2 叉，间或单一或 3 叉，斜展或略斜向上，不达叶边；叶草质，干后草绿色；叶轴草绿色，有时下部为红棕色，上面有阔纵沟，偶被与叶柄上同样的小鳞片。孢子囊群椭圆形，长约 1 mm，棕色，斜展或略斜向上，紧靠主脉，彼此密接，每裂片有 4 ~ 8 孢子囊群，成熟时近汇合；囊群盖同形，白绿色，薄膜质，全缘，开向主脉，宿存。

| 生境分布 | 生于海拔 1 100 ~ 4 000 m 的干旱石灰岩的缝隙中。分布于新疆天山区、乌鲁木齐县、阜康市、吉木乃县、特克斯县、和静县等。

| 资源情况 | 野生资源一般。药材来源于野生。

| 采收加工 | 秋季采收，洗净，鲜用或晒干。

| 功能主治 | 清凉解毒，收敛，止血。用于高热惊风，阴虚盗汗，外伤出血等。

| 用法用量 | 内服煎汤，10 ~ 20 g。外用适量，捣敷。

铁角蕨科 Aspleniaceae 铁角蕨属 *Asplenium*

叉叶铁角蕨 *Asplenium septentrionale* (L.) Hoffm.

| 药材名 | 铁角蕨（药用部位：全草）。

| 形态特征 | 植株高达 12 cm。根茎短而直立，先端连同叶柄密被小鳞片；鳞片褐棕色至浅棕色，卵状披针形，薄膜质，透明，边缘有疏齿。叶簇生；柄短，长 2 ~ 4 cm，直径不足 1 mm，棕色；叶片长 5 ~ 8 cm，中部宽 1 ~ 1.6 cm，披针形或近倒披针形，具钝头，向基部略变狭，羽状深裂或近一回羽状；裂片 6 ~ 8 对，互生，三角形至椭圆形，具圆钝头，基部和叶轴合生，全缘或略呈波状，缺刻倒三角形，上部宽约 5 mm，主脉不太明显，基部以锐角沿叶轴下延，侧脉斜上，在裂片上有 2 ~ 4 叉，基部上侧 1 脉几与叶轴平行，近叶缘处联结成近六角形网眼，网眼以外的小脉分离，不达叶边；叶近革质，干后棕绿色或褐绿色，上面光滑，仅幼时沿叶轴偶有灰白色的卵状披

针形、具长渐尖头的薄膜质小鳞片，老时脱落，下面密被浅棕色、卵状披针形或卵形的薄膜质小鳞片。孢子囊群线形，位于主脉和叶边之间，沿小脉一侧着生；囊群盖不发育，或仅为不完整的黄棕色的膜质盖。

| 生境分布 | 生于海拔 1 800 ~ 2 000 m 的干旱的石缝间。分布于新疆天山山脉、阿尔泰山脉。

| 资源情况 | 野生资源一般。药材来源于野生。

| 采收加工 | 秋季采收，洗净，鲜用或晒干。

| 功能主治 | 清热，除风湿，利尿，消炎。用于痢疾，带下，跌打腰痛等。

| 用法用量 | 内服煎汤，6 ~ 30 g。

铁角蕨科 Aspleniaceae 铁角蕨属 *Asplenium*

铁角蕨 *Asplenium trichomanes* L.

| 药材名 | 通经草（药用部位：全草）。

| 形态特征 | 植株高 10 ~ 30 cm。根茎短而直立，直径约 2 mm，密被鳞片；鳞片线状披针形，长 3 ~ 4 mm，基部宽约 0.5 mm，厚膜质，黑色，有光泽，略带红色，全缘。叶多数，密集簇生；叶柄长 2 ~ 8 cm，直径约 1 mm，栗褐色，有光泽，基部密被与根茎上同样的鳞片，向上光滑，上面有 1 阔纵沟，两边有棕色、膜质、全缘的狭翅，下面圆形，质脆，通常叶片脱落而叶柄宿存；叶片长线形，长 10 ~ 25 cm，中部宽 9 ~ 16 mm，具长渐尖头，基部略变狭，一回羽状；羽片 20 ~ 30 对，基部的对生，向上对生或互生，平展，近无柄，中部羽片等大，长 3.5 ~ 6（ ~ 9）mm，中部宽 2 ~ 4（ ~ 5）mm，椭圆形或卵形，具圆头，有钝牙齿，基部呈近对称或不对称的圆楔

形，上侧较大，偶有小耳状突起，全缘，两侧边缘有小圆齿，中部各对羽片相距 4 ~ 8 mm，彼此疏离，下部羽片向下逐渐远离并缩小，呈卵形、圆形、扇形、三角形或耳形；叶脉羽状，纤细，两面均不明显，小脉极斜向上，2 叉，有时单一，羽片基部上侧 1 脉常为 2 回 2 叉，不达叶边；叶纸质，干后草绿色、棕绿色或棕色；叶轴栗褐色，有光泽，光滑，上面有平阔纵沟，两侧有棕色、膜质、全缘的狭翅，下面圆形。

| 生境分布 | 生于海拔 1 300 ~ 3 000 m 的林下山谷中的岩石上或石缝中。分布于新疆天山山脉、阿尔泰山脉。

| 资源情况 | 野生资源一般。药材来源于野生。

| 采收加工 | 夏、秋季采收，去净泥土，捆成小把，晒干。

| 功能主治 | 清热，除湿，防止脱发，消炎生肌。用于胆道、尿路感染，高血压，月经不调，感冒发热。

| 用法用量 | 内服煎汤，15 ~ 30 g。外用适量。

铁角蕨科 Aspleniaceae 铁角蕨属 *Asplenium*

欧亚铁角蕨 *Asplenium viride* Hudson

|药材名|

铁角蕨（药用部位：根茎）。

|形态特征|

植株高 10 ~ 30 cm。根茎短而直立，直径约 2 mm，密被鳞片；鳞片线状披针形，长 3 ~ 4 mm，基部宽约 0.5 mm，厚膜质，黑色，有光泽，略带红色，全缘。叶多数，密集簇生；叶柄长 2 ~ 8 cm，直径约 1 mm，栗褐色，有光泽，基部密被与根茎上同样的鳞片，向上光滑，上面有 1 阔纵沟，两边有棕色、膜质、全缘的狭翅，下面圆形，质脆，通常叶片脱落而叶柄宿存；叶片长线形，长 10 ~ 25 cm，中部宽 9 ~ 16 mm，具长渐尖头，基部略变狭，一回羽状；羽片 20 ~ 30 对，基部的对生，向上的对生或互生，平展，近无柄，中部羽片等大，长 3.5 ~ 6（~ 9）mm，中部宽 2 ~ 4（~ 5）mm，椭圆形或卵形，具圆头，有钝牙齿，基部呈近对称或不对称的圆楔形，上侧较大，偶有小耳状突起，全缘，两侧边缘有小圆齿，中部各对羽片相距 4 ~ 8 mm，彼此疏离，下部羽片向下逐渐远离并缩小，呈卵形、圆形、扇形、三角形或耳形；叶脉羽状，纤细，两面均不明显，小脉极斜向上，

2 叉，有时单一，羽片基部上侧 1 脉常为 2 回 2 叉，不达叶边；叶纸质，干后草绿色、棕绿色或棕色；叶轴栗褐色，有光泽，光滑，上面有平阔纵沟，两侧有棕色、膜质、全缘的狭翅，下面圆形。孢子囊群阔线形，长 1 ~ 3.5 mm，黄棕色，极斜向上，通常上侧具小脉，每羽片有 4 ~ 8 脉，位于主脉与叶边之间，不达叶边；囊群盖阔线形，灰白色，后变棕色，膜质，全缘，开向主脉，宿存。

| 生境分布 | 生于海拔 1 700 ~ 3 400 m 的林下山谷中的岩石上或石缝中。分布于新疆哈巴河县、昌吉市等。

| 资源情况 | 野生资源一般。药材来源于野生。

| 采收加工 | 9 月采收，洗净，鲜用或晒干。

| 功能主治 | 祛风湿，止痛。用于感冒发热，外伤出血等。

| 用法用量 | 内服煎汤，15 ~ 50 g。外用适量，捣敷。

水龙骨科 Polypodiaceae 多足蕨属 *Polypodium*

欧亚多足蕨 *Polypodium vulgare* L.

| 药 材 名 | 多足蕨（药用部位：根茎）。

| 形态特征 | 附生植物。根茎长而横走，直径 3 ~ 4 mm，密被鳞片；鳞片卵状披针形，长 4 ~ 5 mm，膜质，淡棕色，先端渐尖，边缘有细齿。叶近生；叶柄长 5 ~ 10 cm，禾秆色，光滑无毛；叶片卵状披针形，长 10 ~ 20 cm，宽 5 ~ 7 cm，羽状深裂或羽状全裂，先端短尾尖；侧生裂片 12 ~ 15 对，斜向叶尖，条形，长 3 ~ 4 cm，宽 5 ~ 8 mm，基部与叶轴贴生，裂片之间有狭翅相连，先端钝头，边缘具浅锯齿；叶草质或近革质，干后黄绿色，两面光滑无毛；叶脉分离，裂片的中脉细，侧脉不明显。孢子囊群圆形，在裂片中脉两侧各 1 行，位于中脉与边缘之间或略靠近中脉着生，无盖。

| **生境分布** | 生于海拔 1 700 ~ 2 000 m 的石上。分布于新疆尼勒克县、富蕴县、和静县、博乐市、乌苏市、呼图壁县等。

| **资源情况** | 野生资源一般。药材来源于野生。

| **采收加工** | 秋季采收，洗净，鲜用或晒干。

| **功能主治** | 清热利湿解毒，平肝明目。用于湿热淋证，风湿热痹，疮疖痈肿，风疹瘙痒，跌打损伤。

| **用法用量** | 内服煎汤，10 ~ 30 g。外用适量，煎汤洗；或捣敷。

卷柏科 Selaginellaceae 卷柏属 *Selaginella*

红枝卷柏 *Selaginella sanguinolenta* (L.) Spring

|药材名| 卷柏（药用部位：全草）。

|形态特征| 多年生土生植物。匍匐茎地上生，细长，横走，2 ~ 3 回分叉，绿色，被稀疏的叶；侧枝直立，高达 40 cm，多回二叉分枝，稀疏，压扁状，幼枝圆柱状，枝连同叶直径 5 ~ 10 mm。叶螺旋状排列，密集，上斜，披针形或线状披针形，长 4 ~ 8 mm，宽 0.3 ~ 0.6 mm，基部楔形，下延，无柄，先端渐尖，具透明发丝，全缘，草质，中脉不明显。孢子囊穗（3 ~ ）4 ~ 8 集成长达 30 cm 的总柄，总柄上苞片螺旋状稀疏着生，薄草质，状如叶片；孢子囊穗不等位着生，直立，圆柱形，长 2 ~ 8 cm，直径 5 ~ 6 mm，具长 1 ~ 5 cm 的长小柄；孢子叶阔卵形，长 2.5 ~ 3 mm，宽约 2 mm，先端急尖，具芒状长尖头，

边缘膜质，啮蚀状，纸质；孢子囊生于孢子叶叶腋，略外露，圆肾形，黄色。

| 生境分布 | 生于海拔 1 000 ~ 3 300 m 的林下、灌丛下、草坡、路边或岩石上。分布于新疆特克斯县等。

| 资源情况 | 野生资源一般。药材来源于野生。

| 采收加工 | 全年均可采收，洗净，鲜用或晒干。

| 功能主治 | 活血通经，化瘀止血。用于经闭痛经，癥瘕积聚，吐血，崩漏，便血，脱肛等。

| 用法用量 | 内服煎汤，9 ~ 15 g。外用适量，捣敷。

木贼科 Equisetaceae 木贼属 *Equisetum*

问荆 *Equisetum arvense* L.

| 药 材 名 | 问荆（药用部位：全草）。

| 形态特征 | 中小型植物。根茎黑棕色，节和根密生黄棕色长毛或光滑无毛。地上枝当年枯萎。枝二型。能育枝春季先萌发，黄棕色，无轮茎分枝，脊不明显，有密纵沟；鞘筒栗棕色或淡黄色，鞘齿 9 ~ 12，栗棕色，狭三角形，鞘背仅上部有 1 浅纵沟，孢子散落后能育枝枯萎。不育枝后萌发，绿色，轮生分枝多，主枝中部以下有分枝。脊背弧形，无棱，有横纹，无小瘤；鞘筒狭长，绿色，鞘齿三角形，中间黑棕色，边缘膜质，淡棕色，宿存。孢子囊穗圆柱形，先端钝，成熟时柄伸长。

| 生境分布 | 生于荒漠、河湖岸边、山地河谷、林缘、林中空地。分布于新疆哈

巴河县、布尔津县、阿勒泰市、富蕴县、塔城市、石河子市、玛纳斯县、昌吉市、乌鲁木齐县、阜康市、奇台县、巴里坤哈萨克自治县、霍城县、察布查尔锡伯自治县、温宿县、拜城县、乌恰县、塔什库尔干塔吉克自治县、皮山县、和田县等。

| 资源情况 | 野生资源一般。药材来源于野生。

| 采收加工 | 夏、秋季采收，置于通风处阴干，或鲜用。

| 功能主治 | 苦，凉。归肺、胃、肝经。止血，利尿，明目。用于鼻衄，吐血，咯血，便血，崩漏，外伤出血，淋证，目赤翳障。

| 用法用量 | 内服煎汤，5 ~ 15 g，鲜品 50 ~ 100 g。外用适量，捣敷；或研末调敷。

木贼科 Equisetaceae 木贼属 *Equisetum*

木贼 *Equisetum hyemale* L.

| 药 材 名 | 木贼（药用部位：全草）。

| 形态特征 | 中小型植物。根茎直立或横走，黑棕色，节和根光滑或具黄棕色长毛。地上枝当年枯萎。枝一型，高 20 ~ 50（~ 60）cm，中部直径 1.5 ~ 2 mm，节间长 2 ~ 4 cm，绿色，但下部 1 ~ 2 节节间黑棕色，无光泽，常在基部呈丛生状。主枝有脊 4 ~ 7，脊的背部弧形，光滑或有小横纹；鞘筒狭长，下部灰绿色，上部淡棕色；鞘齿 4 ~ 7，黑棕色，披针形，先端渐尖，边缘膜质，鞘背上部有 1 浅纵沟，宿存。侧枝较粗，长达 20 cm，圆柱状至扁平状，有脊 4 ~ 6，光滑或有浅色小横纹；鞘齿 4 ~ 6，披针形，薄革质，灰绿色，宿存。孢子囊穗椭圆形或圆柱状，长 0.6 ~ 2.5 cm，直径 4 ~ 6 mm，先端钝，成

熟时柄伸长，柄长 0.8 ~ 1.2 cm。

| 生境分布 | 生于海拔 200 ~ 4 000 m 的山地。分布于新疆福海县、和田县、霍城县、且末县、轮台县等。

| 资源情况 | 野生资源一般。药材来源于野生。

| 采收加工 | 夏、秋季采收，除去杂质，阴干或者晒干。

| 功能主治 | 甘、苦，平。归肺、肝、胆经。疏风散热，解肌，退翳。用于目生云翳，迎风流泪，肠风下血，血痢，脱肛，疟疾，喉痛，痈肿。

| 用法用量 | 内服煎汤，5 ~ 15 g；或入丸、散剂。外用适量，研末撒。

木贼科 Equisetaceae 木贼属 *Equisetum*

犬问荆 *Equisetum palustre* L.

| 药 材 名 | 问荆（药用部位：全草）。

| 形态特征 | 根茎具块茎，黑褐色，向上发出地上茎。地上茎绿色，柔软，微粗糙，具 6 ~ 12 浅棱，沿棱肋上横生波纹状隆起，沟内有多行气孔，中部以上具轮生侧枝，常不再分枝。叶鞘筒漏斗形，鞘齿长圆状三角形，暗褐色，具宽膜质边。孢子囊穗长圆形，黑褐色至棕色，具钝头。

| 生境分布 | 生于海拔 1 000 ~ 1 400 m 的沼泽地边缘及河湖岸边。分布于新疆博乐市、温泉县、额敏县等。

| 资源情况 | 野生资源一般。药材来源于野生。

| 采收加工 | 6 ~ 8 月采收，除去杂质，晒干。

| 功能主治 | 甘、苦，平、微寒。归心、肝、胃、膀胱经。疏风，明目，活血，舒筋。用于迎风流泪，翳膜遮睛，跌打损伤，肠风，血痔。

| 用法用量 | 内服煎汤，9 ~ 30 g，鲜品 30 ~ 60 g。外用适量，捣敷；或研末撒。

木贼科 Equisetaceae 木贼属 *Equisetum*

草问荆 *Equisetum pratense* Ehrh.

| 药 材 名 | 问荆（药用部位：全草）。

| 形态特征 | 多年生草本。根茎深褐色，向上生出地上茎。生殖主茎淡褐色或淡黄色，无叶绿体，不分枝。孢子囊穗顶生，基部有柄，先端钝。营养茎灰蓝绿色，具 14 ~ 16 行棱肋，沿棱具 1 行刺状突起，沟内有 2 列气孔线。叶鞘筒圆柱状漏斗形，基部有 1 棕褐色环，鞘齿 14 ~ 16，分离，披针状三角形，长渐尖，边缘膜质，背部褐色。侧枝短，密生，最下面的节间短于营养主茎叶鞘，单一，不分枝，水平伸展，末端呈弧状弯曲；叶鞘齿 3 ~ 4，三角形。

| 生境分布 | 生于海拔 1 400 ~ 1 900 m 的山地林缘、灌丛和草甸。分布于新疆乌

鲁木齐县、昌吉市、伊宁县等。

| **资源情况** | 野生资源较少。药材来源于野生。

| **采收加工** | 夏季采收，洗净，鲜用或晒干。

| **功能主治** | 活血，利尿，驱虫。用于动脉粥样硬化，小便涩痛不利，肠道寄生虫病。

| **用法用量** | 内服煎汤，5 ~ 10 g，鲜品 30 ~ 60 g。

木贼科 Equisetaceae 木贼属 *Equisetum*

节节草 *Equisetum ramosissimum* Desf.

| 药 材 名 | 节节草（药用部位：地上部分）。

| 形态特征 | 大型植物。根茎直立，横走或斜升，黑棕色，节和根疏生黄棕色长毛或光滑无毛，地上枝多年生，枝一型，绿色，主枝多在下部分枝，常呈簇生状；幼枝的轮生分枝明显或不明显；主枝有脊，脊的背部弧形，鞘筒下部灰绿色，上部灰棕色，鞘齿三角形，灰白色、黑棕色或淡棕色，边缘膜质；侧枝较硬，圆柱状；鞘齿披针形，革质但边缘膜质，上部棕色，宿存。孢子囊穗短棒状或椭圆形。

| 生境分布 | 生于海拔 500 ~ 3 000 m 的平原。新疆各地均有分布。

| 资源情况 | 野生资源一般。药材来源于野生。

| 采收加工 | 全年均可采收，洗净，晒干。

| 功能主治 | 清热消炎，止血利尿，保护肝脏，降血脂，抗氧化，抑菌。用于风热感冒，咳嗽，目赤肿痛，尿血，黄疸，肝炎，支气管感染，尿路感染。

| 用法用量 | 内服煎汤，9 ~ 30 g。

裸子植物

○

○

○

银杏科 Ginkgoaceae 银杏属 *Ginkgo*

银杏 *Ginkgo biloba* L.

| 药 材 名 | 银杏（药用部位：叶、外种皮、种仁）。

| 形态特征 | 乔木。高达 40 m，胸径可达 4 m。幼树树皮浅纵裂，大树树皮呈灰褐色，深纵裂，粗糙；幼树及壮年树树冠圆锥形，老树树冠广卵形；枝近轮生，斜上伸展，雌株的大枝常较雄株开展，一年生的长枝淡褐黄色，二年生以上枝变为灰色，并有细纵裂纹，短枝密被叶痕，黑灰色，短枝上亦可长出长枝；冬芽黄褐色，常为卵圆形，先端钝尖。叶扇形，有长柄，淡绿色，无毛，有多数叉状并列的细脉，先端宽 5 ~ 8 cm，在短枝上常具波状缺刻，在长枝上常 2 裂，基部宽楔形，柄长 3 ~ 10 cm，幼树及萌生枝上的叶常较大而深裂；叶片长 13 cm，宽 15 cm，有时裂片再分裂，叶在一年生长枝上螺旋状散

生，在短枝上 3 ～ 8 叶呈簇生状，秋季落叶前变为黄色。

| 生境分布 | 新疆和田地区、喀什地区、阿克苏地区有栽培。

| 采收加工 | 秋季叶尚绿时采收叶，及时干燥。

| 功能主治 | 叶，活血止痛，降胆固醇，抗心绞痛。外种皮，敛肺定喘。用于肺结核。种仁，镇咳祛痰。用于哮喘痰嗽。

| 用法用量 | 内服煎汤，4.5 ～ 9 g。

柏科 Cuperssaceae 刺柏属 *Juniperus*

西伯利亚刺柏 *Juniperus communis* L. var. *saxatilis* Pall.

| 药材名 | 圆柏叶（药用部位：枝叶）。

| 形态特征 | 匍匐灌木。高 30 ~ 70 cm；枝皮灰色，小枝密，粗壮，直径约 2 mm。刺叶 3 叶轮生，斜伸，通常稍呈镰状弯曲，披针形或椭圆状披针形，先端急尖或上部渐窄成锐尖头，长 7 ~ 10 mm，宽 1 ~ 1.5 mm，上面稍凹，中间有 1 较绿色边带宽的白粉带，间或中下部有微明显的绿色中脉，下面具棱脊。球果圆球形或近球形，直径 5 ~ 7 mm，成熟时褐黑色，被白粉，通常有 3 种子，间或 1 ~ 2 种子；种子卵圆形，先端尖，有棱角，长约 5 mm。

| 生境分布 | 生于高山冻原带、石砾山地或疏林下。分布于新疆阿勒泰市、富蕴县等。

| **资源情况** | 野生资源较丰富。药材来源于野生。

| **采收加工** | 全年均可采收，鲜用或晒干。

| **功能主治** | 凉血止血，清热利湿。用于风湿病，痛风，膀胱炎。

| **用法用量** | 内服煎汤，9 ~ 15 g。外用适量，煎汤洗；或燃烧取烟熏烤。

柏科 Cuperssaceae 刺柏属 *Juniperus*

新疆方枝柏 *Juniperus pseudosabina* Fisch. et C. A. Mey.

| 药材名 | 柏子仁（药用部位：种仁）。

| 形态特征 | 匍匐灌木。枝干弯曲或直，沿地面平铺或斜上伸展，皮灰褐色，裂成薄片脱落，侧枝直立或斜伸，高 3 ~ 4 m；小枝直或微呈弧状弯曲，方圆形或四棱形，二至三回分枝，直径 1 ~ 1.5（~ 2）mm。鳞叶交叉对生，排列较疏或紧密，长 1.5 ~ 2 mm，先端微钝或微尖，腹面微凹曲，背面拱圆或具明显或微明显的钝脊，中部有矩圆形或宽椭圆形的腺体，腺体通常明显，鳞叶排列紧密而不明显；刺叶仅生于幼树或树龄不大的树上，近披针形，交叉对生或 3 叶交叉轮生，长 8 ~ 12 mm，先端渐尖。

| 生境分布 | 生于海拔 1 500 ~ 3 000 m 以上的山区。分布于新疆阿勒泰市、吉木

乃县、富蕴县、精河县、博乐市、巩留县、拜城县、阿合奇县、昌吉市、和静县等。

| 资源情况 | 野生资源一般。药材来源于野生。

| 采收加工 | 秋、冬季采收成熟种子，晒干，除去种皮。

| 功能主治 | 凉血止血，清热利湿。用于风湿痹痛。

| 用法用量 | 内服煎汤，3 ~ 9 g。

麻黄科 Ephedraceae 麻黄属 *Ephedra*

双穗麻黄 *Ephedra distachya* L.

| 药材名 | 麻黄（药用部位：草质茎、枝、根）。

| 形态特征 | 叶退化成膜质鞘状，长 1.5 ~ 2 mm，基部 1/3 ~ 1/2 合生；裂片 2，三角形，白色膜质，基部呈红褐色。雄球花单生或数花集生，有短柄；苞片 3 ~ 4 对，互生，卵圆形，基部合生；雄花有 1 雄蕊，花丝合生成柱状，花药 4 或 8，黄色，伸出苞外。雌球花有短柄；苞片 3 ~ 4 对，卵圆形，具较宽的膜质边，顶部的 1 对苞片具窄边，内着生 2 花，珠被管直立，短小，长约 1 mm。浆果球形，苞片肉质，成熟后红色；种子 2，卵形，基部圆，先端钝，背面凸出，腹面稍凹，黑褐色。花期 5 ~ 6 月，果期 8 ~ 9 月。

| 生境分布 | 生于沙漠及戈壁地带。分布于新疆巴里坤哈萨克自治县、托里县、

裕民县、青河县、米东区、和静县等。

| 资源情况 | 野生资源稀少。药材来源于野生。

| 采收加工 | 秋季采收，鲜用、晾干或阴干。

| 功能主治 | 发汗，平喘，利水。用于风寒表实证，恶寒发热。

| 用法用量 | 内服煎汤，1.5 ~ 10 g；或入丸、散剂。外用适量，研末敷；或搐鼻。

麻黄科 Ephedraceae 麻黄属 *Ephedra*

木贼麻黄 *Ephedra equisetina* Bunge

| 药 材 名 | 麻黄（药用部位：草质茎）。

| 形态特征 | 直立小灌木。高达 1 m，木质茎粗长，直立，稀部分呈匍匐状；小枝细，节间短，纵槽纹细浅，不明显，常被白粉，呈蓝绿色或灰绿色。叶褐色，大部合生，上部裂片短三角形，先端钝。雄球花单生或 3 ~ 4 集生于节上，无梗或开花时有短梗，卵圆形，花丝全部合生，微外露；雌球花常 2 对生于节上，窄卵圆形或窄菱形，成熟时肉质，红色，长卵圆形或卵圆形，具短梗。种子窄长卵圆形，先端窄缩成颈柱状，基部渐窄圆，具明显的点状种脐与种阜。

| 生境分布 | 生于海拔 1 300 ~ 3 000 m 的碎石坡地、山脊。分布于新疆昌吉回族

自治州及布尔津县、阿勒泰市、福海县、富蕴县、青河县、塔城市、和布克赛尔蒙古自治县、温泉县、博乐市、乌鲁木齐县等。

| 资源情况 | 野生资源一般。药材来源于野生。

| 采收加工 | 秋季采割，晒干。

| 功能主治 | 发汗散寒，宣肺平喘，利水消肿。用于风寒感冒，胸闷咳喘，风水浮肿，支气管哮喘。

| 用法用量 | 内服煎汤，1.5 ~ 10 g；或入丸、散剂。外用适量，研末敷；或搐鼻。

麻黄科 Ephedraceae 麻黄属 *Ephedra*

中麻黄 *Ephedra intermedia* Schrenk ex C. A. Mey.

| 药 材 名 | 麻黄（药用部位：草质茎、根）。

| 形态特征 | 小灌木。茎直立或匍匐斜上，粗壮，基部分枝多，主干枝灰色。叶 2，先端钝圆；叶片不明显，淡白色或淡灰褐色。雄球花球形或阔卵形，无梗或具短梗，花粉囊 5 ~ 7。雌球花卵形，具短梗；苞片 3 ~ 4 对，交互对生。种子 2，卵形，先端钝，背部凸，腹面平凹；种皮栗色，有光泽，背面有皱纹。花期 6 月，果期 8 月。

| 生境分布 | 生于荒漠、石质戈壁、沙地以及砂质、砾质和石质的干旱低山坡。分布于新疆伊宁县、博乐市、温泉县、和静县、阿勒泰市、伊吾县、乌鲁木齐县、昌吉市等。

| 资源情况 | 野生资源丰富。药材来源于野生。

| 采收加工 | 草质茎，秋季采收，晒干。根，秋末采挖，除去残茎、须根和泥沙，干燥。

| 功能主治 | 草质茎，发汗散寒，宣肺平喘，利水消肿。用于风寒感冒，胸闷喘咳，风水浮肿。根，固表止汗。用于自汗，盗汗。

| 用法用量 | 内服煎汤，1.5 ~ 10 g；或入丸、散剂。外用适量，研末敷；或搐鼻。

麻黄科 Ephedraceae 麻黄属 *Ephedra*

沙地麻黄 *Ephedra lomatolepis* Schrenk

| 药 材 名 | 麻黄（药用部位：草质茎、嫩枝）。

| 形态特征 | 灌木。高 20 ~ 50 cm，常具地下茎。地上茎直立或斜升，主干和老枝树皮灰白色，条裂，基部多分枝；上年生枝淡黄绿色，较粗；当年生小枝坚硬，绿色，直径 1 ~ 1.5 mm，节间长 4 ~ 6 cm，轮生或对生，光滑或粗糙，有细沟纹。叶片 2 ~ 3，退化成鞘，长约 4 mm，背部革质，干后淡褐色，联结处窄膜质，淡白色，下部沿节上 1 圈增厚，隆起，在淡白色膜下边有瘤点状横纹；裂片三角形，具白色的膜质边；上年生枝上的叶鞘常破裂，裂片残存或脱落。雄球花聚成圆头状花序，长 5 ~ 6 mm，单生或 4 ~ 8 对生；苞片长 1.5 ~ 2 mm，短渐尖，中部以下连合，具全缘的宽膜质边；雄蕊柱

很少伸出，具 6 ~ 8 花粉囊，花丝长至 1 mm。雌球花单生或 3 ~ 4 簇生于长 1 ~ 5 cm 的总梗上，先端有 2 或 3 不易脱落的总苞片；苞片对生或轮生，有 3 ~ 4 对，呈覆瓦状，分离，阔卵形或近圆形，宽约 5 mm，成熟时干燥，稍钝，背部较厚，草质，边缘窄膜质，全缘或有细齿。种子 2 ~ 3，狭卵形，棕褐色，平凸，长 3 ~ 4 mm，背面有皱纹；珠被管长约 1.5 mm，螺旋状。

| 生境分布 | 生于荒漠沙地上。分布于新疆昌吉回族自治州及青河县、富蕴县、阿勒泰市、吉木乃县、和布克赛尔蒙古自治县、托里县、克拉玛依区、奎屯市、乌苏市、博乐市、霍城县、察布查尔锡伯自治县、石河子市等。

| 资源情况 | 野生资源一般。药材来源于野生。

| 采收加工 | 秋季采收，鲜用、晾干或阴干。

| 功能主治 | 发汗，平喘，利水，止咳祛痰，解热发汗。用于伤寒表实证，发热恶寒。

| 用法用量 | 内服煎汤，1.5 ~ 10 g；或入丸、散剂。外用适量，研末敷；或搐鼻。

麻黄科 Ephedraceae 麻黄属 *Ephedra*

单子麻黄 *Ephedra monosperma* Gmel. ex Mey.

| 药 材 名 | 麻黄（药用部位：草质茎、嫩枝）。

| 形态特征 | 草本状矮小灌木。地下茎发达，分枝，有节；在地表处顶芽枯死，从节上发出侧枝。叶 2，连合成鞘筒，上部裂至 1/3；裂片三角形，淡绿白色。苞片淡黄绿色，阔卵形；雄蕊柱连合成单体，或 2 裂至中部或下部，伸出；花粉囊 6 ~ 7，先端者具短柄。雌球花单生或对生于节上，具梗；苞片 2 ~ 3 对，基部连合，边缘狭膜质，成熟雌球花的苞片肉质，淡红褐色。种子 1，外露，狭卵形，褐色。

| 生境分布 | 生于海拔 1 400 ~ 2 700 m 的干旱山坡石缝中。分布于新疆额敏县、伊州区、呼图壁县、乌鲁木齐县、若羌县、乌恰县、吉木乃县等。

| **资源情况** | 野生资源一般。药材来源于野生。

| **采收加工** | 秋季采收，鲜用、晾干或阴干。

| **功能主治** | 发汗解表，止咳平喘，解表利水。用于外感风寒，喘咳，水肿兼有表证。

| **用法用量** | 内服煎汤，1.5 ~ 10 g；或入丸、散剂。外用适量，研末敷；或搐鼻。

麻黄科 Ephedraceae 麻黄属 *Ephedra*

膜果麻黄 *Ephedra przewalskii* Stapf

|药 材 名| 麻黄（药用部位：草质茎）。

|形态特征| 灌木。皮灰白色或淡灰黄色，纤维状细裂。基部多分枝。叶背部棕红色而具膜质边缘，斜上展、外展或反卷，基部增厚而隆起，有皱纹。雄球花无梗，密集成团伞花序，淡褐色或淡黄褐色；苞片阔倒卵形或圆卵形；花粉囊具短梗。雌球花近圆球形；苞片扁圆形或三角状扁卵形；雌球花成熟时苞片为淡棕色、干燥、半透明的薄膜片。种子常 3，少 2，长卵圆形。花期 5 ~ 6 月，果期 7 ~ 8 月。

|生境分布| 生于石质荒漠和沙地。分布于新疆和田市、于田县、民丰县、喀什市、奇台县、和布克赛尔蒙古自治县、乌苏市、托克逊县、和硕县等。

| **资源情况** | 野生资源丰富。药材来源于野生。

| **采收加工** | 秋季采割绿色者，晒干。

| **功能主治** | 发汗散寒，宣肺平喘，利水消肿。用于风寒感冒，胸闷喘咳，风水浮肿。

| **用法用量** | 内服煎汤，1.5 ~ 10 g；或入丸、散剂。外用适量，研末敷；或搐鼻。

麻黄科 Ephedraceae 麻黄属 *Ephedra*

细子麻黄 *Ephedra regeliana* Florin

| 药 材 名 | 麻黄（药用部位：草质茎）。

| 形态特征 | 草本状密丛小灌木。无主茎；地下茎发达；幼茎纤细，有节。叶 2，对生，连合成鞘筒；裂片三角形；枝下部叶鞘破裂，裂片干枯、残存或脱落，枝基部叶鞘灰白色，圆筒形，浅裂，宿存。雄球花卵形或椭圆形；薄膜质假花被近倒卵形；雄蕊柱远伸出苞片。雌球花含 2 种子，具 3 ~ 4 对苞片，成熟雌球花卵形或阔卵形。种子 2，内藏，卵形或狭卵形，栗褐色，先端钝，背部凸，微有皱纹，腹面平凹；珠被管内藏或微伸出。花期 5 ~ 6 月，果期 7 ~ 8 月。

| 生境分布 | 生于海拔 700 ~ 3 200 m 的平原砾石戈壁、干旱低山坡至高山石坡、石缝中。分布于新疆青河县、呼图壁县、塔什库尔干塔吉克自治县、

阿合奇县、温泉县、特克斯县、沙依巴克区等。

| 资源情况 | 野生资源一般。药材来源于野生。

| 采收加工 | 秋季采割绿色者，晒干。

| 功能主治 | 祛寒发汗，平喘利尿，散瞳升压。用于感冒无汗，头痛身痛，麻疹水肿。

| 用法用量 | 内服煎汤，1.5 ~ 10 g；或入丸、散剂。外用适量，研末敷；或搐鼻。

被子植物

○

○

○

香蒲科 Typhaceae 香蒲属 *Typha*

水烛 *Typha angustifolia* L.

| 药材名 | 蒲黄（药用部位：花粉）。

| 形态特征 | 多年生水生或沼生草本。根茎乳黄色或灰黄色，先端白色。地上茎直立，粗壮，高 1.5 ~ 2.5（~ 3） m。叶片长 54 ~ 120 cm，宽 0.4 ~ 0.9 cm，上部扁平，中部以下腹面微凹，背面向下逐渐隆起，呈凸形，下部横切面呈半圆形，细胞间隙大，呈海绵状；叶鞘抱茎。雌雄花序相距 2.5 ~ 6.9 cm；雄花序轴具褐色扁柔毛，单出或分叉，叶状苞片 1 ~ 3，花后脱落；雌花序长 15 ~ 30 cm，基部具 1 叶状苞片，苞片通常比叶宽，花后脱落；雄花由 3 有时 2 或 4 雄蕊组成，花药长约 2 mm，长矩圆形，花粉粒单体，近球形、卵形或三角形，纹饰网状，花丝短，细弱，下部合生成柄，长（1.5 ~ ）2 ~ 3 mm，向下渐宽；雌花具小苞片；孕性雌花柱头窄条形或披针形，

长 1.3 ~ 1.8 mm，花柱长 1 ~ 1.5 mm，子房纺锤形，长约 1 mm，具褐色斑点，子房柄纤细，长约 5 mm；不孕雌花子房倒圆锥形，长 1 ~ 1.2 mm，具褐色斑点，先端黄褐色，不育柱头短尖，白色丝状毛着生于子房柄基部，并向上延伸，与小苞片近等长，均短于柱头。小坚果长椭圆形，长约 1.5 mm，具褐色斑点，纵裂。种子深褐色，长 1 ~ 1.2 mm。花果期 6 ~ 9 月。

| 生境分布 | 生于湖泊、河流、池塘浅水处、沼泽、沟渠、湿地等。新疆各地均有分布。

| 资源情况 | 野生资源一般。药材主要来源于野生。

| 采收加工 | 夏季花将开放时采收蒲棒上部的黄色雄花，晒干，碾轧，筛取花粉。

| 功能主治 | 甘，平。止血，化瘀，通淋。用于吐血，衄血，咯血，崩漏，外伤出血，经闭痛经，胸腹刺痛，跌扑肿痛，血淋涩痛。

香蒲科 Typhaceae 香蒲属 *Typha*

长苞香蒲 *Typha domingensis* Pers.

| 药 材 名 | 蒲黄（药用部位：花粉）。

| 形态特征 | 多年生水生或沼生草本。根茎粗壮，乳黄色，先端白色。地上茎直立，高 0.7 ~ 2.5 m，粗壮。叶片长 40 ~ 150 cm，宽 0.3 ~ 0.8 cm，上部扁平，中部以下背面逐渐隆起，下部横切面呈半圆形，细胞间隙大，海绵状；叶鞘很长，抱茎。雌雄花序远离；雄花序长 7 ~ 30 cm，花序轴具弯曲的柔毛，先端齿裂或不裂，叶状苞片 1 ~ 2，长约 32 cm，宽约 8 mm，与雄花先后脱落；雌花序位于下部，长 4.7 ~ 23 cm，叶状苞片比叶宽，花后脱落；雄花通常由 3 稀 2 雄蕊组成，花药长 1.2 ~ 1.5 mm，矩圆形，花粉粒单体，球形、卵形或钝三角形，花丝细弱，下部合生成短柄；雌花具小苞片；孕性雌花柱头长 0.8 ~ 1.5 mm，宽条形至披针形，比花柱宽，花柱长 0.5 ~ 1.5 mm，

子房披针形，长约 1 mm，子房柄细弱，长 3 ~ 6 mm；不孕雌花子房长 1 ~ 1.5 mm，近倒圆锥形，具褐色斑点，先端呈凹形，不发育柱头凹陷，白色丝状毛极多数，生于子房柄基部，或向上延伸，短于柱头。小坚果纺锤形，长约 1.2 mm，纵裂，果皮具褐色斑点；种子黄褐色，长约 1 mm。花果期 6 ~ 8 月。

| 生境分布 | 生于绿洲平原的湖泊、河边、池塘浅水处、积水沼泽、沟渠等。分布于新疆叶城县、和田县、察布查尔锡伯自治县、石河子市、民丰县、轮台县等。

| 资源情况 | 野生资源一般。药材主要来源于野生。

| 采收加工 | 夏季花将开放时采收蒲棒上部的黄色雄花，晒干，碾轧，筛取花粉。

| 功能主治 | 甘，平。止血，化瘀，通淋。用于吐血，衄血，咯血，崩漏，外伤出血，经闭痛经，胸腹刺痛，跌扑肿痛，血淋涩痛。

香蒲科 Typhaceae 香蒲属 *Typha*

宽叶香蒲 *Typha latifolia* L.

|药 材 名| 蒲黄（药用部位：花粉）。

|形态特征| 多年生水生或沼生草本。根茎乳黄色，先端白色。地上茎粗壮，高 1 ~ 2.5 m。叶条形，长 45 ~ 95 cm，宽 0.5 ~ 1.5 cm，光滑无毛，上部扁平，背面中部以下逐渐隆起，下部横切面近新月形，细胞间隙较大，呈海绵状；叶鞘抱茎。雌雄花序紧密相接；花期时雄花序长 3.5 ~ 12 cm，比雌花序粗壮，花序轴具灰白色弯曲柔毛，叶状苞片 1 ~ 3，上部短小，花后脱落；雌花序长 5 ~ 22.6 cm，花后发育；雄花通常由 2 雄蕊组成，花药长约 3 mm，长矩圆形，花粉粒正四合体，纹饰网状，花丝短于花药，基部合生成短柄；雌花无小苞片；孕性雌花柱头披针形，长 1 ~ 1.2 mm，花柱长 2.5 ~ 3 mm，子房披针形，长约 1 mm，子房柄纤细，长约 4 mm；不孕雌花子房倒圆锥形，长

0.6 ~ 1.2 mm，宿存，子房柄较粗壮，不等长，白色丝状毛明显短于花柱。小坚果披针形，长 1 ~ 1.2 mm，褐色，果皮通常无斑点。种子褐色，椭圆形，长不足 1 mm。花果期 6 ~ 8 月。

| 生境分布 | 生于绿洲平原的湖泊、溪渠、河滩浅水中、湿地和沼泽。分布于新疆塔城市、额敏县、乌苏市、霍城县等。

| 资源情况 | 野生资源一般。药材主要来源于野生。

| 采收加工 | 夏季花将开放时采收蒲棒上部的黄色雄花，晒干，碾轧，筛取花粉。

| 功能主治 | 甘，平。止血，化瘀，通淋。用于吐血，衄血，咯血，崩漏，外伤出血，经闭痛经，胸腹刺痛，跌扑肿痛，血淋涩痛。

香蒲科 Typhaceae 香蒲属 *Typha*

无苞香蒲 *Typha laxmannii* Lep.

| 药 材 名 | 蒲黄（药用部位：花粉）。

| 形态特征 | 多年生沼生或水生草本。根茎乳黄色或浅褐色，先端白色。地上茎直立，较细弱，高 1 ~ 1.3 m。叶片窄条形，长 50 ~ 90 cm，宽 2 ~ 4 mm，光滑无毛，下部背面隆起，横切面半圆形，细胞间隙较大，近叶鞘处呈明显的海绵状；叶鞘抱茎较紧。雌雄花序远离；雄性穗状花序长 6 ~ 14 cm，明显长于雌花序，花序轴具白色、灰白色或黄褐色柔毛，基部和中部具 1 ~ 2 纸质叶状苞片，花后苞片脱落；雌花序长 4 ~ 6 cm，基部具 1 叶状苞片，苞片通常比叶片宽，花后脱落；雄花由 2 ~ 3 雄蕊组成，花药长约 1.5 mm，花丝很短；雌花无小苞片；孕性雌花柱头匙形，长 0.6 ~ 0.9 mm，褐色边缘不整齐，花柱长 0.5 ~ 1 mm，子房针形，长 1 ~ 1.2 mm，子房柄纤细，长 2.5 ~ 3 mm；

不孕雌花子房倒圆锥形，先端平，不发育柱头很小，宿存，白色丝状毛与花柱近等长。果实椭圆形。种子褐色，长约 1 mm，具小突起。花果期 6 ~ 8 月。

| 生境分布 | 生于绿洲平原的湖泊、溪渠、河滩浅水处及水稻田中。分布于新疆阿勒泰市、富蕴县、霍城县、裕民县、特克斯县、新源县、玛纳斯县、石河子市、博湖县、温宿县、且末县等。

| 资源情况 | 野生资源一般。药材主要来源于野生。

| 采收加工 | 夏季花将开放时采收蒲棒上部的黄色雄花，晒干，碾轧，筛取花粉。

| 功能主治 | 甘，平。止血，化瘀，通淋。用于吐血，衄血，咯血，崩漏，外伤出血，经闭痛经，胸腹刺痛，跌扑肿痛，血淋涩痛。

香蒲科 Typhaceae 香蒲属 *Typha*

小香蒲 *Typha minima* Funck ex Hoppe

| 药材名 | 蒲黄（药用部位：花粉）。

| 形态特征 | 多年生沼生或水生草本。根茎姜黄色或黄褐色，先端乳白色。地上茎直立，细弱，矮小，高 16 ~ 65 cm。叶通常基生，鞘状，无叶片，如叶片存在，长 15 ~ 40 cm，宽 1 ~ 2 mm，短于花葶，叶鞘边缘膜质，叶耳向上伸展，长 0.5 ~ 1 cm。雌雄花序远离；雄花序长 3 ~ 8 cm，花序轴无毛，基部具 1 叶状苞片，长 4 ~ 6 cm，宽 4 ~ 6 mm，花后苞片脱落；雌花序长 1.6 ~ 4.5 cm，叶状苞片明显宽于叶片；雄花无被，雄蕊通常单生，有时 2 ~ 3 合生，基部具短柄，长约 0.5 mm，向下渐宽，花药长 1.5 mm，花粉粒呈四合体，纹饰颗粒状；雌花具小苞片；孕性雌花柱头条形，长约 0.5 mm，花柱长约 0.5 mm，子房长 0.8 ~ 1 mm，纺锤形，子房柄长约 4 mm，纤细；不孕雌花子

房长 1 ~ 1.3 mm，倒圆锥形，白色丝状毛先端膨大成圆形，着生于子房柄基部，或向上延伸，与不孕雌花及小苞片近等长，均短于柱头。小坚果椭圆形，纵裂，果皮膜质。种子黄褐色，椭圆形。花果期 5 ~ 8 月。

| 生境分布 | 生于河滩浅水处、沼泽及水沟边浅水处、水体干枯后的湿地及低洼处。分布于新疆布尔津县、吉木乃县、精河县、察布查尔锡伯自治县、巩留县、特克斯县、新源县、库尔勒市、沙雅县、阿克苏市、喀什市等。

| 资源情况 | 野生资源一般。药材主要来源于野生。

| 采收加工 | 夏季花将开放时采收蒲棒上部的黄色雄花，晒干，碾轧，筛取花粉。

| 功能主治 | 甘，平。止血，化瘀，通淋。用于吐血，衄血，咯血，崩漏，外伤出血，经闭痛经，胸腹刺痛，跌扑肿痛，血淋涩痛。

黑三棱科 Sparganiaceae 黑三棱属 *Sparganium*

小黑三棱 *Sparganium simplex* Huds.

| 药 材 名 |

京三棱（药用部位：块茎）。

| 形态特征 |

多年生沼生或水生草本。块茎较小，近圆形；根茎细长，横走。茎直立，高 30 ~ 70 cm，通常较细弱。叶直立，长 40 ~ 80 cm，挺水或浮水，先端渐尖，中下部背面呈龙骨状凸起，基部呈鞘状。花序总状，长 10 ~ 20 cm；雄性头状花序 4 ~ 8，排列稀疏；雌性头状花序 3 ~ 4，互不相接，下部 1 ~ 2 雌性头状花序具总花梗，生于叶状苞片腋内，有时总花梗下部多少贴生于主轴；雄花花被片长 2 ~ 2.5 mm，条形或匙形，先端浅裂，花药长 1.5 ~ 1.8 mm，宽约 0.4 mm，矩圆形，花丝长约 4 mm，褐色；雌花花被片匙形，长约 3.5 mm，膜质，先端浅裂，柱头长 1.5 ~ 1.8 mm，花柱长约 1 mm，子房纺锤形。果实深褐色，中部略狭窄，基部具短柄，花被片生于果柄基部。花果期 7 ~ 8 月。

| 生境分布 |

生于河滩浅水处、沼泽、湿地及溪边。分布于新疆布尔津县、富蕴县、哈巴河县、尼勒克县等。

| 资源情况 | 野生资源一般。药材主要来源于野生。

| 采收加工 | 秋、冬季或春季将根茎挖出，除掉茎苗及须根，洗净泥土，削去外面的粗皮，晒干，或趁鲜切片晒干。

| 功能主治 | 破血行气，消积止痛。用于癥瘕痞块，痛经，瘀血经闭，胸痹心痛，食积胀痛。

黑三棱科 Sparganiaceae 黑三棱属 *Sparganium*

黑三棱 *Sparganium stoloniferum* (Graebn.) Buch.-Ham. ex Juz.

| 药 材 名 | 京三棱（药用部位：块茎）。

| 形态特征 | 多年生水生或沼生草本。块茎膨大，比茎粗 2 ~ 3 倍或更粗；根茎粗壮。茎直立，粗壮，高 0.7 ~ 1.2 m 或更高，挺水。叶片条形，几与茎等长，宽约 2 cm，具中脉，上部扁平，下部背面呈龙骨状凸起或呈三棱形，基部鞘状。圆锥花序开展，长 20 ~ 60 cm，具 3 ~ 7 侧枝，每个侧枝上着生 7 ~ 11 雄性头状花序和 1 ~ 2 雌性头状花序，主轴先端通常具 3 ~ 5 或更多雄性头状花序，无雌性头状花序；花期雄性头状花序呈球形，直径约 10 mm；雄花花被片匙形，膜质，先端浅裂，早落，花丝长约 3 mm，丝状，弯曲，褐色；雌花花被长 5 ~ 7 mm，宽 1 ~ 1.5 mm，着生于子房基部，宿存，柱头分叉或不分叉，长 3 ~ 4 mm，向上渐尖，花柱长 2 ~ 3 mm，子房无

柄。果实长 6 ~ 9 mm，倒圆锥形，上部通常膨大成冠状，具棱，褐色。花果期 6 ~ 9 月。

| 生境分布 | 生于沼泽、湿草地和溪边。分布于新疆哈密市及阿勒泰市、布尔津县、奇台县、玛纳斯县、塔城市、察布查尔锡伯自治县、巩留县、库尔勒市、阿克苏市等。

| 资源情况 | 野生资源一般。药材主要来源于野生。

| 采收加工 | 秋、冬季或春季将根茎挖出，除掉茎苗及须根，洗净泥土，削去外面的粗皮，晒干，或趁鲜切片晒干。

| 功能主治 | 破血行气，消积止痛。用于癥瘕痞块，痛经，瘀血经闭，胸痹心痛，食积胀痛。

眼子菜科 Potamogetonaceae 眼子菜属 *Potamogeton*

丝叶眼子菜 *Potamogeton filiformis* Pers.

| 药 材 名 | 眼子菜（药用部位：全草）。

| 形态特征 | 沉水草本。根茎细长，白色，直径约 1 mm，具分枝，常于春末至秋季在主根茎及其分枝先端形成卵球形休眠芽体。茎圆柱形，纤细，直径约 0.5 mm，自基部多分枝，或少分枝；节间常短缩或伸长，长 0.5 ~ 2 cm。叶线形，长 3 ~ 7 cm，宽 0.3 ~ 0.5 mm，先端钝，基部与托叶贴生成鞘；鞘长 0.8 ~ 1.5 cm，绿色，合生成套管状，抱茎（或至少在幼时为合生的管状），先端具一长 0.5 ~ 1.5 cm 的无色透明的膜质舌片；叶脉 3，平行，先端连接，中脉显著，边缘脉细弱而不明显，次级脉极不明显。穗状花序顶生，具花 2 ~ 4 轮，间断排列；花序梗细，长 10 ~ 20 cm，与茎近等粗；花被片 4，近圆形，直径 0.8 ~ 1 mm；雌蕊 4，离生，通常仅 1 ~ 2 发育为成熟果实。果实倒

卵形，长 2 ~ 3 mm，宽 1.5 ~ 2 mm，喙极短，呈疣状，背脊通常钝圆。花果期 7 ~ 10 月。

| 生境分布 | 生于微碱性的沟塘、湖沼等静水体中。分布于新疆福海县、玛纳斯县、塔什库尔干塔吉克自治县、喀什市、吉田县、阿瓦提县等。

| 资源情况 | 野生资源较少。药材主要来源于野生。

| 采收加工 | 春、夏季采收，洗净，鲜用或晒干。

| 功能主治 | 清热解毒，利湿通淋，止血，驱蛔。用于湿热痢疾，黄疸，热淋，带下，鼻衄，痔疮出血，蛔虫病，疮痈肿毒。

眼子菜科 Potamogetonaceae 眼子菜属 *Potamogeton*

小节眼子菜 *Potamogeton nodosus* Poir.

| 药 材 名 |

眼子菜（药用部位：全草）。

| 形态特征 |

多年生水生草本。根茎发达，白色，直径 1 ~ 2 mm，多分枝，节处生有稍密的须状根。茎圆柱形，直径 1.5 ~ 2 mm，通常不分枝。浮水叶革质，长椭圆形或卵状椭圆形，长 3 ~ 6 cm，宽 1.5 ~ 3 cm，先端尖或钝，基部楔形或近圆形，具长柄，叶脉多条，先端连接；沉水叶披针形，先端稍钝，具柄，常早落；托叶膜质，长 2 ~ 4 cm，呈鞘状抱茎。穗状花序顶生，具多轮花，开花时伸出水面；花序梗稍膨大，略粗于茎，开花时直立，花后自基部弯曲而使穗沉于水中，长 4 ~ 6 cm；花小，花被片 4，淡绿色；雌蕊 4，离生。果实倒卵形，淡紫红色，长 3 ~ 4 mm，背部具 3 脊，中脊锐。花果期 6 ~ 9 月。

| 生境分布 |

生于湖泊、沟塘边、池沼积水处等。分布于新疆吐鲁番市及米东区、乌鲁木齐县、玛纳斯县、乌苏市、塔城市、察布查尔锡伯自治县、焉耆回族自治县、库尔勒市、拜城县、于田县等。

| 资源情况 | 野生资源一般。药材主要来源于野生。

| 采收加工 | 春、夏季采收，洗净，鲜用或晒干。

| 功能主治 | 清热解毒，利湿通淋，止血，驱蛔。用于湿热痢疾，黄疸，热淋，带下，鼻衄，痔疮出血，蛔虫病，疮痈肿毒。

眼子菜科 Potamogetonaceae 眼子菜属 *Potamogeton*

篦齿眼子菜 *Potamogeton pectinatus* L.

| 药 材 名 | 眼子菜（药用部位：全草）。

| 形态特征 | 沉水草本。根茎发达，白色，直径 1 ~ 2 mm，具分枝，常于春末夏初至秋季在根茎及其分枝的先端形成长 0.7 ~ 1 cm 的小块茎状的卵形休眠芽体。茎长 50 ~ 200 cm，近圆柱形，纤细，直径 0.5 ~ 1 mm，下部分枝稀疏，上部分枝稍密集。叶线形，长 2 ~ 10 cm，宽 0.3 ~ 1 mm，先端渐尖或急尖，基部与托叶贴生成鞘；鞘长 1 ~ 4 cm，绿色，边缘叠压而抱茎，先端具长 4 ~ 8 mm 的无色膜质小舌片；叶脉 3，平行，先端连接，中脉显著，有与之近垂直的次级叶脉，边缘脉细弱而不明显。穗状花序顶生，具花 4 ~ 7 轮，间断排列；花序梗细长，与茎近等粗；花被片 4，圆形或宽卵形，直径约 1 mm；雌蕊 4，通常仅 1 ~ 2 可发育为成熟果实。果实倒卵形，

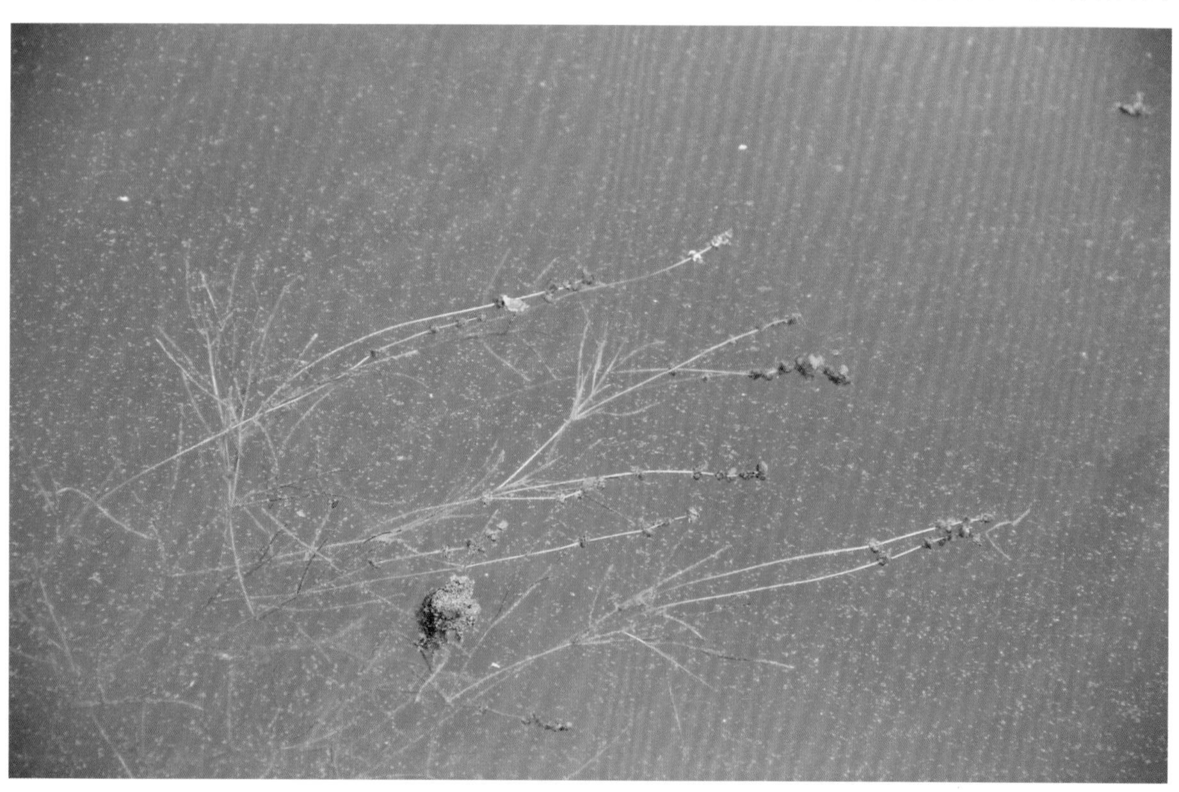

长 3.5 ~ 5 mm，宽 2.2 ~ 3 mm，先端斜生长约 0.3 mm 的喙，背部钝圆。花果期 5 ~ 9 月。

| 生境分布 | 生于平原绿洲及山区的淡水、咸水、流水或静水湖泊、水池或渠沟中。分布于新疆哈密市、吐鲁番市、阿克苏地区及阿勒泰市、哈巴河县、乌鲁木齐县、塔城市、托里县、新源县、博湖县、库尔勒市、莎车县、策勒县等。

| 资源情况 | 野生资源一般。药材主要来源于野生。

| 采收加工 | 春、夏季采收，洗净，鲜用或晒干。

| 功能主治 | 清热解毒，利湿通淋，止血，驱蛔。用于湿热痢疾，黄疸，热淋，带下，鼻衄，痔疮出血，蛔虫病，疮痈肿毒。

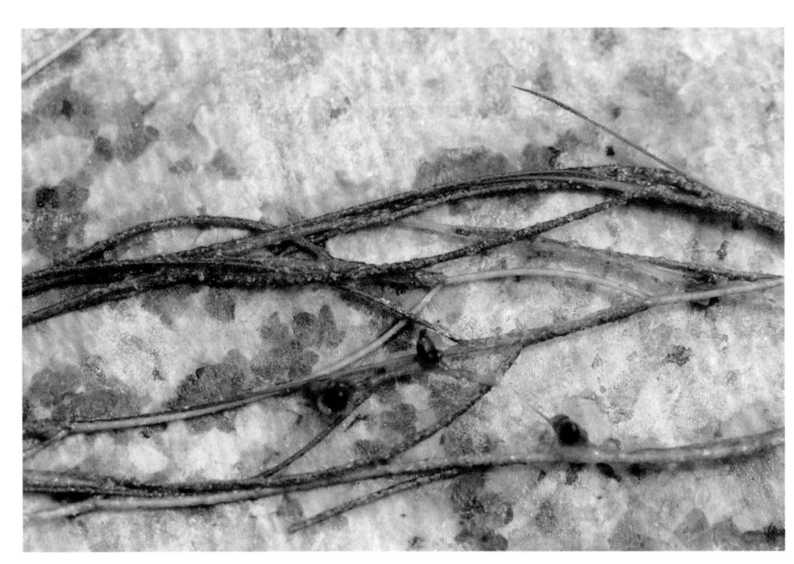

眼子菜科 Potamogetonaceae 眼子菜属 *Potamogeton*

穿叶眼子菜 *Potamogeton perfoliatus* L.

| 药 材 名 | 眼子菜（药用部位：全草）。

| 形态特征 | 多年生沉水草本。根茎发达，白色，节处有须根。茎圆柱形，直径 2 ~ 3 mm，上部多分枝。叶卵形、卵状披针形或卵圆形，无柄，先端钝圆，基部心形，呈耳状抱茎，边缘波状，常具极细微的齿；基出脉 3 或 5，弧形，先端连接，次级脉细弱；托叶膜质，无色，长 3 ~ 7 mm，早落。穗状花序顶生，具花 4 ~ 7 轮，密集或稍密集；花序梗与茎近等粗，长 2 ~ 4 cm；花小，花被片 4，淡绿色或绿色；雌蕊 4，离生。果实倒卵形，长 3 ~ 5 mm，先端具短喙，背部具 3 脊，中脊稍锐，侧脊不明显。花果期 5 ~ 9 月。

| 生境分布 | 生于湖泊、池塘、淡水涝坝、沟渠中。分布于新疆哈密市及阿勒泰市、

布尔津县、哈巴河县、昭苏县、库尔勒市、库车市、沙雅县、阿克苏市等。

| 资源情况 | 野生资源较丰富。药材主要来源于野生。

| 采收加工 | 春、夏季采收，洗净，鲜用或晒干。

| 功能主治 | 清热解毒，利湿通淋，止血，驱蛔。用于湿热痢疾，黄疸，热淋，带下，鼻衄，痔疮出血，蛔虫病，疮痈肿毒。

泽泻科 Alismataceae 泽泻属 *Alisma*

膜果泽泻 *Alisma lanceolatum* Wither.

| 药 材 名 | 泽泻（药用部位：块茎）。

| 形态特征 | 多年生水生或沼生草本。块茎直径 1 ~ 2 cm 或更小。沉水叶少数，线状披针形或叶柄状；挺水叶多数，披针形至宽披针形，长 9 ~ 13 cm，宽 2.5 ~ 4.5 cm，先端急尖或渐尖，基部楔形或较宽，叶脉 5 ~ 7，叶柄长 13 ~ 25 cm，基部渐宽，近海绵质，边缘膜质。花葶高 35 ~ 85 cm；花序长 15 ~ 46 cm，具 3 ~ 6 轮分枝，每轮分枝（3 ~ ）4 ~ 6（ ~ 9），较开展。花两性；花梗长 1.5 ~ 2.5 cm，细弱；外轮花被片广卵形，长 1.5 ~ 3.2 mm，宽 2 ~ 2.5 mm，具 5 ~ 7（ ~ 9）脉，内轮花被片白色或淡红色，长 4 ~ 6.5 mm，近圆形，先端有时尖，边缘不整齐；花药黄色，矩圆形，长 1 ~ 1.2 mm，花丝长 1.2 ~ 1.4 mm，基部宽 0.6 mm，向上渐尖；心皮排列整齐，

花柱生于子房上部，短于子房，长 0.6 ~ 1 mm，柱头长为花柱的 1/3 ~ 1/2；花托平凸，圆形或椭圆形，高 0.2 mm。瘦果扁平，倒卵形，长 1.6 ~ 2 mm，12 ~ 15 果实轮生于花托上；果喙自腹侧上部生出，腹部具薄翅，背部具 1 不明显浅沟，下部平，两侧果皮薄膜质，透明，可见种子。种子黑紫色，长 1.2 ~ 1.5 mm，宽约 1 mm，有光泽。花果期 6 ~ 9 月。

| 生境分布 | 生于湖边、河湾、溪沟、沼泽等水域的浅水处。分布于新疆阿勒泰市、青河县、布尔津县、乌鲁木齐县、塔城市等。

| 资源情况 | 野生资源较丰富。药材主要来源于野生。

| 采收加工 | 冬季茎叶开始枯萎时采挖，洗净，除去须根和粗皮，晒干。

| 功能主治 | 利水渗湿，泄热，化浊降脂。用于小便不利，水肿胀满，泄泻尿少，痰饮眩晕，热淋涩痛，高脂血症。

泽泻科 Alismataceae 泽泻属 *Alisma*

东方泽泻 *Alisma orientale* (Samuel.) Juz.

| 药 材 名 | 泽泻（药用部位：块茎）。

| 形态特征 | 多年生水生或沼生草本。块茎直径 1 ～ 2 cm 或更大。叶多数；挺水叶宽披针形或椭圆形，长 3.5 ～ 11.5 cm，宽 1.3 ～ 6.8 cm，先端渐尖，基部近圆形或浅心形，叶脉 5 ～ 7，叶柄长 3.2 ～ 34 cm，较粗壮，基部渐宽，边缘窄膜质。花葶高 35 ～ 90 cm 或更高；花序长 20 ～ 70 cm，具 3 ～ 9 轮分枝，每轮分枝 3 ～ 9；花两性，直径约 6 mm；花梗不等长，（0.5 ～）1 ～ 2.5 cm；外轮花被片卵形，长 2 ～ 2.5 mm，宽约 1.5 mm，边缘窄膜质，具 5 ～ 7 脉，内轮花被片近圆形，比外轮大，白色或淡红色，稀黄绿色，边缘波状；心皮排列不整齐，花柱长约 0.5 mm，直立，柱头长约为花柱的 1/5；花丝长 1 ～ 1.2 mm，基部宽约 0.3 mm，向上渐窄，花药黄绿色或黄色，

长 0.5 ～ 0.6 mm，宽 0.3 ～ 0.4 mm；花托高约 0.4 mm。瘦果椭圆形，长 1.5 ～ 2 mm，宽 1 ～ 1.2 mm，背部具 1 ～ 2 浅沟，腹部自果喙处凸起，有膜质翅，两侧果皮纸质，半透明或不透明，果喙长约 0.5 mm，自腹侧中上部伸出。种子紫红色，长约 1.1 mm，宽约 0.8 mm。花果期 5 ～ 9 月。

| 生境分布 | 生于海拔 450 ～ 1 200 m 的湖泊、水塘、沼泽、沟边及湿地。分布于新疆阿勒泰市、乌鲁木齐县、阜康市、库尔勒市、阿克苏市等。

| 资源情况 | 野生资源一般。药材主要来源于野生。

| 采收加工 | 冬季茎叶开始枯萎时采挖，洗净，除去须根和粗皮，晒干。

| 功能主治 | 利水渗湿，泄热，化浊降脂。用于小便不利，水肿胀满，泄泻尿少，痰饮眩晕，热淋涩痛，高脂血症。

泽泻科 Alismataceae 泽泻属 *Alisma*

泽泻 *Alisma plantago-aquatica* L.

|药材名|

泽泻（药用部位：块茎）。

|形态特征|

多年生水生或沼生草本。块茎直径 1 ~ 3.5 cm 或更大。叶通常多数；沉水叶条形或披针形；挺水叶宽披针形、椭圆形至卵形，长 2 ~ 11 cm，宽 1.3 ~ 7 cm，先端渐尖，稀急尖，基部宽楔形或浅心形，叶脉通常 5，叶柄长 1.5 ~ 30 cm，基部渐宽，边缘膜质。花葶高 78 ~ 100 cm 或更高；花序长 15 ~ 50 cm 或更长，具 3 ~ 8 轮分枝，每轮分枝 3 ~ 9；花两性；花梗长 1 ~ 3.5 cm；外轮花被片广卵形，长 2.5 ~ 3.5 mm，宽 2 ~ 3 mm，通常具 7 脉，边缘膜质，内轮花被片近圆形，远大于外轮，边缘具不规则粗齿，白色、粉红色或浅紫色；心皮 17 ~ 23，排列整齐，花柱直立，长 7 ~ 15 mm，长于心皮，柱头短，长为花柱的 1/9 ~ 1/5；花丝长 1.5 ~ 1.7 mm，基部宽约 0.5 mm，花药长约 1 mm，椭圆形，黄色或淡绿色；花托平凸，高约 0.3 mm，近圆形。瘦果椭圆形或近矩圆形，长约 2.5 mm，宽约 1.5 mm，背部具 1 ~ 2 不明显的浅沟，下部平，果喙自腹侧伸出，喙基部凸起，膜质。种子紫褐色，具突起。

花果期 5 ~ 9 月。

| **生境分布** | 生于湖泊、河湾、溪流、水塘的浅水带、沼泽、沟渠及低洼湿地。分布于新疆阿勒泰地区及尼勒克县等。

| **资源情况** | 野生资源一般。药材主要来源于野生。

| **采收加工** | 冬季茎叶开始枯萎时采挖，洗净，除去须根和粗皮，晒干。

| **功能主治** | 利水渗湿，泄热，化浊降脂。用于小便不利，水肿胀满，泄泻尿少，痰饮眩晕，热淋涩痛，高脂血症。

泽泻科 Alismataceae 慈菇属 *Sagittaria*

野慈姑 *Sagittaria trifolia* L.

| 药 材 名 |

慈姑（药用部位：球茎）。

| 形态特征 |

多年生水生或沼生草本。根茎横走，较粗壮，末端膨大或不膨大。挺水叶箭形，叶片长、宽变异很大，通常顶裂片短于侧裂片，有时侧裂片更长，顶裂片与侧裂片之间缢缩或不缢缩；叶柄基部渐宽，鞘状，边缘膜质，具横脉，或脉不明显。花葶直立，挺水，高（15 ~ ）20 ~ 70 cm 或更高，通常粗壮；花序总状或圆锥状，长 5 ~ 20 cm，有时更长，具分枝 1 ~ 2，具花多轮，每轮 2 ~ 3 花；苞片 3，基部多少合生，先端尖；花单性；花被片反折，外轮花被片椭圆形或广卵形，长 3 ~ 5 mm，宽 2.5 ~ 3.5 mm；内轮花被片白色或淡黄色，长 6 ~ 10 mm，宽 5 ~ 7 mm，基部收缩；雌花通常 1 ~ 3 轮，花梗短粗，心皮多数，两侧压扁，花柱自腹侧斜向上；雄花多轮，花梗斜举，长 0.5 ~ 1.5 cm，雄蕊多数，花药黄色，长 1 ~ 1.5（ ~ 2）mm，花丝长短不一，长 0.5 ~ 3 mm，通常外轮短，向里渐长。瘦果两侧压扁，长约 4 mm，宽约 3 mm，倒卵形，具翅，背翅多少不整齐；果喙短，自腹侧斜向上。种子褐色。花果期

5 ~ 10 月。

| 生境分布 | 生于湖泊、沼泽、池塘静水处，或缓流溪沟等水体中。分布于新疆阿勒泰市、布尔津县、焉耆回族自治县、尉犁县等。

| 资源情况 | 野生资源较少。药材来源于野生。

| 采收加工 | 秋季结球茎盛期采挖，洗净，干燥，除去须根和粗皮。

| 功能主治 | 活血凉血，止咳通淋，散结解毒。用于血闷，胎衣不下，带下，崩漏，衄血，呕血，咳痰带血，淋浊。

禾本科 Gramineae 芨芨草属 *Achnatherum*

醉马草 *Achnatherum inebrians* (Hance) Keng ex Tzvelev

| 药 材 名 | 醉马草（药用部位：全草）。

| 形态特征 | 多年生草本。须根柔韧。秆直立，少数丛生，平滑，高 60 ~ 100 cm，直径 2.5 ~ 3.5 mm，通常具 3 ~ 4 节，节下贴生微毛，基部具鳞芽。叶鞘稍粗糙，上部者短于节间，叶鞘口具微毛；叶舌厚膜质，长约 1 mm，先端平截或具裂齿；叶片质较硬，直立，边缘常卷折，上面及边缘粗糙，茎生叶长 8 ~ 15 cm，基生叶长达 30 cm，宽 2 ~ 10 mm。圆锥花序呈紧密的穗状，长 10 ~ 25 cm，宽 1 ~ 2.5 cm；小穗长 5 ~ 6 mm，灰绿色或基部带紫色，成熟后变褐铜色；颖膜质，几等长，先端尖，常破裂，微粗糙，具 3 脉；外稃长约 4 mm，背部密被柔毛，先端具 2 微齿，具 3 脉，脉于先端汇合，延伸成芒，芒长 10 ~ 13 mm，一回膝曲，芒柱稍扭转，微被短毛，

基盘钝，具短毛，长约 0.5 mm；内稃具 2 脉，脉间被柔毛；花药长约 2 mm，先端具毫毛。花果期 6 ～ 9 月。

| 生境分布 | 生于海拔 900 ～ 2 400 m 的较宽阔的沟谷。分布于新疆昌吉回族自治州、哈密市、吐鲁番市及乌鲁木齐县等。

| 资源情况 | 野生资源较丰富。药材主要来源于野生。

| 采收加工 | 6 ～ 7 月采收，鲜用或晒干。

| 功能主治 | 消肿解毒，消炎止痛。

禾本科 Gramineae 芨芨草属 *Achnatherum*

芨芨草 *Achnatherum splendens* (Trin.) Nevski

| 药 材 名 | 芨芨草（药用部位：茎、根、种子）。

| 形态特征 | 须根粗而坚韧，外被砂套。秆直立，坚硬，内具白色的髓，形成大的密丛，高 50 ～ 250 cm，直径 3 ～ 5 mm，节多聚于基部，具 2 ～ 3 节，平滑无毛，基部宿存枯萎的黄褐色叶鞘。叶鞘无毛，具膜质边缘；叶舌三角形或尖披针形，长 5 ～ 10（～ 15）mm；叶片纵卷，质坚韧，长 30 ～ 60 cm，宽 5 ～ 6 mm，上面脉纹凸起，微粗糙，下面光滑无毛。圆锥花序长（15 ～）30 ～ 60 cm，开花时呈金字塔形开展，主轴平滑，或具角棱而微粗糙，分枝细弱，2 ～ 6 簇生，平展或斜向上升，长 8 ～ 17 cm，基部裸露；小穗长 4.5 ～ 7 mm（除芒），灰绿色，基部带紫褐色，成熟后常变为草黄色；颖膜质，披针形，先端尖或锐尖，第一颖长 4 ～ 5 mm，具 1 脉，第二颖长

6 ~ 7 mm，具 3 脉；外稃长 4 ~ 5 mm，厚纸质，先端具 2 微齿，背部密生柔毛，具 5 脉，基盘钝圆，具柔毛，长约 0.5 mm，芒自外稃齿间伸出，直立或微弯，粗糙，不扭转，长 5 ~ 12 mm，易断落；内稃长 3 ~ 4 mm，具 2 脉，无脊，脉间具柔毛；花药长 2.5 ~ 3.5 mm，先端具毫毛。花果期 6 ~ 9 月。

| 生境分布 | 生于海拔 450 ~ 4 200 m 的微碱性的草滩及砂土山坡上。新疆各地均有分布。

| 资源情况 | 野生资源丰富。药材来源于野生。

| 功能主治 | 清热利尿。用于尿闭，尿路感染。

禾本科 Gramineae 獐毛属 *Aeluropus*

小獐毛 *Aeluropus pungens* (M. Bieb.) C. Koch

|药材名|

小獐毛（药用部位：全草）。

|形态特征|

多年生草本。具向四周伸展的匐枝。秆直立或倾斜，高 5 ~ 25 cm，花序以下粗糙或被毛，节上通常无毛或被柔毛，基部密生鳞片状叶，自基部多分枝。叶鞘多聚于秆基，无毛，长于或短于节间，鞘内有时具分枝；叶舌很短，其上具 1 圈纤毛；叶片狭线形，尖硬，长 0.5 ~ 6 cm，宽约 1.5 mm，扁平或内卷如针状，无毛。圆锥花序穗状，长 2 ~ 7 cm，宽 3 ~ 5 mm，分枝单生，彼此疏离，不重叠；小穗长 2 ~ 4 mm，含（2 ~ ）4 ~ 8 小花，在穗轴上明显排成整齐的 2 行；颖卵形，具膜质边缘，疏生少量纤毛，脊上粗糙，第一颖长 1 ~ 2 mm，第二颖长 1.5 ~ 2.5 mm；外稃卵形，具 5 ~ 9 脉，先端尖，边缘膜质，具纤毛，基部两侧的毛较长而密，第一外稃长 1.5 ~ 3 mm；内稃等长于外稃，先端平截或具缺刻，脊上具微纤毛；花药长约 1.5 mm；子房先端无毛，2 花柱顶生。花果期 6 ~ 8 月。

| 生境分布 | 生于平原绿洲、大河流域的三角洲、河旁阶地、扇缘低地及湖滨。新疆各地均有分布。

| 资源情况 | 野生资源较丰富。药材主要来源于野生。

| 采收加工 | 夏、秋季采收，晒干。

| 功能主治 | 清热，利尿，退黄。常用于急、慢性黄疸性肝炎，肝硬化腹水，胆囊炎。

禾本科 Gramineae 剪股颖属 *Agrostis*

细弱剪股颖 *Agrostis capillaris* Linnaeus

| 药 材 名 |

小糠草（药用部位：全草）。

| 形态特征 |

多年生草本。高 20 ~ 25 cm，具短的根茎。秆丛生，具 3 ~ 4 节，基部膝曲或呈弧形弯曲，上部直立，细弱，直径约 1 mm。叶鞘一般长于节间，平滑；叶舌干膜质，长约 1 mm，先端平；叶片窄线形，质厚，长 2 ~ 4 cm，宽 1 ~ 1.5 mm，干时内卷，边缘和脉上粗糙，先端渐尖。圆锥花序近椭圆形，开展，每节具 2 ~ 5 分枝，分枝斜向上升，细瘦，长 1.5 ~ 3.5 cm，稍呈波状弯曲，平滑，基部无小穗；小穗紫褐色，穗梗近平滑；第一颖长 1.5 ~ 1.7 mm，两颖近等长或第一颖稍长，椭圆状披针形，先端急尖，脊上粗糙；外稃长约 1.5 mm，先端平，中脉稍突出，无芒，基盘无毛；内稃较大，长为外稃的 2/3；花药金黄色，长 0.8 ~ 1 mm。花果期 8 月。

| 生境分布 |

生于海拔 800 ~ 2 300 m 的平原绿洲及河谷草甸及农区。分布于新疆布尔津县、和布克赛尔蒙古自治县、托里县、和静县、策勒县等。

| 资源情况 | 野生资源较丰富。药材主要来源于野生。

| 采收加工 | 夏、秋季采收，晒干。

| 功能主治 | 清热利水，止血。

禾本科 Gramineae 剪股颖属 *Agrostis*

巨序剪股颖 *Agrostis gigantea* Roth

| 药材名 |

小糠草（药用部位：全草）。

| 形态特征 |

多年生草本。具根茎；秆直立或基部平卧，高 30 ~ 130 cm，具 2 ~ 6 节，平滑。叶鞘短于节间；叶舌干膜质，长圆形，长 3 ~ 6（~ 11）mm，先端齿裂；叶片扁平，条形，长 5 ~ 30 cm，宽 3 ~ 8 mm，边缘和叶脉粗糙。圆锥花序疏松或开展，圆形或尖塔形，长 14 ~ 30 cm，宽 3 ~ 15 cm，每节具 5 至多数分枝，稍粗糙，基部不裸露，有小穗在基部腋生；小穗草绿色或带紫色，长 2 ~ 2.5 mm，穗梗粗糙；颖舟形，两颖近等长或第一颖稍长，先端尖，背部具脊，脊的上部或颖的先端稍粗糙；外稃长 1.8 ~ 2 mm，先端钝圆，无芒，基盘两侧簇生长 0.2 ~ 0.4 mm 的毛；内稃长为外稃的 2/3 ~ 3/4，长圆形，先端圆或有微齿；花药长 1 ~ 1.2 mm。花果期 7 ~ 8 月。

| 生境分布 |

生于海拔 800 ~ 2 000 m 的河谷草甸、林缘草甸、水分条件较好的河漫滩、田边、地埂等。分布于新疆哈密市、吐鲁番市及青河县、富蕴县、阿勒泰市、奇台县、乌鲁木齐县、玛纳斯县、沙湾市、乌苏市、精河县、和布克赛尔蒙古自治县、额敏县、塔城市、裕民县、托里县、新源县、巩留县、特克斯县、昭苏县、和硕县、和静县、焉耆回族自治县、库尔勒市、英吉沙县、莎车县、叶城县等。

| 资源情况 | 野生资源较丰富。药材主要来源于野生。

| 采收加工 | 夏、秋季采收，晒干。

| 功能主治 | 清热利水，止血。

禾本科 Gramineae 看麦娘属 *Alopecurus*

看麦娘 *Alopecurus aequalis* Sobol.

| 药 材 名 |

看麦娘（药用部位：全草）。

| 形态特征 |

一年生草本。秆少数丛生，细瘦，光滑，斜倾或平卧，长 15 ~ 40 cm。叶鞘光滑，短于节间；叶舌膜质，长 2 ~ 5 mm；叶片扁平，长 3 ~ 10 cm，宽 2 ~ 6 mm。圆锥花序圆柱状，灰绿色，长 2 ~ 7 cm，宽 3 ~ 5 mm；小穗椭圆形或卵状长圆形，含 1 花，长 2 ~ 3 mm；颖膜质，基部互相连合，具 3 脉，脊上有细纤毛，侧脉下部有短毛；外稃膜质，先端钝，等长或稍长于颖，下部边缘互相连合，芒长 1.5 ~ 3.5 mm，约从稃体下部 1/4 处伸出，隐藏或稍外露；花药橙黄色，长 0.5 ~ 0.8 mm。颖果长约 1 mm。花果期 6 ~ 8 月。

| 生境分布 |

生于山区湖泊、河谷、水边的沼泽化草甸及浅水中。分布于新疆阿勒泰市、米东区、天山区、和静县等。

| 资源情况 |

野生资源一般。药材主要来源于野生。

| **采收加工** | 春、夏季采收，鲜用或晒干。

| **功能主治** | 清热利湿，止泻，解毒。用于水肿，水痘，泄泻，黄疸性肝炎，赤眼，毒蛇咬伤。

禾本科 Gramineae 看麦娘属 *Alopecurus*

苇状看麦娘 *Alopecurus arundinaceus* Poir.

| 药 材 名 | 看麦娘（药用部位：全草）。

| 形态特征 | 多年生草本。具根茎。秆直立，单生或少数丛生，高 20 ~ 80 cm，具 3 ~ 5 节。叶鞘松弛，大都短于节间；叶舌膜质，长约 5 mm；叶片斜向上升，长 5 ~ 20 cm，宽 3 ~ 7 mm，上面粗糙，下面平滑。圆锥花序长圆状圆柱形，长 2.5 ~ 7 cm，宽 6 ~ 10 mm，灰绿色或成熟后黑色；小穗长 4 ~ 5 mm，卵形；颖基部约 1/4 互相连合，先端尖，稍向外张开，脊上具纤毛，两侧无毛或疏生短毛；外稃较颖短，先端钝，具微毛，芒近光滑，约自稃体中部伸出，长 1 ~ 5 mm，隐藏或稍露出颖外；雄蕊 3，花药黄色，长 2.5 ~ 3 mm。花果期 7 ~ 9 月。

| 生境分布 | 生于海拔 600 ~ 3 300 m 的平原绿洲及山间盆地的河谷草甸、低地草甸、沼泽化草甸及水边湿地。分布于新疆青河县、哈巴河县、乌鲁木齐县、和布克赛尔蒙古自治县、塔城市、裕民县、托里县、博乐市、温泉县、和静县、塔什库尔干塔吉克自治县等。

| 资源情况 | 野生资源一般。药材主要来源于野生。

| 采收加工 | 春、夏季采收，鲜用或晒干。

| 功能主治 | 清热利湿，止泻，解毒。用于水肿，水痘，泄泻，黄疸性肝炎，赤眼，毒蛇咬伤。

禾本科 Gramineae 看麦娘属 *Alopecurus*

大看麦娘 *Alopecurus pratensis* L.

| 药材名 |

看麦娘（药用部位：全草）。

| 形态特征 |

多年生草本。具短根茎。秆少数丛生，直立或基部稍膝曲，高达 1.5 m，具 3 ~ 5 节。叶鞘光滑，大都短于节间，松弛；叶舌膜质，长 2 ~ 4 mm；叶片长 5 ~ 25 cm，宽 3 ~ 10 mm，上面平滑。圆锥花序圆柱状，长 3 ~ 8 cm，宽 6 ~ 10 mm，灰绿色；小穗椭圆形，长约 5 mm；颖下部 1/3 互相连合，脊上具纤毛，侧脉也具短毛；外稃等长或稍长于颖，先端生微毛，芒长 6 ~ 8 mm，从近稃体基部伸出，中部膝曲，上部粗糙，显著外露；雄蕊 3，花药黄色，长 2 ~ 2.5 mm。颖果半椭圆形，长约 3 mm。花果期 6 ~ 8 月。

| 生境分布 |

生于海拔 1 500 ~ 2 500 m 的高山草地、阴坡草地、谷地及林缘草地。分布于新疆青河县、哈巴河县、塔城市、裕民县、额敏县、博乐市、特克斯县、巩留县、昭苏县等。

| 资源情况 |

野生资源一般。药材主要来源于野生。

| **采收加工** | 春、夏季采收，鲜用或晒干。

| **功能主治** | 清热利湿，止泻，解毒。用于水肿，水痘，泄泻，黄疸性肝炎，赤眼，毒蛇咬伤。

禾本科 Gramineae 三芒草属 *Aristida*

三芒草 *Aristida adscensionis* L.

|药材名| 三芒草（药用部位：全草）。

|形态特征| 一年生草本。须根坚韧，有时具砂套。秆具分枝，丛生，光滑，直立或基部膝曲，高 15 ~ 45 cm。叶鞘短于节间，光滑无毛，疏松包茎，叶舌短而平截，膜质，具长约 0.5 mm 的纤毛；叶片纵卷，长 3 ~ 20 cm。圆锥花序狭窄或疏松，长 4 ~ 20 cm；分枝细弱，单生，多贴生或斜向上升；小穗灰绿色或紫色；颖膜质，具 1 脉，披针形，脉粗糙，两颖稍不等长，第一颖长 4 ~ 6 mm，第二颖长 5 ~ 7 mm；外稃明显长于第二颖，长 7 ~ 10 mm，具 3 脉，中脉粗糙，背部平滑或稀粗糙，基盘尖，被长约 1 mm 的柔毛，芒粗糙，主芒长 1 ~ 2 cm，两侧芒稍短；内稃长 1.5 ~ 2.5 mm，披针形；鳞被 2，薄膜质，长约 1.8 mm；花药长 1.8 ~ 2 mm。花果期 6 ~ 9 月。

| 生境分布 | 生于海拔 400 ~ 2 600 m 的平原和山地荒漠及荒漠草原中的沙漠、沙地或砂壤土上。分布于新疆哈密市及布尔津县、和布克赛尔蒙古自治县、乌苏市、精河县、博乐市、鄯善县、托克逊县、和硕县、和静县、焉耆回族自治县、拜城县、阿克苏市、叶城县、策勒县、民丰县等。

| 资源情况 | 野生资源较丰富。药材主要来源于野生。

| 采收加工 | 秋季采收，晒干。

| 功能主治 | 清热泻火。

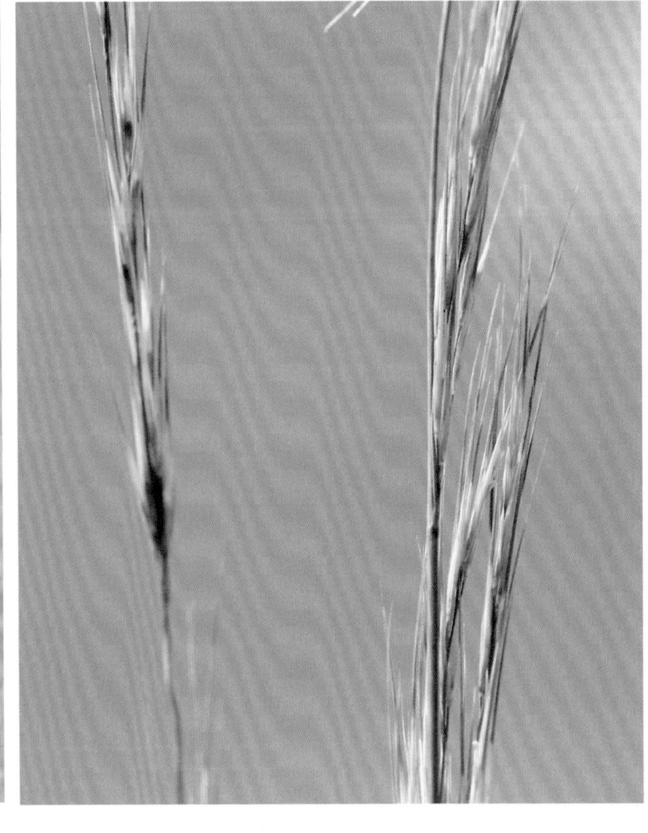

禾本科 Gramineae 荩草属 *Arthraxon*

荩草 *Arthraxon hispidus* (Thunb.) Makino.

| 药 材 名 | 荩草（药用部位：全草）。

| 形态特征 | 一年生草本。秆细弱，无毛，基部倾斜，高 30 ~ 45 cm，具多节，常分枝，基部节易生根。叶鞘短于节间；叶舌膜质，长 0.5 ~ 1 mm，边缘具纤毛；叶片卵状披针形，基部呈心形抱茎，长 2 ~ 4 cm，宽 8 ~ 15 mm，除下部边缘生纤毛外均无毛。总状花序细弱，长 1.5 ~ 3 cm，2 ~ 10 花序呈指状排列或簇生于茎顶，穗轴节间无毛，长为小穗的 2/3 ~ 3/4；有柄小穗退化，仅剩短柄，柄长 0.2 ~ 1 mm；无柄小穗长 4 ~ 4.5 mm，卵状披针形，灰绿色或带紫色；第一颖草质，边缘膜质，具 7 ~ 9 脉，脉上粗糙，先端钝；第二颖近膜质，与第一颖等长，舟形，脊上粗糙，具 3 脉，两侧脉不明显，先端尖；第一外稃透明，膜质，长圆形，先端尖，长约为第一颖的 2/3；第二

外稃与第一外稃等长，透明，膜质，基部较硬，近基部伸出一膝曲的芒，芒长 6 ~ 9 mm，下部扭转；雄蕊 2，花药黄色带紫色，长 0.7 ~ 1 mm。颖果长圆形，与稃体几等长。花果期 7 ~ 9 月。

| **生境分布** | 生于海拔 170 ~ 1 220 m 的河畔、水边、沼泽化草甸。分布于新疆哈密市、吐鲁番市及布尔津县、塔城市、焉耆回族自治县、拜城县、疏勒县等。

| **资源情况** | 野生资源较丰富。药材主要来源于野生。

| **采收加工** | 秋季采收，晒干。

| **功能主治** | 止咳定喘，解毒杀虫。用于久咳气喘，肝炎，咽喉炎，口腔炎，鼻炎，淋巴结炎，乳腺炎，疮疡疥癣。

禾本科 Gramineae 燕麦属 *Avena*

野燕麦 *Avena fatua* L.

｜药 材 名｜ 燕麦（药用部位：种子）。

｜形态特征｜ 一年生草本。须根较坚韧。秆直立，光滑无毛，高 60 ~ 120 cm，具 2 ~ 4 节。叶鞘松弛，光滑或基部者微被毛；叶舌透明，膜质，长 1 ~ 5 mm；叶片扁平，长 10 ~ 30 cm，宽 4 ~ 12 mm，微粗糙，或上面和边缘疏生柔毛。圆锥花序开展，金字塔形，长 10 ~ 25 cm，分枝具棱角，粗糙；小穗长 18 ~ 25 mm，含 2 ~ 3 小花，柄弯曲下垂，先端膨大；小穗轴密生淡棕色或白色硬毛，节脆硬易断落，第一节间长约 3 mm；颖草质，通常具 9 脉；外稃质地坚硬，第一外稃长 15 ~ 20 mm，背面中部以下具淡棕色或白色硬毛，芒自稃体中部稍下处伸出，长 2 ~ 4 cm，膝曲，芒柱棕色，扭转。颖果被淡棕色柔毛，腹面具纵沟，长 6 ~ 8 mm。花果期 4 ~ 9 月。

| 生境分布 | 生于平原绿洲及山区、荒芜田野或田间。分布于新疆阿勒泰市、塔城市、新源县、昭苏县、和静县、焉耆回族自治县、喀什市、莎车县、塔什库尔干塔吉克自治县等。

| 资源情况 | 野生资源较丰富。药材主要来源于野生。

| 采收加工 | 秋季果实成熟时采收果实，脱壳，取出成熟种子，晒干。

| 功能主治 | 益脾和肝，收敛止汗。用于虚汗不止。

禾本科 Gramineae 雀麦属 *Bromus*

无芒雀麦 *Bromus inermis* Leyss.

| 药 材 名 | 雀麦（药用部位：茎叶、种子）。

| 形态特征 | 多年生草本。具横走根茎。秆直立，疏丛生，高 50 ~ 120 cm，无毛或节下具倒毛。叶鞘闭合，无毛或有短毛；叶舌长 1 ~ 2 mm；叶片扁平，长 20 ~ 30 cm，宽 4 ~ 8 mm，先端渐尖，两面与边缘粗糙，无毛或边缘疏生纤毛。圆锥花序长 10 ~ 20 cm，较密集，花后开展；分枝长达 10 cm，微粗糙，着生 2 ~ 6 小穗，3 ~ 5 轮生于主轴各节；小穗含 6 ~ 12 花，长 15 ~ 25 mm；小穗轴节间长 2 ~ 3 mm，生小刺毛；颖披针形，具膜质边缘，第一颖长 4 ~ 7 mm，具 1 脉，第二颖长 6 ~ 10 mm，具 3 脉；外稃长圆状披针形，长 8 ~ 12 mm，具 5 ~ 7 脉，无毛，基部微粗糙，先端无芒，钝或浅凹缺；内稃膜质，短于外稃，脊具纤毛；花药长 3 ~ 4 mm。颖果

长圆形，褐色，长 7 ~ 9 mm。花果期 7 ~ 8 月。

| 生境分布 | 生于海拔 1 100 ~ 2 400 m 的山地林缘草甸、草场、河谷草甸、河边路旁。分布于新疆哈密市及阿勒泰市、哈巴河县、布尔津县、奇台县、阜康市、新源县、尼勒克县等。

| 资源情况 | 野生资源较丰富。药材主要来源于野生。

| 采收加工 | 未成熟前采集茎叶，成熟后脱壳取种子，晒干。

| 功能主治 | 催产，止汗，滑肠。用于汗出不止，难产。

禾本科 Gramineae 雀麦属 *Bromus*

雀麦 *Bromus japonicus* Thunb. ex Murr

| 药材名 | 雀麦（药用部位：茎叶、种子）。

| 形态特征 | 一年生草本。须根细而稠密。秆直立，丛生，高 30 ~ 100 cm。叶鞘紧密包茎，被白色柔毛；叶舌透明，膜质，长 1.5 ~ 2 mm，先端具不规则的裂齿；叶片长 5 ~ 30 cm，宽 2 ~ 8 mm，两面皆生白色柔毛，有时下面脱落无毛。圆锥花序开展，向下弯垂，长达 30 cm，每节具 3 ~ 7 分枝，分枝细弱，长达 10 cm，每枝近上部着生 1 ~ 4 小穗；小穗幼时圆筒状，成熟后压扁，长 17 ~ 34 mm（连芒），宽约 5 mm，含 7 ~ 14 花；颖披针形，具膜质边缘，第一颖长 5 ~ 6 mm，具 3 ~ 5 脉，第二颖长 7 ~ 9 mm，具 7 ~ 9 脉；外稃椭圆形，边缘膜质，具 7 ~ 9 脉，先端具 2 齿，齿间生芒，芒长 5 ~ 10 mm，第一外稃长 8 ~ 11 mm；内稃较窄，短于外稃，脊上疏

生刺毛；花药长 1 ～ 1.5（～ 2）mm。颖果压扁，长约 7 mm。花果期 6 ～ 7 月。

| 生境分布 | 生于海拔 500 ～ 3 100 m 的平原绿洲、河漫滩湿地及山地草原带的农田边和水渠旁。分布于新疆阿勒泰市、玛纳斯县、石河子市、额敏县、裕民县、托里县、博乐市、霍城县、新源县、巩留县等。

| 资源情况 | 野生资源较丰富。药材主要来源于野生。

| 采收加工 | 未成熟前采集茎叶，成熟后脱壳取种子，晒干。

| 功能主治 | 催产，止汗，滑肠。用于汗出不止，难产。

禾本科 Gramineae 雀麦属 *Bromus*

偏穗雀麦 *Bromus squarrosus* L.

| 药 材 名 |

雀麦（药用部位：茎叶、种子）。

| 形态特征 |

一年生草本。秆直立，高 20 ~ 60 cm，具 3 ~ 4 节。叶鞘被柔毛；叶舌长 1 ~ 2 mm；叶片扁平，宽 2 ~ 5 mm，生柔毛。圆锥花序疏展，长约 10 cm；分枝细长，着生 1 ~ 2 小穗；小穗卵圆形，含 10 ~ 25 小花，长 2 ~ 5 cm，宽 5 ~ 15 mm，上部渐窄，小穗轴长约 2 mm，无毛；颖片宽，长圆形至椭圆形，第一颖长 5 ~ 7 mm，具 5 脉，先端尖；第二颖长 6 ~ 8 mm，具 9 脉，一侧宽约 2 mm，先端钝，边缘膜质，无毛；外稃倒卵形，长（9 ~ ）11 mm，中部一侧宽 3 ~ 4 mm，具 9 脉，边缘白膜质，微粗糙，芒从先端下方 2 mm 处的裂齿间伸出，长 7 ~ 12 mm，向外平展，下部小花的芒较短；内稃窄小，长为外稃的 1/3，两脊疏生硬纤毛；花药长 1 ~ 1.5 mm。花果期 6 ~ 7 月。

| 生境分布 |

生于海拔 500 ~ 2 500 m 的草原、荒漠、农田周边、沙石湿地。分布于新疆阿勒泰市、富蕴县、青河县、石河子市、塔城市、托里县、

乌鲁木齐县、玛纳斯县、乌苏市、精河县、裕民县、新源县、特克斯县、昭苏县、库尔勒市等。

| 资源情况 | 野生资源一般。药材主要来源于野生。

| 采收加工 | 未成熟前采集茎叶，成熟后脱壳取种子，晒干。

| 功能主治 | 催产，止汗，滑肠。用于汗出不止，难产。

禾本科 Gramineae 雀麦属 *Bromus*

旱雀麦 *Bromus tectorum* L.

| 药材名 | 雀麦（药用部位：茎叶、种子）。

| 形态特征 | 一年生草本。秆直立，高 20 ~ 60 cm，具 3 ~ 4 节。叶鞘具柔毛；叶舌长约 2 mm；叶片长 5 ~ 15 cm，宽 2 ~ 4 mm，被柔毛。圆锥花序疏展，每节具 3 ~ 5 分枝；分枝粗糙，有柔毛，细弱，多弯曲，着生 4 ~ 8 小穗；小穗密集，偏生于一侧，稍弯垂，含 4 ~ 8 小花，长 10 ~ 18 mm；小穗轴节间长 2 ~ 3 mm；颖狭披针形，边缘膜质，第一颖长 5 ~ 8 mm，具 1 脉，第二颖长 7 ~ 10 mm，具 3 脉；外稃长 9 ~ 12 mm，一侧宽 1 ~ 1.5 mm，具 7 脉，粗糙或生柔毛，先端渐尖，边缘薄膜质，有光泽，芒细直，自 2 裂片间伸出，长 10 ~ 15 mm；内稃短于外稃，脊具纤毛；花药长 0.5 ~ 2 mm。颖果长 7 ~ 10 mm，贴生于内稃。花果期 5 ~ 6 月。

| 生境分布 | 生于海拔600 ~ 1 300 m的荒野干旱山坡、丘陵、河滩覆沙地。分布于新疆温泉县、富蕴县、青河县、塔城市、乌鲁木齐县、玛纳斯县、呼图壁县等。

| 资源情况 | 野生资源一般。药材主要来源于野生。

| 采收加工 | 未成熟前采集茎叶，成熟后脱壳取种子，晒干。

| 功能主治 | 催产，止汗，滑肠。用于汗出不止，难产。

禾本科 Gramineae 拂子茅属 *Calamagrostis*

拂子茅 *Calamagrostis epigeios* (L.) Roth

| 药 材 名 |

拂子茅（药用部位：全草）。

| 形态特征 |

多年生草本。具根茎。秆直立，平滑无毛或花序下稍粗糙，高 45 ~ 100 cm，直径 2 ~ 3 mm。叶鞘平滑或稍粗糙，短于节间或基部者长于节间；叶舌膜质，长 5 ~ 9 mm，长圆形，先端易破裂；叶片扁平或边缘内卷，上面及边缘粗糙，下面较平滑。圆锥花序紧密，圆筒形，劲直，具间断，长 10 ~ 25（~ 30）cm，中部直径 1.5 ~ 4 cm，分枝粗糙，直立或斜向上升；小穗长 5 ~ 7 mm，淡绿色或带淡紫色；两颖近等长或第二颖稍短，先端渐尖，第一颖具 1 脉，第二颖具 3 脉，主脉粗糙；外稃透明，膜质，长约为颖的一半，先端具 2 齿，基盘的柔毛几与颖等长，芒自稃体背中部附近伸出，细直，长 2 ~ 3 mm；内稃长约为外稃的 2/3，先端细齿裂；小穗轴不延伸于内稃之后，或有时仅于内稃的基部残留一微小的痕迹；雄蕊 3，花药黄色，长约 1.5 mm。花果期 6 ~ 8 月。

| 生境分布 |

生于海拔 160 ~ 3 900 m 的平原、山地潮湿

处及河岸沟渠旁。分布于新疆阿勒泰市、布尔津县、博乐市、温泉县、精河县、乌苏市、玛纳斯县、塔城市、额敏县、新源县、察布查尔锡伯自治县、莎车县等。

| 资源情况 | 野生资源较丰富。药材主要来源于野生。

| 采收加工 | 秋季采收，晒干。

| 功能主治 | 催产助生。用于产后出血。

禾本科 Gramineae 拂子茅属 *Calamagrostis*

假苇拂子茅 *Calamagrostis pseudophragmites* (Hall. f.) Koel.

| 药材名 |

拂子茅（药用部位：全草）。

| 形态特征 |

多年生草本。秆直立，高 40 ～ 100 cm，直径 1.5 ～ 4 mm。叶鞘平滑无毛或稍粗糙，短于节间，有时下部者长于节间；叶舌膜质，长 4 ～ 9 mm，长圆形，先端钝，易破碎；叶片长 10 ～ 30 cm，宽 1.5 ～ 5（～ 7）mm，扁平或内卷，上面及边缘粗糙，下面平滑。圆锥花序长圆状披针形，疏松开展，长 10 ～ 20（～ 35）cm，宽（2 ～）3 ～ 5 cm，分枝簇生，直立，细弱，稍粗糙；小穗长 5 ～ 7 mm，草黄色或紫色；颖线状披针形，成熟后张开，先端长渐尖，不等长，第二颖较第一颖短 1/4 ～ 1/3，具 1 或 3 脉，主脉粗糙；外稃透明，膜质，长 3 ～ 4 mm，具 3 脉，先端全缘，稀微齿裂，芒自先端或稍下部伸出，细直，细弱，长 1 ～ 3 mm，基盘的柔毛与小穗等长或稍短于小穗；内稃长为外稃的 1/3 ～ 2/3；雄蕊 3，花药长 1 ～ 2 mm。花果期 6 ～ 8 月。

| 生境分布 |

生于海拔 350 ～ 1 700 m 的平原绿洲、山谷

及河岸潮湿处。分布于新疆阿勒泰市、布尔津县、沙湾市、乌苏市、玛纳斯县、裕民县、新源县、昭苏县、托克逊县、莎车县、叶城县、皮山县等。

| 资源情况 | 野生资源较丰富。药材主要来源于野生。

| 采收加工 | 秋季采收，晒干。

| 功能主治 | 催产助生。用于产后出血。

禾本科 Gramineae 薏苡属 *Coix*

薏苡 *Coix lacryma-jobi* L.

| 药 材 名 | 薏苡仁（药用部位：种仁）。

| 形态特征 | 一年生粗壮草本。须根黄白色，海绵质，直径约 3 mm。秆直立丛生，高 1 ~ 2 m，具 10 余节，节多分枝。叶鞘短于节间，无毛；叶舌干膜质，长约 1 mm；叶片扁平宽大，开展，长 10 ~ 40 cm，宽 1.5 ~ 3 cm，基部圆形或近心形，中脉粗厚，在下面隆起，边缘粗糙，通常无毛。总状花序腋生成束，长 4 ~ 10 cm，直立或下垂，具长梗，雌小穗位于花序的下部，外面包以骨质念珠状的总苞；总苞卵圆形，长 7 ~ 10 mm；第一颖卵圆形，先端渐尖，呈喙状，具 10 余脉，包围着第二颖及第一外稃；第二外稃短于颖，具 3 脉，第二内稃较小；雄蕊常退化；雌蕊具细长的柱头，从总苞的先端伸出，颖果小，含淀粉少，常不饱满。雄小穗 2 ~ 3 对，着生于总状花序上部，长

1 ~ 2 cm；无柄雄小穗长 6 ~ 7 mm，第一颖草质，边缘内折成脊，具有不等宽的翼，先端钝，具多数脉；第二颖舟形，外稃与内稃膜质；第一及第二小花常具雄蕊 3，花药橘黄色，长 4 ~ 5 mm；有柄雄小穗与无柄者相似，或较小而不同程度地退化。花果期 6 ~ 10 月。

| 生境分布 | 新疆多地有栽培。

| 采收加工 | 秋季果实成熟时采割植株，晒干，打下果实，晒干，除去外壳、黄褐色种皮和杂质，收集种仁。

| 功能主治 | 利水渗湿，健脾止泻，除痹，排脓，解毒散结。用于水肿，脚气病，小便不利，脾虚泄泻，湿痹拘挛，肺痈，肠痈，赘疣，恶性肿瘤。

禾本科 Gramineae 狗牙根属 *Cynodon*

狗牙根 *Cynodon dactylon* (L.) Pers.

| 药材名 | 狗牙根（药用部位：根茎）。

| 形态特征 | 多年生草本。具根茎和匍匐茎。秆细而坚韧，下部匍匐地面，蔓延甚长，节上常生不定根；直立部分高 10 ~ 30 cm，直径 1 ~ 1.5 mm，秆壁厚，光滑无毛，有时两侧略压扁。叶鞘微具脊，无毛或有疏柔毛，鞘口常具柔毛；叶舌仅为 1 轮纤毛；叶片线形，长 1 ~ 12 cm，宽 1 ~ 3 mm，通常两面无毛。穗状花序 3 ~ 6，长 2 ~ 5（~ 6）cm；小穗灰绿色或带紫色，长 2 ~ 2.5 mm，仅含 1 小花；颖长 1.5 ~ 2 mm，第二颖稍长，均具 1 脉，背部成脊，边缘膜质；外稃舟形，具 3 脉，背部明显成脊，脊上被柔毛；内稃与外稃近等长，具 2 脉。鳞被上缘近平截；花药淡紫色；子房无毛，柱头紫红色。颖果长圆柱形。花果期 6 ~ 9 月。

| **生境分布** | 生于平原绿洲的低洼地、河水泛滥地、地下水位较高的平缓地、低海拔山区的沟谷、农田边、路边、渠旁。分布于新疆吐鲁番市及石河子市、额敏县、博乐市、英吉沙县、泽普县、叶城县等。

| **资源情况** | 野生资源一般。药材主要来源于野生。

| **采收加工** | 秋季采收，洗净，鲜用或晒干。

| **功能主治** | 祛风活络，凉血止血，解毒。用于风湿痹痛，半身不遂，劳伤吐血，鼻衄，便血，跌打损伤，疮疡肿毒。

禾本科 Gramineae 马唐属 *Digitaria*

马唐 *Digitaria sanguinalis* (L.) Scop.

| 药 材 名 | 马唐（药用部位：全草）。

| 形态特征 | 一年生草本。秆直立或下部倾斜，膝曲上升，高 10 ~ 80 cm，直径 2 ~ 3 mm，无毛或节生柔毛。叶鞘短于节间，无毛或散生疣基柔毛；叶舌长 1 ~ 3 mm；叶片线状披针形，长 5 ~ 15 cm，宽 4 ~ 12 mm，基部圆形，边缘较厚，微粗糙，具柔毛或无毛。总状花序长 5 ~ 18 cm，4 ~ 12 呈指状着生于长 1 ~ 2 cm 的主轴上；穗轴直伸或开展，两侧具宽翼，边缘粗糙；小穗椭圆状披针形，长 3 ~ 3.5 mm；第一颖小，短三角形，无脉；第二颖具 3 脉，披针形，长为小穗的 1/2 左右，脉间及边缘大多具柔毛；第一外稃与小穗等长，具 7 脉，中脉平滑，两侧的脉距离较宽，无毛，边脉呈小刺状，粗糙，脉间及边缘生柔毛；第二外稃近革质，灰绿色，先端渐尖，与第一外稃等长；花药

长约 1 mm。花果期 6 ~ 9 月。

| 生境分布 | 生于平原绿洲农田边、地埂、农舍周围及水渠旁。分布于新疆喀什市、莎车县、和田县、库尔勒市等。

| 资源情况 | 野生资源一般。药材主要来源于野生。

| 采收加工 | 秋季采收，晒干。

| 功能主治 | 调中，明耳目。用于目赤，肺热咳嗽。

禾本科 Gramineae 马唐属 *Digitaria*

紫马唐 *Digitaria violascens* Link

| 药材名 | 马唐（药用部位：全草）。

| 形态特征 | 一年生直立草本。秆疏丛生，高 20 ~ 60 cm，基部倾斜，具分枝，无毛。叶鞘短于节间，无毛或生柔毛；叶舌长 1 ~ 2 mm；叶片线状披针形，质较软，扁平，长 5 ~ 15 cm，宽 2 ~ 6 mm，粗糙，基部圆形，无毛或上面基部及鞘口生柔毛。总状花序长 5 ~ 10 cm，4 ~ 10 呈指状排列于茎顶或散生于长 2 ~ 4 cm 的主轴上；穗轴宽 0.5 ~ 0.8 mm，边缘微粗糙；小穗椭圆形，长 1.5 ~ 1.8 mm，宽 0.8 ~ 1 mm，2 ~ 3 生于各节；小穗柄稍粗糙；第一颖不存在；第二颖稍短于小穗，具 3 脉，脉间及边缘生柔毛；第一外稃与小穗等长，有 5 ~ 7 脉，脉间及边缘生柔毛，毛壁有小疣突，中脉两侧无毛或毛较少，第二外稃与小穗近等长，中部宽约 0.7 mm，先端尖，有纵行颗粒状粗糙物，

紫褐色，革质，有光泽；花药长约 0.5 mm。花果期 7 ～ 10 月。

| 生境分布 | 生于平原绿洲、农田边、农舍及沟渠边。分布于新疆叶城县、皮山县、策勒县玛纳斯县、沙湾市、英吉沙县等。

| 资源情况 | 野生资源一般。药材主要来源于野生。

| 采收加工 | 秋季采收，晒干。

| 功能主治 | 调中，明耳目。用于目赤，肺热咳嗽。

禾本科 Gramineae 稗属 *Echinochloa*

光头稗 *Echinochloa colonum* (L.) Link

| 药 材 名 | 光头稗子（药用部位：根）。

| 形态特征 | 一年生草本。秆直立，高 10 ~ 60 cm。叶鞘压扁，背面具脊，无毛；叶舌缺；叶片扁平，线形，长 3 ~ 20 cm，宽 3 ~ 7 mm，无毛，边缘稍粗糙。圆锥花序狭窄，长 5 ~ 10 cm；主轴具棱，通常无疣基长毛，棱边粗糙；花序分枝长 1 ~ 2 cm，排列稀疏，直立上升或贴向主轴，穗轴无疣基长毛或仅基部被 1 ~ 2 疣基长毛；小穗卵圆形，长 2 ~ 2.5 mm，具小硬毛，无芒，较规则地在穗轴的一侧排列成 4 行；第一颖三角形，长约为小穗的 1/2，具 3 脉；第二颖与第一外稃等长而同形，先端具小尖头，具 5 ~ 7 脉，间脉常不达基部；第一小花常中性，外稃具 7 脉，内稃膜质，稍短于外稃，脊上被短纤毛；第二外稃椭圆形，平滑，光亮，边缘内卷，包着同质的内稃；鳞被 2，

膜质。花果期 6 ~ 8 月。

| 生境分布 | 生于平原绿洲中水分条件较好的田边、地埂、水稻田和水边湿草地。分布于新疆米东区、玛纳斯县、库尔勒市、阿克苏市等。

| 资源情况 | 野生资源一般。药材主要来源于野生。

| 采收加工 | 夏、秋季挖，除去地上部分，洗净，鲜用或晒干。

| 功能主治 | 利水消肿，止血。用于腹水，水肿，咯血。

禾本科 Gramineae 稗属 *Echinochloa*

稗 *Echinochloa crusgalli* (L.) Beauv.

| 药 材 名 | 稗子（药用部位：苗叶、根）。

| 形态特征 | 一年生草本。秆高 50 ~ 150 cm，光滑无毛，基部倾斜或膝曲。叶鞘疏松裹秆，平滑无毛，下部者长于节间，上部者短于节间；叶舌缺；叶片扁平，线形，长 10 ~ 40 cm，宽 5 ~ 20 mm，无毛，边缘粗糙。圆锥花序直立，近尖塔形，长 6 ~ 20 cm；主轴具棱，粗糙或具疣基长刺毛；分枝斜向上举或贴向主轴，有时再分枝；穗轴粗糙或生疣基长刺毛；小穗卵形，长 3 ~ 4 mm，脉上密被疣基刺毛，具短柄或近无柄，密集在穗轴的一侧；第一颖三角形，长为小穗的 1/3 ~ 1/2，具 3 ~ 5 脉，脉上具疣基毛，基部包裹小穗，先端尖；第二颖与小穗等长，先端渐尖或具小尖头，具 5 脉，脉上具疣基毛；第一小花通常中性，外稃草质，上部具 7 脉，脉上具疣基刺毛，先

端延伸成一粗壮的芒，芒长 0.5 ~ 1.5（~ 3）cm，内稃薄膜质，狭窄，具 2 脊；第二外稃椭圆形，平滑，光亮，成熟后变硬，先端具小尖头，尖头上有 1 圈细毛，边缘内卷，包着同质的内稃，但内稃先端露出。花果期 6 ~ 8 月。

| 生境分布 | 生于平原绿洲水分充足的田边、水稻田、沟边和沼泽地。分布于新疆米东区、玛纳斯县、塔城市、伊吾县、于田县等。

| 资源情况 | 野生资源一般。药材主要来源于野生。

| 采收加工 | 夏季采收，鲜用或晒干。

| 功能主治 | 止血生肌。用于金疮，外伤出血。

禾本科 Gramineae 䅟属 *Eleusine*

牛筋草 *Eleusine indica* (L.) Gaertn.

| 药 材 名 | 蟋蟀草（药用部位：全草）。

| 形态特征 | 一年生草本。根系极发达。秆丛生，基部倾斜，高 10 ~ 90 cm。叶鞘两侧压扁，具脊，松弛，无毛或疏生疣毛；叶舌长约 1 mm；叶片平展，线形，长 10 ~ 15 cm，宽 3 ~ 5 mm，无毛或上面被疣基柔毛。穗状花序 2 ~ 7 呈指状着生于秆顶，很少单生，长 3 ~ 10 cm，宽 3 ~ 5 mm；小穗长 4 ~ 7 mm，宽 2 ~ 3 mm，含 3 ~ 6 小花；颖披针形，具脊，脊粗糙，第一颖长 1.5 ~ 2 mm，第二颖长 2 ~ 3 mm；第一外稃长 3 ~ 4 mm，卵形，膜质，具脊，脊上有狭翼，内稃短于外稃，具 2 脊，脊上具狭翼。囊果卵形，长约 1.5 mm，基部下凹，具明显的波状皱纹；鳞被 2，折叠，具 5 脉。花果期 6 ~ 9 月。

| **生境分布** | 生于荒芜路边、沟边和山坡草地。分布于新疆和田市、库车市等。

| **资源情况** | 野生资源一般。药材主要来源于野生。

| **采收加工** | 秋季采收，除去或不去茎叶，洗净，切段，鲜用或晒干。

| **功能主治** | 清热利湿，凉血解毒。用于伤暑发热，小儿惊风，流行性乙型脑炎，流行性脑脊髓膜炎，黄疸，淋证，小便不利，痢疾，便血，疮疡肿痛，跌打损伤。

禾本科 Gramineae 披碱草属 *Elymus*

披碱草 *Elymus dahuricus* Turcz.

| 药 材 名 | 鹅观草（药用部位：全草）。

| 形态特征 | 多年生草本。秆疏丛生，直立，高 70 ~ 140 cm，基部膝曲。叶鞘光滑无毛；叶片扁平，稀内卷，上面粗糙，下面光滑，有时呈粉绿色，长 15 ~ 25 cm，宽 5 ~ 9（~ 12）mm。穗状花序直立，排列较紧密，长 14 ~ 18 cm，宽 5 ~ 10 mm；穗轴边缘具小纤毛，中部各节具 2 小穗，接近先端和基部的各节具 1 小穗；小穗绿色，成熟后变为草黄色，长 10 ~ 15 mm，含 3 ~ 5 小花；颖披针形或线状披针形，长 8 ~ 10 mm，先端有长达 5 mm 的短芒，有 3 ~ 5 明显而粗糙的脉；外稃披针形，上部具 5 明显的脉，全部密生短小糙毛，第一外稃长 9 mm，先端延伸成芒，芒粗糙，长 10 ~ 20 mm，成熟后向外展开；内稃与外稃等长，先端平截，脊上具纤毛，至基部毛渐不明显，脊

间被稀少短毛。花果期 6 ~ 9 月。

| 生境分布 | 生于海拔 500 ~ 1 700 m 的平原绿洲及山坡草地。分布于新疆阿勒泰市、乌鲁木齐县、石河子市、和布克赛尔蒙古自治县、阿克苏市、于田县等。

| 资源情况 | 野生资源一般。药材主要来源于野生。

| 采收加工 | 夏、秋季采收，晒干。

| 功能主治 | 清热，凉血，通络止痛。用于咳嗽痰中带血，风丹，劳伤疼痛。

禾本科 Gramineae 画眉草属 *Eragrostis*

大画眉草 *Eragrostis cilianensis* (All.) Vignolo-Lutati ex Janch.

| 药材名 | 大画眉草（药用部位：全草）。

| 形态特征 | 一年生草本。秆粗壮，高 30 ～ 90 cm，直径 3 ～ 5 mm，直立，丛生，基部常膝曲，具 3 ～ 5 节，节下有 1 圈明显的腺体。叶鞘疏松裹茎，脉上有腺体，鞘口具长柔毛；叶舌为 1 圈成束的短毛，长约 0.5 mm；叶片线形，扁平，伸展，长 6 ～ 20 cm，宽 2 ～ 6 mm，无毛，叶脉与叶缘均有腺体。圆锥花序长圆形或尖塔形，长 5 ～ 20 cm，分枝粗壮，单生，上举，腋间具柔毛，小枝和小穗柄上均有腺体；小穗长圆形或卵状长圆形，墨绿色带淡绿色或黄褐色，扁压，弯曲，长 5 ～ 20 mm，宽 2 ～ 3 mm，有 10 ～ 40 小花，小穗除单生外，常密集簇生；颖近等长，长约 2 mm，具 1 脉或第二颖具 3 脉，脊上均有腺体；外稃呈广卵形，先端钝，第一外稃长约 2.5 mm，宽约 1 mm，侧脉明显，

主脉有腺体，暗绿色，有光泽；内稃宿存，稍短于外稃，脊上具短纤毛。雄蕊 3，花药长 0.5 mm。颖果近圆形，直径约 0.7 mm。花果期 7 ~ 9 月。

| 生境分布 | 生于绿洲平原、常见荒芜草地和沙地。分布于新疆阿勒泰市、乌鲁木齐县、玛纳斯县、巩留县、阿克苏市等。

| 资源情况 | 野生资源一般。药材主要来源于野生。

| 采收加工 | 夏、秋季采收，鲜用或晒干。

| 功能主治 | 利尿通淋，疏风清热。用于热淋，石淋，目赤痒痛。

禾本科 Gramineae 画眉草属 *Eragrostis*

小画眉草 *Eragrostis minor* Host

| 药材名 | 画眉草（药用部位：全草）。

| 形态特征 | 一年生草本。秆纤细，丛生，膝曲上升，高 15 ~ 50 mm，直径 1 ~ 2 mm，具 3 ~ 4 节，节下具 1 圈腺体。叶鞘较节间短，松裹茎，脉上有腺体，鞘口有长毛；叶舌为 1 圈长柔毛，长 0.5 ~ 1 mm；叶片线形，平展或卷缩，长 3 ~ 15 cm，宽 2 ~ 4 mm，下面光滑，上面粗糙，疏生柔毛，主脉及边缘有腺体。圆锥花序开展，疏松，长 6 ~ 15 cm，宽 4 ~ 6 cm，每节具 1 分枝，分枝平展或上举，腋间无毛，花序轴、小枝以及柄有腺体；小穗长圆形，长 3 ~ 8 mm，宽 1.5 ~ 2 mm，含 3 ~ 16 小花，绿色或深绿色；小穗柄长 3 ~ 6 mm；颖锐尖，具 1 脉，脉上有腺点，第一颖长 1.6 mm，第二颖长约 1.8 mm；第一外稃长约 2 mm，广卵形，先端圆钝，具 3 脉，侧脉明显，靠近边缘，

主脉上有腺体；内稃长约 1.6 mm，弯曲，脊上有纤毛，宿存；雄蕊 3，花药长约 0.3 mm。颖果红褐色，近球形，直径约 0.5 mm。花果期 6 ~ 9 月。

| 生境分布 | 生于海拔 510 ~ 1 700 m 的平原绿洲、沟谷、荒芜田野、路边、田边、河漫滩及山谷河边。分布于新疆福海县、阿勒泰市、布尔津县、哈巴河县、奇台县、乌鲁木齐县、石河子市、沙湾市、乌苏市、精河县、托里县、托克逊县、和硕县、和静县、库车市、沙雅县、疏勒县、泽普县、叶城县、策勒县、和田市等。

| 资源情况 | 野生资源较丰富。药材主要来源于野生。

| 采收加工 | 夏、秋季采收，鲜用或晒干。

| 功能主治 | 清热解毒，利尿通淋，疏风清热。用于热淋，石淋，目赤痒痛。

禾本科 Gramineae 画眉草属 *Eragrostis*

画眉草 *Eragrostis pilosa* (L.) P. Beauv.

| 药 材 名 | 画眉草（药用部位：全草）。

| 形态特征 | 一年生草本。秆丛生，直立或基部膝曲，高 15 ~ 60 cm，直径 1.5 ~ 2.5 mm，通常具 4 节，光滑。叶鞘松裹茎，长于或短于节间，扁压，鞘缘近膜质，鞘口有长柔毛；叶舌为 1 圈纤毛，长约 0.5 mm；叶片线形，扁平或卷缩，长 6 ~ 20 cm，宽 2 ~ 3 mm，无毛。圆锥花序开展或紧缩，长 10 ~ 25 cm，宽 2 ~ 10 cm，分枝单生、簇生或轮生，多直立向上，腋间有长柔毛；小穗具柄，长 3 ~ 10 mm，宽 1 ~ 1.5 mm，含 4 ~ 14 小花；颖膜质，披针形，先端渐尖，第一颖长约 1 mm，无脉，第二颖长约 1.5 mm，具 1 脉；第一外稃长约 1.8 mm，广卵形，先端尖，具 3 脉；内稃长约 1.5 mm，稍呈弓形弯曲，脊上有纤毛，迟落或宿存；雄蕊 3，花药长约 0.3 mm。颖

果长圆形，长约 0.8 mm。花果期 7 ~ 9 月。

| 生境分布 | 生于平原绿洲，常见于荒芜田野、路边、田边、地埂。分布于新疆哈密市及布尔津县、乌鲁木齐县、玛纳斯县、策勒县等。

| 资源情况 | 野生资源一般。药材主要来源于野生。

| 采收加工 | 夏、秋季采收，洗净，鲜用或晒干。

| 功能主治 | 利尿通淋，清热活血。用于热淋，石淋，目赤痒痛，跌打损伤。

禾本科 Gramineae 大麦属 *Hordeum*

布顿大麦草 *Hordeum bogdanii* Wilensky

| 药材名 | 大麦（药用部位：果实）。

| 形态特征 | 多年生草本。具根茎。秆直立，基部有时膝曲，高 50 ~ 80 cm，直径约 2 mm，具 5 ~ 6 节，节稍凸起，密被灰色毛。叶鞘幼嫩者具柔毛；叶舌膜质，长约 1 mm；叶片长 6 ~ 15 cm，宽 4 ~ 6 mm。穗状花序通常呈灰绿色，长 5 ~ 10 cm，宽 5 ~ 7 mm，穗轴节间长约 1 mm，易断；三联小穗两侧生者具长约 1.5 mm 的柄，颖长 6 ~ 7 mm，外稃贴生细毛，连同芒长约 5 mm；中间小穗无柄，颖针状，长 7 ~ 8 mm，外稃长约 7 mm，先端具长约 7 mm 的芒，背部贴生细毛，内稃长约 6.5 mm；花药黄色，长约 2 mm。花果期 6 ~ 9 月。

| 生境分布 | 生于绿洲平原的河漫滩、水渠、水库边潮湿地。分布于新疆富蕴县、

阿勒泰市、福海县、奇台县、木垒哈萨克自治县、乌鲁木齐县、石河子市、沙湾市、乌苏市、和布克赛尔蒙古自治县、昭苏县、库尔勒市、阿克苏市、巴楚县等。

| 资源情况 | 野生资源较丰富。药材主要来源于野生。

| 采收加工 | 秋季果实成熟时采收，晒干。

| 功能主治 | 健脾和胃，宽肠，利水。用于腹胀，食滞泄泻，小便不利。

禾本科 Gramineae 大麦属 *Hordeum*

短芒大麦草 *Hordeum brevisubulatum* (Trin.) Link

| 药材名 |

大麦（药用部位：果实）。

| 形态特征 |

多年生草本。常具根茎。秆丛生，直立，基部节常弯曲，高 40 ~ 80 cm，直径约 1.5 mm，光滑，具 3 ~ 4 节。叶鞘无毛，通常短于节间，常具淡黄色尖叶耳；叶舌膜质，平截，长约 1 mm；叶片长 5 ~ 15 cm，宽 2 ~ 6 mm，上面粗糙，下面较平滑。穗状花序长 3 ~ 9 cm，宽 3 ~ 5 mm，灰绿色，成熟时带紫色；穗轴节间长约 2 mm，基部者长可达 6 mm，边缘具纤毛；三联小穗两侧者通常较小或发育不全，具长约 1 mm 的柄，颖针状，长 4 ~ 5 mm，外稃无芒，长约 5 mm；中间无柄小穗的颖形似有柄者，长 4 ~ 6 mm，外稃长 6 ~ 7 mm，较平滑或具刺毛，先端具长 1 ~ 2 mm 的尖头，内稃与外稃等长；花药长约 3 mm。颖果长约 3 mm，先端具毛。花果期 6 ~ 8 月。

| 生境分布 |

生于海拔 600 ~ 3 000 m 的平原草甸和山地河谷草甸。分布于新疆和布克赛尔蒙古自治县、霍城县、尼勒克县、特克斯县、塔城市、和硕县、阿克苏市、叶城县、塔什库尔干塔吉克自治县等。

| 资源情况 | 野生资源一般。药材主要来源于野生。

| 采收加工 | 秋季果实成熟时采收，晒干。

| 功能主治 | 健脾和胃，宽肠，利水。用于腹胀，食滞泄泻，小便不利。

禾本科 Gramineae 大麦属 *Hordeum*

青稞 *Hordeum vulgare* L. var. *nudum* Hook. f.

| 药 材 名 | 大麦（药用部位：果实）。

| 形态特征 | 一年生草本。秆 3，直立，光滑，高约 100 cm，直径 4 ~ 6 mm，具 4 ~ 5 节。叶鞘光滑，大都短于节间或基部者长于节间，两侧具 2 叶耳，互相抱茎；叶舌膜质，长 1 ~ 2 mm；叶片长 9 ~ 20 cm，宽 8 ~ 15 mm，微粗糙。穗状花序成熟后黄褐色或紫褐色，长 4 ~ 8 cm（芒除外），宽 1.8 ~ 2 cm；小穗长约 1 cm；颖线状披针形，被短毛，先端渐尖成芒状，长达 1 cm；外稃先端延伸为长 10 ~ 15 cm 的芒，两侧具细刺毛。颖果成熟时易脱出稃体。

| 生境分布 | 生于平原草甸、山地河谷草甸、山坡路旁、高山草甸及潮湿处。新疆伊犁哈萨克自治州有栽培。

| **采收加工** | 秋季果实成熟时采收，晒干。

| **功能主治** | 健脾和胃，宽肠，利水。用于腹胀，食滞泄泻，小便不利。

禾本科 Gramineae 臭草属 *Melica*

俯垂臭草 *Melica nutans* L.

| 药 材 名 | 臭草（药用部位：全草）。

| 形态特征 | 多年生草本。根茎匍匐，须根细弱。秆较细弱，常散生，上部直立，基部倾斜，高 25 ~ 90 cm，光滑无毛，具 5 ~ 8 节。叶鞘闭合几近鞘口；叶片柔软，质地较薄，扁平，宽线形，长 10 ~ 26 cm，宽 2 ~ 5 mm，上面具稀疏的柔毛，下面无毛，微粗糙，具小横脉。圆锥花序狭窄，总状，有时偏向一侧，具 5 ~ 12 小穗，长 4 ~ 12 cm，花序轴具粗糙的棱；小穗柄纤细，长 3 ~ 8 mm，微被纤毛，先端下垂；小穗长 5 ~ 7 mm，含孕性小花 2，顶生不育外稃聚集成粗棒状，长约 2 mm；小穗轴节间长约 1 mm，无毛；颖草质，舟状宽卵形，紫红色，无毛，先端钝，膜质，第一颖长约 6 mm，具 5 ~ 7 脉；外稃硬草质，舟状宽椭圆形，先端钝，稍带紫色，背面光滑无毛或被

细短毛，第一外稃长约 6 mm，具明显凸起的 7 ～ 9 脉或基部脉较多；内稃卵圆形，长约 5 mm，背面被细短毛，脊上被细纤毛；花药长 1.2 ～ 1.5 mm；鳞被 2，小，合生。颖果纺锤形。花期 5 ～ 8 月。

| 生境分布 | 生于海拔 1 300 ～ 2 300 m 的草甸草原、山坡或林缘草丛中。分布于新疆阿勒泰山西部、天山山脉等。

| 资源情况 | 野生资源较少。药材来源于野生。

| 功能主治 | 利水通淋，清热。

禾本科 Gramineae 臭草属 *Melica*

德兰臭草 *Melica transsilvanica* Schur.

| 药材名 |

臭草（药用部位：全草）。

| 形态特征 |

多年生草本。须根细长；偶有短根茎。秆直立或基部稍倾斜，常单生，高 30 ~ 100 cm，直径 2 ~ 3 mm，具 4 ~ 8 节，花序下粗糙。叶鞘闭合至近鞘口，较粗糙，下部者长于节间，上部者短于节间；叶舌膜质，长 2 ~ 5 mm，先端平截，常撕裂；叶片扁平或纵卷，长 10 ~ 20 cm，宽 3 ~ 6 mm，上面疏被柔毛，下面粗糙。圆锥花序稠密，紧缩成穗状，长 5 ~ 11 cm，宽 1 ~ 1.5 cm，具很多小穗，有时下部间断，花序轴和小穗柄粗糙或被短毛；小穗花期带紫红色，果期变为草黄色，长 4.5 ~ 7.5 mm，常仅含 1 孕性小花，上面 2 ~ 3 不育外稃聚集成粗棒状；小穗轴节间长约 1 mm，光滑；颖纸质，粗糙，脉上具短小纤毛，第一颖宽披针形，长 3.5 ~ 4.5 mm，具一明显的中脉和 4 不明显的侧脉，先端尖，第二颖长披针形，长 6 ~ 7.5 mm，具 5 脉，先端尖；外稃草质，披针形，长 5 ~ 5.5 mm，具 7 脉，先端钝圆，背面呈颗粒状，粗糙，两侧边脉上生出长柔毛，毛长达 5 mm；内稃短于外稃，先端钝，

脊上被微纤毛；鳞被 3，极小；花药黄色，长 0.6 ~ 1.2 mm。颖果纺锤形，深褐色，光亮，长约 1 mm。花期 5 ~ 8 月。

| 生境分布 | 生于海拔 800 ~ 2 000 m 的落叶阔叶林下或干旱灌丛中及向阳干旱山坡上。分布于新疆青河县、阿勒泰市、布尔津县、奇台县、乌鲁木齐县、塔城市、托里县、博乐市、尼勒克县、新源县、巩留县、特克斯县、昭苏县等。

| 功能主治 | 利水通淋，清热。

禾本科 Gramineae 稻属 *Oryza*

稻 *Oryza sativa* L.

| **药材名** | 稻芽（药用部位：成熟果实的芽）。

| **形态特征** | 一年生水生草本。秆直立，高 0.5 ~ 1.5 m，随品种而异。叶鞘松弛，无毛；叶舌披针形，长 10 ~ 25 cm，两侧基部下延成叶鞘边缘，具 2 镰形抱茎的叶耳；叶片线状披针形，长 40 cm 左右，宽约 1 cm，无毛，粗糙。圆锥花序松散，长约 30 cm，分枝多，棱粗糙，成熟期向下弯垂；小穗含 1 成熟花，两侧甚压扁，长圆状卵形至椭圆形，长约 10 mm，宽 2 ~ 4 mm；颖极小，仅在小穗柄先端留下半月形的痕迹，退化外稃 2，锥刺状，长 2 ~ 4 mm；两侧孕性花外稃质厚，具 5 脉，中脉成脊，表面有方格状小乳状突起，厚纸质，遍布细毛，端毛较密，有芒或无芒；内稃与外稃同质，具 3 脉，先端尖而无喙；雄蕊 6，花药长 2 ~ 3 mm。颖果长约 5 mm，宽约 2 mm，厚 1 ~

1.5 mm；胚小，约为颖果长的 1/4。花期 8 月，果期 9 月。

| **生境分布** | 生于泉水溢出带及大河沿岸。新疆多地有栽培。

| **功能主治** | 和中消食，健脾止泻。

禾本科 Gramineae 狼尾草属 *Pennisetum*

白草 *Pennisetum centrasiaticum* Tzvel.

| 药 材 名 |

白草（药用部位：根茎）。

| 形态特征 |

多年生草本。根茎横走。秆直立，单生或丛生，高 20 ~ 90 cm。叶鞘疏松包茎，近无毛，基部者密集，近跨生，上部短于节间；叶舌短，具长 1 ~ 2 mm 的纤毛；叶片狭线形，长 10 ~ 25 cm，宽 5 ~ 8（~ 12）mm，两面无毛。圆锥花序紧密，直立或稍弯曲，长 5 ~ 15 cm，宽约 10 mm；主轴具棱角，无毛或罕疏生短毛，残留在主轴上的总花梗长 0.5 ~ 1 mm；刚毛柔软，细弱，微粗糙，长 8 ~ 15 mm，灰绿色或紫色；小穗通常单生，卵状披针形，长 3 ~ 8 mm；第一颖微小，先端钝圆、锐尖或齿裂，脉不明显；第二颖长为小穗的 1/3 ~ 3/4，先端芒尖，具 1 ~ 3 脉；第一小花雄性罕中性，第一外稃与小穗等长，厚膜质，先端芒尖，具 3 ~ 5（~ 7）脉，第一内稃透明，膜质或退化；第二小花两性，第二外稃具 5 脉，先端芒尖，与内稃同为纸质；鳞被 2，楔形，先端微凹；雄蕊 3，花药先端无毫毛；花柱近基部联合。颖果长圆形，长约 2.5 mm。花果期 7 ~ 9 月。

| 生境分布 | 生于海拔 900 ~ 3 200 m 的山坡和较干燥处。分布于新疆莎车县、洛浦县、和田县等。

| 资源情况 | 野生资源丰富。药材来源于野生。

| 功能主治 | 清热利尿，凉血止血。用于热淋，尿血，肺热咳嗽，鼻衄，胃热烦渴。

禾本科 Gramineae 芦苇属 *Phragmites*

芦苇 *Phragmites australis* (Cav.) Trin. ex Steud.

| 药 材 名 | 芦苇（药用部位：根茎）。

| 形态特征 | 多年生草本。根茎十分发达。秆直立，高 1 ~ 3（~ 8）m，直径 1 ~ 4 cm，具 20 多节，基部和上部的节间较短，最长节间位于下部第 4 ~ 6 节，长 20 ~ 25（~ 40）cm，节下被蜡粉。叶鞘下部者短于节间，上部者长于节间；叶舌边缘密生 1 圈长约 1 mm 的短纤毛，两侧缘毛长 3 ~ 5 mm，易脱落；叶片披针状线形，长 30 cm，宽 2 cm，无毛，先端长渐尖，呈丝形。圆锥花序大型，长 20 ~ 40 cm，宽约 10 cm，分枝多数，长 5 ~ 20 cm，着生稠密下垂的小穗；小穗柄长 2 ~ 4 mm，无毛；小穗长约 12 mm，含 4 花；颖具 3 脉，第一颖长 4 mm，第二颖长约 7 mm；第一不孕外稃雄性，长约 12 mm，第二外稃长 11 mm，具 3 脉，先端长渐尖，基盘延长，

两侧密生与外稃等长的丝状柔毛，与无毛的小穗轴相连接处具明显关节，成熟后易从关节上脱落；内稃长约 3 mm，两脊粗糙；雄蕊 3，花药长 1.5 ~ 2 mm，黄色；颖果长约 1.5 mm。

| 生境分布 | 生于海拔 2 000 ~ 4 000 m 以下的山谷、冲洪积扇缘、平原低地、河滩洼地、河流三角洲及古老河床和湖滨。分布于阿尔泰山的湖滨及昆仑山喀拉喀什河岸。

| 资源情况 | 野生资源丰富。药材来源于野生。

| 功能主治 | 养阴生津，止呕，清肺胃热。

禾本科 Gramineae 早熟禾属 *Poa*

高山早熟禾 *Poa alpina* L.

|药 材 名| 早熟禾（药用部位：全草）。

|形态特征| 多年生密丛型草本。秆直立或斜升，高 10 ~ 30 cm，常具 2 节。叶鞘平滑无毛，枯萎老鞘白褐色，包围着秆基；叶舌膜质，长 3 ~ 5 mm，多撕裂，蘖生者长 1 ~ 2 mm；叶片宽而扁平，有时对折，长 3 ~ 10（~ 16）cm，宽 2 ~ 5 mm，两面平滑无毛，边缘粗糙，先端急尖成舟形。圆锥花序卵形至长圆形，长 3 ~ 7 cm，宽 2 ~ 3 cm，带紫色；分枝孪生，平滑，中部以下裸露；小穗卵形，含 4 ~ 7 小花，长 4 ~ 8 mm；颖卵形，质薄，边缘宽膜质，具 3 脉，脊上微粗糙，先端锐尖，第一颖长 2.5 ~ 3（~ 4）mm，第二颖长 3.4 ~ 4.5 mm；外稃宽卵形，质薄，先端和边缘宽膜质，背部呈弧形弯拱，具 5 脉，间脉不明显，下部脉间遍生微毛，脊

下部 2/3 与边脉中部以下有长柔毛，基盘不具绵毛，第一外稃长 3 ~ 4 mm；内稃等长或稍长于外稃，先端凹陷，脊上部具微小锯齿，糙涩，下部具纤毛；花药长 1.5 ~ 2 mm。花果期 6 ~ 8 月。

| 生境分布 | 生于海拔 1 900 ~ 3 600 m 的高山和亚高山草甸、高山沼泽草甸及河谷草甸。分布于新疆天山山脉、阿尔泰山脉、萨乌尔山、准噶尔盆地西部山地和帕米尔高原。

| 资源情况 | 野生资源丰富。药材来源于野生。

| 功能主治 | 清热解毒，利水止痛。

禾本科 Gramineae 早熟禾属 *Poa*

林地早熟禾 *Poa nemoralis* L.

|药材名|

早熟禾（药用部位：全草）。

|形态特征|

多年生草本。疏丛生，不具根茎。秆高 30 ~ 70 cm，直立或铺散，具 3 ~ 5 节，花序以下部分微粗糙，细弱，直径约 1 mm。叶鞘平滑或糙涩，稍短或稍长于节间，基部者带紫色，顶生叶鞘长约 10 cm，比叶片短近 2 倍；叶舌长 0.5 ~ 1 mm，截圆或细裂；叶片扁平，柔软，长 5 ~ 12 cm，宽 1 ~ 3 mm，边缘和两面平滑无毛。圆锥花序狭窄柔弱，长 5 ~ 15 cm，分枝开展，2 ~ 5 着生于主轴各节，疏生 1 ~ 5 小穗，微粗糙，下部常裸露，基部主枝长约 5 cm；小穗披针形，多含 3 小花，长 4 ~ 5 mm；小穗轴具微毛；颖披针形，具 3 脉，边缘膜质，先端渐尖，脊上部糙涩，长 3.5 ~ 4 mm，第一颖较短而狭窄；外稃长圆状披针形，先端膜质，间脉不明显，脊中部以下与边脉下部 1/3 具柔毛，基盘具少量绵毛，第一外稃长约 4 mm；内稃长约 3 mm，两脊粗糙；花药长约 1.5 mm。花期 7 ~ 9 月。

| 生境分布 | 生于海拔 1 200 ~ 3 200 m 的山坡林地、林缘、灌丛草地。新疆北部各地均有分布。

| 资源情况 | 野生资源丰富。药材来源于野生。

| 功能主治 | 清热解毒，利水止痛。

禾本科 Gramineae 早熟禾属 *Poa*

天山早熟禾 *Poa pratensis* L. subsp. *pruinosa* (Korotky) Dickore

| 药 材 名 | 早熟禾（药用部位：全草）。

| 形态特征 | 多年生草本。具根茎，疏丛生。秆直立，高 30 ~ 50 cm，带蓝色。叶鞘平滑无毛；叶舌钝圆，长 2 ~ 4 mm，被微毛；叶片扁平或对折，质厚，长约 8 cm，宽 3 ~ 4 mm，上面贴生细毛，边缘微粗糙。圆锥花序稠密，长 5 ~ 9 cm，宽约 2 cm，分枝 3 ~ 6，簇生于各节，平滑，上部密生 4 ~ 5 小穗；小穗长 5 ~ 6（~ 7）mm；第一颖长 3 ~ 3.5 mm，具 1 脉，第二颖长 3 ~ 4 mm；小穗轴被细毛；外稃长 3.5 ~ 4.2 mm，紫色，间脉明显，脊与边脉下部具柔毛，基盘具绵毛，内稃两脊具丝状毛，上部粗；花药紫色，长 2 ~ 2.5 mm。花果期 7 ~ 9 月。

| **生境分布** | 生于海拔 1 700 ～ 4 200 m 的山地草原、森林沼泽草甸。分布于新疆哈密市、昌吉市、乌苏市、霍尔果斯市、霍城县等。

| **资源情况** | 野生资源较少。药材来源于野生。

| **功能主治** | 清热解毒，利水止痛。

禾本科 Gramineae 早熟禾属 *Poa*

西伯利亚早熟禾 *Poa sibirica* Trin.

| 药 材 名 | 早熟禾（药用部位：全草）。

| 形态特征 | 多年生草本。秆直立或倾斜，疏丛生，高 50 ~ 100 cm，具 3 ~ 4 节，质软，光滑。叶鞘短于节间，多少具脊，无毛，顶生者长 12 ~ 18 cm；叶舌长 0.5 ~ 2 mm；叶片扁平，平滑，茎生者长 5 ~ 10 cm，宽 2 ~ 5 mm，分蘖叶细长。圆锥花序金字塔形，疏松开展，长 10 ~ 15 cm，主轴每节具 2 ~ 5 分枝，下部节间长 2 ~ 4 cm；分枝微粗糙或下部平滑，毛细管状，基部主枝长达 7 cm，中部以下裸露；小穗长 4 ~ 5 mm，含 2 ~ 5 小花，绿色或带紫黑色；颖披针形，锐尖，脊上部和脉微粗糙，第一颖长 2 ~ 2.5 mm，具 1 脉，第二颖长 2.5 ~ 3 mm，具 3 脉；外稃具明显的 5 脉，全部无毛，基盘无绵毛，先端急尖，狭膜质，上部稍粗糙，第一外稃长 3 ~ 3.5

（~ 3.8）mm；内稃等长或稍长于外稃，先端微凹，脊具细锯齿，脊间散生微毛；花药长 1.5 ~ 2 mm。花期 7 ~ 9 月。

| **生境分布** | 生于海拔 1 700 ~ 2 750 m 的林缘、山坡草地、河谷草甸。分布于新疆北部地区。

| **资源情况** | 野生资源丰富。药材来源于野生。

| **功能主治** | 清热解毒，利水止痛。

禾本科 Gramineae 早熟禾属 *Poa*

仰卧早熟禾 *Poa supina* Schrad.

|药材名| 早熟禾（药用部位：全草）。

|形态特征| 多年生草本。具短根茎。秆丛生，平滑无毛，高 10 ~ 20 cm。叶舌钝，长 1 ~ 1.5 mm；叶片扁平，通常对折，长 2 ~ 6 cm，宽 2 ~ 3 mm，质柔软，平滑无毛，边缘微粗糙，先端窄成1尖头。圆锥花序金字塔形，长 2 ~ 3 cm，宽约 2 cm，疏生少数小穗；分枝平滑，单生或孪生，花后广开展；小穗卵形，含 4 ~ 6 小花，长 3.5 ~ 5 mm，带紫色；两颖不相等，第一颖长圆形，长 1.5 mm，具 1 脉，第二颖椭圆形，长 2 ~ 2.5 mm，具 3 脉；外稃椭圆形或长圆状卵形，先端钝，脊与边脉具柔毛，基盘无绵毛，第一外稃长约 3.5 mm；内稃短于外稃，两脊具纤毛；花药长 1.2 ~ 1.8 mm。花果期 6 ~ 8 月。

| **生境分布** | 生于海拔 850 ～ 3 000 m 的山坡草甸或湿地牧场。新疆各地均有分布。

| **资源情况** | 野生资源丰富。药材来源于野生。

| **功能主治** | 清热解毒，利水止痛。

禾本科 Gramineae 棒头草属 *Polypogon*

棒头草 *Polypogon fugax* Nees ex Steud.

| 药 材 名 | 棒头草（药用部位：全草）。

| 形态特征 | 一年生草本。秆丛生，基部膝曲，大都光滑，高 10 ~ 75 cm。叶鞘光滑无毛，大都短于节间或下部者长于节间；叶舌膜质，长圆形，长 3 ~ 8 mm，常 2 裂或先端具不整齐的裂齿；叶片扁平，微粗糙或下面光滑，长 2.5 ~ 15 cm，宽 3 ~ 4 mm。圆锥花序呈穗状，长圆形或卵形，较疏松，具缺刻或间断，分枝长可达 4 cm；小穗长约 2.5 mm（包括基盘），灰绿色或部分带紫色；颖长圆形，疏被短纤毛，先端 2 浅裂，芒从裂口处伸出，细直，微粗糙，长 1 ~ 3 mm；外稃光滑，长约 1 mm，先端具微齿，中脉延伸成长约 2 mm 而易脱落的芒；雄蕊 3，花药长 0.7 mm。颖果椭圆形，1 面扁平，长约 1 mm。花果期 5 ~ 9 月。

| 生境分布 | 生于海拔 300 ~ 3 500 m 的平原绿洲及山区的溪边。分布于新疆吐鲁番市及阿图什市、乌恰县、疏勒县、塔什库尔干塔吉克自治县、策勒县等。

| 资源情况 | 野生资源丰富。药材来源于野生。

| 功能主治 | 用于痈肿。

禾本科 Gramineae 棒头草属 *Polypogon*

裂颖棒头草 *Polypogon maritimus* Willd.

|药材名| 棒头草（药用部位：全草）。

|形态特征| 一年生草本。秆丛生，细瘦，直立，光滑，具 3 ~ 4 节，高 6 ~ 35 cm。叶鞘大都短于节间，微粗糙，最上部者略膨大；叶舌膜质，长 1 ~ 6 mm，先端有不规则的裂齿；叶片扁平，长 5 ~ 70 mm，宽 1 ~ 5 mm，两面均粗糙。圆锥花序穗状，长 6 ~ 36 mm，宽 7 ~ 22 mm（包括芒），有时具分枝；小穗草黄色，长 2.5 ~ 3 mm（包括基盘）；颖倒卵状长圆形，被硬纤毛，先端 2 深裂，裂片先端钝圆，边缘具长纤毛，芒自裂口处伸出，粗糙，长达 7 mm；外稃光滑，长约 1 mm，无芒；雄蕊 3，花药长 0.3 ~ 0.4 mm。颖果倒卵状长圆形，长约 1 mm。花果期 6 ~ 9 月。

| 生境分布 | 生于海拔 450 ~ 2 100 m 的平原绿洲及山区的溪边和湿草地。分布于新疆哈密市及富蕴县、塔城市、阿克陶县、巴楚县、莎车县、泽普县、叶城县等。

| 资源情况 | 野生资源一般。药材来源于野生。

| 功能主治 | 用于痈肿。

禾本科 Gramineae 棒头草属 *Polypogon*

长芒棒头草 *Polypogon monspeliensis* (L.) Desf.

| 药材名 | 棒头草（药用部位：全草）。

| 形态特征 | 一年生草本。秆直立或基部膝曲，大都光滑无毛，具 4 ～ 5 节，高 8 ～ 60 cm。叶鞘松弛抱茎，大多短节间于或下部者长于节间；叶舌膜质，长 2 ～ 8 mm，2 深裂或呈不规则的撕裂状；叶片长 2 ～ 13 cm，宽 2 ～ 9 mm，上面及边缘粗糙，下面较光滑。圆锥花序穗状，长 1 ～ 10 cm，宽 5 ～ 20 mm（包括芒）；小穗淡灰绿色，成熟后枯黄色，长 2 ～ 2.5 mm（包括基盘）；颖片倒卵状长圆形，被短纤毛，先端 2 浅裂，芒自裂口处伸出，细长而粗糙，长 3 ～ 7 mm；外稃光滑无毛，长 1 ～ 1.2 mm，先端具微齿，中脉延伸成约与稃体等长而易脱落的细芒；雄蕊 3，花药长约 0.8 mm。颖果倒卵状长圆形，长约 1 mm。花果期 6 ～ 9 月。

| 生境分布 | 生于海拔 150 ~ 3 500 m 的平原绿洲及山区的溪边。分布于新疆吐鲁番市及富蕴县、奇台县、乌鲁木齐县、伊吾县、焉耆回族自治县、尉犁县、拜城县、乌恰县、巴楚县、莎车县、叶城县、塔什库尔干塔吉克自治县、策勒县、和田县等。

| 资源情况 | 野生资源丰富。药材来源于野生。

| 功能主治 | 用于痈肿。

禾本科 Gramineae 狗尾草属 *Setaria*

粱 *Setaria italica* (L.) P. Beauv.

| 药 材 名 | 谷芽（药用部位：发芽的种子）。

| 形态特征 | 一年生草本。须根粗大。秆粗壮，直立，高 0.1 ~ 1 m 或更高。叶鞘松裹茎秆，密具疣毛或无毛，毛以近边缘及与叶片交接处的背面为密，边缘密具纤毛；叶舌为 1 圈纤毛；叶片长披针形或线状披针形，长 10 ~ 45 cm，宽 5 ~ 33 mm，先端尖，基部钝圆，上面粗糙，下面稍光滑。圆锥花序呈圆柱状或近纺锤状，通常下垂，基部多少有间断，长 10 ~ 40 cm，宽 1 ~ 5 cm，常因品种的不同而变异，主轴密生柔毛，刚毛显著长于或稍长于小穗，黄色、褐色或紫色；小穗椭圆形或近圆球形，长 2 ~ 3 mm，黄色、橘红色或紫色；第一颖长为小穗的 1/3 ~ 1/2，具 3 脉；第二颖稍短于小穗或长为小穗的 3/4，先端钝，具 5 ~ 9 脉；第一外稃与小穗等长，具 5 ~ 7 脉，内

稃薄纸质，披针形，长为外稃的 2/3；第二外稃与第一外稃等长，卵圆形或圆球形，质坚硬，平滑或具细点状皱纹，成熟后自第一外稃基部和颖分离脱落；鳞被先端不平，呈微波状；花柱基部分离。

| 生境分布 | 栽培种。新疆各地均有栽培。

| 功能主治 | 补脾和胃，补肾利水。

禾本科 Gramineae 狗尾草属 *Setaria*

狗尾草 *Setaria viridis* (L.) P. Beauv.

| 药 材 名 |

狗尾草（药用部位：全草）。

| 形态特征 |

一年生草本。根为须状，高大植株具支持根。秆直立或基部膝曲，高 10 ~ 100 cm，基部直径 3 ~ 7 mm。叶鞘松弛，无毛或疏具柔毛或疣毛，边缘具较长的密绵毛状纤毛；叶舌极短，缘有长 1 ~ 2 mm 的纤毛；叶片扁平，长三角状狭披针形或线状披针形，先端长渐尖或渐尖，基部钝圆形，几呈截状或渐窄，长 4 ~ 30 cm，宽 2 ~ 18 mm，通常无毛或疏被疣毛，边缘粗糙。圆锥花序呈紧密的圆柱状或基部稍疏离，直立或稍弯垂，主轴被较长的柔毛，长 2 ~ 15 cm，宽 4 ~ 13 mm（除刚毛外），刚毛长 4 ~ 12 mm，粗糙或微粗糙，直或稍扭曲，通常绿色或褐黄色至紫红或紫色；小穗 2 ~ 5 簇生于主轴上或更多的小穗着生在短小枝上，椭圆形，先端钝，长 2 ~ 2.5 mm，铅绿色；第一颖卵形或宽卵形，长约为小穗的 1/3，先端钝或稍尖，具 3 脉；第二颖几与小穗等长，椭圆形，具 5 ~ 7 脉；第一外稃与小穗等长，具 5 ~ 7 脉，先端钝，其内稃短小狭窄；第二外稃椭圆形，先端钝，具细点状皱纹，边缘内卷，狭窄；鳞被楔形，

先端微凹；花柱基分离。颖果灰白色。花果期 6 ~ 9 月。

| **生境分布** | 生于海拔 40 ~ 4 000 m 的平原绿洲及山地农区的田边、地埂、荒野、路边等。新疆各地均有分布。

| **资源情况** | 野生资源丰富。药材来源于野生。

| **功能主治** | 消积除胀，解热明目。

禾本科 Gramineae 高粱属 *Sorghum*

高粱 *Sorghum bicolor* (L.) Moench

| 药 材 名 | 高粱（药用部位：种子）。

| 形态特征 | 一年生草本。秆较粗壮，直立，高 3 ~ 5 m，直径 2 ~ 5 cm，基部节上具支撑根。叶鞘无毛或稍有白粉；叶舌硬膜质，先端圆，边缘有纤毛；叶片线形至线状披针形，长 40 ~ 70 cm，宽 3 ~ 8 cm，先端渐尖，基部圆或微呈耳形，表面暗绿色，背面淡绿色或有白粉，两面无毛，边缘软骨质，具微细小刺毛，中脉较宽，白色。圆锥花序疏松，主轴裸露，长 15 ~ 45 cm，宽 4 ~ 10 cm；总花梗直立或微弯曲；主轴具纵棱，疏生细柔毛，分枝 3 ~ 7，轮生，粗糙或有细毛，基部较密；总状花序具 3 ~ 6 节，节间粗糙或稍扁；无柄小穗倒卵形或倒卵状椭圆形，长 4.5 ~ 6 mm，宽 3.5 ~ 4.5 mm，基盘有髯毛；两颖均革质，上部及边缘通常具毛，初时黄绿色，成熟后

为淡红色至暗棕色，第一颖背部圆凸，上部 1/3 质地较薄，边缘内折而具狭翼，向下变硬而有光泽，具 12 ～ 16 脉，仅达中部，有横脉，先端尖或具 3 小齿；第二颖具 7 ～ 9 脉，背部圆凸，近先端具不明显的脊，略呈舟形，边缘有细毛；外稃透明，膜质，第一外稃披针形，边缘有长纤毛；第二外稃披针形至长椭圆形，具 2 ～ 4 脉，先端稍 2 裂，自裂齿间伸出一膝曲的芒，芒长约 14 mm；雄蕊 3，花药长约 3 mm；子房倒卵形；花柱分离，柱头帚状。颖果两面平凸，长 3.5 ～ 4 mm，淡红色至红棕色，成熟时宽 2.5 ～ 3 mm，先端微外露。有柄小穗的柄长约 2.5 mm，小穗线形至披针形，长 3 ～ 5 mm，雄性或中性，宿存，褐色至暗红棕色；第一颖具 9 ～ 12 脉，第二颖具 7 ～ 10 脉。花果期 6 ～ 9 月。

| 生境分布 | 栽培种。新疆南疆、新疆北疆均有栽培。

| 功能主治 | 补中益气，止泻。

禾本科 Gramineae 玉米属 *Zea*

玉米 *Zea mays* L.

| 药材名 |

玉米须（药用部位：花柱、根）。

| 形态特征 |

一年生高大草本。秆直立，通常不分枝，高 1 ~ 4 m，基部各节具气生支柱根。叶鞘具横脉；叶舌膜质，长约 2 mm；叶片扁平宽大，线状披针形，基部圆形，呈耳状，无毛或具疣柔毛，中脉粗壮，边缘微粗糙。顶生雄性圆锥花序大型，主轴与总状花序轴及其腋间均被细柔毛；雄性小穗孪生，长达 1 cm，小穗柄 1 长 1 短，分别长 1 ~ 2 mm 及 2 ~ 4 mm，被细柔毛；两颖近等长，膜质，约具 10 脉，被纤毛；外稃及内稃透明，膜质，稍短于颖；花药橙黄色，长约 5 mm；雌花序被多数宽大的鞘状苞片所包藏；雌小穗孪生，16 ~ 30 纵行排列于粗壮的花序轴上，两颖等长，宽大，无脉，具纤毛；外稃及内稃透明，膜质，雌蕊具极长而细弱的线形花柱。颖果球形或扁球形，成熟后露出颖片和稃片之外，大小随生长条件不同而有差异，一般长 5 ~ 10 mm，宽略大于长，胚长为颖果的 1/2 ~ 2/3。花果期秋季。

| 生境分布 | 栽培种。新疆各地均有栽培。

| 功能主治 | 祛湿利胆，降血压，止血。

莎草科 Cyperaceae 薹草属 *Carex*

白鳞薹草 *Carex alba* Scop.

| 药 材 名 | 荆三棱（药用部位：全草）。

| 形态特征 | 茎高 15 ~ 30 cm，较细，钝三棱形，平滑，基部具无叶片的鞘；根茎具地下匍匐茎；小穗通常 3，少数 2 或 4，间距较近，顶生小穗为雄小穗，通常不超过其下面的 1 雌小穗，线形，长 1 ~ 1.5 cm；雌小穗通常 2，少数 1 或 3，长圆形或近卵形，长 5 ~ 10 mm，具 2 ~ 6 疏生的花，具细而较长的小穗柄；苞片鞘状，长约 1 cm，褐绿色，边缘无色透明，无苞叶；果囊斜展，稍长于鳞片，宽倒卵形、椭圆状倒卵形或钝圆状三棱形，长 3.5 ~ 4 mm，革质，黄绿色，成熟时淡褐黄色，具微凹的脉，无毛，具光泽，基部急缩为钝圆形，先端急狭成短喙，喙口斜截形，边缘无色透明。小坚果紧包于果囊内，倒卵状椭圆形或三棱形，长约 2.5 mm，暗棕色，棱上色淡，稍隆起，

具细小的颗粒状突起；花柱基部膨大成小球形，柱头 3。

| 生境分布 | 生于海拔 2 000 m 的阳坡林缘草甸。分布于新疆温泉县、阜康市等。

| 资源情况 | 野生资源丰富。药材来源于野生。

| 功能主治 | 收敛，止痒。

莎草科 Cyperaceae 薹草属 *Carex*

大桥薹草 *Carex aterrima* Hoppe

| 药材名 | 薹草（药用部位：全草）。

| 形态特征 | 根茎短。秆密丛生，高 15 ~ 65 cm，三棱形，上部稍粗糙，先端稍向下倾斜。基部叶鞘无叶片，紫红色，稍呈网状分裂；叶短于秆，宽 3 ~ 5 mm，稍粗糙。最下部的 1 ~ 2 苞片叶状，无鞘，上部的刚毛状或鳞片状。小穗 3 ~ 5，接近，顶生小穗雌雄顺序，倒卵形或长圆状倒卵形；侧生小穗雌性，长圆形，长 1 ~ 1.5 cm，宽 5 ~ 6 mm；下部 2 小穗具长柄，稍下垂；雌花鳞片卵形至狭卵形，先端稍急尖至渐尖，褐色、黑褐色至紫褐色，背部中脉色淡。果囊较大，长 4 ~ 4.5 mm，紫红色，基部圆形，先端急缩成圆柱状的短喙，喙口浅 2 齿裂。小坚果疏松地包于果囊的下半部，倒卵形或三棱形，长 1.5 ~ 1.7 mm；花柱基部不增粗，柱头 3。

| **生境分布** | 生于海拔 2 250 ～ 4 800 m 的河谷、湖滨及溪边沼泽草甸。分布于新疆哈巴河县、布尔津县、阿勒泰市、裕民县、和布克赛尔蒙古自治县、温泉县、奇台县、特克斯县、昭苏县、新源县、和静县、塔什库尔干塔吉克自治县等。

| **资源情况** | 野生资源丰富。药材来源于野生。

| **功能主治** | 收敛，止痒。

莎草科 Cyperaceae 薹草属 *Carex*

白尖薹草 *Carex atrofusca* Schkuhr.

| 药材名 | 薹草（药用部位：全草）。

| 形态特征 | 根茎长而匍匐。秆高 10 ~ 70 cm，三棱形，平滑，基部具褐色的叶鞘。叶短于秆，长为秆的 1/7 ~ 1/5，宽（2 ~ ）3 ~ 5 mm，平张，稍坚挺，淡绿色，先端渐尖。最下部的 1 苞片短叶状，绿色，短于小穗，具鞘；上部的鳞片状，暗紫红色。小穗 2 ~ 5，顶生 1 ~ 2 小穗雄性，长圆形或卵形，长 7 ~ 15 mm，宽约 6 mm；其余小穗雌性，椭圆形或长圆形，长 8 ~ 18 mm，宽 6 ~ 9 mm，花密生；小穗柄纤细，长 0.5 ~ 2.5 cm，稍下垂；雌花鳞片卵状披针形或长圆状披针形，长 4.5 ~ 5 mm，暗紫红色或中间色淡，先端长渐尖，白色膜质，边缘为狭的白色膜质。果囊长于鳞片，长圆形或椭圆形，长 4.5 ~ 5.5 cm，宽 2.5 ~ 2.8 mm，扁平，上部暗紫色，下部麦秆黄色，无色淡的边

缘，无脉，无毛，基部近圆形，先端急缩成短喙，喙口白色膜质，具 2 齿。小坚果疏松地包于果囊中，长圆形，扁三棱状，长 1.5 ~ 1.8 mm，基部具柄，柄长 0.5 ~ 1 mm；花柱基部不膨大，柱头 3。花果期 6 ~ 8 月。

| 生境分布 | 生于海拔 2 400 ~ 4 300 m 的高山和亚高山草甸。分布于新疆阿勒泰市、精河县、乌鲁木齐县、奇台县、新源县、和静县、和硕县、库车市、拜城县、喀什市、叶城县、塔什库尔干塔吉克自治县、策勒县、于田县、若羌县等。

| 资源情况 | 野生资源丰富。药材来源于野生。

| 功能主治 | 收敛，止痒。

莎草科 Cyperaceae 薹草属 *Carex*

黑花薹草 *Carex melanantha* C. A. Mey.

| 药 材 名 | 薹草（药用部位：全草）。

| 形态特征 | 匍匐根茎粗壮。秆高 8 ~ 30 cm，三棱形，坚硬，稍粗糙，基部具淡褐色的老叶鞘。叶短于或近等长于秆，宽 3 ~ 6 mm，近革质。最下部的苞片刚毛状，无鞘，上部的鳞片状。小穗 3 ~ 6，密生成头状，顶生 1 小穗通常雄性，稀两性，卵形，长 1 ~ 2.5 cm，近无柄；侧生小穗雌性，卵形或长圆形，长 1 ~ 2 cm；小穗无柄或基部小穗具短柄。雌花鳞片长圆状卵形，先端锐尖，长 4 ~ 5 mm，两侧深紫红色，背面中间绿色，具狭的白色膜质边缘。果囊短于鳞片，长圆形或倒卵形，三棱形，长 3 ~ 3.5 mm，革质，麦秆黄色，上部暗紫红色，脉不明显，基部具短柄，先端急缩成短喙，喙口微凹。小坚果倒卵形或倒卵状长圆形，长约 2 mm，淡黄褐色；花柱基部不膨大，柱头

3。花果期 5 ～ 8 月。

| **生境分布** | 生于海拔 2 200 ～ 3 400 m 的高山地带。新疆各地均有分布。

| **资源情况** | 野生资源丰富。药材来源于野生。

| **功能主治** | 收敛，止痒。

莎草科 Cyperaceae 薹草属 *Carex*

针叶薹草 *Carex onoei* Franch. ex Sav.

| 药材名 | 薹草（药用部位：全草）。

| 形态特征 | 根茎短。秆丛生，高 20 ~ 40 cm，柔软，棱上稍粗糙，基部叶鞘淡褐色。叶稍短于秆，宽 1 ~ 1.5 mm，平张，柔软。小穗 1，顶生，宽卵形至球形，长 5 ~ 7 mm，雄雌顺序；雄花部分不显著，具 2 ~ 3 花；雌花部分显著而占小穗的极大部分，通常具 5 ~ 6 花；雄花鳞片椭圆状卵形，长约 2.5 mm，具 1 脉，淡棕色；雌花鳞片宽卵形，长约 2.5 mm，膜质，中间部分色淡而具 3 脉，两侧淡棕色。果囊卵状长圆形，略呈三棱形，长 2.5 ~ 3 mm，成熟后水平开展，膜质，侧脉明显，尤以背面为甚，先端急缩成短喙，喙口有 2 微齿，基部近圆形。小坚果紧包于果囊中，倒卵状长圆形至椭圆形或三棱形，长约 2 mm；花柱基部不膨大，宿存，柱头 3。花果期 5 ~ 8 月。

| 生境分布 | 生于海拔 3 900 ~ 4 600 m 的平原绿洲及山区的河谷、湖滨、小渠边，江水洼地等。分布于新疆阿勒泰地区、伊犁哈萨克自治州及巴里坤哈萨克自治县、托克逊县、塔什库尔干塔吉克自治县等。

| 资源情况 | 野生资源一般。药材来源于野生。

| 功能主治 | 收敛，止痒。

莎草科 Cyperaceae 薹草属 *Carex*

囊果薹草 *Carex physodes* M. -Bieb.

| 药材名 | 薹草（药用部位：全草）。

| 形态特征 | 根茎细长，匍匐。秆高 20 ~ 25 cm，宽约 1 mm，直立，钝三棱形，纤细，平滑，基部具淡棕色老叶鞘。叶短于秆，宽 1 ~ 2 mm，对折或内卷，边缘粗糙，稍弯曲，灰绿色。基部的苞片刚毛状。小穗 3 ~ 6，雄雌顺序，紧密地聚集成头状花序，长圆状卵形或近球形，花序长 2 ~ 3 cm，宽 1.2 ~ 2 cm。雄花鳞片长圆状披针形，先端具短尖，长 4.5 ~ 5 mm，宽约 1 mm，淡棕色，边缘为白色膜质；雌花鳞片宽卵状披针形，先端急尖，长 3 ~ 4 mm，宽约 2 mm，褐色，具宽的白色膜质边缘，中脉 1。果囊极长于或宽于鳞片，幼时卵形，稍扁，成熟时增大成球形或椭圆形，极膨胀，长 1 ~ 1.5 cm，宽 5 ~ 10 mm，薄纸质，淡黄锈色，无毛，具细脉，基部圆形，具稍短的柄，先端

急缩成极短的喙，喙口白色膜质，具 2 齿，齿斜截形，后斜扭转。小坚果小，极疏松地包于果囊中，椭圆形或近圆形，扁平，长 3 mm，宽 2 mm，淡黄色，有的基部具退化的小穗轴；花柱基部膨大，柱头 2。花果期 4 ~ 6 月。

| **生境分布** | 生于海拔 450 ~ 900 m 的沙漠、沙地和砂砾质戈壁。分布于新疆布尔津县、吉木乃县、福海县、阜康市、巩留县、伊宁县等。

| **资源情况** | 野生资源一般。药材来源于野生。

| **功能主治** | 收敛，止痒。

莎草科 Cyperaceae 薹草属 *Carex*

准噶尔薹草 *Carex songorica* Kar. et Kir.

| 药 材 名 | 薹草（药用部位：全草）。

| 形态特征 | 根茎具长而粗的地下匍匐茎。秆高 30 ~ 50 cm，三棱形，上部粗糙，基部包以红褐色无叶片的鞘，老叶鞘常细裂成网状。叶短于秆，宽 3 ~ 5 mm，平张或稍折合，纵脉间横隔节明显，具叶鞘。苞片叶状，长于花序，最下面的苞片具很短的鞘，上面的苞片无鞘。小穗 3 ~ 4，上端 1 ~ 2 为雄小穗，间距短，狭棍棒形，长 1.5 ~ 2 cm，近无柄；其余小穗为雌小穗，间距较长，圆柱形，长 2 ~ 4 cm，宽 5 ~ 6 mm，密生多数花，基部较稀疏，具柄，最下面的 1 柄长约 1 cm；雌花鳞片卵形，长约 3 mm，先端渐尖，两侧棕色，中间色浅，具 3 脉。果囊斜展，长于鳞片，卵圆形、宽卵圆形或双凸形，长 3 ~ 4 mm，革质，橙黄色或锈褐色，具光泽，具多条细脉，基部圆形，先端急缩

成较宽而很短的喙，喙口具 2 短齿。小坚果椭圆形或卵状椭圆形，三棱形，长约 2 mm，基部具短柄，先端尖；花柱基部弯曲，不增粗，柱头 3。花果期 5 ~ 9 月。

| 生境分布 | 生于海拔 500 ~ 1 700 m 的草原、河滩及湿地。新疆各地均有分布。

| 资源情况 | 野生资源丰富。药材来源于野生。

| 功能主治 | 收敛，止痒。

莎草科 Cyperaceae 薹草属 *Carex*

山羊薹草 *Carex titovii* V. I. Krecz.

| 药 材 名 | 薹草（药用部位：全草）。

| 形态特征 | 多年生草本。具短根茎和匍匐枝，疏丛生。秆直立，坚实，平滑，高 10 ~ 20 cm，基部被细裂成纤维状的枯萎叶鞘。叶片扁平，宽 2 ~ 3.5 mm，比秆短 2 ~ 3 倍。下部苞片鞘开裂，近无鞘；小穗 2 ~ 3，无柄或近无柄，彼此接近，顶生者为雄小穗，几乎呈棒状，雄花鳞片红黄色，近尖；其余为雌小穗，倒卵形，长 5 ~ 10 mm，雌花鳞片锈色，背部浅白色，先端锐尖成芒尖，与果囊近等长。果囊倒卵形至梨形，长 2.8 ~ 3 mm，无脉，上部被伏毛，先端急缩成微凸的短喙；柱头 3。花果期 5 ~ 8 月。

| 生境分布 | 生于山地。分布于新疆和布克赛尔蒙古自治县、托里县、霍城县等。

| 资源情况 | 野生资源较少。药材来源于野生。

| 功能主治 | 收敛，止痒。

莎草科 Cyperaceae 薹草属 *Carex*

短柱薹草 *Carex turkestanica* Rgl.

| 药材名 | 薹草（药用部位：全草）。

| 形态特征 | 多年生草本。根茎丛生，具细长匍匐枝。秆高 10 ~ 30 cm，纤细，三棱柱形，基部具紫褐色呈网状分裂的旧叶鞘。叶短于秆，宽 1 ~ 3 mm。小穗 3 ~ 5，接近，上部 1 ~ 2 小穗雄性，棍棒状圆柱形，长 1.5 ~ 2.5 cm，梗长约 5 mm，其余雌性，矩圆形或卵形，长 6 ~ 15 mm；基部 1 具短梗，余无梗；苞片短叶状，苞鞘长 5 ~ 8 mm；雌花鳞片椭圆状披针形，长 4 ~ 4.5 mm，棕色，具宽的白色膜质边缘，先端渐尖，具短尖，脉 1 ~ 3。果囊宽椭圆形，与鳞片近等长，有 3 钝棱，肿胀，革质，黄棕色，先端急缩成短喙，喙先端膜质，斜裂。小坚果倒卵状椭圆形、倒卵形或三棱形，长约 2 mm；花柱短，柱头 3，长为花柱的 2 倍。花果期 4 ~ 7 月。

| 生境分布 | 生于海拔 550 ~ 2 600 m 的草原带。分布于新疆布尔津县、阿勒泰市、吉木乃县、富蕴县、青河县、塔城市、额敏县、裕民县、和布克赛尔蒙古自治县、托里县、温泉县、博乐市、精河县、沙湾市、石河子市、玛纳斯县、乌鲁木齐县、奇台县、巴里坤哈萨克自治县、霍城县、察布查尔锡伯自治县、尼勒克县、巩留县、特克斯县、昭苏县、新源县、和静县、温宿县、阿克苏市等。

| 资源情况 | 野生资源丰富。药材来源于野生。

| 功能主治 | 收敛，止痒。

莎草科 Cyperaceae 莎草属 *Cyperus*

褐穗莎草 *Cyperus fuscus* L.

| 药 材 名 | 莎草（药用部位：块茎）。

| 形态特征 | 一年生草本。具须根。秆丛生，细弱，高 6 ~ 30 cm，扁锐三棱形，平滑，基部具少数叶。叶短于秆或有时几与秆等长，宽 2 ~ 4 mm，平张或有时向内折合，边缘不粗糙。苞片 2 ~ 3，叶状，长于花序；长侧枝聚伞花序复出或有时简单，具 3 ~ 5 第一次辐射枝，辐射枝最长达 3 cm；小穗 5 至 10 余密聚成近头状花序，线状披针形或线形，长 3 ~ 6 mm，宽约 1.5 mm，稍扁平，具 8 ~ 24 花；小穗轴无翅；鳞片呈覆瓦状排列，膜质，宽卵形，先端钝，长约 1 mm，背面中间较宽的 1 鳞片黄绿色，两侧深紫褐色或褐色，具 3 不十分明显的脉；雄蕊 2，花药短，椭圆形，药隔不突出于花药先端；花柱短，柱头 3。小坚果椭圆形或三棱形，长约为鳞片的

2/3，淡黄色。花果期 6 ~ 8 月。

| 生境分布 | 生于海拔 420 ~ 1 200 m 的稻田中、沟边或水旁。新疆各地均有分布。

| 资源情况 | 野生资源丰富。药材来源于野生。

| 功能主治 | 破血通经，行气止痛。

莎草科 Cyperaceae 莎草属 *Cyperus*

碎米莎草 *Cyperus iria* L.

| 药 材 名 | 莎草（药用部位：块茎）。

| 形态特征 | 一年生草本。无根茎，具须根。秆丛生，细弱或稍粗壮，高 8 ~ 85 cm，扁三棱形，基部具少数叶，叶短于秆，宽 2 ~ 5 mm，平张或折合；叶鞘红棕色或棕紫色。叶状苞片 3 ~ 5，下面的 2 ~ 3 常较花序长；长侧枝聚伞花序复出，很少为简单的，具 4 ~ 9 辐射枝，辐射枝最长达 12 cm，每个辐射枝具 5 ~ 10 穗状花序，或有时更多些；穗状花序卵形或长圆状卵形，长 1 ~ 4 cm，具 5 ~ 22 小穗；小穗排列松散，斜展开，长圆形、披针形或线状披针形，压扁，长 4 ~ 10 mm，宽约 2 mm，具 6 ~ 22 花；小穗轴上近无翅；鳞片排列疏松，膜质，宽倒卵形，先端微缺，具极短的短尖，不突出于鳞片的先端，背面具龙骨状突起，绿色，有 3 ~ 5 脉，两侧呈黄色或

麦秆黄色，上端具白色透明的边；雄蕊 3，花丝着生在环形的胼胝体上，花药短，椭圆形，药隔不突出于花药先端；花柱短，柱头 3。小坚果倒卵形或椭圆形，三棱形，与鳞片等长，褐色，具密的微凸起的细点。花果期 6 ~ 10 月。

| 生境分布 | 生于田间、山坡、路旁阴湿处。分布于新疆和田市、于田县、莎车县、米东区等。

| 资源情况 | 野生资源丰富。药材来源于野生。

| 功能主治 | 活血止痛，消食化积。

莎草科 Cyperaceae 莎草属 *Cyperus*

花穗水莎草 *Cyperus pannonicus* Jacq.

| 药材名 | 莎草（药用部位：块茎）。

| 形态特征 | 一年生草本。无根茎，具须根。秆丛生，细弱或稍粗壮，高 8 ~ 85 cm，扁三棱形，基部具少数叶。叶短于秆，宽 2 ~ 5 mm，平张或折合，叶鞘红棕色或棕紫色。叶状苞片 3 ~ 5，下面的 2 ~ 3 常较花序长；长侧枝聚伞花序复出，很少为简单的，具 4 ~ 9 辐射枝，辐射枝最长达 12 cm，每个辐射枝具 5 ~ 10 穗状花序，或有时更多；穗状花序卵形或长圆状卵形，长 1 ~ 4 cm，具 5 ~ 22 小穗；小穗排列松散，斜展开，长圆形、披针形或线状披针形，压扁，长 4 ~ 10 mm，宽约 2 mm，具 6 ~ 22 花；小穗轴上近无翅；鳞片排列疏松，膜质，宽倒卵形，先端微缺，具极短的短尖，不突出于鳞片的先端，背面具龙骨状突起，绿色，有 3 ~ 5 脉，两侧呈黄色或麦秆黄色，上端

具白色透明的边；雄蕊 3，花丝着生在环形的胼胝体上，花药短，椭圆形，药隔不突出于花药先端；花柱短，柱头 3。小坚果倒卵形、椭圆形或三棱形，与鳞片等长，褐色，具密的微凸起的细点。花果期 6 ~ 9 月。

| 生境分布 | 生于水沟、水塘、溪边或沼泽地。分布于新疆阿勒泰市、哈巴河县、尉犁县、英吉沙县、于田县、和田市、新源县等。

| 资源情况 | 野生资源丰富。药材来源于野生。

| 功能主治 | 活血止痛，消食化积。

莎草科 Cyperaceae 莎草属 *Cyperus*

水莎草 *Cyperus serotinus* Rottb.

| 药 材 名 | 水莎草（药用部位：块茎）。

| 形态特征 | 多年生草本。根茎长。秆高 35 ~ 100 cm，粗壮，扁三棱形，平滑。叶片少，短于秆或有时长于秆，宽 3 ~ 10 mm，平滑，基部折合，上面平张，背面中肋呈龙骨状突起。苞片常 3，少 4，叶状，较花序长 1 倍多，最宽至 8 mm；复出长侧枝聚伞花序具 4 ~ 7 第一次辐射枝；辐射枝向外展开，长短不等，最长达 16 cm；辐射枝上具 1 ~ 3 穗状花序，穗状花序具 5 ~ 17 小穗；花序轴被疏的短硬毛；小穗排列稍松，近平展，披针形或线状披针形，长 8 ~ 20 mm，宽约 3 mm，具 10 ~ 34 花；小穗轴具白色透明的翅；鳞片初期排列紧密，后期较松，纸质，宽卵形，先端钝或圆，有时微缺，长 2.5 mm，背面中肋绿色，两侧红褐色或暗红褐色，边缘黄白色，透明，具

5 ~ 7 脉；雄蕊 3，花药线形，药隔暗红色；花柱很短，柱头 2，细长，具暗红色斑纹。小坚果椭圆形或倒卵形，平凸状，长约为鳞片的 4/5，棕色，稍有光泽，具凸起的细点。花果期 6 ~ 9 月。

| 生境分布 | 生于海拔 500 ~ 1 040 m 的浅水中、水边沙土上或路旁。新疆各地均有分布。

| 资源情况 | 野生资源丰富。药材来源于野生。

| 功能主治 | 通血，止痛，消食化积。

莎草科 Cyperaceae 荸荠属 *Eleocharis*

荸荠 *Eleocharis dulcis* (Burm. f.) Trin. ex Hensch.

| 药 材 名 | 荸荠（药用部位：球茎）。

| 形态特征 | 根茎细长，匍匐，先端生块茎。秆多数，丛生，直立，圆柱状，高 15 ~ 60 cm，直径 1.5 ~ 3 mm，有多数横隔膜，干后秆表面有节，但不明显，灰绿色，光滑无毛。叶缺如，只在秆的基部有 2 ~ 3 叶鞘；鞘近膜质，绿黄色、紫红色或褐色，高 2 ~ 20 cm，鞘口斜，先端急尖。小穗顶生，圆柱状，长 1.5 ~ 4 cm，直径 6 ~ 7 mm，淡绿色，先端钝或近急尖，有多数花，在小穗基部的 2 鳞片中空无花，抱小穗基部 1 周；其余鳞片有花，呈松散的覆瓦状排列，宽长圆形或卵状长圆形，先端钝圆，长 3 ~ 5 mm，宽 2.5 ~ 3.5（~ 4）mm，背部灰绿色，近革质，边缘微黄色，干膜质，全面有淡棕色细点，具 1 中脉；下位刚毛 7，比小坚果长 1.5 倍，有倒刺；柱头 3。小坚果宽倒卵形，

双凸状，先端不缢缩，长约 2.4 mm，宽 1.8 mm，成熟时棕色，光滑；花柱基从宽的基部急骤变狭变扁而呈三角形，不为海绵质，基部具领状的环，环与小坚果质地相同，宽约为小坚果的 1/2。花果期 5 ~ 10 月。

| **生境分布** | 栽培种。新疆乌鲁木齐县、米东区，以及塔里木盆地等均有栽培。

| **功能主治** | 开胃解毒，健肠消食。

莎草科 Cyperaceae 荸荠属 *Eleocharis*

槽秆荸荠 *Eleocharis mitracarpa* Steud.

| 药 材 名 | 荸荠（药用部位：球茎）。

| 形态特征 | 具匍匐的根茎。秆单生或丛生，高 25 ~ 40 cm，直立，具明显隆起的肋。基部叶鞘紫红色，先端斜截形；上部叶鞘绿色，先端截形，具小突起。小穗单一，长圆状卵形或披针形，先端急尖或钝，红褐色，基部具 2 空鳞片，抱小穗轴半周以上；鳞片长圆形，长 3 ~ 4 mm，膜质，红褐色，先端钝，中部具 1 脉，边缘白色，膜质；下位刚毛长于小坚果，密生倒刺。小坚果广倒卵形，双凸状，淡黄色。花果期 5 ~ 8 月。

| 生境分布 | 生于水边沼泽草甸及水稻田。分布于新疆哈密市及阿勒泰市、布尔

津县、乌鲁木齐县、玛纳斯县、奎屯市、塔城市、库车市等。

| **资源情况** | 野生资源一般。药材来源于野生。

| **功能主治** | 开胃解毒，健肠消食。

莎草科 Cyperaceae 荸荠属 *Eleocharis*

沼泽荸荠 *Eleocharis palustris* (L.) Roem. & Schult.

| 药 材 名 | 荸荠（药用部位：球茎）。

| 形态特征 | 秆少数，丛生，细长，高 20 ~ 35 cm，直径 1 ~ 2 mm，有少数钝肋条和纵槽，有不明显的疣状突起。叶缺如，只在秆的基部有 1 ~ 2 长叶鞘；鞘的下部血紫色，鞘口微斜，高 3 ~ 7 cm。小穗长圆形、狭长圆形或椭圆形，先端钝圆，长 6 ~ 10 mm，宽 4 ~ 5 mm，暗血红色，有多数花；在小穗基部有 2 鳞片，鳞片中空无花，最下的 1 鳞片抱小穗基部半周或超过半周，其余鳞片有花，膜质，卵形（铺平后为三角状卵形），先端钝，长 3 mm，宽约 1.5 mm，暗血红色，边缘宽，干膜质，背部有时狭，绿色；下位刚毛 4，微弯曲，短于小坚果，向外展开，白色或微黄色，有倒刺，刺密；柱头 2。小坚果倒卵形、宽卵形或圆卵形，双凸状，长 1.2 ~ 1.4 mm，宽

0.9 ~ 1.1 mm，淡黄色，后变为淡褐色；花柱基长圆形或卵状长圆形，先端截形或钝圆，长为小坚果的 1/2 ~ 3/5，宽为小坚果的 1/2，白色，海绵质。花果期 5 ~ 8 月。

| 生境分布 | 生于水边、沼泽草甸。分布于新疆青河县、阿勒泰市、乌苏市、精河县、塔城市、新源县、托克逊县、泽普县等。

| 资源情况 | 野生资源丰富。药材来源于野生。

| 功能主治 | 开胃解毒，健肠消食。

莎草科 Cyperaceae 扁莎属 *Pycreus*

红鳞扁莎 *Pycreus sanguinolentus* (Vahl) Nees ex C. B. Clarke

| 药 材 名 | 扁莎（药用部位：鳞茎）。

| 形态特征 | 根为须根。秆密，丛生，高 7 ~ 40 cm，扁三棱形，平滑。叶稍多，常短于秆，少长于秆，宽 2 ~ 4 mm，平张，边缘具白色透明的细刺。苞片 3 ~ 4，叶状，近平向展开，长于花序；简单长侧枝的聚伞花序具 3 ~ 5 辐射枝；辐射枝有时极短，因而花序近头状，有时长达 4.5 cm，由 4 ~ 12 或更多的小穗密极成短的穗状花序；小穗辐射展开，长圆形、线状长圆形或长圆状披针形，长 5 ~ 12 mm，宽 2.5 ~ 3 mm，具 6 ~ 24 花；小穗轴直，四棱形，无翅；鳞片稍疏松地呈覆瓦状排列，膜质，卵形，先端钝，长约 2 mm，背面中间部分黄绿色，具 3 ~ 5 脉，两侧具较宽的槽，麦秆黄色或褐黄色，边缘暗血红色或暗褐红色；雄蕊 3，少 2，花药线形；花柱长，柱头

2，细长，伸出于鳞片之外。小坚果圆倒卵形或长圆状倒卵形，双凸状，稍肿胀，长为鳞片的 1/2 ～ 3/5，成熟时黑色。花果期 6 ～ 9 月。

| 生境分布 | 生于海拔 400 ～ 1 000 m 的向阳的山谷、田边、河旁潮湿处或浅水处。新疆各地均有分布。

| 资源情况 | 野生资源丰富。药材来源于野生。

| 功能主治 | 祛风行气，温中止痛。

莎草科 Cyperaceae 水葱属 *Schoenoplectus*

羽状刚毛水葱 *Schoenoplectus litoralis* (Schrad.) Palla

| 药材名 | 藨草（药用部位：全草）。

| 形态特征 | 多年生草本。具细长的根茎。秆三棱形，光滑，高 50 ~ 120 cm。叶鞘光滑无毛，先端具窄、呈龙骨状隆起的叶片。苞片长，恰如秆的延长部分，三棱形；长侧枝聚伞花序假侧生，长 4 ~ 6 cm，疏松，简单或复出，具 3 ~ 10 辐射枝；小穗长圆状卵形，长 6 ~ 12 mm，宽 1.5 ~ 3 mm，红褐色，单生、罕数枚簇生于辐射枝先端；鳞片宽椭圆形，边缘具宽的白色膜质边，先端由中脉延伸成短芒；下位刚毛呈匙形加宽，上半部具流苏状纤毛；柱头 3；雄蕊 3，花药基部钝，先端具纤毛。小坚果卵圆形，呈双凸状。

| 生境分布 | 生于水边、浅水沼泽。分布于新疆吐鲁番市及玛纳斯县、克拉玛依区、

焉耆回族自治县、博湖县、阿克苏市、莎车县、于田县、墨玉县等。

| 采收加工 | 夏、秋季采收，晒干。

| 资源情况 | 野生资源丰富。药材来源于野生。

| 功能主治 | 清热解毒，凉血利水，止咳明目。

莎草科 Cyperaceae 藨草属 *Scirpus*

林生藨草 *Scirpus sylvaticus* L.

| 药材名 |

藨草（药用部位：块茎）。

| 形态特征 |

多年生草本。具根茎。秆粗壮，高 80 ~ 120 cm，直径 7 ~ 12 mm，靠近花序下部为三棱形，平滑无毛，沿棱角粗糙，有秆生叶和节。叶宽条形，与花序等长或短于花序，宽 5 ~ 15 mm，叶片边缘和背部中肋上常有锯齿，叶鞘和叶片背面有隆起的横脉；叶状苞叶 3 ~ 4，下面 1 ~ 2 通常长于花序；多次复出的长侧枝顶生聚伞花序，长 10 ~ 20 cm，具许多辐射枝；辐射枝长达 10 cm，各级辐射枝粗糙；小穗卵形，长 3 ~ 4 mm，具多数花，通常无柄，3 ~ 7 聚集在长侧枝聚伞花序的先端，偶有单生者具长柄；鳞片宽卵形，先端急尖或近钝圆，膜质，长约 1.5 mm，背面黄绿色，具 3 明显的脉，少有 5 脉，两侧黑绿色；下位刚毛 5 ~ 6，具倒刺，等长或稍长于小坚果；雄蕊 3，花药线状长圆形，长约 1 mm，药隔突出；花柱中等长，柱头 3。小坚果倒卵形或宽倒卵形，扁三棱状，淡黄色，长约 1 mm。花果期 6 ~ 9 月。

| **生境分布** | 生于海拔 600 ~ 1 500 m 的水边、河谷草甸、季节性积水地。分布于新疆哈巴河县、阿勒泰市、塔城市、托里县等。

| **采收加工** | 秋季采收，洗净，切段，晒干。

| **资源情况** | 野生资源一般。药材来源于野生。

| **功能主治** | 破血通经，行气止痛。

天南星科 Araceae 菖蒲属 *Acorus*

菖蒲 *Acorus calamus* L.

|药 材 名|

水菖蒲（药用部位：块茎）。

|形态特征|

多年生草本。根茎横走，稍扁，分枝，直径 5 ~ 10 mm，外皮黄褐色，芳香；肉质根多数，长 5 ~ 6 cm，具毛发状须根。叶基生，基部两侧膜质叶鞘宽 4 ~ 5 mm，向上渐狭，至叶长 1/3 处渐消失、脱落；叶片剑状线形，长 90 ~ 100（~ 150）cm，中部宽 1 ~ 2（~ 3）cm，基部宽，对褶，中部以上渐狭，草质，绿色，光亮；中肋在两面均明显隆起，侧脉 3 ~ 5 对，平行，纤弱，大都伸延至叶尖。花序梗三棱形，长（15 ~）40 ~ 50 cm；叶状佛焰苞剑状线形，长 30 ~ 40 cm；肉穗花序斜向上或近直立，狭锥状圆柱形，长 4.5 ~ 6.5（~ 8）cm，直径 6 ~ 12 mm；花黄绿色，花被片长约 2.5 mm，宽约 1 mm，花丝长 2.5 mm，宽约 1 mm，子房长圆柱形，长 3 mm，直径 1.25 mm。浆果长圆形，红色。花期 6 ~ 9 月。

|生境分布|

生于水边、沼泽湿地或湖泊浮岛上。分布于新疆阿勒泰市、新源县等。

| 采收加工 | 早春或冬末采挖，剪去叶片和须根，洗净，晒干，撞去毛须。

| 资源情况 | 野生资源丰富。药材来源于野生。

| 功能主治 | 辟秽开窍，宣气逐痰，解毒，杀虫。用于癫狂，惊痫，痰厥昏迷，风寒湿痹，噤口毒痢；外用于痈疽疥癣。

天南星科 Araceae 半夏属 *Pinellia*

半夏 *Pinellia ternata* (Thunb.) Breit.

| 药 材 名 | 半夏（药用部位：块茎）。

| 形态特征 | 多年生草本。具块茎。块茎圆球形，直径 1 ~ 2 cm，具须根。叶 2 ~ 5，有时 1；叶柄长 15 ~ 20 cm，基部具鞘，鞘内、鞘部以上和叶片基部（叶柄顶头）有直径 3 ~ 5 mm 的珠芽，珠芽在母株上萌发或落地后萌发；幼苗叶片卵状心形至戟形，为全缘单叶，长 2 ~ 3 cm，宽 2 ~ 2.5 cm，老株叶片 3 全裂，裂片绿色，背面色淡，长圆状椭圆形或披针形，两头锐尖，中裂片长 3 ~ 10 cm，宽 1 ~ 3 cm，侧裂片稍短，全缘或具不明显的浅波状圆齿，侧脉 8 ~ 10 对，细弱，细脉网状，密集，集合脉 2 圈。花序梗长 25 ~ 30（~ 35）cm，长于叶柄。佛焰苞绿色或绿白色；管部狭圆柱形，长 1.5 ~ 2 cm；檐部长圆形，绿色，有时边缘青紫色，长 4 ~ 5 cm，宽 1.5 cm，钝或锐尖。肉穗花序；

雌花序长 2 cm，雄花序长 5 ～ 7 mm，二者间隔 3 mm；附属器由绿色变为青紫色，长 6 ～ 10 cm，直立，有时"S"形弯曲。浆果卵圆形，黄绿色，先端渐狭为明显的花柱。花期 5 ～ 7 月，果熟期 8 月。

｜生境分布｜ 生于海拔 2 500 m 以下的草坡、荒地、玉米地、田边或疏林下。分布于新疆巩留县等。

｜资源情况｜ 栽培资源较少。药材来源于栽培。

｜采收加工｜ 夏、秋季叶片枯黄后采收，挖出球茎，抖去泥土，去皮，晒至全干。

｜功能主治｜ 燥湿化痰，降逆止呕，消痞散结。用于咳嗽痰多，恶心呕吐，外用于急性乳腺炎，急、慢性化脓性中耳炎。

｜用法用量｜ 内服煎汤，3 ～ 10 g。外用适量，鲜品涂敷。

浮萍科 Lemnaceae 浮萍属 *Lemna*

浮萍 *Lemna minor* L.

| 药 材 名 | 浮萍（药用部位：全草）。

| 形态特征 | 漂浮植物。叶状体对称，表面绿色，背面浅黄色、绿白色或紫色，近圆形、倒卵形或倒卵状椭圆形，全缘，长 1.5 ~ 5 mm，宽 2 ~ 3 mm，上面稍凸起或沿中线隆起，脉 3，不明显，背面垂生丝状根 1，根白色，长 3 ~ 4 cm，根冠具钝头，根鞘无翅；叶状体背面一侧具囊，新叶状体于囊内形成浮出，以极短的细柄与母体相连，随后脱落。雌花具弯生胚珠 1。果实无翅，近陀螺状；种子具凸出的胚乳和 12 ~ 15 纵肋。

| 生境分布 | 生于水田、池沼或其他静水水域。新疆各地均有分布。

| 资源情况 | 野生资源较少。药材来源于野生。

| **采收加工** | 捞出后洗净，除去杂质，晒干。

| **功能主治** | 辛，寒。宣散风热，透疹，利尿。用于麻疹不透，风疹瘙痒，水肿尿少。

| **用法用量** | 内服煎汤，3 ~ 9 g。外用适量，煎汤洗。

灯心草科 Juncaceae 灯心草属 *Juncus*

小花灯心草 *Juncus articulatus* L.

| 药 材 名 | 灯心草（药用部位：全草）。

| 形态特征 | 多年生草本。高 10 ~ 60 cm。根茎粗壮而横走，黄色，具细密的褐黄色须根。茎丛生，直立，圆柱形，直径 0.8 ~ 1.5 mm，绿色，表面有纵条纹。叶基生和茎生，短于茎；低出叶少，鞘状，长 1 ~ 3 cm，先端有短突起，边缘膜质，黄褐色；基生叶 1 ~ 2，叶鞘基部红褐色至褐色；茎生叶 1 ~ 4，叶片扁圆筒形，长 2.5 ~ 10 cm，宽 0.8 ~ 1.4 mm，先端渐尖，呈钻状，具有明显的横隔，绿色；叶鞘松弛抱茎，长 0.8 ~ 3.5 cm，边缘膜质；叶耳明显，较窄。花序由 5 ~ 30 头状花序组成，排列成顶生复聚伞花序，花序分枝常 2 ~ 5，具长短不等的花序梗，上端 2 ~ 3 回分枝，向两侧伸展；头状花序半球形至近圆球形，直径 6 ~ 8 mm，有 5 ~ 15 花；叶状总苞片 1，

长 1.5 ~ 5 cm，鞘部较宽，上部细线形，具横隔，绿色，通常短于花序；苞片披针形或三角状披针形，长 2.5 ~ 3 mm，锐尖，黄色，背部中央有 1 脉；花被片披针形，等长，长 2.5 ~ 3 mm，先端尖，背面通常有 3 脉，具较宽的膜质边缘，幼时黄绿色，晚期变为淡红褐色；雄蕊 6，长约为花被片的 1/2，花药长圆形，黄色，长 0.7 ~ 1 mm；花丝长 0.7 ~ 0.9 mm，花柱极短，圆柱形，柱头 3 分叉，线形，较长。蒴果三棱状长卵形，长 3 ~ 3.5 mm，超出花被片，先端具极短尖头，1 室，成熟时呈深褐色，光亮。种子卵圆形，长 0.5 ~ 0.7 mm，一端具短尖，黄褐色，表面具纵条纹及细横纹。花果期 5 ~ 8 月。

| 生境分布 | 生于海拔 370 ~ 2 600 m 的草甸、沙滩、河边、沟边湿地。新疆各地均有分布。

| 资源情况 | 野生资源较少。药材来源于野生。

| 功能主治 | 清心火，利小便。

灯心草科 Juncaceae 灯心草属 *Juncus*

黑头灯心草 *Juncus atratus* Krock.

| 药 材 名 | 灯心草（药用部位：全草）。

| 形态特征 | 多年生草本。高 40 ~ 70（~ 120）cm，具根茎和须根。茎直立，圆柱形，直径 2 ~ 3.5 mm，中空，基部有时具小点状突起。基部叶早枯落，茎生叶 3 ~ 4（~ 5）；叶片圆柱形，具棱条，长 8 ~ 23 cm，直径 1 ~ 2.5（~ 3）mm，先端尖，干时有明显的沟槽，具完全横隔；叶鞘长 3 ~ 10 cm；叶耳大，圆钝。花序顶生，由 33 ~ 70 头状花序组成，排列成复聚伞状，花序分枝常 3 ~ 5，具长短不等的花序梗；头状花序圆球形，直径约 6 mm，具 6 ~ 16 花；叶状总苞片线形或线状披针形，长 7 ~ 10 cm，先端尖，苞片数枚，宽披针形，长 1.5 ~ 2.2 mm，黄褐色，先端锐尖，背面中央具 1 脉；花具

短梗；花被片披针形，先端锐尖，黄褐色，背面具 1 ~ 3 脉，内轮 3 花被片较长，长 2.5 ~ 3 mm，宽 0.8 mm，外轮花被片长 2 ~ 2.5 mm；雄蕊 6，短于花被片，长 1.5 ~ 2 mm，花药长圆形，长 0.7 ~ 1 mm，黄白色，花丝丝状，与花药近等长或较花药稍短；子房长卵形，花柱线形，长约 1.5 mm，柱头 3 分叉，长约 2 mm。蒴果三棱状卵形，长 2.2 ~ 2.6 mm，先端收缩成短喙，棕褐色，1 室，无隔膜，胞背开裂。种子卵形，长 0.3 ~ 0.5 mm，两端短尖，表面有网纹，黄褐色。花果期 6 ~ 9 月。

| 生境分布 | 生于湖边潮湿地。分布于新疆阿勒泰市、和布克赛尔蒙古自治县、伊宁市、达坂城区、乌鲁木齐县等。

| 资源情况 | 野生资源较少。药材来源于野生。

| 功能主治 | 清心火，利小便。

灯心草科 Juncaceae 灯心草属 *Juncus*

小灯心草 *Juncus bufonius* L.

|药材名| 灯心草（药用部位：茎髓）。

|形态特征| 一年生草本。高 4 ~ 30 cm，有多数细弱的浅褐色须根。茎丛生，细弱，直立或斜升，有时稍下弯，基部常呈红褐色。叶基生和茎生；茎生叶常为 1；叶片线形，扁平，长 1 ~ 13 cm，宽约 1 mm，先端尖；叶鞘具膜质边缘，无叶耳。花序呈 2 歧聚伞状或排列成圆锥状，生于茎顶，约占整个植株的 1/4 ~ 4/5，花序分枝细弱而微弯；叶状总苞片长 1 ~ 9 cm，常短于花序；花排列疏松，很少密集，具花梗和小苞片；小苞片 2 ~ 3，三角状卵形，膜质，长 1.3 ~ 2.5 mm，宽 1.2 ~ 2.2 mm；花被片披针形，外轮者长 3.2 ~ 6 mm，宽 1 ~ 1.8 mm，背部中间绿色，边缘宽膜质，白色，先端锐尖，内轮者稍短，几乎全为膜质，先端稍尖；雄蕊 6，长为花被的 1/3 ~ 1/2，花药长圆形，

淡黄色，花丝丝状；雌蕊具短花柱，柱头3，外向弯曲，长0.5 ~ 0.8 mm。蒴果三棱状椭圆形，黄褐色，长3 ~ 5 mm，先端稍钝，3室。种子椭圆形，两端尖细，黄褐色，有纵纹，长0.4 ~ 0.6 mm。花常闭花受精。花果期6 ~ 9月。

| 生境分布 | 生于海拔160 ~ 3 200 m的湿草地、湖岸、河边、沼泽地。新疆各地均有分布。

| 资源情况 | 野生资源较少。药材来源于野生。

| 功能主治 | 清热，祛水利湿，通淋，利尿，止血。用于心烦失眠，尿少涩痛，口舌生疮。

灯心草科 Juncaceae 灯心草属 *Juncus*

扁茎灯心草 *Juncus compressus* Jacq.

| 药 材 名 | 灯心草（药用部位：全草）。

| 形态特征 | 多年生草本。高 8 ~ 70 cm。根茎粗壮而横走，褐色，具黄褐色须根。茎丛生，直立，圆柱形或稍扁，绿色，直径 0.5 ~ 1.5 mm。叶基生和茎生；低出叶鞘状，长 1.5 ~ 3 cm，淡褐色；基生叶 2 ~ 3，叶片线形，长 3 ~ 15 cm，宽 0.5 ~ 1 mm；茎生叶 1 ~ 2，叶片线形，扁平，长 10 ~ 20 cm；叶鞘长 2 ~ 9 cm，松弛抱茎；叶耳圆形。顶生复聚伞花序；叶状总苞片通常 1，线形，常超出花序；从总苞叶腋中发出多个花序分枝，花序分枝纤细，长短不一，长者长 4 ~ 6 cm，先端 1 ~ 2 回或多回分枝，有时花序延伸长达 13 cm；花单生，彼此分离；小苞片 2，宽卵形，长约 1 mm，先端钝，膜

质；花被片披针形或长圆状披针形，长 1.8 ~ 2.6 mm，宽 0.9 ~ 1.1 mm，先端钝圆，外轮者稍长于内轮者，较窄，内轮者具宽膜质边缘，背部淡绿色，先端和边缘褐色；雄蕊 6，花药长圆形，基部略呈箭形，长 0.8 ~ 1 mm，黄色，花丝长 0.6 ~ 0.8 mm；子房长圆形，长约 1.5 mm，花柱极短，柱头 3 分叉，长约 1.5 mm。蒴果卵球形，长约 2.5 mm，超出花被，上端钝，具短尖头，有 3 隔膜，成熟时呈褐色且光亮。种子斜卵形，长约 0.4 mm，表面具纵纹，成熟时呈褐色。花果期 6 ~ 9 月。

| 生境分布 | 生于海拔 350 ~ 1 050 m 的河岸、池塘边、田埂上、沼泽及草原湿地。分布于新疆塔城市、托里县、察布查尔锡伯自治县、和硕县、石河子市、头屯河区、水磨沟区、天山区、玛纳斯县、达坂城、呼图壁县等。

| 资源情况 | 野生资源较少。药材来源于野生。

| 功能主治 | 清热解毒，祛水利湿，利水消肿，安神定惊。用于心烦失眠，尿少涩痛，口舌生疮。

灯心草科 Juncaceae 灯心草属 *Juncus*

团花灯心草 *Juncus gerardii* Loisel

|**药 材 名**| 灯心草（药用部位：全草）。

|**形态特征**| 多年生草本。灰绿色，具短根茎。茎直立，丛生，基部被浅褐色鳞片状叶鞘，稍撕裂成纤维状。叶多基生而少茎生；叶片紧缩，有沟槽，长达花序；叶鞘顶部具短而钝的叶耳。伞房状聚伞花序，分枝直且不等长，有时稠密；叶状总苞片短于或等长于花序，很少超出花序；花单生或 2 ～ 4 束生；小苞片半革质，锈色，钝，边缘窄膜质；花被片等长，革质，卵形，先端钝，背部绿色，周围锈色，边缘白色，膜质；花丝很短。蒴果倒卵形，锈黄色至锈色，有光泽，稍长于花被片，顶部圆形，具短钻状喙。种子卵形，锈色。花果期 6 ～ 9 月。

|**生境分布**| 生于海拔 500 ～ 4 000 m 的平原绿洲及山区的沼泽化草甸及水边。

分布于新疆哈密市、吐鲁番市及青河县、富蕴县、阿勒泰市、布尔津县、乌鲁木齐县、玛纳斯县、石河子市、沙湾市、精河县、额敏县、塔城市、裕民县、托里县、博乐市、伊宁市、昭苏县、库车市、新和县、阿合奇县、乌恰县、叶城县、塔什库尔干塔吉克自治县、和田市等。

| 资源情况 | 野生资源丰富。药材来源于野生。

| 功能主治 | 清心火，利小便。用于心烦失眠，尿少涩痛，口舌生疮。

灯心草科 Juncaceae 灯心草属 *Juncus*

片髓灯心草 *Juncus inflexus* L.

| 药 材 名 | 灯心草（药用部位：全草）。

| 形态特征 | 多年生草本。根茎粗壮而横走，具红褐色至褐色须根。茎丛生，直立，圆柱形，具纵槽纹，茎内具间断的片状髓心。叶全部为低出叶，呈鞘状重叠包围在茎的基部，红褐色，无光亮。花序假侧生，多花排列成稍紧密的圆锥花序状；总苞片顶生，圆柱形，似茎的延伸，直立，先端尖锐；花序分枝基部通常有苞片数枚，外方者常呈卵形，膜质，淡红褐色，先端钝或尖，内方者较小；每花具 2 小苞片，卵状披针形至宽卵形，膜质，淡红褐色，先端钝或稍尖；花淡绿色，稀淡红褐色；花被片狭披针形，先端锐尖，背部增厚，黄绿色，边缘膜质，外轮者长于内轮者；雄蕊 6，花药长圆形，花丝淡红褐色；子房 3 室，

具短花柱，柱头 3 分叉。蒴果三棱状椭圆形，与外轮花被片近等长，黄绿色至黄褐色，先端渐尖，具短尖头。种子长圆形，棕褐色。花期 6 ~ 7 月，果期 7 ~ 9 月。

| 生境分布 | 生于海拔 1 100 ~ 1 450 m 的河滩、荒草地、沼泽或水沟旁。分布于新疆塔城市、伊宁市、博乐市、乌什县等。

| 资源情况 | 野生资源一般。药材来源于野生。

| 功能主治 | 清心火，利小便。用于心烦失眠，尿少涩痛，口舌生疮。

百合科 Liliaceae 葱属 *Allium*

阿尔泰葱 *Allium altaicum* Pall.

| 药 材 名 | 薤白（药用部位：鳞茎）。

| 形态特征 | 多年生草本。鳞茎卵状圆柱形，外皮红褐色，薄革质，有光泽。叶2～4，长圆锥状，中下部膨大，中空。花葶粗壮，圆筒形，向上渐狭，中空，中下部被叶鞘；总苞膜质，2裂，与花序近等长；伞形花序球状，多花，密集，花梗较粗，基部无小苞片；花黄白色，花被片6，外轮花被片与内轮花被片等长或较内轮花被片略短；花丝等长，较花被片长1.5～2倍，基部合生；花柱长于花被。种子黑色，具棱。花果期8～9月。

| 生境分布 | 生于乱石山坡或草地。分布于新疆裕民县、乌鲁木齐县、阿勒泰市、达坂城区、石河子市等。

| 资源情况 | 野生资源丰富。药材来源于野生。

| 功能主治 | 发汗散寒，祛风止痛，补肾明目。用于维生素C缺乏症，消化不良，失眠，风寒感冒，风疹瘙痒。

百合科 Liliaceae 葱属 *Allium*

蓝苞葱 *Allium atrosanguineum* Schrenk

| 药材名 | 薤白（药用部位：鳞茎）。

| 形态特征 | 多年生草本。具根茎。鳞茎圆柱形，外皮灰褐色，条裂。叶 1 ~ 3，长圆锥状，中空，与花葶近等长。花葶圆筒形，向上渐狭，下部具叶鞘；总苞片蓝色或天蓝色，2 裂，宿存；伞形花序球状，多花，密集；花梗不等长，无苞片；花黄色，后变为红色或紫红色；花被片 6，内轮花被片与外轮花被片等长或内轮花被片较短；花丝 1/3 ~ 3/4 合生成管状；花柱短于花被。花果期 6 ~ 9 月。

| 生境分布 | 生于海拔 3 000 ~ 4 500 m 的草地或草甸上。新疆各地均有分布。

| 资源情况 | 野生资源丰富。药材来源于野生。

| 功能主治 | 促食欲，助消化，驱虫，开郁豁闷。用于胃病，寒热病。

百合科 Liliaceae 葱属 *Allium*

棱叶韭 *Allium caeruleum* Pall.

| 药材名 | 薤白（药用部位：鳞茎）。

| 形态特征 | 多年生草本。高 25 ~ 80 cm。鳞茎近球状，外皮暗灰色，纸质。叶 3 ~ 5，线形，有时呈三棱状，枯后扭曲，短于花葶。花葶圆柱状，下部具叶鞘；总苞 2 裂，短于伞形花序，宿存；伞形花序球状或半球形，多花，密集；花梗近等长，长于花被，基部有小苞片；花天蓝色，干后常呈蓝紫色；内轮花被片较外轮花被片狭窄；花丝三角状锥形，仅基部合生，等于或长于花被片；花柱从花被伸出。花果期 6 ~ 8 月。

| 生境分布 | 生于山地草原或灌丛中。分布于新疆木垒哈萨克自治县、奇台县、乌鲁木齐县、昌吉市、玛纳斯县、沙湾市、托里县、塔城市、裕民县、

和布克赛尔蒙古自治县、博乐市、温泉县、霍城县、昭苏县、特克斯县、巩留县、新源县、尼勒克县、和静县、和硕县、库车市等。

| 资源情况 | 野生资源丰富。药材来源于野生。

| 功能主治 | 通阳散结，行气导滞。用于胸痹心痛，脘腹痞满胀痛，泻痢后重。

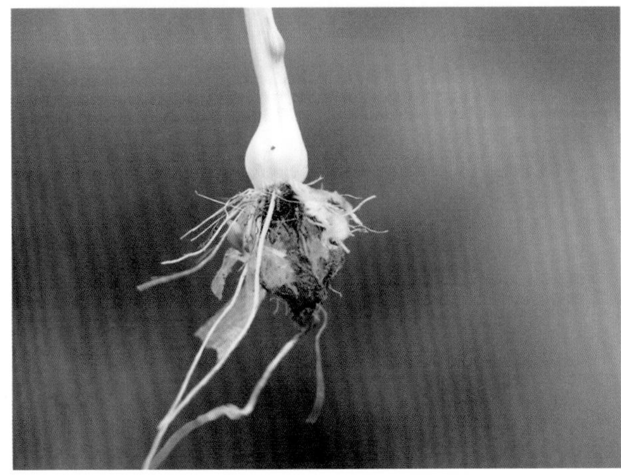

百合科 Liliaceae 葱属 *Allium*

石生韭 *Allium caricoides* Regel

| 药材名 |

薤白（药用部位：鳞茎）。

| 形态特征 |

多年生草本。鳞茎聚生，圆柱状，直径 0.5 ~ 1 cm，外皮棕色，革质，不破裂或先端条裂。叶 3 ~ 4，半圆柱状至近圆柱状，与花葶近等长，宽 0.5 ~ 1（~ 1.5）mm，上面具沟槽，边缘具纤毛状短齿或糙齿。花葶圆柱状，高 5 ~ 20 cm，直径 1 ~ 1.5 mm，下部被叶鞘；总苞 2 裂，具短喙，宿存；伞形花序半球状，具密集的花；小花梗近等长，长为花被片的 1/2 或与花被片近等长，基部具小苞片；花淡红色至淡紫色，钟状开展；花被片矩圆形、卵状矩圆形至卵形，先端常具短尖头，长 3.5 ~ 5.8 mm，宽 1.5 ~ 2.5 mm，外轮花被片稍短，舟状；花丝等长，长约为花被片长的 1.5 倍，锥形，在基部合生并与花被片贴生；子房倒卵状至近球状，腹缝线基部具有帘的凹陷蜜穴；花柱伸出花被外。花果期 7 ~ 8 月。

| 生境分布 |

生于海拔 2 500 ~ 3 000 m 的碎石山坡或干旱山麓的石缝中。分布于新疆塔城市、沙湾

市、和布克赛尔蒙古自治县、额敏县、托里县、乌鲁木齐县、玛纳斯县、、和硕县、轮台县、库车市、莎车县、塔什库尔干塔吉克自治县。

| 资源情况 | 野生资源较丰富。药材来源于野生。

| 功能主治 | 温中助阳，下气止痢。

百合科 Liliaceae 葱属 *Allium*

镰叶韭 *Allium carolinianum* DC.

| 药 材 名 | 薤白（药用部位：鳞茎）。

| 形态特征 | 多年生草本。具短根茎。鳞茎卵状圆柱形，粗壮，外皮黄褐色至褐色。叶线形，扁平，镰形弯曲，先端钝。花葶圆柱形，实心；总苞片 2 裂，常带紫色；伞形花序球状，多花，密集；花梗近等长，短于花被片，基部无小苞片；花淡红色、白色或淡黄色，具紫色脉；内轮花被片略长；花丝锥状，下部无附属物；子房近球形，花柱伸出花被之外。花果期 6 ~ 9 月。

| 生境分布 | 生于海拔 2 500 ~ 5 000 m 的林下及山坡草甸。分布于新疆乌鲁木齐市、吐鲁番市及阿勒泰市、青河县、奇台县、玛纳斯县、沙湾市、库车市、莎车县、乌恰县、叶城县、塔什库尔干塔吉克自治县等。

| 资源情况 | 野生资源丰富。药材来源于野生。

| 功能主治 | 通阳散结，行气导滞。用于胸痹心痛，脘腹痞满胀痛，泻痢后重。

百合科 Liliaceae 葱属 *Allium*

洋葱 *Allium cepa* L.

| 药 材 名 | 洋葱（药用部位：鳞茎）。

| 形态特征 | 多年生草本。鳞茎球形至扁球形，外皮紫红色、褐红色或淡黄色。叶圆筒状，中空，向上渐狭，中部以下增粗。花葶圆筒状，中空，向上渐细，中部以下膨大，下部具叶鞘；总苞 2 ~ 3 裂；伞形花序球状，多花，密集；花梗长于花被数倍；花绿白色；花被片 6，中脉绿色，长约 2 mm；花丝等长，基部合生；花柱长约 4 mm。花果期 5 ~ 8 月。

| 生境分布 | 栽培种。新疆各地均有栽培。

| 采收加工 | 基部叶片渐枯黄、假茎变软时采收。

| 功能主治 | 散寒，理气，解毒，杀虫。用于便秘，溃疡，滴虫性阴道炎。

| 用法用量 | 内服煎汤，50 ~ 100 g。

百合科 Liliaceae 葱属 *Allium*

星花蒜 *Allium decipiens* Fisch. ex Roem. et Schult.

| 药 材 名 | 薤白（药用部位：鳞茎）。

| 形态特征 | 多年生草本。鳞茎单生，卵球状至球状，外皮带黑色，纸质，老时常先端破裂。叶宽条形至条状披针形，远比花葶短。花葶圆柱状，下部被叶鞘；总苞 2 裂，宿存；伞形花序近半球状或近球状，多花，较松散；小花梗近等长，比花被片长，基部无小苞片；花星芒状开展，淡红紫色至紫红色；花被片椭圆形，钝头，等长，花后反折并扭卷；花丝等长，与花被片近等长，基部合生并与花被片贴生，内轮花丝基部扩大，外轮花丝锥形，基部宽约为内轮的 1/2；子房近球状，外壁具细疣状突起，腹缝线基部具凹陷的蜜穴，每室 4 胚珠，花柱约与子房等长，柱头点状。花果期 5 ~ 6 月。

| 生境分布 | 生于山地石质坡及砾石质戈壁上。分布于新疆阿勒泰市、吉木乃县、青河县、木垒哈萨克自治县、奇台县、塔城市、额敏县、和布克赛尔蒙古自治县、特克斯县、昭苏县、巴里坤哈萨克自治县等。

| 资源情况 | 野生资源丰富。药材来源于野生。

| 功能主治 | 发散风寒，通阳，健胃。用于外感风寒，阴寒腹痛，肢冷脉微，跌打损伤。

| 附　　注 | 本种与多籽蒜 *Allium fetisowii* Regel 的区别在于多籽蒜的伞形花序很紧密，小花梗比花被片长 2 ~ 3 倍，花被片条形至条状披针形，长（4 ~ ）5 ~ 7 mm，宽 1 ~ 1.2 mm，子房每室有 4 ~ 6 胚珠。

百合科 Liliaceae 葱属 *Allium*

多籽蒜 *Allium fetisowii* Regel

| 药 材 名 |

薤白（药用部位：鳞茎）。

| 形态特征 |

多年生草本。鳞茎单生，球状，外皮灰黑色，纸质，老时先端破裂。叶宽条形，远比花葶短。花葶圆柱状，下部被叶鞘；总苞2裂，宿存；伞形花序半球状至球状，多花，紧密；小花梗近等长，比花被片长2～3倍，基部无小苞片；花星芒状开展，紫红色；花被片条形至条状披针形，钝头或近钝头，等长，花后期反折并扭卷；花丝等长，比花被片短1/5～1/4，基部合生并与花被片贴生，内轮花丝基部扩大成方形，扩大部分每侧各具1～2齿，稀扩大成三角形而无齿，外轮花丝锥形；子房近球状，每室具4～6胚珠，外壁具细疣状突起，腹缝线基部具缝状的蜜穴；花柱与子房近等长。花果期4～6月。

| 生境分布 |

生于山麓荒地。分布于新疆新源县、巩留县等。

| 资源情况 |

野生资源较少。药材来源于野生。

| **功能主治** | 通阳散结，行气导滞。用于胸痹心痛，脘腹痞满胀痛，泻痢后重。

百合科 Liliaceae 葱属 *Allium*

葱 *Allium fistulosum* L.

| 药 材 名 | 葱白（药用部位：鳞茎）、葱实（药用部位：种子）、葱汁（药材来源：全草或叶所捣取的汁）。

| 形态特征 | 多年生草本。高 30 ~ 80（~ 100）cm。鳞茎圆柱状，直径 2 ~ 3 cm，外皮白色，稀褐色或淡红褐色，膜质，不开裂。叶圆筒状，中空，向上渐狭。花葶圆柱状，中空，向上渐狭，中部以下膨大，1/3 处以下具叶鞘；总苞 2 裂，膜质；伞形花序球状，多花，较松散：花梗纤细，基部无小苞片；花白色；外轮花被片稍短于内轮花被片；花丝锥形，基部合生；花柱从花被伸出。花果期 4 ~ 7 月。

| 生境分布 | 栽培种。新疆各地均有栽培。

| 采收加工 | **葱白：** 采挖后切去须根及叶，剥除外膜。

葱实： 夏、秋季收集成熟果实，晒干，搓取种子，簸去杂质。

葱汁： 全年均可采收全草或叶，捣汁，鲜用。

| 功能主治 | **葱白：** 理气，散结，止痛，解毒消肿。用于感冒头痛，鼻塞；外用于小便不利，痈疖肿毒。

葱实： 温肾明目。用于阳痿，目眩。

葱汁： 散瘀，解毒，驱虫。用于头痛，衄血，尿血，虫积，痈肿，跌打损伤。

| 用法用量 | **葱白：** 内服煎汤，15 ~ 50 g。外用适量，捣敷脐部或患处。

葱实： 内服煎汤，6 ~ 12 g；或入丸、散剂；或煮粥。外用适量，熬膏贴敷；或煎汤洗。

葱汁： 内服单饮，5 ~ 10 mL；或和酒；或泛丸。外用适量，涂搽；或滴鼻、滴耳。

百合科 Liliaceae 葱属 *Allium*

新疆韭 *Allium flavidum* Ledeb.

| 药 材 名 | 薤白（药用部位：鳞茎）。

| 形态特征 | 多年生草本。鳞茎单生或 2 鳞茎聚生，狭卵状圆柱形，长 2 ~ 4 cm，直径 0.4 ~ 1 cm，外皮灰褐色至黄褐色，破裂成网状的纤维状。叶条形，比花葶短，宽 2 ~ 5（~ 7）mm。花葶圆柱状，高 15 ~ 45 cm，1/3 ~ 1/2 被叶鞘；总苞 2 裂，宿存；伞形花序球状，稀半球状，具多而密集的花；小花梗近等长，常近等长于花被片，稀比花被片长 2 倍，基部具小苞片；花白色至淡黄色；花被片矩圆形至卵状矩圆形，长 4 ~ 6 mm，宽 1.2 ~ 2 mm，内轮花被片比外轮花被片长 1/5 ~ 1/4；花丝等长，为花被片长的 1.2 ~ 1.5 倍，基部合生并与花被片贴生，内轮花丝基部扩大，扩大部分近矩圆形，高大于宽，每侧各具 1 齿；子房倒卵球状，腹缝线基部具凹陷的蜜穴，

花柱远比子房长，伸出花被外。花果期 7 ~ 8 月。

| 生境分布 | 生于海拔 1 500 ~ 2 000 m 的山地草原。分布于新疆阿勒泰市、布尔津县、福海县、哈巴河县等。

| 资源情况 | 野生资源一般。药材来源于野生。

| 功能主治 | 温中通阳，理气宽胸。用于咳嗽，支气管炎，慢性肠炎，痢疾。

百合科 Liliaceae 葱属 *Allium*

实葶葱 *Allium galanthum* Kar.

| 药 材 名 | 薤白（药用部位：鳞茎）。

| 形态特征 | 多年生草本。高 15 ~ 40（ ~ 60）cm。鳞茎单生或数枚聚生，圆柱状，外皮红褐色，薄革质，全缘。叶圆筒形，中空，向上渐狭。花葶圆柱形，实心，中下部直径 0.8 ~ 1.5 cm，向上渐狭，基部具叶鞘；总苞短于伞形花序；伞形花序球状，多花密集；花梗较花被长 2 ~ 4 倍，基部具小苞片；花白色；花被片 6，2 轮，近等长；花丝略长于花被，基部合生成环或成筒状。花果期 8 ~ 10 月。

| 生境分布 | 生于海拔 500 ~ 1 500 m 的河谷或山坡。分布于新疆阿勒泰市、布尔津县、博乐市、玛纳斯县、新源县、乌鲁木齐县、青河县、乌苏市等。

| 资源情况 | 野生资源一般。药材来源于野生。

| 功能主治 | 通阳散结，行气导滞。用于胸痹心痛，脘腹痞满胀痛，泻痢后重。

| 附　　注 | 本种具实心的花葶，故极易与阿尔泰葱 *Alliuma ltaicum* Pall. 和洋葱 *Allium cepa* L. 相区别。

百合科 Liliaceae 葱属 *Allium*

头花韭 *Allium glomeratum* Prokh.

| 药 材 名 | 薤白（药用部位：鳞茎）。

| 形态特征 | 多年生草本。鳞茎卵球状，外皮灰色或灰黄色，纸质，老时多少呈平行纤维状。叶 2 ～ 3，狭条形，上面具沟槽，比花葶短，叶片和叶鞘沿纵脉具细糙齿。花葶圆柱状，下部或至 1/3 处被叶鞘；总苞 2 裂，约与伞形花序等长；伞形花序半球状或近球状，具多而密集的花；小花梗近等长，等长于或略长于花被片，基部具小苞片；花淡紫色；花被片卵状披针形，内轮花被片常略狭；花丝等长，略比花被片短或与花被片近等长，在基部合生并与花被片贴生，基部扩大成狭长三角形，向上渐狭为锥形；子房球状，腹缝线基部无凹陷的蜜穴；花柱伸出花被外。花果期 7 ～ 8 月。

| 生境分布 | 生于海拔 1 200 ～ 1 800 m 的山坡或谷地。分布于新疆奇台县、乌鲁木齐县、昌吉市、玛纳斯县、沙湾市、塔城市、裕民县、和布克赛尔蒙古自治县、博乐市、温泉县、霍城县、昭苏县、特克斯县、巩留县、新源县、和静县、和硕县、库车市、塔什库尔干塔吉克自治县等。

| 资源情况 | 野生资源一般。药材来源于野生。

| 功能主治 | 散瘀镇痛，祛风，止血。用于跌打损伤，瘀血肿痛，衄血，膝疮。

百合科 Liliaceae 葱属 *Allium*

褐皮韭 *Allium korolkowii* Regel

| 药 材 名 | 薤白（药用部位：鳞茎）。

| 形态特征 | 多年生草本。鳞茎近球形或卵形，外皮褐色或黄褐色，革质，先端破裂为网状的纤维。茎高 15 ~ 40 cm，光滑。叶 2 ~ 4，线形，沿纵棱具细糙齿，短于茎，下部 1/3 处被叶鞘。总苞 2 裂，短于花序；伞形花序具稀疏的花；花梗不等长，与花被片等长或稍长于花被片，基部具小苞片；花白色、淡紫色或淡红色；花被片中脉紫色，椭圆状披针形或披针形，具短尖，长 4.5 ~ 9 mm，宽 1 ~ 3 mm；花丝等长，长约为花被片的 2/3，基部 1/4 ~ 1/3 合生，与花被片贴生，分离部分为三角形，上部收缩成狭锥形，内轮花丝扩大部分的基部比外轮花丝的基部宽 1 ~ 3 倍；子房圆锥状卵形，基部具小的凹陷蜜穴，花柱不伸出花被外，柱头膨大成近球状。花果期 7 ~ 8 月。

| 生境分布 | 生于砾石质滩地及干旱坡地上。分布于新疆特克斯县、昭苏县、乌苏市、达坂城区、和静县等。

| 资源情况 | 野生资源一般。药材来源于野生。

| 功能主治 | 散寒解表，祛痰，利水。

| 附　　注 | 本种与西疆韭 *Allium teretifolium* Regel 的区别在于后者鳞茎外皮黄褐色，常呈网状；花较大，长 6 ~ 7（~ 9）mm；内轮花丝由扩大部分向上逐渐收狭，基部花丝比外轮花丝宽约 3 倍，花丝合生部分占花丝长度的 1/5 左右；叶缘光滑。

百合科 Liliaceae 葱属 *Allium*

北韭 *Allium lineare* L.

|药材名|

薤白（药用部位：鳞茎）。

|形态特征|

多年生草本。鳞茎单生或 2 鳞茎聚生，近圆柱状，长 3 ~ 6 cm，外皮黄褐色至灰褐色，破裂成纤维状或成网状。叶条形，比花葶短，宽 1 ~ 3 mm，边缘光滑或具细糙齿。茎高 20 ~ 60 cm，圆柱状，中部直径 1.5 ~ 3 mm，1/3 ~ 1/2 被疏离的光滑叶鞘。总苞 2 裂，宿存；伞形花序球状或半球状，具多而密集的花；小花梗近等长，长于花被片 1.5 ~ 3 倍，基部具小苞片；花紫红色；花被片长 3.5 ~ 5 mm，宽 1.8 ~ 2 mm，内轮花被片矩圆形至椭圆形，外轮花被片矩圆状卵形，稍短；花丝等长，长为花被片的 1.5 ~ 2 倍，基部合生并与花被片贴生，内轮花丝基部扩大，近矩圆形，高大于宽，每侧各具 1 长齿，齿的上部有时又具 2 ~ 4 不规则的小齿，外轮花丝锥形；子房倒卵状球形，腹缝线基部具凹陷的蜜穴，花柱伸出花被外，柱头略增大。花果期 7 ~ 8 月。

|生境分布|

生于平原荒漠或山地草原中。分布于新疆乌

鲁木齐市及塔城市、青河县、富蕴县、巴里坤哈萨克自治县等。

| 资源情况 | 野生资源一般。药材来源于野生。

| 功能主治 | 散寒解表，祛痰，利水。

| 附　　注 | 本种与辉韭 *Allium strictum* Schrader 的区别在于辉韭的花丝等长于或略长于花被片，内轮花丝基部的齿常较短，扩大部分的高常小于宽，柱头近头状。

百合科 Liliaceae 葱属 *Allium*

蒙古韭 *Allium mongolicum* Regel

| **药材名** | 薤白（药用部位：全草）。

| **形态特征** | 多年生草本。鳞茎密集丛生，圆柱状，外皮褐黄色，破裂成松散的纤维状。叶半圆柱状至圆柱状，比花葶短，直径 0.5 ~ 1.5 mm。花葶圆柱状，高 10 ~ 30 cm，下部被叶鞘；总苞单侧开裂，宿存；伞形花序半球状至球状，具多而密集的花；小花梗近等长，长与花被片相等或比花被片长 1 倍，基部无小苞片；花大，淡红色、淡紫色至紫红色；花被片卵状矩圆形，长 6 ~ 9 mm，宽 3 ~ 5 mm，先端钝圆，内轮花被片常比外轮花被片长；花丝近等长，长为花被片的 1/2 ~ 2/3，基部合生并与花被片贴生，内轮花丝基部约 1/2 扩大成卵形，外轮花丝锥形；子房倒卵状球形，花柱略比子房长，不伸出花被外。花果期 6 ~ 8 月。

| **生境分布** | 生于荒漠、沙地或干旱山坡。分布于新疆阿勒泰市、阜康市、青河县、富蕴县、哈巴河县、奇台县、吉木萨尔县等。

| **资源情况** | 野生资源一般。药材来源于野生。

| **功能主治** | 用于痢疾，白秃疮，冻疮。

| **附　　注** | 本种与疏生韭 *Allium caespitosum* Siev. ex Bong. et C. A. Mey. 的区别在于疏生韭具细长的横走根茎，鳞茎外皮膜质，呈条状破裂。

百合科 Liliaceae 葱属 *Allium*

滩地韭 *Allium oreoprasum* Schrenk

| 药 材 名 | 滩地韭（药用部位：全草）。

| 形态特征 | 多年生草本。鳞茎簇生，近狭卵状圆柱形，直径 0.5 ~ 1 cm，外皮黄褐色，破裂成纤维状，呈清晰的网状。叶狭条形，比花葶短，有时长仅为花葶的一半，宽 1 ~ 3（~ 4）mm。花葶圆柱状，高 11 ~ 30（~ 40）cm，中部直径 1 ~ 2 mm，下部被叶鞘；总苞单侧开裂或 2 裂，宿存；伞形花序近扫帚状至近半球状，少花，松散；小花梗近等长，比花被片长 1.5 ~ 3 倍，基部具小苞片；花淡红色至白色；花被片具深紫色中脉，倒卵状椭圆形至倒卵状宽椭圆形，先端具一反折的对褶小尖头，长 4.2 ~ 7 mm，宽 2.5 ~ 4 mm，内轮花被片常短而宽；花丝长为花被片的 1/2 ~ 3/4，基部 1.2 ~ 1.5 mm 合生并与花被片贴生，分离部分内轮的宽三角形，外轮的狭三角形，

外轮花丝基部直径为内轮花丝的 1/2，常比内轮花丝短；子房近球状，基部无凹陷的蜜穴，花柱不伸出花被外，柱头 3 浅裂。花果期 6 ~ 8 月。

| 生境分布 | 生于砾石质戈壁中及山地石质坡上。分布于新疆乌鲁木齐市及奇台县、阜康市、昌吉市、塔城市、沙湾市、博乐市、伊宁市、和田市、玛纳斯县、托里县、裕民县、和布克赛尔蒙古自治县、霍城县、特克斯县、尼勒克县、和静县、且末县、拜城县、乌恰县、叶城县、于田县、民丰县、塔什库尔干塔吉克自治县等。

| 资源情况 | 野生资源较丰富。药材来源于野生。

| 功能主治 | 宁神开窍，散寒解表。

百合科 Liliaceae 葱属 *Allium*

小山蒜 *Allium pallasii* Murr.

| 药 材 名 | 小山蒜（药用部位：全草）、薤白（药用部位：鳞茎）。

| 形态特征 | 多年生草本。鳞茎近球形至卵球状，直径 0.7 ～ 1.5（～ 2）cm，外皮灰色或褐色，膜质或近革质，不破裂。叶 3 ～ 5，半圆柱状，上面具沟槽，比花葶短，宽 0.5 ～ 1.5（～ 2.5）mm。花葶圆柱状，高 15 ～ 30（～ 65）cm，1/4 ～ 1/2 部分被叶鞘；总苞 2 裂，比花序短；伞形花序球状或半球状，具多而密集的花；小花梗近等长，长为花被片的 2 ～ 4 倍，基部无小苞片或具很少的小苞片；花淡红色至淡紫色，有光泽；花被片披针形至矩圆状披针形，等长，长 3 ～ 4 mm，宽 0.8 ～ 1.8 mm，内轮花被片常较狭；花丝等长，长为花被片的 1.5 倍或与花被片等长，基部合生并与花被片贴生，内轮花丝基部扩大，扩大部分高约 1 mm，有时扩大部分每侧各具 1 齿，外轮花丝锥形；

子房近球形，表面具细疣状突起，腹缝线基部具凹陷的蜜穴，花柱略伸出花被外，柱头稍增大。花果期 5 ~ 7 月。

| 生境分布 | 生于平原或山坡。分布于新疆乌鲁木齐市及塔城市、伊宁市、昌吉市、阿勒泰市、沙湾市、阜康市、福海县、布尔津县、哈巴河县、青河县、吉木萨尔县、奇台县、玛纳斯县、托里县、额敏县、裕民县、温泉县、特克斯县、昭苏县、巩留县、新源县、巴里坤哈萨克自治县、和静县、和硕县、库车市、莎车县、塔什库尔干塔吉克自治县等。

| 资源情况 | 野生资源丰富。药材来源于野生。

| 功能主治 | **小山蒜：** 活血散瘀，止血止痛。用于跌打损伤，瘀血肿痛，衄血。

薤白： 温中通阳，理气宽胸。

| 附　　注 | 本种与头花韭 *Allium glomeratum* Prokh. 的区别在于头花韭的小花梗与花被片近等长或比花被片略长，花丝略比花被片短或与花被片等长，内轮花丝基部不具齿，子房基部无凹陷的蜜穴。

百合科 Liliaceae 葱属 *Allium*

宽苞韭 *Allium platyspathum* Schrenk

| 药 材 名 | 薤白（药用部位：鳞茎）。

| 形态特征 | 多年生草本。具直生短根茎。鳞茎单生或数鳞茎聚生，卵状圆柱形，直径 1 ~ 2 cm，外皮黑色至黑褐色，干膜质或纸质，不破裂。叶宽条形，扁平，钝头，比花葶短或比花葶略长，宽 3 ~ 10（ ~ 17 ）mm。花葶圆柱状，高 10 ~ 60（ ~ 100 ）cm，中部以下或仅下部被叶鞘；总苞 2 裂，与花序近等长，初时紫色，后变为无色；伞形花序球状或半球状，具多而密集的花；小花梗近等长，长与花被片近相等至比花被片长 1 倍，基部无小苞片；花紫红色至淡红色，有光泽；花被片披针形至条状披针形，长 6 ~ 8 mm，宽 1.5 ~ 2 mm，外轮花被片稍短；花丝等长，锥形，长与花被片近相等至比花被片长 1.5 倍，仅基部合生并与花被片贴生；子房近球状，腹缝线基部具凹陷的蜜

穴，花柱伸出花被外。花果期 6 ~ 8 月。

| **生境分布** | 生于海拔 2 000 m 的阴湿山坡草地或林下。分布于新疆乌鲁木齐县、阿勒泰市、布尔津县、哈巴河县、吉木乃县、青河县、木垒哈萨克自治县、奇台县、吉木萨尔县、阜康市、昌吉市、玛纳斯县、沙湾市、托里县、塔城市、裕民县、和布克赛尔蒙古自治县、博乐市、温泉县、霍城县、昭苏县、特克斯县、巩留县、新源县、巴里坤哈萨克自治县、和静县、和硕县、库车市、拜城县、莎车县等。

| **资源情况** | 野生资源丰富。药材来源于野生。

| **功能主治** | 温中通阳，理气宽胸。

百合科 Liliaceae 葱属 *Allium*

碱韭 *Allium polyrhizum* Turcz. ex Regel

| 药材名 | 薤白（药用部位：鳞茎）、碱韭（药用部位：种子）。

| 形态特征 | 多年生草本。高 7 ~ 35 cm，具根茎。鳞茎多枚紧密簇生，圆柱状，外皮黄褐色，破裂成网状纤维。叶半圆柱状线形，短于花葶。花葶圆柱形，近基部具叶鞘；总苞 2 ~ 3 裂，膜质，宿存；伞形花序球状，多花，密集；花梗长于花被或与花被等长，有或无小苞片；花紫色，稀粉白色；内轮花被片略长于外轮花被片；花丝等长于或长于花被片，基部合生成筒状，内轮花丝基部扩大，每侧各具 1 齿；花柱略从花被伸出。花果期 6 ~ 8 月。

| 生境分布 | 生于盐碱地、石质残丘或干山坡。分布于新疆阿勒泰市、布尔津县、吉木乃县、和布克赛尔蒙古自治县、塔城市、额敏县、裕民县、奇台县、

吉木萨尔县、阜康市、乌鲁木齐县、昌吉市、玛纳斯县、沙湾市、精河县、霍城县、伊吾县、巴里坤哈萨克自治县、伊州区等。

| 资源情况 | 野生资源丰富。药材来源于野生。

| 功能主治 | **薤白：**温中通阳，理气宽胸。

碱韭：健胃，消肿。用于积食腹胀，消化不良，风寒湿痹，痈疖疔毒，皮肤炭疽。

百合科 Liliaceae 葱属 *Allium*

野韭 *Allium ramosum* L.

| 药 材 名 | 薤白（药用部位：全草）。

| 形态特征 | 多年生草本。具横生的粗壮根茎，略倾斜。鳞茎近圆柱状，外皮暗黄色至黄褐色，破裂成网状纤维或近网状纤维。叶三棱状条形，背面具呈龙骨状隆起的纵棱，中空，比花序短，宽 1.5 ~ 8 mm，沿叶缘和纵棱具细糙齿或光滑。花葶圆柱状，具纵棱，有时棱不明显，高 25 ~ 60 cm，下部被叶鞘；总苞单侧开裂至 2 裂，宿存；伞形花序半球状或近球状，多花；小花梗近等长，比花被片长 2 ~ 4 倍，基部具小苞片，且数枚小花梗的基部又为同一苞片所包围；花白色，稀淡红色；花被片具红色中脉，内轮花被片矩圆状倒卵形，先端具短尖头或钝圆，长（4.5 ~ ）5.5 ~ 9（ ~ 11）mm，宽 1.8 ~ 3.1 mm，外轮花被片常与内轮花被片等长，但外轮花被片较窄，矩圆状卵形

至矩圆状披针形，先端具短尖头；花丝等长，长为花被片的 1/2 ~ 3/4，基部合生并与花被片贴生，合生部分高 0.5 ~ 1 mm，分离部分狭三角形，内轮花丝稍宽；子房倒圆锥状球形，具 3 圆棱，外壁具细疣状突起。花果期 6 ~ 7 月。

| 生境分布 | 生于海拔 1 000 ~ 2 000 m 的山地草原中。分布于新疆伊犁哈萨克自治州及阿勒泰市、和静县等。

| 资源情况 | 野生资源一般。药材来源于野生。

| 功能主治 | 温肾阳，强腰膝，除胃热，活血瘀，解药毒。

| 用法用量 | 内服煎汤，6 ~ 15 g。外用适量，捣敷。

百合科 Liliaceae 葱属 *Allium*

蒜 *Allium sativum* L.

| 药 材 名 | 大蒜（药用部位：鳞茎）。

| 形态特征 | 多年生草本。鳞茎球状至扁球状，通常由多数肉质、瓣状的小鳞茎紧密地排列而成，外面被数层白色至带紫色的膜质鳞茎外皮。叶宽条形至条状披针形，扁平，先端长渐尖，比花葶短，宽可达 2.5 cm。花葶实心，圆柱状，高可达 60 cm，中部以下被叶鞘；总苞具长 7 ~ 20 cm 的长喙，早落；伞形花序具密珠芽，有数花；小花梗纤细；小苞片大，卵形，膜质，具短尖；花常为淡红色；花被片披针形至卵状披针形，长 3 ~ 4 mm，内轮花被片较短；花丝比花被片短，基部合生并与花被片贴生，内轮花丝基部扩大，扩大部分每侧各具 1 齿，齿端呈长丝状，长超过花被片，外轮花丝锥形；子房球状，花柱不伸出花被外。花期 5 月。

| 生境分布 | 栽培种。新疆各地均有栽培。

| 采收加工 | 夏季叶枯时采挖，除去须根和泥沙，置通风处晾晒至外皮干燥。

| 功能主治 | 辛，温。归脾、胃、肺经。解毒消肿，杀虫，止痢。用于痈肿疮疡，疥癣，肺痨，顿咳，泄泻，痢疾。

| 用法用量 | 内服煎汤，9 ~ 15 g。

百合科 Liliaceae 葱属 *Allium*

类北葱 *Allium schoenoprasoides* Regel

| 药 材 名 | 薤白（药用部位：鳞茎）。

| 形态特征 | 多年生草本。鳞茎近球状或宽卵状，直径 0.8 ~ 1.5 cm，外皮紫黑色至黑色，膜质，不破裂。叶 2 ~ 3，半圆柱状，上面具沟槽，比花葶短，宽 1 ~ 3 mm。总苞约与花序等长，常早落。花葶圆柱状，高 10 ~ 25（~ 40）cm，1/3 ~ 1/2 被叶鞘；伞形花序球状，具多而密集的花；小花梗近等长，长比花被片小或与花被片相等，基部无或仅有少数小苞片；花紫红色，有光泽；花被片矩圆状披针形至矩圆状卵形，长 4.5 ~ 8 mm，宽 2 ~ 3 mm；花丝等长，长为花被片的 1/3 ~ 1/2，基部约 1 mm 合生并与花被片贴生，内轮花丝分离部分的 2/3 ~ 3/4 扩大成卵状矩圆形，有时扩大部分的每侧各具 1 小齿，外轮花丝锥形；子房卵状球形，基部无凹陷蜜穴，花柱不伸出

花被外，柱头略膨大。花果期 7 ~ 8 月。

| 生境分布 | 生于高山和亚高山地带的山坡或草甸。分布于新疆昌吉回族自治州及石河子市、托里县、塔城市、霍城县、特克斯县、昭苏县、巩留县、新源县、巴里坤哈萨克自治县、和静县、和硕县、库车市等。

| 资源情况 | 野生资源丰富。药材来源于野生。

| 功能主治 | 止痛止泻，健胃提神，壮阳，利水通淋，解毒通便。

百合科 Liliaceae 葱属 *Allium*

管丝韭 *Allium semenovii* Regel

| 药 材 名 | 韭菜（药用部位：鳞茎）。

| 形态特征 | 多年生草本。鳞茎单生或数鳞茎聚生，圆柱状，直径 0.6 ~ 1.5 cm，外皮污褐色，破裂成网状纤维。叶宽条形，常比花葶长，稀稍短，宽 0.5 ~ 1.5 cm，常具对褶。花葶圆柱状，高 2 ~ 52 cm，中部直径 2 ~ 5 mm，中部以下被叶鞘；总苞 2 裂，宿存；伞形花序卵球状至球状，具多而密集的花；小花梗不等长，外层小花梗远比花被片短，内层小花梗与花被片近等长或较花被片略长，基部无小苞片；花大，初为黄色，后变为红色、紫红色，有光泽；花被片披针形至卵状披针形，长 9.5 ~ 16.8 mm，宽 3 ~ 5.1 mm，向先端渐尖，边缘有时具 1 至数枚不规则的小齿，内轮花被片比外轮花被片短；花丝长为花被片的 1/4 ~ 1/3，花丝的 3/5 ~ 4/5 合生成管状，合生部分的

1/3 ~ 1/2 与花被片贴生，内轮花丝分离部分的基部扩大，比外轮花丝基部宽，扩大部分每侧常各具 1 齿；子房近球状，腹缝线基部具有帘的蜜穴，花柱比子房短；柱头 3 裂。花果期 5 月底至 8 月初。

| 生境分布 | 生于海拔 2 000 ~ 3 500 m 的阴湿山坡草地或林缘。分布于新疆塔城市、裕民县、托里县、沙湾市、新源县、尼勒克县、特克斯县、昭苏县、木垒哈萨克自治县、奇台县、乌鲁木齐县、玛纳斯县、博乐市、温泉县等。

| 资源情况 | 野生资源较丰富。药材来源于野生。

| 功能主治 | 止痛止泻，健胃提神，壮阳。

百合科 Liliaceae 葱属 *Allium*

山韭 *Allium senescens* L.

| 药 材 名 |

山韭（药用部位：全草）。

| 形态特征 |

多年生草本。高 10 ~ 50 cm，具根茎。鳞茎单生或数鳞茎聚生，狭卵状圆柱形，外皮灰褐色至黑色，膜质，不破裂。叶半圆柱状线形，短于花葶。花葶圆柱形，常具 2 纵棱，近基部被叶鞘；总苞 2 裂，膜质，短于花序，宿存；伞形花序近球状，多花，密集；花梗长于花被片，基部有小苞片；花紫红色或淡紫色；内轮花被片比外轮花被片稍长而宽；花丝长于花被片，基部合生，内轮花丝基部扩大；花柱从花被中伸出。花果期 7 ~ 9 月。

| 生境分布 |

生于砾石质山坡、草原或森林。分布于新疆阿勒泰市、青河县、富蕴县、布尔津县、沙湾市、伊宁市、巩留县、特克斯县、昭苏县等。

| 资源情况 |

野生资源较丰富。药材来源于野生。

| 采收加工 |

夏、秋季采收，洗净，鲜用。

| 功能主治 | 健脾开胃，补肾缩尿。用于脾胃气虚，饮食减少，肾虚不固，小便频数。

| 用法用量 | 内服煎汤，10 ~ 15 g。

百合科 Liliaceae 葱属 *Allium*

丝叶韭 *Allium setifolium* Schrenk

| 药 材 名 | 薤白（药用部位：鳞茎）。

| 形态特征 | 多年生草本。鳞茎数枚聚生，狭卵状或卵状圆柱形，直径 0.5 ~ 1 cm，外皮淡黄褐色，革质，老时因内皮生长常一侧破裂，先端条裂。叶 2 ~ 3，毛发状，光滑，短于花葶或与花葶近等长，直径小于 0.3 mm。花葶圆柱状，纤细，高 5 ~ 10 cm，直径 0.3 ~ 0.5 mm，下部被叶鞘；总苞 2 裂，远比花葶短；伞形花序具少数花；小花梗近等长，长与花被片相等至比花被片长 1 倍长，基部具小苞片；花淡红色或红色；花被片具紫色中脉，披针形至矩圆状披针形，长 5 ~ 7 mm；花丝近等长，长约为花被片的 2/3，基部 1/3 ~ 1/2 合生并与花被片贴生，分离部分的基部扩大成三角形，向上收狭为锥形，内轮花丝扩大部分的基部比外轮花丝宽；子房球状椭圆形，腹缝线基部具有帘的凹

陷蜜穴，花柱不伸出花被外。花果期 6 ~ 8 月。

| 生境分布 | 生于戈壁或干旱砾石质山坡。分布于新疆乌鲁木齐市及塔城市、额敏县、裕民县、托里县、沙湾市、新源县、巩留县、特克斯县、伊宁市、昭苏县、木垒哈萨克自治县、奇台县、吉木萨尔县、呼图壁县、石河子市、博乐市、温泉县等。

| 资源情况 | 野生资源较丰富。药材来源于野生。

| 功能主治 | 止痛止泻，健胃提神，壮阳。

百合科 Liliaceae 葱属 *Allium*

辉韭 *Allium strictum* Schrader

| 药 材 名 | 韭菜（药用部位：全草）。

| 形态特征 | 多年生草本。鳞茎单生或 2 鳞茎聚生，外皮黄褐色，分裂成网状纤维。茎高 35 ~ 60 cm，圆柱状，光滑。叶条形，横切面为新月形，中空，短于茎，宽 2 ~ 4 mm，边缘光滑或具细糙齿，基部叶鞘抱茎。总苞 2 裂，宿存；伞形花序球形或半球形，具密集的小花；小花梗等长，比花被片长 1.5 ~ 3 倍，基部具小苞片；花淡紫色至淡紫红色；花被片长 4 ~ 5 mm，宽 1.5 ~ 2 mm，内轮花被片矩圆形至椭圆形，外轮花被片稍短，矩圆状卵形；花丝近等长，长于花被片，基部合生并与花被片贴生，内轮花丝基部扩大，每侧常各具 1 短齿，或齿的上部又具 2 ~ 4 不规则的齿，外轮花丝锥形；子房倒卵状球形，腹缝线基部具凹陷的蜜穴，花柱略伸出花被外，柱头近圆形。花果

期 7 ~ 8 月。

| **生境分布** | 生于海拔 1 500 ~ 2 500 m 的山地草甸或云杉林空地。分布于新疆阿勒泰市、布尔津县、哈巴河县、托里县、阜康市、乌鲁木齐县等。

| **资源情况** | 野生资源一般。药材来源于野生。

| **功能主治** | 发汗解表，温中祛寒。用于外感风寒，寒热无汗，中寒腹痛，泄泻。

| **用法用量** | 内服煎汤，6 ~ 12 g。

百合科 Liliaceae 葱属 *Allium*

蜜囊韭 *Allium subtilissimum* Ledeb.

| 药 材 名 | 韭菜（药用部位：鳞茎）。

| 形态特征 | 多年生草本。具不明显的直生根茎。鳞茎数枚聚生，狭卵状圆柱形或下部稍增粗的圆柱状，直径 0.5 ~ 1 cm，外皮淡灰褐色，略带红色，膜质或厚膜质，几不破裂或先端破裂。叶 3 ~ 5，近圆柱状，纤细，常短于花葶，直径约 0.5 mm，上面具沟槽，光滑。花葶纤细，高 5 ~ 20 mm，直径 0.5 ~ 1 mm，光滑，下部被叶鞘；总苞 2 裂，具与裂片近等长的喙，宿存；伞形花序具少数花，松散；小花梗近等长，比花被片长 2 ~ 3（~ 4）倍，基部具小苞片；花淡红色至淡红紫色，近星芒状开展；内轮花被片矩圆状椭圆形，长 3.7 ~ 5 mm，宽 1.3 ~ 2.1 mm，先端具短尖头，外轮花被片卵状椭圆形，稍短而狭，先端具短尖头；花丝等长，略比花被片长，稀略短于花被片，锥形，

无齿，基部合生并与花被片贴生；子房近球状，外壁多少具细疣状突起，沿腹缝线具隆起的蜜囊，蜜囊在子房基部开口，花柱伸出花被外。花期 7 ~ 8 月。

| 生境分布 | 生于戈壁、干旱山坡或砂石荒漠。分布于新疆乌鲁木齐市等。

| 资源情况 | 野生资源一般。药材来源于野生。

| 功能主治 | 止痛止泻，健胃提神，壮阳。

| 附　　注 | 本种与其他物种的区别在于本种有纵生蜜囊。

百合科 Liliaceae 葱属 *Allium*

韭 *Allium tuberosum* Rottl. ex Spreng.

| 药 材 名 | 韭菜子（药用部位：种子）。

| 形态特征 | 多年生草本。高 15 ~ 50 cm，具根茎。鳞茎簇生，近圆柱状，外皮黄褐色，破裂成网状纤维。叶线形，扁平，短于花葶。花葶近圆柱状，常具 2 纵棱，下部被叶鞘；总苞单侧开裂或 2 ~ 3 裂，宿存；伞形花序近球状，多花，较疏松；花梗长于花被，基部有小苞片；花白色；花被片中脉绿色或黄绿色，外轮花被片略短于内轮花被片；花丝短于花被片，基部合生，内轮花被片较宽。花果期 7 ~ 8 月。

| 生境分布 | 栽培种。新疆各地均有栽培。

| 采收加工 | 秋季果实成熟时采收果序，晒干，搓出种子，除去杂质。

| 功能主治 | 辛，甘，温。归肝，肾经。温补肝肾，壮阳固精。用于肝肾亏虚，腰膝酸痛，阳痿遗精，遗尿尿频，白浊带下。

| 用法用量 | 内服煎汤，3 ~ 9 g。

| 附　　注 | 本种与野韭 *Allium ramosum* L. 的区别在于野韭的叶为三棱状条形，背面因纵棱隆起而呈龙骨状，中空，花被片常具红色中脉，叶缘和沿纵棱处常具细糙齿。

百合科 Liliaceae 知母属 *Anemarrhena*

知母 *Anemarrhena asphodeloides* Bunge

| 药 材 名 |

知母（药用部位：根茎）。

| 形态特征 |

根茎直径 0.5 ~ 1.5 cm，为残存的叶鞘所覆盖。叶长 15 ~ 60 cm，宽 1.5 ~ 11 mm，向先端渐尖，呈丝状，基部渐宽，呈鞘状，具多条平行脉，没有明显的中脉。花葶比叶长得多；总状花序长 20 ~ 50 cm；苞片小，卵形或卵圆形，先端长渐尖；花粉红色、淡紫色至白色；花被片条形，长 5 ~ 10 mm，中央具 3 脉，宿存。蒴果狭椭圆形，长 8 ~ 13 mm，宽 5 ~ 6 mm，先端有短喙。种子长 7 ~ 10 mm。花果期 6 ~ 9 月。

| 生境分布 |

栽培种。新疆有栽培。

| 采收加工 |

春、秋季采挖，除去须根和泥沙，晒干；或除去外皮，晒干。

| 功能主治 |

苦、甘，寒。清热泻火，生津润燥，润肠通

便。用于外感热病，高热烦渴，骨蒸潮热，内热消渴，怀胎蕴热，胎动不安，肠燥便秘。

| **用法用量** | 内服煎汤，5 ~ 15 g。

百合科 Liliaceae 天门冬属 *Asparagus*

折枝天门冬 *Asparagus angulofractus* Iljin

| 药 材 名 | 天门冬（药用部位：根）。

| 形态特征 | 多年生直立草本。根较粗。茎高 20 ~ 40 cm。茎和分枝平滑，稍呈回折状。叶状枝 1 ~ 5 成簇，通常平展而呈直角状，一般长 1 ~ 3 cm，直径 1 ~ 1.5 mm；鳞片状叶基部无刺。通常 2 花腋生，淡黄色；雄花花梗长 4 ~ 6 mm，关节位于近中部或上部，花狭钟状，外花被片 3，卵圆形，长 3 ~ 3.5 mm，雄蕊长圆形，淡黄色；雌花花被片卵形，长 3 ~ 4 mm，花梗常比雄花花梗稍长，关节位于上部。浆果成熟后呈红色。种子 2 ~ 3。花期 6 月，果期 7 ~ 8 月。

| 生境分布 | 生于平原荒漠或半固定的沙丘。分布于新疆玛纳斯县、霍城县、伊宁县、和静县、库尔勒市、轮台县、若羌县、且末县、乌恰县、叶城县、疏附县、莎车县、皮山县、策勒县等。

| 资源情况 | 野生资源丰富。药材来源于野生。

| 功能主治 | 润肺止咳。

百合科 Liliaceae 天门冬属 *Asparagus*

新疆天门冬 *Asparagus neglectus* Kar. et Kir.

| 药材名 |

天门冬（药用部位：块根）。

| 形态特征 |

直立草本或稍攀缘。高可达 1 m。根细长，直径 1 ~ 2 mm。茎近平滑或略具条纹，中部常有纵向剥离的白色薄膜，除基部外每个节上都有多束叶状枝；分枝密接，幼枝略具条纹。叶状枝 7 ~ 25 成簇，近刚毛状，略有钝棱，一般稍弧曲，长 5 ~ 17 mm，直径 0.3 ~ 0.4 mm，在茎上一般多束聚生，长于 1 cm，数目达几十；茎上鳞片状叶基部有长 2 ~ 3 mm 的刺状距，分枝上的距短或不明显。花每 1 ~ 2 腋生；花梗长 1 ~ 1.5 cm，关节位于上部；雄花花被片长 5 ~ 7 mm，花丝中部以下贴生于花被片；雌花较小，花被片长约 3 mm。浆果直径 6 ~ 7 mm，成熟时呈红色，有 1 ~ 3 种子。花期 6 月，果期 7 ~ 8 月。

| 生境分布 |

生于沙质河滩、河岸、草坡或丛林下。分布于新疆富蕴县、哈巴河县、青河县、木垒哈萨克自治县、奇台县、昌吉市、察布查尔锡伯自治县、塔城市、伊

州区、伊吾县等。

| 资源情况 | 野生资源丰富。药材来源于野生。

| 功能主治 | 甘、微苦，寒。滋阴润燥，清肺降火。用于肺结核，支气管炎，百日咳，热病口渴，糖尿病，大便燥结。

百合科 Liliaceae 天门冬属 *Asparagus*

石刁柏 *Asparagus officinalis* L.

| 药 材 名 |

石刁柏（药用部位：嫩茎）。

| 形态特征 |

直立草本。高 30 ~ 70 cm。根细长，直径约 2 mm。茎和分枝有条纹，有时幼枝具软骨质齿。叶状枝 1 ~ 6 成簇，通常全部斜立，与分枝交成锐角，几不平展或下倾，稍呈扁圆柱形，略有不明显的数钝棱，长 1 ~ 5 mm，直径约 0.6 mm，伸直或稍弧曲，有时有软骨质齿；鳞片状叶基部无刺。2 花腋生，黄绿色；雄花花梗长 3 ~ 5 mm，与花被片近等长，关节位于近中部，花丝大部分贴生于花被片，离生部分很短，只有花药一半长；雌花极小，花被片长约 1.5 mm，短于花梗，花梗关节位于上部。浆果直径 6 ~ 7 mm，有 2 ~ 6 种子。花期 6 月，果期 7 ~ 8 月。

| 生境分布 |

生于平原绿洲或荒漠中。分布于新疆阿勒泰市、塔城市等。

| 资源情况 |

野生资源较少，栽培资源丰富。药材来源于栽培。

| **采收加工** | 春、秋季采收，洗净，开水烫后晒干。

| **功能主治** | 清热利湿，活血散结。用于肝炎，银屑病，高脂血症，淋巴肉瘤，膀胱癌，乳腺癌，皮肤癌。

| **用法用量** | 内服煎汤，15 ~ 30 g。

百合科 Liliaceae 独尾草属 *Eremurus*

粗柄独尾草 *Eremurus inderiensis* (M. Bieb.) Regel

| 药 材 名 | 独尾草（药用部位：鳞茎）。

| 形态特征 | 多年生草本。高 40 ~ 80 cm，具短根茎。须根圆柱形或细纺锤形。叶基生，线形或线状披针形，宽 6 ~ 25 mm，边缘有毛，与花葶近等长。花葶直立，顶生长总状花序，多花，基部残存老叶鞘；苞片线状披针形，膜质，长于花梗；花梗直立，贴向花葶，长 8 ~ 10 mm，无关节；花被片窄钟状，污紫色，背面具 3 脉；花丝在花期略长于花被片。蒴果球状，稍压扁，表面平滑；种子三棱形，平滑。花果期 5 ~ 6 月。

| 生境分布 | 生于半固定或固定沙丘和沙地。分布于新疆青河县、福海县、布尔津县、裕民县、沙湾市、霍城县、察布查尔锡伯自治县、奇台县、阜康市、呼图壁县等。

| **资源情况** | 野生资源较丰富。药材来源于野生。

| **功能主治** | 抗溃疡，降血糖，降血脂，抗衰老。

| **附　　注** | 本种与阿尔泰独尾草 *Eremurus altaicus* (Pall.) Steven 的区别在于本种苞片边缘有密柔毛，花梗无关节，花被片不反卷，背面有 3 脉，雄蕊较短，花药稍露出花被，种子有宽翅。

百合科 Liliaceae 猪牙花属 *Erythronium*

新疆猪牙花 *Erythronium sibiricum* (Fisch. et Mey.) Kryl.

| 药 材 名 | 猪牙花（药用部位：鳞茎）。

| 形态特征 | 多年生草本。茎约 1/3 埋于地下。鳞茎近基部一侧常有几个扁球形小鳞茎。叶 2，对生于植株中部，披针形或近矩圆形，先端渐尖或急尖，基部楔形；叶柄长 1.5 ~ 2.5 cm。单花顶生，俯垂；花被片披针形，下部白色，上部紫红色，反折，内轮花被片内面基部有 4 胼胝体，两侧各有一披针形的耳，胼胝体互相靠近，干后形如具圆齿的褶片；花丝在中部加宽，加宽部分扁平，卵形；花柱向上稍增粗，具 3 裂的柱头。花期 4 ~ 6 月。

| 生境分布 | 生于海拔 1 100 ~ 2 500 m 的林下、灌丛和亚高山草地。分布于新疆阿勒泰市、富蕴县、青河县、布尔津县、哈巴河县、福海县等。

| **资源情况** | 野生资源一般。药材来源于野生。

| **功能主治** | 滋补，强身壮体。用于体虚多病，腰膝酸软无力等。

百合科 Liliaceae 贝母属 *Fritillaria*

伊贝母 *Fritillaria pallidiflora* Schrenk

| 药 材 名 |

贝母（药用部位：鳞茎）。

| 形态特征 |

鳞茎由 2 鳞片组成，鳞片上端延伸为长膜质物，皮较厚。叶通常散生，有时近对生或近轮生，从下向上叶呈狭卵形至披针形，先端不卷曲。花 1 ~ 4，淡黄色，内有暗红色斑点，每花有 1 ~ 2（~ 3）叶状苞片，苞片先端不卷曲；花被片匙状矩圆形，外轮 3 花被片明显宽于内轮 3 花被片，蜜腺窝在背面明显凸出；雄蕊长约为花被片的 2/3，花药近基着，花丝无乳突。蒴果棱上有宽翅。花期 5 月。

| 生境分布 |

生于海拔 1 200 ~ 2 500 m 的山地草甸、草原上。分布于新疆阿勒泰市布尔津县、哈巴河县、富蕴县、吉木乃县、青河县、托里县、额敏县、塔城市、裕民县、和布克赛尔蒙古自治县、博乐市、温泉县、霍城县、伊宁县、察布查尔锡伯自治县、昭苏县、特克斯县、尼勒克县、巩留县、新源县等。

| 资源情况 |

野生资源丰富，栽培资源丰富。药材来源于

栽培。

| 采收加工 | 采挖后除去泥沙，晒干，再除去须根和外皮。

| 功能主治 | 苦、甘，微寒。归肺、心经。清热润肺，化痰止咳。用于肺热咳嗽，胸闷痰黏，阴虚劳嗽，咳痰带血。

| 用法用量 | 内服煎汤，3 ~ 9 g。

百合科 Liliaceae 贝母属 *Fritillaria*

托里贝母 *Fritillaria tortifolia* X. Z. Duan & X. J. Zheng

| 药 材 名 |

贝母（药用部位：鳞茎）。

| 形态特征 |

多年生草本。鳞茎由 2 ~ 3 鳞片组成。茎无毛。叶披针形或条形，扭转，最下面的叶对生或 3 叶轮生，先端不卷。花 1 ~ 2（~ 10）或更多，下垂，钟形；叶状苞片 3，扭转，先端卷曲；花被片白色、乳白色或淡黄色，内面具紫色方格斑点或黄色内面具褐色方格斑；外轮花被片近长圆形，内轮花被片近倒卵形；蜜腺窝呈直角，微凸出；花丝无乳突；柱头 3 裂。蒴果具翅。花期 5 月，果期 6 月。

| 生境分布 |

生于海拔 1 500 ~ 2 100 m 的草甸和灌丛中。分布于新疆裕民县、塔城市、额敏县、托里县、裕民县、和布克赛尔蒙古自治县等。

| 资源情况 |

野生资源较少。药材来源于野生。

| 功能主治 |

清热润肺，止咳化痰，解毒。

百合科 Liliaceae 贝母属 *Fritillaria*

黄花贝母 *Fritillaria verticillata* Willd.

| 药 材 名 | 贝母（药用部位：鳞茎）。

| 形态特征 | 多年生草本。鳞茎由 2 鳞片组成。最下面的叶对生，其余叶每 3 ~ 7 轮生，条状披针形，通常先端极卷曲。花 1 ~ 5，淡黄色，先端的花具 3 叶状苞片，下面的花具 2 叶状苞片，苞片先端极卷曲；内轮花被片稍宽于外轮花被片，蜜腺窝在背面明显凸出；花丝无乳突；柱头 3 浅裂。蒴果具翅。花期 4 ~ 6 月，果期 7 月。

| 生境分布 | 生于海拔 1 200 ~ 2 000 m 的山地草原。分布于新疆额敏县、塔城市、裕民县、和布克赛尔蒙古自治县、阿勒泰市、布尔津县、吉木乃县、哈巴河县、富蕴县、青河县等。

| 资源情况 | 野生资源一般。药材来源于野生。

| 功能主治 | 清热润肺，化痰止咳，散结。用于风湿痹痛，肌肉痛，支气管炎，肺结核，复合性胃和十二指肠溃疡，咳喘，黄疸，痈肿，疮毒。

百合科 Liliaceae 贝母属 *Fritillaria*

新疆贝母 *Fritillaria walujewii* Rgl.

| 药 材 名 | 伊贝母（药用部位：鳞茎）。

| 形态特征 | 鳞茎由 2 鳞片组成。通常最下面的叶对生，先端不卷曲，中部至上部叶对生或 3 ～ 5 轮生，先端稍卷曲，下面的条形，向上逐渐变为披针形。花单生，深紫色，有黄色小方格，具 3 先端极卷曲的叶状苞片；外花被比内花被片稍狭而长；蜜腺窝在背面明显凸出，几呈直角；雄蕊长为花被片的 1/2 ～ 2/3，花药近基着，花丝无乳突；柱头裂片宽和长相近或稍狭。花期 5 ～ 6 月，果期 7 ～ 8 月。

| 生境分布 | 生于海拔 1 300 ～ 2 000 m 的林下、草地或沙滩石缝中。分布于新疆乌鲁木齐市及巩留县、昭苏县等。

| 资源情况 | 野生资源丰富。药材来源于野生。

| 采收加工 | 采挖后晒干、阴干或烘干。

| 功能主治 | 苦、甘，微寒。归肺、心经。清热润肺，化痰止咳，散结消痈。用于肺热燥咳，干咳少痰，阴虚劳嗽，痰中带血，瘰疬，乳痈，肺痈。

| 用法用量 | 内服煎汤，3 ~ 10 g；或研末冲服，1 次 1 ~ 2 g。

百合科 Liliaceae 顶冰花属 *Gagea*

腋球顶冰花 *Gagea bulbifera* (Pall.) Roem. et Schult.

| 药 材 名 | 顶冰花（药用部位：鳞茎）。

| 形态特征 | 具灰白色短柔毛，果期有时近无毛。鳞茎卵圆形；鳞茎皮棕褐色，须根繁多，缠绕鳞茎。基生叶通常 2 ~ 4，丝状或刚毛状，茎生叶（2 ~ ）3 ~ 5，下部的茎生叶与基生叶相似，但较短，上部的叶渐小，边缘具缘毛。花 2 ~ 4 排成总状花序，很少单生；花被片窄矩圆形或条状匙形，先端钝或渐尖，内面黄色，外面绿色；雄蕊长为花被片的 2/3 ~ 3/4，花药矩圆形；子房矩圆形，花柱长为子房的 2 倍。蒴果三棱状矩圆形。种子近三角状，红棕色，扁平。花期 4 月中旬，果期 4 月下旬。

| 生境分布 | 生于海拔 600 ~ 1 200 m 的干旱黄土山坡和山前平原。分布于新疆乌鲁木齐市、伊犁哈萨克自治州及玛纳斯县等。

| 资源情况 | 野生资源丰富。药材来源于野生。

| 采收加工 | 采挖后晒干、阴干或烘干。

| 功能主治 | 清热散结，止咳，止血。

百合科 Liliaceae 顶冰花属 *Gagea*

叉梗顶冰花 *Gagea divaricata* Regel

| 药 材 名 | 顶冰花（药用部位：鳞茎）。

| 形态特征 | 鳞茎卵形，鳞茎皮土黄色，干膜质，无附属小鳞茎。基生叶 1，丝状或近刚毛状，无毛。总苞片披针状条形，长于花序，基部扩展为鞘状，边缘具缘毛；花梗无毛；花被片条形或宽披针形，内面黄色，背面沿中脉具宽的绿色带，边缘黄色，先端渐尖，具短尖；雄蕊长为花被片的一半，花药矩圆形；子房矩圆形，花柱稍长于子房，柱头头状。花期 4 月上旬。

| 生境分布 | 生于海拔约 1 000 m 的半固定沙丘。分布于新疆伊犁哈萨克自治州等。

| 资源情况 | 野生资源丰富。药材来源于野生。

| 采收加工 | 采挖后晒干、阴干或烘干。

| 功能主治 | 清热散结，止咳，止血。

百合科 Liliaceae 顶冰花属 *Gagea*

镰叶顶冰花 *Gagea fedtschenkoana* Pasch.

| 药 材 名 | 顶冰花（药用部位：鳞茎）。

| 形态特征 | 全株暗绿色。鳞茎通常卵圆形，鳞茎皮褐黄色，近革质，偶有 1 ~ 2 附属小鳞茎。基生叶 1，条形，呈镰形弯曲，正面具凹槽，背面有龙骨状脊。花 2 ~ 5 排成伞形花序或伞房花序；花梗不等长，无毛或具疏柔毛；总苞片狭披针形，常长于花序，两侧或至少近基部具缘毛；花被片条形或窄矩圆形，内面淡黄色，外面绿色或污紫色，具黄色的边缘，先端钝或锐尖；雄蕊长约为花被片的 2/3；子房矩圆形，花柱长为子房的 2 倍。蒴果三棱状倒卵形，长为宿存花被的 1/2。种子矩圆形，红棕色。花期 4 月下旬至 5 月上旬，果期 5 月中旬至下旬。

| 生境分布 | 生于海拔 2 500 m 以下的亚高山草甸、灌丛、林缘和草原凹地等。分布于新疆乌鲁木齐市、伊犁哈萨克自治州、塔城地区、阿勒泰地区等。

| 资源情况 | 野生资源丰富。药材来源于野生。

| 采收加工 | 采挖后晒干、阴干或烘干。

| 功能主治 | 清热散结，止咳，止血。

百合科 Liliaceae 顶冰花属 *Gagea*

林生顶冰花 *Gagea filiformis* (Ledeb.) Kunth

| 药 材 名 | 顶冰花（药用部位：鳞茎）。

| 形态特征 | 鳞茎卵圆形，鳞茎皮为光亮的褐棕色，近膜质，鳞茎皮内基部具 1 附属小鳞茎。基生叶 1，条形，扁平。花通常 3 ~ 7，少单生或更多，排成伞形花序或伞房花序；花梗略不等长，具疏柔毛；总苞片等长于或稍长于花序，条状披针形或披针形，基部具疏缘毛；小苞片具柔毛；花被片条形、披针形或狭矩圆形，先端钝或锐尖，内面淡黄色，外面黄绿色；雄蕊长为花被片的一半，花药卵状椭圆形；子房狭矩圆形，向基部渐窄，花柱比子房稍长，柱头头状。蒴果三棱状倒卵形，长为宿存花被的 2/5 ~ 1/2。种子红棕色，卵圆形。花期 4 月下旬至 5 月上旬，果期 5 月中旬至下旬。

| 生境分布 | 生于海拔 1 000 ~ 2 300 m 的山地林下、灌丛中、草甸和草原凹地等。分布于新疆乌鲁木齐市、伊犁哈萨克自治州、塔城地区、阿勒泰地区及奇台县等。

| 资源情况 | 野生资源丰富。药材来源于野生。

| 采收加工 | 采挖后晒干、阴干或烘干。

| 功能主治 | 清热散结，止咳，止血。

百合科 Liliaceae 顶冰花属 *Gagea*

乌恰顶冰花 *Gagea olgae* Regel

| 药 材 名 | 顶冰花（药用部位：鳞茎）。

| 形态特征 | 植株具灰白色短柔毛，尤其是下半部毛较密集。鳞茎卵形，皮棕褐色，具稍明显的网纹，上端延伸成圆筒状，多少撕裂成纤维状，无附属小鳞茎。基生叶丝状，背面有龙骨状脊，边缘内卷；茎生叶 2 ~ 3，与基生叶相似，最下面的 1 茎生叶稍短于基生叶，向上叶渐小，边缘具缘毛。花 1 ~ 2；花被片条形或狭矩圆形，先端钝，内面黄色，外面多为暗紫红色；雄蕊长为花被片的 3/4，花药矩圆形，长为花丝的一半；子房矩圆形，花柱稍长于子房，柱头头状，不分裂。花期 5 月，果期 6 月。

| 生境分布 | 生于高山草原和河谷坡地等。分布于新疆乌恰县等。

| 资源情况 | 野生资源丰富。药材来源于野生。

| 采收加工 | 采挖后晒干、阴干或烘干。

| 功能主治 | 清热散结，止咳，止血。

百合科 Liliaceae 顶冰花属 *Gagea*

洼瓣花 *Gagea serotina* (L.) Ker Gawl.

| 药 材 名 | 洼瓣花（药用部位：鳞茎）。

| 形态特征 | 鳞茎狭卵形，上端延伸，上部开裂。基生叶通常 2，很少仅 1，短于或有时高于花序；茎生叶狭披针形或近条形。花 1 ~ 2；内外花被片近相似，白色，有紫斑，先端钝圆，内面近基部常有 1 凹穴，较少例外；雄蕊长为花被片的 1/2 ~ 3/5，花丝无毛；子房近矩圆形或狭椭圆形，花柱与子房近等长，柱头不明显地 3 裂。蒴果近倒卵形，略有 3 钝棱，先端有宿存花柱。种子近三角形，扁平。花期 6 ~ 8 月，果期 8 ~ 10 月。

| 生境分布 | 生于海拔 2 400 ~ 4 000 m 的山坡、灌丛中或草地上。分布于新疆奇台县、巴里坤哈萨克自治县、阿勒泰市等。

| **资源情况** | 野生资源丰富。药材来源于野生。

| **采收加工** | 采挖后晒干、阴干或烘干。

| **功能主治** | 祛痰止咳。

百合科 Liliaceae 顶冰花属 *Gagea*

草原顶冰花 *Gagea stepposa* L. Z. Shue

| 药 材 名 | 顶冰花（药用部位：鳞茎）。

| 形态特征 | 植株具灰白色短柔毛。鳞茎卵圆形，鳞茎皮棕褐色，纸质，外为繁多的须根所缠绕和包围，有时偶有附属小鳞茎。基生叶 2 ~ 3，背面有龙骨状脊；茎生叶 3 ~ 5，窄条状披针形，比基生叶短，自下向上渐小，下部 1 ~ 2 茎生叶叶腋内具球状小鳞茎。花 1 ~ 2；花被片狭椭圆形，内面通常橘黄色，外面通常暗紫色，先端钝或近急尖；雄蕊长为花被片的 3/4，花药矩圆形，长为花丝的 1/3 或 1/4；子房矩圆形，花柱棒状，与子房近等长或略长于子房，柱头头状。花期 4 月下旬至 5 月上旬，果期 5 月中旬至下旬。

| 生境分布 | 生于海拔 1 100 ~ 2 300 m 的山地荒漠草原至森林带的干山坡。分布于新疆乌鲁木齐市、伊犁哈萨克自治州、阿勒泰地区及博乐市。

| 资源情况 | 野生资源丰富。药材来源于野生。

| 采收加工 | 采挖后晒干、阴干或烘干。

| 功能主治 | 清热散结，止咳，止血。

百合科 Liliaceae 顶冰花属 *Gagea*

新疆顶冰花 *Gagea subalpina* L. Z. Chue

| 药 材 名 | 顶冰花（药用部位：鳞茎）。

| 形态特征 | 鳞茎窄卵形，鳞茎皮棕褐色，膜质，上端延伸成圆筒状并紧密抱茎，无附属小鳞茎。基生叶 1，条形，上端稍呈镰状弯曲，无毛；茎生叶 3 ~ 4，下面的 1 茎生叶稍宽于基生叶，但较短，上面的渐小，边缘具缘毛。花单生，很少 2；花梗无毛；花被片窄矩圆形或条形，内面黄色，外面常为暗污紫红色，先端钝圆；雄蕊长为花被片的 2/3，花药矩圆形；子房矩圆形，花柱长为子房的 2 倍，柱头稍 3 裂。

| 生境分布 | 生于亚高山草原。分布于新疆沙湾市等。

| 资源情况 | 野生资源丰富。药材来源于野生。

| **采收加工** | 采挖后晒干、阴干或烘干。

| **功能主治** | 清热散结，止咳，止血。

百合科 Liliaceae 萱草属 *Hemerocallis*

小黄花菜 *Hemerocallis minor* Mill.

| 药 材 名 | 萱草（药用部位：全草）。

| 形态特征 | 根一般较细，绳索状，不膨大。花葶稍短于叶或与叶近等长，先端具 1 ~ 2 花，少具 3 花；花梗很短；苞片近披针形；花被淡黄色；蒴果椭圆形或矩圆形。花果期 5 ~ 9 月。

| 生境分布 | 生于海拔 2 300 m 以下的草地、山坡或林下。分布于新疆伊犁哈萨克自治州、阿勒泰地区等。

| 资源情况 | 野生资源丰富。药材来源于野生。

| 采收加工 | 采收后晒干、阴干或烘干。

| 功能主治 | 凉血宽胸，消食利水。

百合科 Liliaceae 百合属 *Lilium*

新疆野百合 *Lilium martagon* L. var. *pilosiusculum* Freyn

| 药 材 名 |

百合（药用部位：鳞茎）。

| 形态特征 |

鳞茎宽卵形；鳞片矩圆形，先端急尖，无节。茎有紫色条纹，无毛。叶轮生，少散生，披针形。花 2 ～ 7 排列成总状花序；苞片叶状，披针形，先端渐尖，边缘、下面及基部腋间均具白毛；花梗先端弯曲；花下垂，紫红色，有斑点，外面被长而卷的白毛；花被片长椭圆形，蜜腺两边具乳头状突起；花药长椭圆形；子房圆柱形，花柱柱头膨大。蒴果倒卵状矩圆形，淡褐色。花期 6 月，果期 8 月。

| 生境分布 |

生于海拔 200 ～ 2 500 m 的山坡阴处或林下灌丛中。分布于新疆北部。

| 资源情况 |

野生资源丰富。药材来源于野生。

| 采收加工 |

采挖后晒干、阴干或烘干。

| 功能主治 | 润肺止咳，宁心安神，滋补强壮。

百合科 Liliaceae 黄精属 *Polygonatum*

新疆黄精 *Polygonatum roseum* (Ledeb.) Kunth, Enum.

| 药 材 名 | 玉竹（药用部位：根茎）。

| 形态特征 | 根茎细圆柱形，粗细大致均匀。3 ~ 4 叶轮生，下部少数叶互生或对生，披针形至条状披针形，先端尖。总花梗平展或俯垂，极少无花梗而 2 花并生；苞片极微小，位于花梗上；花被片淡紫色；花丝极短；花柱与子房近等长。浆果具 2 ~ 7 种子。花期 5 月，果期 10 月。

| 生境分布 | 生于海拔 1 450 ~ 1 900 m 的山坡阴处。分布于新疆阿克苏地区等。

| 资源情况 | 野生资源丰富。药材来源于野生。

| **采收加工** | 采挖后晒干、阴干或烘干。

| **功能主治** | 养阴清肺，生津益胃。

百合科 Liliaceae 郁金香属 *Tulipa*

阿尔泰郁金香 *Tulipa altaica* Pall. ex Spreng.

| 药材名 | 山慈菇（药用部位：鳞茎）。

| 形态特征 | 鳞茎较大，鳞茎皮纸质，内面全部有伏毛或中部无毛，上部通常上延。茎上部有柔毛。叶常 3 ~ 4，灰绿色，边缘平展或呈皱波状；各叶片极不等宽，上部的叶窄，条形或披针状条形；最下部的叶披针形或长卵形。单花顶生，黄色；外花被片背面绿紫红色，内花被片有时带淡红色，萎凋时花色变深；6 雄蕊等长，花丝无毛，从基部向上逐渐变窄；几无花柱。蒴果宽椭圆形。花期 5 月，果期 6 ~ 7 月。

| 生境分布 | 生于海拔 1 300 ~ 2 600 m 的阳坡和灌丛下。分布于新疆塔城地区、阿勒泰地区等。

| **资源情况** | 野生资源丰富。药材来源于野生。

| **采收加工** | 采挖后晒干、阴干或烘干。

| **功能主治** | 清热解毒，消肿散结。

百合科 Liliaceae 郁金香属 *Tulipa*

异瓣郁金香 *Tulipa heteropetala* Ledeb.

| 药材名 | 山慈菇（药用部位：鳞茎）。

| 形态特征 | 鳞茎皮纸质，内面上部有伏毛。茎无毛。叶 2（~ 3），条形。单花顶生，黄色，先端渐尖或钝；外花被片背面绿紫色，内花被片基部渐窄成近柄状，背面有紫绿色纵条纹；雄蕊 3 长 3 短，花丝无毛，中下部扩大，向两端逐渐变窄，花药先端有紫黑色短尖头。花期 5 月，果期 6 月。

| 生境分布 | 生于海拔 1 200 ~ 2 400 m 的灌丛下。分布于新疆阿勒泰地区及奇台县、木垒哈萨克自治县等。

| 资源情况 | 野生资源丰富。药材来源于野生。

| **采收加工** | 采挖后晒干、阴干或烘干。

| **功能主治** | 清热解毒，消肿散结。

百合科 Liliaceae 郁金香属 *Tulipa*

异叶郁金香 *Tulipa heterophylla* (Regel) Baker

| 药 材 名 | 山慈菇（药用部位：鳞茎）。

| 形态特征 | 鳞茎皮纸质，内面无毛，上端稍上延。2 叶对生，2 叶近等宽，条形或条状披针形。单花顶生，黄色，披针形，先端渐尖；外花被片背面紫绿色，内花被片背面中央有紫绿色的宽纵条纹；6 雄蕊等长，花丝无毛，比花药长 5 ~ 7 倍；通常雌蕊比雄蕊长，具有与子房约等长的花柱。蒴果窄椭圆形，两端逐渐变窄，基部具短柄，先端有长喙。花期 6 月，果期 7 月。

| 生境分布 | 生于海拔 2 100 ~ 3 100 m 的砾石坡地或山地阳坡。分布于新疆阿勒泰地区及巴里坤哈萨克自治县、昭苏县、察布查尔锡伯自治县、和静县、博乐市等。

| 资源情况 | 野生资源丰富。药材来源于野生。

| 采收加工 | 采挖后晒干、阴干或烘干。

| 功能主治 | 清热解毒，消肿散结。

百合科 Liliaceae 郁金香属 *Tulipa*

伊犁郁金香 *Tulipa iliensis* Regel

| 药 材 名 |

山慈菇（药用部位：鳞茎）。

| 形态特征 |

鳞茎皮黑褐色，薄革质，内面上部和基部有伏毛。茎上部通常有密柔毛或疏毛，极少无毛。叶 3 ~ 4，条形或条状披针形，彼此疏离或紧靠而似轮生，伸展或反曲，边缘平展或呈波状。花常单朵顶生，黄色；外花被片背面绿紫红色、紫绿色或黄绿色，内花被片黄色；当花凋谢时，颜色通常变深，甚至 3 片外花被片变成暗红色，3 片内花被片变成淡红色或淡红黄色；6 雄蕊等长，花丝无毛，中部稍扩大，向两端逐渐变窄；几无花柱。蒴果卵圆形。种子扁平，近三角形。花期 3 ~ 5 月，果期 5 月。

| 生境分布 |

生于海拔 400 ~ 1 000 m 的山前平原和低山坡地。分布于新疆乌鲁木齐市、伊犁哈萨克自治州及玛纳斯县、沙湾市、精河县等。

| 资源情况 |

野生资源丰富。药材来源于野生。

| **采收加工** | 采挖后晒干、阴干或烘干。

| **功能主治** | 清热解毒，消肿散结。

百合科 Liliaceae 郁金香属 *Tulipa*

垂蕾郁金香 *Tulipa patens* Agardh. ex Schult.

| 药 材 名 | 山慈菇（药用部位：鳞茎）。

| 形态特征 | 鳞茎皮纸质，内面上部多少有伏毛，基部无毛或有毛，上端通常上延。茎无毛。叶 2 ~ 3，彼此疏离，条状披针形或披针形。单花顶生，在花蕾期和凋萎时下垂；花白色，干后乳白色或淡黄色（文献记载还有玫瑰红色），基部黄色或淡黄色（干后），先端长渐尖或渐尖；外花被片背面紫绿色或淡绿色，内花被片比外花被片宽 2/5 ~ 1/2，基部变窄，呈柄状，有柔毛，背面中央有紫绿色或淡绿色纵条纹；雄蕊 3 长 3 短，花丝基部扩大，具毛；雌蕊比雄蕊短。蒴果矩圆形。花期 4 ~ 5 月，果期 5 月。

| 生境分布 | 生于海拔 1 400 ~ 2 000 m 的阴坡或灌丛下。分布于新疆塔城市、温

泉县、霍城县等。

| 资源情况 | 野生资源丰富。药材来源于野生。

| 采收加工 | 采挖后晒干、阴干或烘干。

| 功能主治 | 清热解毒，消肿散结。

百合科 Liliaceae 郁金香属 *Tulipa*

单花郁金香 *Tulipa uniflora* (L.) Bess. ex Baker

| 药 材 名 |

山慈菇（药用部位：鳞茎）。

| 形态特征 |

鳞茎皮纸质，内面上部有伏毛。茎无毛。叶2（~3），条形。单花顶生，黄色，先端渐尖或钝；外花被片背面绿紫色，内花被片基部渐窄成近柄状，背面有紫绿色纵条纹；雄蕊3长3短；花丝无毛，中下部扩大，向两端逐渐变窄；花药先端有紫黑色短尖头。花期5月，果期6月。

| 生境分布 |

生于海拔1 200 ~ 2 400 m的山地阳坡或灌丛。分布于新疆阿勒泰地区及和静县、温泉县、阜康市、精河县等。

| 资源情况 |

野生资源丰富。药材来源于野生。

| 采收加工 |

采挖后晒干、阴干或烘干。

| 功能主治 | 清热解毒，消肿散结。

百合科 Liliaceae 藜芦属 *Veratrum*

阿尔泰藜芦 *Veratrum lobelianum* Bernh.

|药材名|

藜芦（药用部位：全草）。

|形态特征|

植株基部具无网眼的纤维束。茎下部的叶较大，宽卵状椭圆形，先端钝或渐尖，背面密生微柔毛，向上逐渐变小，呈披针形。圆锥花序具多数近等长的侧生总状花序，侧生花序常常再次分枝，总轴和枝轴密生灰色柔毛；花密生，黄绿色；花被片狭椭圆形，先端略尖或钝，基部狭成近柄状，边缘具不甚明显的细牙齿；花梗短于小苞片，生柔毛；雄蕊长为花被片的 1/2 ~ 3/5；子房长大于宽，无毛。花果期 8 ~ 9 月。

|生境分布|

成片聚生于海拔 1 500 ~ 2 000 m 的山地林下阴湿处。分布于新疆阿勒泰地区等。

|资源情况|

野生资源丰富。药材来源于野生。

|采收加工|

采收后晒干、阴干或烘干。

| 功能主治 | 止血，驱虫，清热解毒，止痛。

石蒜科 Amaryllidaceae 鸢尾蒜属 *Ixiolirion*

鸢尾蒜 *Ixiolirion tataricum* (Pall.) Herb.

| 药 材 名 | 鸢尾蒜（药用部位：鳞茎）。

| 形态特征 | 多年生草本。鳞茎卵球形，外有褐色带浅色纵纹的鳞茎皮。叶通常3 ~ 8，簇生于茎的基部，狭线形。花茎春天抽出，下部着生1 ~ 3较小的叶，先端有3 ~ 6花组成的伞形花序，或总状花序缩短成伞状，下有佛焰苞状总苞；总苞片膜质，2 ~ 3，白色或绿色，披针形，先端渐尖成芒状；除花茎先端着生花序外，有时下部叶腋也抽生1 ~ 3花；花梗长短不一；小苞片较小，膜质；花被蓝紫色至深蓝紫色；花被片离生，倒披针形或较狭，先端近急尖，中央有3 ~ 5肋；雄蕊着生于花被片基部，2轮，内轮3雄蕊较长，外轮3雄蕊较短，花丝无毛，近丝状，花药基着；子房下位，近棒状，3室，柱头3裂。蒴果；种子小，黑色。花期5 ~ 6月。

| **生境分布** | 生于山谷、沙地或荒草地上。分布于新疆伊宁县、尼勒克县、裕民县、石河子市等。

| **资源情况** | 野生资源丰富。药材来源于野生。

| **采收加工** | 采挖后晒干、阴干或烘干。

| **功能主治** | 催吐，止血止痛。

薯蓣科 Dioscoreaceae 薯蓣属 *Dioscorea*

薯蓣 *Dioscorea polystachya* Turcz.

| 药 材 名 |

山药（药用部位：块根）。

| 形态特征 |

缠绕草质藤本。块茎长圆柱形，垂直生长，断面干时白色；茎通常带紫红色，右旋，无毛。茎下部的叶互生，中部以上的叶对生，很少3叶轮生；叶片变异大，卵状三角形至宽卵形或戟形，先端渐尖，基部深心形、宽心形或近截形，边缘常3浅裂至3深裂，中裂片卵状椭圆形至披针形，侧裂片耳状，圆形、近方形至长圆形；幼苗叶片一般为宽卵形或卵圆形，基部深心形；叶腋内常有珠芽。雌雄异株；雄花序为穗状花序，近直立，2～8着生于叶腋，偶呈圆锥状排列，花序轴明显呈"之"字状曲折，苞片和花被片有紫褐色斑点，雄花的外轮花被片宽卵形，内轮卵形，较小，雄蕊6。雌花序为穗状花序，1～3着生于叶腋。蒴果不反折，三棱状扁圆形或三棱状圆形，外面有白粉；种子着生于每室中轴中部，四周有膜质翅。花期6～9月，果期7～11月。

| 生境分布 |

生于山坡、山谷林下，溪边、路旁的灌丛中

或杂草中。分布于新疆阿克苏地区等。

| **资源情况** | 栽培资源丰富。药材来源于栽培。

| **采收加工** | 采挖后晒干、阴干或烘干。

| **功能主治** | 健脾养胃，补肺益肾，滋阴补气。

鸢尾科 Iridaceae 射干属 *Belamcanda*

射干 *Belamcanda chinensis* (L.) DC.

药材名

射干（药用部位：根茎）。

形态特征

多年生草本。根茎为不规则的块状，斜伸，黄色或黄褐色；须根多数，带黄色。茎实心。叶互生，呈嵌迭状排列，剑形，基部鞘状抱茎，先端渐尖，无中脉。花序顶生，叉状分枝，分枝的先端聚生数朵花；花梗细，花梗及花序的分枝处均包有膜质的苞片；苞片披针形或卵圆形；花橙红色，散生紫褐色的斑点；花被裂片6，排列成2轮，外轮花被裂片倒卵形或长椭圆形，先端钝圆或微凹，基部楔形，内轮花被裂片较外轮略短而狭；雄蕊3，着生于外轮花被裂片的基部，花药条形，向外开裂，花丝近圆柱形，基部稍扁而宽；花柱上部稍扁，先端3裂，裂片边缘略向外卷，有细而短的毛，子房下位，倒卵形，3室，中轴胎座，胚珠多数。蒴果倒卵形或长椭圆形，先端无喙，常残存有凋萎的花被片，成熟时室背开裂，果瓣外翻，中央有直立的果轴；种子圆球形，黑紫色，有光泽，着生在果轴上。花期6～8月，果期7～9月。

| 生境分布 | 生于林缘或山坡草地。新疆石河子市、乌鲁木齐县、察布查尔锡伯自治县、阿克苏市等有栽培。

| 资源情况 | 野生资源丰富。药材来源于野生。

| 采收加工 | 采挖后晒干、阴干或烘干。

| 功能主治 | 清热解毒，散结消炎，消肿止痛，止咳化痰。用于扁桃体炎，腰痛等。

鸢尾科 Iridaceae 番红花属 *Crocus*

白番红花 *Crocus alatavicus* Semen. & Regel

| 药 材 名 | 番红花（药用部位：块根）。

| 形态特征 | 多年生草本。球茎扁圆形，外有浅黄色或黄褐色的膜质包被。根细弱，黄白色。植株基部包有数片黄白色的膜质鞘状叶；叶 6 ~ 8，条形，边缘内卷，表面绿色，背面浅绿色。花茎甚短，不伸出地面；花白色，花被管细长，丝状；花被裂片 6，排列成 2 轮，狭倒卵形，内、外花被外侧的中脉上均有蓝色的纵条纹，内花被裂片较外花被裂片略狭窄；花药橘黄色，条形，直立；花柱丝状，先端有 3 分枝，柱头略膨大，子房狭纺锤形，蒴果椭圆形，无喙，黄绿色，表面光滑，果皮薄而软；种子为不规则的多面体，浅棕色，表面皱缩，一端有乳白色的附属物。花期 5 ~ 6 月，果期 7 ~ 8 月。

| 生境分布 | 生于海拔 1 200 ~ 3 000 m 的山坡及河滩草地。分布于新疆新源县、巩留县、尼勒克县等。

| 资源情况 | 野生资源丰富。药材来源于野生。

| 采收加工 | 采挖后晒干、阴干或烘干。

| 功能主治 | 健脾养胃，补肺益肾，滋阴补气。

鸢尾科 Iridaceae 鸢尾属 *Iris*

中亚鸢尾 *Iris bloudowii* Ledeb.

| 药 材 名 | 马蔺根（药用部位：根）。

| 形态特征 | 多年生草本。植株基部围有棕褐色的老叶残留纤维及膜质的鞘状叶。根茎粗壮肥厚，局部膨大成结节状，棕褐色；根黄白色。叶灰绿色，剑形或条形，不弯曲或略弯曲，先端短渐尖或骤尖，基部鞘状，互相套迭，有 5 ~ 6 纵脉，无明显的中脉。苞片 3，膜质，带红紫色，倒卵形，先端钝，中间 1 苞片略短而狭，内包含 2 花；花鲜黄色；花被管漏斗形；外花被裂片倒卵形，上部反折，爪部狭楔形，中脉上生有须毛状的附属物，内花被裂片倒披针形，花柱分枝扁平，鲜黄色，先端裂片三角形，子房绿色，纺锤形。蒴果卵圆形，6 肋明显，肋间有不规则的网状脉纹，先端无明显的喙，室背开裂；种子椭圆形，深褐色，一端带有白色的附属物。花期 5 月，果期 6 ~ 8 月。

| 生境分布 | 生于向阳山坡的固定沙丘、林缘草地。新疆各地均有分布。

| 资源情况 | 野生资源丰富。药材来源于野生。

| 采收加工 | 采挖后晒干、阴干或烘干。

| 功能主治 | 清热解毒，活血利尿。

鸢尾科 Iridaceae 鸢尾属 *Iris*

弯叶鸢尾 *Iris curvifolia* Y. T. Zhao

|药 材 名| 马蔺根（药用部位：根）。

|形态特征| 多年生草本。根茎肥大而粗壮，斜伸，黄棕色；须根粗，先端有少量分枝。叶丛基部的叶鞘膨大，外部围以老叶残留的膜质叶鞘；叶呈镰状弯曲或中部以上略弯曲，先端短渐尖或渐尖，中部略宽，基部呈鞘状，膨大，互相套迭。花茎无茎生叶；苞片 3，披针形，先端渐尖，内包含 2 花；花鲜黄色，具褐色条纹，近无花梗；花被管上粗下细；外花被裂片倒卵形，爪部细长，狭楔形，中脉上有浅黄色的须毛状附属物，内花被裂片倒披针形；花药黄色；子房圆柱形。蒴果倒卵形，先端圆形，有短喙，果皮黄绿色，表面光滑，6 肋明显；种子歪梨形，红褐色。花期 5 ~ 6 月，果期 7 ~ 9 月。

| **生境分布** | 生于灌丛草原或山坡草地上。新疆各地均有分布。

| **资源情况** | 野生资源丰富。药材来源于野生。

| **采收加工** | 采挖后晒干、阴干或烘干。

| **功能主治** | 清热消毒，活血利尿。

鸢尾科 Iridaceae 鸢尾属 *Iris*

玉蝉花 *Iris ensata* Thunb.

| 药 材 名 | 马蔺根（药用部位：根）。

| 形态特征 | 多年生草本。植株基部围有叶鞘残留的纤维。根茎粗壮，斜伸，外包有棕褐色叶鞘残留的纤维；须根绳索状，灰白色，有皱缩的横纹。叶条形，先端渐尖或长渐尖，基部鞘状，两面中脉明显。花茎圆柱形，实心，有 1 ~ 3 茎生叶；苞片 3，近革质，披针形，先端急尖、渐尖或钝，平行脉明显而突出，内包含 2 花；花深紫色；花被管漏斗形；外花被裂片倒卵形，爪部细长，中央下陷成沟状，中脉上有黄色斑纹，内花被裂片小，直立，狭披针形或宽条形；花药紫色，较花丝长；花柱分枝扁平，紫色，略呈拱形弯曲，先端裂片三角形，有稀疏的牙齿，子房圆柱形。蒴果长椭圆形，先端有短喙，6 肋明显，成熟时自先端向下开裂至 1/3 处；种子棕褐色，扁平，半圆形，边

缘呈翅状。花期 6 ~ 7 月，果期 8 ~ 9 月。

| 生境分布 | 生于沼泽地或河岸的湿地。分布于新疆阿克苏地区等。

| 资源情况 | 野生资源丰富。药材来源于野生。

| 采收加工 | 采挖后晒干、阴干或烘干。

| 功能主治 | 清热解毒，活血利尿。

鸢尾科 Iridaceae 鸢尾属 *Iris*

喜盐鸢尾 *Iris halophila* Pall.

|药材名|

马蔺根（药用部位：根）。

|形态特征|

多年生草本。根茎紫褐色，粗壮而肥厚，斜伸，有环形纹，表面残存老叶叶鞘；须根粗壮，黄棕色，有皱缩的横纹。叶剑形，灰绿色，略弯曲，有10余纵脉，无明显的中脉。花茎粗壮，比叶短，上部有1～4侧枝，中下部有1～2茎生叶；在花茎分枝处有3苞片，草质，绿色，边缘膜质，白色，内包含2花；花黄色；外花被裂片提琴形，内花被裂片倒披针形；花药黄色；花柱分枝扁平，片状，呈拱形弯曲，子房狭纺锤形，上部细长。蒴果椭圆状柱形，绿褐色或紫褐色，具6翅状的棱，每2棱成对靠近，先端有长喙，成熟时室背开裂；种子近梨形，黄棕色，种皮膜质，薄纸状，皱缩，有光泽。花期5～6月，果期7～8月。

|生境分布|

生于草甸草原、山坡荒地、砾质坡地及潮湿的盐碱地上。新疆各地均有分布。

| **资源情况** | 野生资源丰富。药材来源于野生。

| **采收加工** | 采挖后晒干、阴干或烘干。

| **功能主治** | 清热解毒，活血利尿。

鸢尾科 Iridaceae 鸢尾属 *Iris*

蓝花喜盐鸢尾 *Iris halophila* Pall. var. *sogdiana* (Bunge) Grubov

| 药 材 名 | 马蔺根（药用部位：根）。

| 形态特征 | 本种与喜盐鸢尾的区别在于本种花蓝紫色，或内、外花被裂片的上部为蓝紫色，爪部为黄色。

| 生境分布 | 生于草甸草原、山坡荒地、砾质坡地及潮湿的盐碱地上。分布于新疆阿勒泰地区等。

| 资源情况 | 野生资源丰富。药材来源于野生。

| 采收加工 | 采挖后晒干、阴干或烘干。

| **功能主治** | 清热解毒，活血利尿。

鸢尾科 Iridaceae 鸢尾属 *Iris*

马蔺 *Iris lactea* Pall.

| 药 材 名 | 马蔺花（药用部位：花）。

| 形态特征 | 多年生密丛草本。根茎粗壮，木质，斜伸，外包有大量致密的红紫色折断的老叶残留叶鞘及毛发状的纤维；须根粗而长，黄白色，少分枝。叶基生，坚韧，灰绿色，条形或狭剑形，先端渐尖，基部鞘状，带红紫色，无明显的中脉。花茎光滑；苞片 3 ～ 5，草质，绿色，边缘白色，披针形，先端渐尖或长渐尖，包含 2 ～ 4 花；花乳白色；花被管甚短；外花被裂片倒披针形，先端钝或急尖，爪部楔形，内花被裂片狭倒披针形，爪部狭楔形；花药黄色，花丝白色；子房纺锤形。蒴果长椭圆状柱形，有 6 明显的肋，先端有短喙；种子为不规则的多面体，棕褐色，略有光泽。花期 5 ～ 6 月，果期 6 ～ 9 月。

| 生境分布 | 生于荒地、路旁及山坡草丛中。分布于新疆温宿县、尼勒克县、泽普县、伽师县等。

| 资源情况 | 野生资源丰富。药材来源于野生。

| 采收加工 | 采收后晒干、阴干或烘干。

| 功能主治 | 用于痈肿疮疖。

鸢尾科 Iridaceae 鸢尾属 *Iris*

天山鸢尾 *Iris loczyi* Kanitz

|药材名| 马蔺子（药用部位：种子）。

|形态特征| 多年生密丛草本。折断的老叶叶鞘宿存于根茎上，棕色或棕褐色。地下生有不明显的木质块状根茎，暗棕褐色。叶质坚韧，直立，狭条形，先端渐尖，基部鞘状，无明显的中脉。花茎较短，不伸出或略伸出地面，基部常包有披针形膜质的鞘状叶；苞片 3，草质，中脉明显，先端渐尖，包含 1 ~ 2 花；花蓝紫色，花被管甚长，丝状；外花被裂片倒披针形或狭倒卵形，爪部略宽，内花被裂片倒披针形，先端裂片半圆形；子房纺锤形。果实长倒卵形至圆柱形，先端略有短喙，有 6 明显的肋，新鲜时红褐色，苞片宿存于果实的基部。花期 5 ~ 6 月，果期 7 ~ 9 月。

| 生境分布 | 生于海拔 2 000 m 以上的高山向阳草地。分布于新疆木垒哈萨克自治县、托里县、塔什库尔干塔吉克自治县等。

| 资源情况 | 野生资源丰富。药材来源于野生。

| 采收加工 | 采收后晒干、阴干或烘干。

| 功能主治 | 用于咽喉痛，吐血，月经过多。

鸢尾科 Iridaceae 鸢尾属 *Iris*

紫苞鸢尾 *Iris ruthenica* Ker Gawl.

| 药 材 名 | 马蔺子（药用部位：种子）。

| 形态特征 | 多年生草本。植株基部围有短的鞘状叶。根茎斜伸，二歧分枝，节明显，外包以老叶残留的棕褐色纤维；须根粗，暗褐色。叶条形，灰绿色，先端长渐尖，基部鞘状，有 3 ~ 5 纵脉。花茎纤细，略短于叶，有 2 ~ 3 茎生叶；苞片 2，膜质，绿色，边缘带红紫色，披针形或宽披针形，中脉明显，内包含 1 花；花蓝紫色，外花被裂片倒披针形，有白色及深紫色的斑纹，内花被裂片直立，狭倒披针形；花药乳白色；花柱分枝扁平，先端裂片狭三角形，子房狭纺锤形。蒴果球形或卵圆形，6 肋明显，先端无喙，成熟时自先端向下开裂至 1/2 处；种子球形或梨形，有乳白色的附属物，遇潮湿易变黏。花期 5 ~ 6 月，果期 7 ~ 8 月。

| **生境分布** | 生于向阳草地或石质山坡。分布于新疆哈密市及阜康市、新源县、玛纳斯县、温宿县等。

| **资源情况** | 野生资源丰富。药材来源于野生。

| **采收加工** | 采收后晒干、阴干或烘干。

| **功能主治** | 用于咽喉痛，吐血，月经过多。

鸢尾科 Iridaceae 鸢尾属 *Iris*

膜苞鸢尾 *Iris scariosa* Willd. ex Link

| 药 材 名 | 马蔺花（药用部位：花）。

| 形态特征 | 多年生草本。植株基部围有稀疏的毛发状老叶残留纤维。根茎粗壮、肥厚，斜伸，棕黄色；须根黄白色，上下近等粗，分枝少。叶灰绿色，剑形或呈镰形弯曲，先端短渐尖，基部黄白色，鞘状，中部较宽。无茎生叶。苞片 3，膜质，边缘红紫色，长卵形至宽披针形，先端短渐尖，内包含有 2 花；花蓝紫色；花梗甚短；花被管上部扩大成喇叭形；外花被裂片倒卵形，爪部狭楔形，中脉上生有黄色须毛状的附属物，内花被裂片倒披针形，直立；花柱分枝淡紫色，先端裂片狭三角形，子房纺锤形。蒴果纺锤形或卵圆状柱形，先端无明显的喙，但略膨大成环状，6 肋明显，突出，成熟时室背开裂。花期 4 ~ 5 月，果期 6 ~ 7 月。

| 生境分布 | 生于石质山坡向阳处或沟旁。分布于新疆和布克赛尔蒙古自治县、察布查尔锡伯自治县、塔城市等。

| 资源情况 | 野生资源丰富。药材来源于野生。

| 采收加工 | 采收后晒干、阴干或烘干。

| 功能主治 | 用于痈肿疮疖。

鸢尾科 Iridaceae 鸢尾属 *Iris*

准噶尔鸢尾 *Iris songarica* Schrenk ex Fisch. & C. A. Mey.

| **药 材 名** | 马蔺子（药用部位：种子）。

| **形态特征** | 多年生密丛草本。植株基部围有棕褐色折断的老叶叶鞘。地下有不明显的木质块状根茎，根茎棕黑色；须根棕褐色，上下近等粗。叶灰绿色，条形，花期叶较花茎短，果期叶比花茎长，有 3 ~ 5 纵脉。花茎光滑，生 3 ~ 4 茎生叶；花下苞片 3，草质，绿色，边缘膜质，颜色较淡，先端短渐尖，内包含 2 花；花蓝色，外花被裂片提琴形，上部椭圆形或卵圆形，爪部近披针形，内花被裂片倒披针形，直立；花药褐色；花柱先端裂片狭三角形，子房纺锤形。蒴果三棱状卵圆形，先端有长喙，果皮革质，网脉明显，成熟时自先端沿室背开裂至 1/3 处；种子棕褐色，梨形，无附属物，表面略皱缩。花期 6 ~ 7 月，果期 8 ~ 9 月。

| 生境分布 | 生于向阳的高山草地、坡地及石质山坡。分布于新疆奇台县、吉木萨尔县、阜康市等。

| 资源情况 | 野生资源丰富。药材来源于野生。

| 采收加工 | 采收后晒干、阴干或烘干。

| 功能主治 | 用于咽喉痛，吐血，月经过多。

鸢尾科 Iridaceae 鸢尾属 *Iris*

细叶鸢尾 *Iris tenuifolia* Pall.

| 药材名 | 马蔺根（药用部位：根）。

| 形态特征 | 多年生密丛草本。植株基部存留有红褐色或黄棕色折断的老叶叶鞘。根茎块状，短而硬，木质，黑褐色；根坚硬，细长，分枝少。叶质坚韧，丝状或狭条形，扭曲，无明显的中脉。花茎长度随埋沙深度而变化，通常甚短，不伸出地面；苞片 4，披针形，先端长渐尖或尾状尖，边缘膜质，中肋明显，内包含 2 ~ 3 花；花蓝紫色，直径约 7 cm；花梗细，外花被裂片匙形，爪部较长，中央下陷成沟状，中脉上无附属物，常生纤毛，内花被裂片倒披针形，直立；花丝与花药近等长；花柱先端裂片狭三角形，子房细圆柱形。蒴果倒卵形，先端有短喙，成熟时沿室背自上而下开裂。花期 4 ~ 5 月，

果期 8 ～ 9 月。

| **生境分布** | 生于固定沙丘或沙地上。分布于新疆阿勒泰地区等。

| **资源情况** | 野生资源丰富。药材来源于野生。

| **采收加工** | 采挖后晒干、阴干或烘干。

| **功能主治** | 清热解毒，活血利尿。

美人蕉科 Iridaceae 美人蕉属 *Canna*

大花美人蕉 *Canna generalis* Bailey

| 药 材 名 | 美人蕉根（药用部位：根）。

| 形态特征 | 茎、叶和花序均被白粉。叶片椭圆形，叶缘、叶鞘紫色。总状花序顶生；花大，比较密集，每苞片内有 1 ~ 2 花；萼片披针形，花冠裂片披针形；外轮退化雄蕊 3，倒卵状匙形，红色、橘红色、淡黄色或白色；唇瓣倒卵状匙形；发育雄蕊披针形；子房球形，花柱带形。花期秋季。

| **生境分布** | 栽培种。新疆察布查尔锡伯自治县等有栽培。

| **资源情况** | 栽培资源丰富。药材来源于栽培。

| **采收加工** | 采挖后晒干、阴干或烘干。

| **功能主治** | 止痛消肿，止痢。用于跌打损伤。

美人蕉科 Iridaceae 美人蕉属 *Canna*

美人蕉 *Canna indica* L.

| 药 材 名 | 美人蕉根（药用部位：根）。

| 形态特征 | 植株全部绿色。叶片卵状长圆形。总状花序疏花，略超出叶片；花红色，单生；苞片卵形，绿色；萼片 3，披针形，绿色，有时染红色；花冠裂片披针形，绿色或红色；外轮退化雄蕊 2 ~ 3，鲜红色，其中 2 雄蕊倒披针形，另 1 雄蕊如存在，则特别小；唇瓣披针形，弯曲；花柱扁平，一半和发育雄蕊的花丝连合。蒴果绿色，长卵形，有软刺。花果期 3 ~ 12 月。

| 生境分布 | 栽培种。新疆各地均有栽培。

| 资源情况 | 栽培资源丰富。药材来源于栽培。

| **采收加工** | 采挖后晒干、阴干或烘干。

| **功能主治** | 止痛消肿，止痢。用于跌打损伤。

兰科 Orchidaceae 珊瑚兰属 *Corallorhiza*

珊瑚兰 *Corallorhiza trifida* Chatel.

| 药 材 名 | 珊瑚兰（药用部位：块根）。

| 形态特征 | 腐生小草本。根茎肉质，多分枝，珊瑚状。茎直立，圆柱形，红褐色，无叶，被 3 ~ 4 鞘；鞘圆筒状，抱茎，膜质，红褐色。总状花序具 3 ~ 7 花；苞片很小，通常近长圆形；花淡黄色或白色；中萼片狭长圆形或狭椭圆形，先端钝或急尖，具 1 脉，侧萼片与中萼片相似，略斜歪，基部合生成的萼囊很浅或不甚显著；花瓣近长圆形，常较萼片略短而宽，多少与中萼片靠合成盔状，唇瓣近长圆形或宽长圆形，3 裂，侧裂片较小，直立，中裂片近椭圆形或长圆形，先端浑圆，中央常微凹，唇盘上有 2 肥厚的纵褶片，褶片从下部延伸到中裂片基部；蕊柱较短，两侧具翅。蒴果下垂，椭圆形。花果期 6 ~ 8 月。

| 生境分布 | 生于海拔 2 000 ~ 2 700 m 的林下或灌丛中。分布于新疆阿勒泰地区等。

| 资源情况 | 野生资源丰富。药材来源于野生。

| 采收加工 | 采挖后晒干、阴干或烘干。

| 功能主治 | 清热解毒。

兰科 Orchidaceae 掌裂兰属 *Dactylorhiza*

掌裂兰 *Dactylorhiza hatagirea* (D. Don) Soó

| 药材名 |

红门兰（药用部位：全草）。

| 形态特征 |

块茎下部3 ~ 5裂，呈掌状，肉质。茎直立，粗壮，中空，基部具2 ~ 3筒状鞘，鞘之上具叶。叶（3 ~）4 ~ 6，互生，叶片长圆形、长圆状椭圆形、披针形至线状披针形，上面无紫色斑点，稍微开展，先端钝、渐尖或长渐尖，基部收狭成抱茎的鞘，向上逐渐变小；最上部的叶变小，呈苞片状。花序具多朵密生的花，圆柱状；苞片直立伸展，披针形，先端渐尖或长渐尖，最下部的常长于花；子房圆柱状纺锤形，扭转，无毛；花蓝紫色、紫红色或玫瑰红色，不偏向一侧；中萼片卵状长圆形，直立，凹陷成舟状，先端钝，具3脉，与花瓣靠合成兜状，侧萼片张开，偏斜，卵状披针形或卵状长圆形，先端钝或稍钝，具3 ~ 5脉；花瓣直立，卵状披针形，稍偏斜，与中萼片近等长，先端钝，具2 ~ 3脉；唇瓣向前伸展，卵形、卵圆形、宽菱状横椭圆形或近圆形，常稍长于萼片，基部具距，先端钝，不裂，有时先端稍具1突起，似3浅裂，边缘略具细圆齿，上面具细的乳头状突起，在基

部之上具一由蓝紫色线纹构成的似匙形斑纹（鲜花斑纹颇显著），斑纹内淡紫色或带白色，其外色较深，为带蓝紫色的紫红色，其顶部 3 浅裂或 2 裂成“W”形；距圆筒形、圆筒状锥形至狭圆锥形，下垂，略微向前弯曲，末端钝，较子房短或与子房近等长。花期 6 ~ 8 月。

| 生境分布 | 生于海拔 600 ~ 4 100 m 的山坡、沟边灌丛下或草地中。分布于新疆阿勒泰地区等。

| 资源情况 | 野生资源丰富。药材来源于野生。

| 采收加工 | 采收后晒干、阴干或烘干。

| 功能主治 | 用于阴虚痨热，烦躁口渴，不思饮食，月经不调。

兰科 Orchidaceae 掌裂兰属 *Dactylorhiza*

紫点掌裂兰 *Dactylorhiza incarnata* (L.) Soó subsp. *cruenta* (O. F. Muller) P. D. Sell

| 药 材 名 | 红门兰（药用部位：全草）。

| 形态特征 | 块茎扁平，下部 3 ~ 4 裂，呈掌状，肉质。茎粗壮，直立，圆柱状，中空，基部具 2 ~ 3 筒状鞘，鞘之上至花序基部都满布叶。叶 3 ~ 5，稍开展或斜升，叶片宽披针形、披针形或长圆状披针形，先端钝尖，上面具密而细的紫点，背面多半也具同样的紫色细点或带淡紫色；最上部的叶较短而狭，常超过花序的基部，苞片状。花序具多数密生的花，圆柱状，不偏向一侧；苞片披针形，先端渐尖，多少带淡紫色，通常具紫色细点，下部的苞片长于花，上部的苞片常与花近等长；子房圆柱状纺锤形，扭转，无毛；花紫红色或带紫色的玫瑰色；萼片长圆状卵形，先端钝，具 3 脉，中萼片直立，凹陷成舟状，与花瓣靠合成兜状，侧萼片张开，偏斜，

内面沿脉具少数较深色的细点；花瓣直立，斜披针形或长圆状卵形，先端钝，具 3 脉；唇瓣向前伸展，宽菱状卵形，基部具距，上面具细乳突，不分裂，先端钝，具一稍微凸出的钝尖头，边缘略具圆齿；距圆锥形或圆筒状锥形，下垂，基部向末端逐渐变狭，劲直或稍向前弯曲，末端稍钝，长约为子房长的 1/2。花期 6 ~ 7 月。

| 生境分布 | 生于海拔 1 440 ~ 2 750 m 的山坡和溪边潮湿草地上。分布于新疆昭苏县、和静县、福海县等。

| 资源情况 | 野生资源丰富。药材来源于野生。

| 采收加工 | 采收后晒干、阴干或烘干。

| 功能主治 | 用于阴虚痨热，烦躁口渴，不思饮食，月经不调。

兰科 Orchidaceae 掌裂兰属 *Dactylorhiza*

阴生掌裂兰 *Dactylorhiza umbrosa* (Kar. & Kir.) Nevski

| 药 材 名 | 红门兰（药用部位：全草）。

| 形态特征 | 块茎（3 ～）4 ～ 5 裂，呈掌状，肉质。茎粗壮，直立，中空，具多枚疏生的叶。叶 4 ～ 8，叶片披针形或线状披针形，上面无紫色斑点，先端渐尖或长渐尖，稍开展或多少向下弯曲，基部略收狭成抱茎的鞘；下部叶长且大，上部叶逐渐变小成苞片状，常分布至花序近基部。花序具多数密生的花，圆柱状，不偏向一侧；苞片绿色或带紫红色，狭披针形，先端渐尖，直立伸展，下部的常与花等长或多少长于花，上部的较花短；子房圆柱状纺锤形，扭转，无毛；花紫红色或淡紫色；中萼片长圆形，直立，凹陷成舟状，先端钝，具 3 脉，与花瓣靠合成兜状，侧萼片反折，偏斜，卵状披针形，较中萼片稍长，先端稍钝，具 3 脉；花瓣直立，与中萼片近等长，斜

狭长圆形，先端稍钝，具 2 脉；唇瓣向前伸展，倒卵形或倒心形，向基部收狭，最宽处通常在前部，基部具距，先端圆钝，微波状，或先端不明显的 3 浅裂或中部具一小的齿状突起，极罕为 3 浅裂，上面具细的乳头状突起，在基部以上具一由蓝紫色线纹构成的似匙形斑纹（鲜花斑纹颇显著），斑纹内色浅，略带白色，外面为带蓝紫色的紫红色，顶部 2 浅裂成“W”形；距圆筒状，下垂，稍微弯曲，末端钝，与子房等长。花期 5 ~ 7 月。

| 生境分布 | 生于海拔 630 ~ 4 000 m 的河滩沼泽草甸、河谷或山坡阴湿草地。分布于新疆伊犁哈萨克自治州、阿勒泰地区等。

| 资源情况 | 野生资源丰富。药材来源于野生。

| 采收加工 | 采收后晒干、阴干或烘干。

| 功能主治 | 用于阴虚痨热，烦躁口渴，不思饮食，月经不调。

兰科 Orchidaceae 掌裂兰属 *Dactylorhiza*

凹舌兰 *Dactylorhiza viridis* (L.) R. M. Bateman, Pridgeon & M. W. Chase

| 药 材 名 | 兰花根（药用部位：块根）。

| 形态特征 | 块茎肉质，前部呈掌状分裂。茎直立，基部具 2 ~ 3 筒状鞘，鞘之上具叶，叶之上常具 1 至数枚苞片状小叶。叶常 3 ~ 4（~ 5），叶片狭倒卵状长圆形、椭圆形或椭圆状披针形，直立伸展，先端钝或急尖，基部收狭成抱茎的鞘。总状花序具多数花；苞片线形或狭披针形，直立伸展，常明显长于花；子房纺锤形，扭转；花绿黄色或绿棕色，直立伸展；萼片基部常稍合生，几等长，中萼片直立，凹陷成舟状或卵状椭圆形，先端钝，具 3 脉，侧萼片偏斜，卵状椭圆形，较中萼片稍长，先端钝，具 4 ~ 5 脉；花瓣直立，线状披针形，较中萼片稍短，具 1 脉，与中萼片靠合成兜状；唇瓣下垂，肉质，倒披针形，较萼片长，基部具囊状距，上面在近部的中央有一短的纵

褶片，前部 3 裂，侧裂片较中裂片长，中裂片小，距卵球形。蒴果直立，椭圆形，无毛。花期（5 ~ ）6 ~ 8 月，果期 9 ~ 10 月。

| **生境分布** | 生于海拔 1 200 ~ 4 300 m 的山坡林下、灌丛下或山谷林缘湿地。分布于新疆阿勒泰地区等。

| **资源情况** | 野生资源丰富。药材来源于野生。

| **采收加工** | 采挖后晒干、阴干或烘干。

| **功能主治** | 温肾助阳，理气和血。

兰科 Orchidaceae 火烧兰属 *Epipactis*

火烧兰 *Epipactis helleborine* (L.) Crantz

| 药 材 名 | 火烧兰根（药用部位：根）。

| 形态特征 | 地生草本。根茎粗短。茎上部被短柔毛，下部无毛，具 2 ~ 3 鳞片状鞘。叶 4 ~ 7，互生；叶片卵圆形、卵形至椭圆状披针形，罕披针形，先端通常渐尖至长渐尖；向上叶逐渐变窄成披针形或线状披针形。总状花序通常具 3 ~ 40 花；苞片叶状，线状披针形，下部的比花长 2 ~ 3 倍或更长，向上逐渐变短；花梗和子房具黄褐色绒毛；花绿色或淡紫色，下垂，较小；中萼片卵状披针形，较少椭圆形，舟状，先端渐尖，侧萼片斜卵状披针形，先端渐尖；花瓣椭圆形，先端急尖或钝，唇瓣中部明显缢缩，下唇兜状，上唇近三角形或近扁圆形，先端锐尖，在近基部两侧各有 1 半圆形褶片，近先端的脉有时稍呈龙骨状。蒴果倒卵状椭圆形，具极疏的短柔毛。花期 7 月，果期 9 月。

| 生境分布 | 生于海拔 250 ～ 3 600 m 的山坡林下、草丛或沟边。分布于新疆阿勒泰地区等。

| 资源情况 | 野生资源丰富。药材来源于野生。

| 采收加工 | 采挖后晒干、阴干或烘干。

| 功能主治 | 理气和血，消肿解毒，止咳。

兰科 Orchidaceae 斑叶兰属 *Goodyera*

小斑叶兰 *Goodyera repens* (L.) R. Br.

| 药 材 名 | 斑叶兰（药用部位：全草）。

| 形态特征 | 根茎伸长，茎状，匍匐，具节。茎直立，绿色，具 5 ~ 6 叶。叶片卵形或卵状椭圆形，上面深绿色，具白色斑纹，背面淡绿色，先端急尖，基部钝或宽楔形，具柄，叶柄基部扩大成抱茎的鞘。花茎直立或近直立，被白色腺状柔毛，具 3 ~ 5 鞘状苞片；总状花序具数至 10 数、多少偏向一侧的花；苞片披针形，先端渐尖；子房圆柱状纺锤形，连花梗疏被腺状柔毛；花小，白色或带绿色或带粉红色，半张开；萼片背面被或多或少的腺状柔毛，具 1 脉，中萼片卵形或卵状长圆形，先端钝，与花瓣黏合成兜状，侧萼片斜卵形或卵状椭圆形，先端钝；花瓣斜匙形，无毛，先端钝，具 1 脉；唇瓣卵形，基部凹陷成囊状，内面无毛，前部短舌状，略外弯；蕊柱短；蕊喙

直立，叉状 2 裂；柱头 1，较大，位于蕊喙之下。花期 7 ~ 8 月。

| 生境分布 | 生于海拔 700 ~ 3 800 m 的山坡、沟谷林下。分布于新疆阿勒泰地区等。

| 资源情况 | 野生资源丰富。药材来源于野生。

| 采收加工 | 采挖后晒干、阴干或烘干。

| 功能主治 | 清热解毒，消炎退肿。

兰科 Orchidaceae 鸟巢兰属 *Neottia*

天山对叶兰 *Neottia tianschanica* (Grubov) Szlach.

| 药 材 名 | 对叶兰（药用部位：全草）。

| 形态特征 | 唇瓣匙形，长不及萼片长的 1.5 倍，先端 2 浅裂，裂片先端圆钝。

| 生境分布 | 生于阴湿林下。分布于新疆乌苏市等。

| 资源情况 | 野生资源丰富。药材来源于野生。

| 采收加工 | 采收后晒干、阴干或烘干。

| 功能主治 | 清热解毒，活血散结。

兰科 Orchidaceae 绶草属 *Spiranthes*

绶草 *Spiranthes sinensis* (Pers.) Ames

|药材名|

绶草根（药用部位：根）。

|形态特征|

根数条，指状，肉质，簇生于茎基部。茎较短，近基部生 2 ~ 5 叶。叶片宽线形或宽线状披针形，极罕为狭长圆形，直立伸展，先端急尖或渐尖，基部收狭，具柄状抱茎的鞘。花茎直立，上部被腺状柔毛至无毛；总状花序具多数密生的花，呈螺旋状扭转；苞片卵状披针形，先端长渐尖，下部的长于子房；子房纺锤形，扭转，被腺状柔毛；花小，紫红色、粉红色或白色，在花序轴上呈螺旋状排列；萼片的下部靠合，中萼片狭长圆形，舟状，先端稍尖，与花瓣靠合成兜状，侧萼片偏斜，披针形，先端稍尖；花瓣斜菱状长圆形，先端钝，与中萼片等长但较薄，唇瓣宽长圆形，凹陷，先端极钝，前半部上面具长硬毛且边缘具皱波状啮齿，唇瓣基部凹陷成浅囊状，囊内具 2 胼胝体。花期 7 ~ 8 月。

|生境分布|

生于海拔 200 ~ 3 400 m 的山坡林下、灌丛下、草地或河滩沼泽草甸中。分布于新疆阿勒泰地区等。

| 资源情况 | 野生资源丰富。药材来源于野生。

| 采收加工 | 采挖后晒干、阴干或烘干。

| 功能主治 | 益阴清热，润肺止咳。

杨柳科 Salicaceae 杨属 *Populus*

密叶杨 *Populus talassica* Kom.

| 药 材 名 | 杨树根（药用部位：根）、杨树枝（药用部位：枝）、杨树芽（药用部位：芽）。

| 形态特征 | 乔木。树冠宽阔；树皮淡灰色，下部色较暗，有沟裂。萌枝有锐棱肋，姜黄色，小枝淡黄色，有棱，密被绒毛，稀无毛。芽圆锥形，多黏质，下部芽鳞有绒毛。萌枝叶披针形或卵状披针形，先端急尖或短渐尖，基部楔形、圆形或微心形，边缘密具腺锯齿；短枝叶椭圆形、卵形或长圆状卵形，先端急尖或短渐尖，基部圆形或楔形，边缘有细钝齿，有睫毛，两面沿叶脉常有疏绒毛；叶柄圆柱形，上面有沟槽，密生绒毛。雄蕊 30 ~ 40，花药紫红色；苞片近圆形，基部楔形，裂成多数细窄的褐色裂片，常早落。雌花序果期增长，轴密被绒毛。蒴果卵圆形，无毛或被疏毛，2 ~ 3 瓣裂。花期 4 ~ 5

月，果期 6 月。

| 生境分布 | 生于海拔 500 ~ 1 800 m 的山地河谷和前山地带的河谷两岸。分布于新疆阿勒泰地区、塔城地区等。

| 资源情况 | 栽培资源较丰富。药材来源于栽培。

| 功能主治 | **杨树根、杨树枝：**行气消积，解毒敛疮。用于腹痛，腹胀，癥瘕，口吻疮。
杨树芽：祛风止痛，解毒敛疮。用于龋齿疼痛，附骨疽，臁疮。

杨柳科 Salicaceae 杨属 *Populus*

欧洲山杨 *Populus tremula* L.

药材名

山杨根（药用部位：根）、山杨枝（药用部位：枝）、山杨花（药用部位：花）。

形态特征

乔木。树皮灰绿色，光滑；树干基部具不规则浅裂或粗糙；树冠圆形。枝圆筒形，灰褐色，当年生枝红褐色，有光泽，无毛或被短柔毛。芽卵圆形，与枝同色。叶近圆形，先端圆形或短尖，基部截形、圆形或浅心形，边缘有明显的疏波状浅齿或圆齿，两面无毛或发叶时被柔毛；叶柄侧扁，与叶片近等长，萌枝叶较大，三角状卵圆形，基部心形或截形，具圆锯齿状边缘。雄花序轴具短柔毛；苞片褐色，掌状深裂，有长毛；雄蕊 5 ~ 10 或更多。蒴果细圆锥形，近无柄，无毛，2 瓣裂。花期 4 月，果期 5 月。

生境分布

生于海拔 700 ~ 2 300 m 的河谷及针叶林林缘。分布于新疆乌鲁木齐市、克拉玛依市及阜康市、伊宁县、霍城县、巩留县、沙湾市、托里县、裕民县、富蕴县、福海县、哈巴河县、吉木乃县等。

| **资源情况** | 野生资源较丰富。药材来源于野生。

| **采收加工** | **山杨根**：冬季至翌年春季采挖，除去泥土，晒干。

山杨枝：秋、冬季采收，除去粗皮，锯成段，干燥。

山杨花：花盛开时采收，除去杂质，鲜用或晒干。

| **功能主治** | **山杨根、山杨枝**：祛风湿。

山杨花：止泻。

杨柳科 Salicaceae 柳属 *Salix*

阿拉套柳 *Salix alatavica* Kar. et Kir. ex Stschegl.

| 药 材 名 | 柳根（药用部位：根）、柳枝（药用部位：枝）、柳叶（药用部位：叶）。

| 形态特征 | 灌木。小枝淡褐色或栗色，嫩枝呈紫红色，初有短绒毛，后无毛。芽渐尖，紫红色，有光泽。叶长圆状卵圆形或椭圆形，先端具偏斜的短渐尖，基部楔形，边缘有细腺齿，上面绿色，下面色较淡，幼叶有丝状柔毛，后两面无毛；叶柄基部扩展，初有毛，后无毛；托叶卵圆形，很小，膜质，常早落。花序侧生于小枝上部，与叶同时开放或叶后开放；雌花序果期伸长，花序梗具 2 ~ 4 小叶，被灰绒毛；苞片长圆形，淡褐色，上部不发黑，两面有绒毛；腺体 1，腹生，长圆形，淡褐色；雄蕊 2，花丝离生，被灰绒毛，花药黄色，圆球形，先端钝；子房长卵圆形，常弯曲，密被灰绒毛，柄很短，柱头 2 裂。花期 6 ~ 7 月，果期 7 ~ 8 月。

| 生境分布 | 生于海拔 2 700 ～ 2 800 m 的高山。分布于新源县、巩留县、昭苏县、霍城县、奇台县、博乐市、和静县、和硕县、温宿县等。

| 资源情况 | 野生资源较丰富。药材来源于野生。

| 采收加工 | **柳根**：全年均可采挖，洗净，切片，鲜用或晒干。

柳枝：春季采收嫩树枝条，鲜用或晒干。

柳叶：春、夏季采收，鲜用或晒干。

| 功能主治 | **柳根**：利水，通淋，祛风，除湿。用于淋病，白浊，水肿，黄疸，风湿疼痛，黄水疮，牙痛，烫伤。

柳枝：祛风利湿，解毒消肿。用于风湿痹痛，淋浊，黄疸，病毒性肝炎，风疹瘙痒，疔疮，丹毒，龋齿，牙龈肿痛。

柳叶：清热，解毒，利尿，平肝，止痛，透疹。用于慢性支气管炎，尿道炎，膀胱炎，膀胱结石，白浊，高血压，痈疽肿毒，烫火伤，关节肿痛，牙痛，痧证，皮肤瘙痒，疔疮疖肿，乳腺炎，甲状腺肿，丹毒。

| 用法用量 | **柳根**：外用适量，研末，麻油调涂；或煎汤洗；或捣敷；或研末调敷；或熬膏涂。

柳枝：内服煎汤，15 ～ 30 g。外用适量，煎汤含漱；或熏洗。

柳叶：内服煎汤，15 ～ 30 g，鲜品 30 ～ 60 g。外用适量，煎汤洗；或捣敷；或研末调敷；或熬膏涂。

杨柳科 Salicaceae 柳属 *Salix*

银柳 *Salix argyracea* E. L. Wolf

| 药材名 | 柳根（药用部位：根）、柳枝（药用部位：枝）、柳叶（药用部位：叶）。

| 形态特征 | 大灌木。树皮灰色。小枝淡黄色至褐色，无毛，嫩枝有短绒毛。芽卵圆形，钝，褐色，初有短绒毛，后脱落。叶倒卵形或长圆状倒卵形，稀长圆状披针形或阔披针形，先端短渐尖，基部楔形，边缘有细腺锯齿，上面绿色，初有灰绒毛，后脱落，下面密被绒毛，有光泽，中脉淡褐色，侧脉 8 ~ 18 对，成钝角开展；叶柄褐色，有绒毛；托叶披针形或卵圆状披针形，边缘有腺锯齿，早落。花先于叶开放；雄花序几无梗；雄蕊 2，离生，无毛；腺体 1；雌花序具短花序梗，果期伸长；子房卵状圆锥形，密被灰绒毛，子房柄远短于腺体，花柱褐色，柱头与花柱近等长；苞片卵圆形，先端尖或微钝，黑色，

密被灰色长毛；腺体 1，腹生。花期 5 ~ 6 月，果期 7 ~ 8 月。

| 生境分布 | 生于山地云杉林缘或林中空地。分布于新疆乌鲁木齐市及阜康市、奇台县、木垒哈萨克自治县、玛纳斯县、阿克陶县、温泉县、和静县、库车市、温宿县、沙湾市、额敏县、察布查尔锡伯自治县、巩留县、昭苏县、特克斯县、福海县、塔什库尔干塔吉克自治县、叶城县等。

| 资源情况 | 野生资源丰富。药材来源于野生。

| 采收加工 | **柳根**：全年均可采挖，洗净，切片，鲜用或晒干。

柳枝：春季采收嫩树枝条，鲜用或晒干。

柳叶：春、夏季采收，鲜用或晒干。

| 功能主治 | **柳根**：利水，通淋，祛风，除湿。用于淋病，白浊，水肿，黄疸，风湿疼痛，黄水疮，牙痛，烫伤。

柳枝：祛风利湿，解毒消肿。用于风湿痹痛，淋浊，黄疸，病毒性肝炎，风疹瘙痒，疔疮，丹毒，龋齿，牙龈肿痛。

柳叶：清热，解毒，利尿，平肝，止痛，透疹。用于慢性支气管炎，尿道炎，膀胱炎，膀胱结石，白浊，高血压，痈疽肿毒，烫火伤，关节肿痛，牙痛，痧证，皮肤瘙痒，疔疮疖肿，乳腺炎，甲状腺肿，丹毒。

| 用法用量 | **柳根**：外用适量，研末，麻油调涂；或煎汤洗；或捣敷；或研末调敷；或熬膏涂。

柳枝：内服煎汤，15 ~ 30 g。外用适量，煎汤含漱；或熏洗。

柳叶：内服煎汤，15 ~ 30 g，鲜品 30 ~ 60 g。外用适量，煎汤洗；或捣敷；或研末调敷；或熬膏涂。

杨柳科 Salicaceae 柳属 *Salix*

欧杞柳 *Salix caesia* Vill.

| 药 材 名 | 柳根（药用部位：根）、柳枝（药用部位：枝）、柳叶（药用部位：叶）。

| 形态特征 | 小灌木。嫩枝红褐色或栗色，有丝状毛；老枝淡黄色，无毛。叶卵形、椭圆形或披针形，先端短渐尖，基部阔楔形，全缘，上面绿色，下面灰白色，成叶无毛；叶柄短，被短绒毛；托叶披针形，膜质，常早落。花于叶后开放；花序粗短，基部有鳞片状小叶；苞片钝，长圆形或倒卵形，密生灰柔毛，稀无毛；雄蕊 2，花丝全部或仅中部以下合生，基部有柔毛，花药黄色；腺体 1，腹生，全缘或 2 ~ 3 浅裂，长于子房柄；子房卵状圆锥形，被绒毛，柄短，花柱短，柱头全缘或 2 裂。蒴果淡黄色至红褐色，密被绒毛。花期 5 月，果期 6 月。

| 生境分布 | 生于海拔 730 ~ 4 580 m 的低湿地、冰碛石地、高山草甸、河谷、林中、落叶松林中、山谷低湿地、山谷河边低湿地、山坡、山坡草甸、石缝中、水边、沼泽地。分布于新疆哈密市及温泉县、和静县、和硕县、叶城县、塔什库尔干塔吉克自治县、昭苏县、托里县、福海县、布尔津县等。

| 资源情况 | 野生资源较丰富。药材来源于野生。

| 采收加工 | **柳根**：全年均可采挖，洗净，切片，鲜用或晒干。

柳枝：春季采收嫩树枝条，鲜用或晒干。

柳叶：春、夏季采收，鲜用或晒干。

| 功能主治 | **柳根**：利水，通淋，祛风，除湿。用于淋病，白浊，水肿，黄疸，风湿疼痛，黄水疮，牙痛，烫伤。

柳枝：祛风利湿，解毒消肿。用于风湿痹痛，淋浊，黄疸，病毒性肝炎，风疹瘙痒，疔疮，丹毒，龋齿，牙龈肿痛。

柳叶：清热，解毒，利尿，平肝，止痛，透疹。用于慢性支气管炎，尿道炎，膀胱炎，膀胱结石，白浊，高血压，痈疽肿毒，烫火伤，关节肿痛，牙痛，痧证，皮肤瘙痒，疔疮疖肿，乳腺炎，甲状腺肿，丹毒。

| 用法用量 | **柳根**：外用适量，研末，麻油调涂；或煎汤洗；或捣敷；或研末调敷；或熬膏涂。

柳枝：内服煎汤，15 ~ 30 g。外用适量，煎汤含漱；或熏洗。

柳叶：内服煎汤，15 ~ 30 g，鲜品 30 ~ 60 g。外用适量，煎汤洗；或捣敷；或研末调敷；或熬膏涂。

杨柳科 Salicaceae 柳属 *Salix*

黄花柳 *Salix caprea* L.

| 药 材 名 | 黄花柳（药用部位：叶、花、果实、须根）。

| 形态特征 | 灌木或小乔木。小枝黄绿色至黄红色，有毛或无毛。叶卵状长圆形、宽卵形至倒卵状长圆形，先端急尖或有小尖，常扭转，基部圆形，上面深绿色，鲜叶明显发皱，无毛（幼叶有柔毛），下面被白色绒毛或柔毛，网脉明显，侧脉近叶缘处常相互联结，近“闭锁脉”状，边缘有不规则的缺刻或牙齿，或近全缘，常稍向下面反卷，叶质稍厚；叶柄托叶半圆形，先端尖。花先叶开放；雄花序椭圆形或宽椭圆形，无花序梗，雄蕊 2，花丝细长，离生，花药黄色，长圆形，苞片披针形，上部黑色，下部色浅，2 色，两面密被白色长毛，仅具 1 腹腺；雌花序短圆柱形，花序梗短，子房狭圆锥形，有柔毛，

有长柄，果柄更长，花柱短，柱头 2 ~ 4 裂，受粉后，子房发育非常迅速，苞片和腺体同雄花序。花期 4 月下旬至 5 月上旬，果期 5 月下旬至 6 月初。

| **生境分布** | 生于山坡或林中。新疆阿勒泰地区等有栽培。

| **采收加工** | 5 月下旬至 6 月初采收，晒干，贮于通风干燥处。

| **功能主治** | 补脑补心，爽心止痛，生津止渴，清热退肿。用于心痛，尿闭呕吐等。叶、花、果实，用于恶疮。

| **用法用量** | 内服，6 ~ 9 g。外用遵医嘱。

杨柳科 Salicaceae 柳属 *Salix*

蓝叶柳 *Salix capusii* Franch.

| 药材名 | 柳根（药用部位：根）、柳枝（药用部位：枝）、柳叶（药用部位：叶）。

| 形态特征 | 大灌木。树皮暗灰色。小枝纤细，栗褐色，无毛，当年生枝淡黄色，有疏短毛。叶线状披针形或狭披针形，先端短渐尖，通常中部以上变宽，全缘或有细齿，基部楔形，两面近同色，灰蓝色，幼叶有短绒毛，成叶无毛；叶柄初有毛，后无毛；托叶线形，早落。花与叶近同时开放；苞片长圆形或长圆状倒卵形，先端近截形，淡黄绿色，外面无毛，内面基部有白色柔毛，果期全部或部分脱落；腺体1，腹生，淡褐色；雄蕊2，花丝合生，基部有毛，花药黄色，球形；子房细圆锥形，无毛，花柱短。蒴果淡绿色或淡黄色；果序伸长，基部有短梗和小叶片，轴有绒毛。花期4～5月，果期5～6月。

| 生境分布 | 生于海拔 1 900 ~ 2 800 m 的山区、河谷。分布于新疆乌鲁木齐市、阿勒泰地区及托克逊县、巴里坤哈萨克自治县、伊吾县、奇台县、阜康市、玛纳斯县、博乐市、温泉县、焉耆回族自治县、和硕县、库车市、拜城县、乌恰县、塔什库尔干塔吉克自治县、察布查尔锡伯自治县、霍城县、巩留县、昭苏县、沙湾市等。

| 资源情况 | 野生资源较丰富。药材来源于野生。

| 采收加工 | **柳根**：全年均可采挖，洗净，切片，鲜用或晒干。

柳枝：春季采收嫩树枝条，鲜用或晒干。

柳叶：春、夏季采收，鲜用或晒干。

| 功能主治 | **柳根**：利水，通淋，祛风，除湿。用于淋病，白浊，水肿，黄疸，风湿疼痛，黄水疮，牙痛，烫伤。

柳枝：祛风利湿，解毒消肿。用于风湿痹痛，淋浊，黄疸，病毒性肝炎，风疹瘙痒，疔疮，丹毒，龋齿，牙龈肿痛。

柳叶：清热，解毒，利尿，平肝，止痛，透疹。用于慢性支气管炎，尿道炎，膀胱炎，膀胱结石，白浊，高血压，痈疽肿毒，烫火伤，关节肿痛，牙痛，痧证，皮肤瘙痒，疔疮疖肿，乳腺炎，甲状腺肿，丹毒。

| 用法用量 | **柳根**：外用适量，研末，麻油调涂；或煎汤洗；或捣敷；或研末调敷；或熬膏涂。

柳枝：内服煎汤，15 ~ 30 g。外用适量，煎汤含漱；或熏洗。

柳叶：内服煎汤，15 ~ 30 g，鲜品 30 ~ 60 g。外用适量，煎汤洗；或捣敷；或研末调敷；或熬膏涂。

杨柳科 Salicaceae 柳属 *Salix*

伊犁柳 *Salix iliensis* Regel.

| 药 材 名 | 柳根（药用部位：根）、柳枝（药用部位：枝）、柳叶（药用部位：叶）。

| 形态特征 | 灌木。小枝细，栗色或黄褐色，密被灰绒毛。芽卵圆形，栗色，无毛或微有毛。叶倒卵形或长圆状倒卵形，先端短尖，常偏斜，边缘有不整齐的细牙齿，上面灰绿色，下面密被灰色绒毛，叶脉突出；叶柄短而有绒毛；托叶肾形，边缘有齿。花先于叶开放；雄花序无梗；雄蕊 2，离生，花丝无毛；苞片长圆形，浅褐色或先端色较暗，同色，有长毛；腺体 1，腹生；雌花序有短梗；子房狭圆锥形，密被灰绒毛，与子房柄近等长，花柱短，柱头近头状。花期 5 月，果期 6 月。

| 生境分布 | 生于海拔 1 400 ~ 2 700 m 的河湾低湿地。分布于新疆乌鲁木齐市及

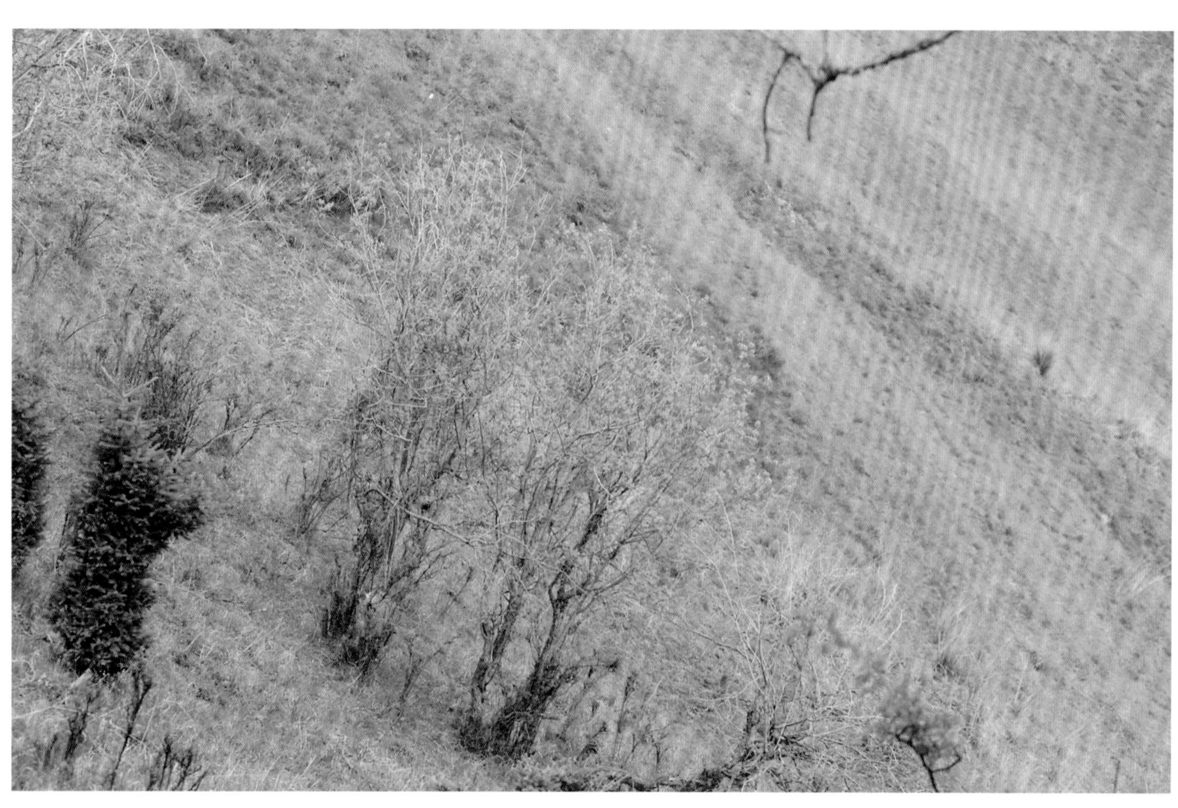

乌尔禾区、精河县、昭苏县、富蕴县、福海县等。

| 资源情况 | 野生资源一般。药材来源于野生。

| 采收加工 | **柳根：**全年均可采挖，洗净，切片，鲜用或晒干。

柳枝：春季采收嫩树枝条，鲜用或晒干。

柳叶：春、夏季采收，鲜用或晒干。

| 功能主治 | **柳根：**利水，通淋，祛风，除湿。用于淋病，白浊，水肿，黄疸，风湿疼痛，黄水疮，牙痛，烫伤。

柳枝：祛风利湿，解毒消肿。用于风湿痹痛，淋浊，黄疸，病毒性肝炎，风疹瘙痒，疔疮，丹毒，龋齿，牙龈肿痛。

柳叶：清热，解毒，利尿，平肝，止痛，透疹。用于慢性支气管炎，尿道炎，膀胱炎，膀胱结石，白浊，高血压，痈疽肿毒，烫火伤，关节肿痛，牙痛，痧证，皮肤瘙痒，疔疮疖肿，乳腺炎，甲状腺肿，丹毒。

| 用法用量 | **柳根：**外用适量，研末，麻油调涂；或煎汤洗；或捣敷；或研末调敷；或熬膏涂。

柳枝：内服煎汤，15 ~ 30 g。外用适量，煎汤含漱；或熏洗。

柳叶：内服煎汤，15 ~ 30 g，鲜品 30 ~ 60 g。外用适量，煎汤洗；或捣敷；或研末调敷；或熬膏涂。

杨柳科 Salicaceae 柳属 *Salix*

鹿蹄柳 *Salix pyrolifolia* Ledeb.

| 药材名 |

柳絮（药用部位：种子）、柳枝（药用部位：枝）、柳叶（药用部位：叶）、柳根（药用部位：根）、柳花（药用部位：花）、柳皮（药用部位：树皮）。

| 形态特征 |

大灌木或小乔木。小枝淡黄褐色或栗色，嫩枝有疏柔毛。芽黄褐色，卵圆形，初时有毛，后无毛。叶圆形、卵圆形或卵状椭圆形，先端短渐尖至圆形，基部圆形或微心形，边缘有细锯齿，上面绿色，下面带白色，两面无毛，叶脉明显；叶柄初有短柔毛，后无毛；托叶大，肾形，边缘有锯齿。花先于叶开放或与叶同时开放；花序梗短，具早落的鳞片状叶或缺；苞片长圆形或长圆状匙形，先端钝或渐尖，棕褐色或褐色，有长柔毛；腺体1，腹生，长圆形；雄蕊2，花丝离生，无毛，花药黄色；子房圆锥形，无毛，花柱明显，柱头2裂。蒴果淡褐色。果序伸长。花期5～6月，果期6～7月。

| 生境分布 |

生于海拔1 300～1 700 m的山地河谷和林缘。分布于新疆巴里坤哈萨克自治县、和静县、巩留县、额敏县、布尔津县、富蕴县、哈巴河县等。

| 资源情况 | 野生资源一般。药材来源于野生。

| 采收加工 | **柳絮：**果实将成熟时采收，干燥。

柳枝：春季采收嫩树枝条，鲜用或晒干。

柳叶：春、夏季采收，鲜用或晒干。

柳根：全年均可采挖，洗净，切片，鲜用或晒干。

柳花：采收，阴干。

柳皮：夏、秋季采收，剥皮，鲜用或晒干。

| 功能主治 | **柳絮：**凉。止血，祛湿，溃痈。用于黄疸，咯血，吐血，便血，闭经，湿痹四肢挛急，膝痛，痈疽脓成不溃，创伤出血；外用于牙痛。

柳枝：祛风利湿，解毒消肿。用于冠心病，慢性支气管炎，尿路感染，烫火伤，风湿痹痛，淋浊，黄疸，病毒性肝炎，风疹瘙痒，疔疮，丹毒，龋齿，牙龈肿痛。

柳叶：清热，解毒，利尿，平肝，止痛，透疹。用于慢性支气管炎，上呼吸道感染，肺炎，腮腺炎，尿道炎，膀胱炎，膀胱结石，白浊，高血压，痈疽肿毒，烫火伤，关节肿痛，牙痛，痧证，皮肤瘙痒，疔疮疖肿，乳腺炎，甲状腺肿，丹毒。

柳根：利水，通淋，祛风，除湿。用于淋病，白浊，水肿，黄疸，风湿疼痛，黄水疮，牙痛，烫伤，乳痈，中耳炎。

柳花：止泻。

柳皮：祛痰明目，清热祛风。用于疥癣。

| 用法用量 | **柳絮：**内服，研末或浸汁。外用适量，敷贴；或研末调搽。

柳枝：内服煎汤，15 ~ 30 g。外用适量，煎汤含漱；或熏洗。

柳叶：内服煎汤，15 ~ 30 g，鲜品 30 ~ 60 g。外用适量，煎汤洗；或捣敷；或研末调敷；或熬膏涂。

柳根：外用适量，研末麻油调涂；或煎汤洗；或捣敷；或研末调敷；或熬膏涂。

柳皮：外用适量，煎汤熏洗。

杨柳科 Salicaceae 柳属 *Salix*

细叶沼柳 *Salix rosmarinifolia* L.

药材名

柳枝（药用部位：枝）、柳根（药用部位：根）。

形态特征

灌木。树皮褐色。小枝纤细，褐色或带黄色，无毛，幼枝有白色绒毛或长柔毛。芽卵形，具钝头，微赤褐色，初有白色绒毛或短柔毛，后无毛。叶线状披针形或披针形，先端和基部渐狭，上面常暗绿色，无毛，下面苍白色，有白色柔毛或白色绒毛，嫩叶两面有丝状长柔毛或白绒毛，侧脉 10 ~ 12 对；叶柄短；托叶狭披针形或披针形，早落，有时无托叶。花序先于叶开放或与叶同时开放；雄花序近无花序梗；雄蕊 2，花丝离生，无毛，花药黄色或暗红色；苞片倒卵形，具钝头，先端暗褐色，有毛；腺体 1，腹生；雌花序初生时近圆形，后呈短圆柱形，近无花序梗；子房为卵状短圆锥形，有长柔毛，柄较长，花柱短，柱头全缘或浅裂；苞片同雄花；腺体 1，腹生。花期 5 月，果期 6 月。

生境分布

生于海拔450 ~ 600 m的林区沼泽化草甸内。分布于新疆乌鲁木齐市及阿克陶县、莎

车县、麦盖提县、塔什库尔干塔吉克自治县、昭苏县、阿勒泰市、布尔津县等。

| 资源情况 | 野生资源较丰富。药材来源于野生。

| 采收加工 | **柳枝**：春季采收嫩树枝条，鲜用或晒干。

柳根：春、夏、秋季采收，洗净，鲜用或晒干。

| 功能主治 | **柳枝**：祛风利湿，解毒消肿。用于风湿痹痛，淋浊，黄疸，病毒性肝炎，风疹瘙痒，疔疮，丹毒，龋齿，牙龈肿痛。

柳根：利水，通淋，祛风，除湿。用于淋病，白浊，水肿，黄疸，风湿疼痛，黄水疮，牙痛，烫伤。

| 用法用量 | **柳枝**：内服煎汤，15 ~ 30 g。外用适量，煎汤含漱；或熏洗。

柳根：外用适量，研末麻油调涂；或煎汤洗；或捣敷；或研末调敷；或熬膏涂。

杨柳科 Salicaceae 柳属 *Salix*

线叶柳 *Salix wilhelmsiana* M. Bieb.

| 药 材 名 | 柳絮（药用部位：种子）、柳叶（药用部位：叶）。

| 形态特征 | 灌木或小乔木。小枝细长，末端半下垂，紫红色或栗色，被疏毛，稀近无毛。芽卵圆形，钝，先端有绒毛。叶线形或线状披针形，嫩叶两面密被绒毛，后仅下面有疏毛，边缘有细锯齿，稀近全缘；叶柄短；托叶细小，早落。花序与叶近同时开放，密生于上年生的小枝上。雄花序近无梗；雄蕊 2，连合成单体，花丝无毛，花药黄色，初红色，球形；苞片卵形或长卵形，淡黄色或淡黄绿色，外面和边缘无毛，稀有疏柔毛或基部毛较密；腺体 1，腹生。雌花序细圆柱形，果期伸长，基部具小叶；子房卵形，密被灰绒毛，无柄，花柱较短，红褐色，柱头几直立，全缘或 2 裂；苞片卵圆形，淡黄绿色，仅基部有柔毛；腺体 1，腹生。花期 5 月，果期 6 月。

| 生境分布 | 生于海拔 1 500 ~ 2 000 m 的荒漠和半荒漠地区的河谷。分布于新疆阜康市、玛纳斯县、且末县、沙雅县、阿克陶县、乌恰县、疏附县、泽普县、和田地区、伊宁市、伊宁县、察布查尔锡伯自治县、巩留县、沙湾市等。

| 资源情况 | 野生资源一般。药材来源于野生。

| 采收加工 | **柳絮：**果实将成熟时采收，干燥。

柳叶：春、夏季采收，鲜用或晒干。

| 功能主治 | **柳絮：**凉。止血，祛湿，溃痈。用于黄疸，咯血，吐血，便血，闭经，湿痹四肢挛急，膝痛，痈疽脓成不溃，创伤出血；外用于牙痛。

柳叶：清热，解毒，利尿，平肝，止痛，透疹。用于慢性支气管炎，上呼吸道感染，肺炎，腮腺炎，尿道炎，膀胱炎，膀胱结石，白浊，高血压，痈疽肿毒，烫火伤，关节肿痛，牙痛，痧证，皮肤瘙痒，疔疮疖肿，乳腺炎，甲状腺肿，丹毒。

| 用法用量 | **柳絮：**内服适量，研末；或浸汁。外用适量，贴敷；或研末调搽。

柳叶：内服煎汤，15 ~ 30 g，鲜品 30 ~ 60 g。外用适量，煎汤洗；或捣敷；或研末调敷；或熬膏涂。

胡桃科 Juglandaceae 胡桃属 *Juglans*

胡桃 *Juglans regia* L.

| 药材名 | 核桃仁（药用部位：果实）、分心木（药用部位：种仁）、青龙衣（药用部位：外果皮）。

| 形态特征 | 乔木。树干较别的种类矮，树冠广阔；树皮幼时灰绿色，老时灰白色而纵向浅裂；小枝无毛，有光泽，被盾状着生的腺体，灰绿色，后带褐色。叶为奇数羽状复叶，叶柄及叶轴幼时被极短的腺毛及腺体；小叶通常 5 ~ 9，稀 3，椭圆状卵形至长椭圆形，先端钝圆或急尖、短渐尖，基部歪斜、近圆形，全缘或在幼树上者具稀疏的细锯齿，上面深绿色，无毛，下面淡绿色，侧脉 11 ~ 15 对，腋内具成簇的短柔毛，侧生小叶具极短的小叶柄或近无柄，生于下端者较小，顶生小叶常具小叶柄。雄性柔荑花序下垂，雄花的苞片、小苞片及

花被片均被腺毛，雄蕊 6 ～ 30，花药黄色，无毛；雌性穗状花序通常具 1 ～ 3（～ 4）雌花，雌花的总苞被极短的腺毛，柱头浅绿色。果序短，俯垂，具 1 ～ 3 果实；果实近球状，无毛；果核稍皱曲，有 2 纵棱，先端具短尖头；隔膜较薄，内里无空隙；内果皮壁内具不规则的空隙或无空隙而仅皱曲。花期 5 月，果期 10 月。

| 生境分布 | 生于海拔 400 ～ 1 800 m 的山坡及丘陵地带。新疆南疆各地均有栽培。

| 采收加工 | **核桃仁：**8 ～ 10 月果实由青皮绿色渐渐变成黄绿色或黄色、青皮顶部有裂缝时采收果实，采用堆沤脱青皮法、机器脱青皮法将外果皮脱去，洗净，砸破内果皮，取出种仁。

分心木：采收种仁时，取出中间的木质种隔。

青龙衣：夏、秋季间果实未成熟时采集肉质、青绿色的外果皮。

| 功能主治 | **核桃仁：**补肾固精，温肺定喘，润肠通便。用于腰痛脚弱，尿频，遗尿，阳痿，遗精，久咳喘促，肠燥便秘，淋证，疮疡瘰疬。

分心木：补肾涩精。用于肾虚遗精，滑精，遗尿。

青龙衣：消肿，止痒。用于慢性支气管炎；外用于头癣，牛皮癣，痈肿疮疡。

| 用法用量 | **核桃仁、分心木：**内服煎汤，9 ～ 15 g。

青龙衣：内服煎汤，9 ～ 15 g。外用适量，鲜品捣敷。

桦木科 Betulaceae 桦木属 *Betula*

天山桦 *Betula tianschanica* Rupr.

| 药 材 名 | 天山桦（药用部位：树皮）。

| 形态特征 | 小乔木。树皮淡黄褐色或黄白色，有时呈红褐色，呈层状剥裂；枝条灰褐色或暗褐色，被疏或密的树脂状腺体或无腺体，无毛；小枝褐色，密被短柔毛及长柔毛，具疏或密的树脂状腺体，稀无腺体。叶厚纸质，通常为宽卵状菱形或卵状菱形，间或为卵形或菱形，先端锐尖或渐尖，基部宽楔形或楔形，幼时两面疏生腺点，无毛或疏被长柔毛，成熟后则无毛且无腺点，侧脉 4 ~ 7 对；叶柄初时密被短柔毛，后毛渐脱落至近无毛。果序直立或下垂，矩圆状圆柱形；果序梗密被短柔毛；果苞两面均被短柔毛，背面毛尤密，边缘具短纤毛，中裂片三角形或矩圆形，侧裂片卵形、矩圆形或近方形，比中裂片宽，稍短至短于中裂片的 1/2，微开展至横展，少有直立或

下弯。小坚果倒卵形，上部密被短柔毛，膜质翅与果实等宽或较宽，长于果实。

| 生境分布 | 生于海拔 1 300 ~ 2 500 m 的河岸阶地、沟谷、阴山坡或砾石坡。分布于新疆天山区、玛纳斯县、乌恰县、阿克陶县、和静县、库车市、拜城县、察布查尔锡伯自治县、霍城县、巩留县、昭苏县、特克斯县、尼勒克县、沙湾市、托里县、裕民县及阿勒泰地区、哈密市、喀什地区等。

| 资源情况 | 野生资源较丰富。药材来源于野生。

| 采收加工 | 全年均可剥取，刮去外皮，晒干。

| 功能主治 | 清热祛湿，祛痰止咳，消肿解毒。

榆科 Ulmaceae 榆属 *Ulmus*

白榆 *Ulmus pumila* L.

| 药 材 名 | 榆树皮（药用部位：树皮）。

| 形态特征 | 乔木。树冠卵圆形。树皮暗灰色，纵裂，粗糙；枝条细长，灰色。叶椭圆状卵形或椭圆状披针形，2 ~ 7 cm，先端尖或渐尖，基部近对称，叶缘常具单锯齿，侧脉 9 ~ 14 对，无毛或叶下面脉腋微有簇毛。花先叶开放，两性，簇生；花萼 4 裂，雄蕊 4。翅果近圆形或卵圆形，果核位于翅果中部，成熟时黄白色，无毛。花期 3 ~ 4 月，果期 5 ~ 6 月。

| 生境分布 | 生于山前冲积扇和荒漠绿洲。新疆克拉玛依市、阿克苏地区及泽普县、叶城县、裕民县、阜康市等有栽培。

| **采收加工** | 夏、秋季剥下，除去粗皮，鲜用或晒干。

| **功能主治** | 安神健脾。用于神经衰弱，失眠，食欲不振，带下。

桑科 Moraceae 榕属 *Ficus*

无花果 *Ficus carica* L.

| 药 材 名 | 无花果（药用部位：果实、叶）。

| 形态特征 | 落叶灌木。小枝粗壮，无毛。叶掌状 3 ~ 5 裂，长宽几相等，基部浅心形，具掌状叶脉，小裂片卵形，边缘具不规则钝齿，表面粗糙，背面密生细小的钟乳体及灰色短柔毛。榕果单生于叶腋，大而梨形，成熟时紫红色或黄色。

| 生境分布 | 生于向阳、土层深厚、疏松肥沃的土壤中。分布于新疆岳普湖县、疏勒县、疏附县等。新疆克孜勒苏柯尔克孜自治州、喀什地区、和田地区等有栽培。

| 采收加工 | 果实，秋季果实近成熟时采摘，晒干。叶，夏秋季采收，阴干。

| 功能主治 | 果实，健脾益胃、润肺止咳，解毒消肿。用于食欲不振，脘腹胀痛，痔疮便秘，咽喉肿痛，热痢，咳嗽多痰。叶，清热祛湿，解毒消肿。用于痔疮，疮毒肿痛，湿热泄泻。

桑科 Moraceae 桑属 *Morus*

黑桑 *Morus nigra* L.

| 药 材 名 | 桑白皮（药用部位：根皮）。

| 形态特征 | 落叶小乔木。小枝有细毛。叶阔卵圆形，先端急尖或渐尖，基部深心形，有粗锯齿，通常不分裂，有时 2 ~ 3 裂，上面暗绿色，粗糙，下面色较淡，有细毛，毛沿叶脉尤密。花雌雄异株有时同株。聚花果卵圆形至长圆形，暗红色。

| 生境分布 | 栽培种。新疆阿克苏地区、和田地区、喀什地区及察布查尔锡伯自

治县、新源县等有栽培。

| 采收加工 | 秋末叶落至发芽前采挖根部，刮去黄棕色粗皮，剖开，取根皮晒干。

| 功能主治 | 泻肺利水，止咳平喘。用于风温发热，头痛。

荨麻科 Urticaceae 荨麻属 *Urtica*

焮麻 *Urtica cannabina* L.

| 药 材 名 | 荨麻（药用部位：全草）。

| 形态特征 | 多年生草本。横走的根茎木质化。四棱形，常近无刺毛，有时疏生、稀稍密生刺毛和稍密的微柔毛，具少数分枝。叶片五角形，掌状 3 全裂，稀深裂，一回裂片羽状深裂，自下而上变小，其上部呈裂齿状，二回裂片常有数目不等的裂齿或浅锯齿，侧生一回裂片的外缘最下 1 二回裂片常较大而平展，上面常疏生细糙毛，后渐变无毛，下面有短柔毛，脉上疏生刺毛；钟乳体细点状，密布于叶上面；叶柄生刺毛或微柔毛；托叶每节 4，离生，条形，两面被微柔毛。花雌雄同株；雄花序圆锥状，生于下部叶腋，斜展，生于最上部叶腋的雄花序中常混生雌花；雌花序生于上部叶腋，常呈穗状，有时在下部有少数分枝，花序轴粗硬，直立或斜展；雄花具短梗，花被片 4，

合生至中部，裂片卵形，外面被微柔毛，退化雌蕊近碗状，近无柄，淡黄色或白色，透明；雌花序有极短的梗。瘦果狭卵形，先端锐尖，稍扁，成熟时变灰褐色，表面有明显或不明显的褐红色点；宿存花被片 4，在下部 1/3 处合生，近膜质，内面 2 花被片椭圆状卵形，先端钝圆，外面生 1 ~ 4 刺毛和细糙毛，外面 2 花被片卵形或长圆状卵形，较内面的短 3 ~ 4 倍，外面常有 1 刺毛。花期 7 ~ 8 月，果期 8 ~ 10 月。

| 生境分布 | 生于海拔 800 ~ 2 800 m 丘陵性草原或坡地、沙丘坡上、河漫滩、河谷、溪旁等。新疆吐鲁番市、伊犁哈萨克自治州、昌吉回族自治州、阿克苏地区及石河子市等有栽培。

| 采收加工 | 夏、秋季采收，晒干。

| 功能主治 | 祛风湿，解痉和血，止咳。

荨麻科 Urticaceae 荨麻属 *Urtica*

异株荨麻 *Urtica dioica* L.

| 药 材 名 | 荨麻（药用部位：全草）。

| 形态特征 | 多年生草本。根茎匍匐。茎直立，四棱形，分枝，通常密被短伏毛和螫毛。叶对生，卵形或卵状披针形，先端渐尖，基部心形，沿缘具大的锯齿，表面有稀疏的螫毛，背面有较密的螫毛和短毛及小颗粒状的钟乳体，基出脉 3 ~ 5；叶柄较长，茎中部叶的叶脉的长达叶片的一半，有螫毛；托叶小，长圆形，离生。花单性，雌雄异株；花序圆锥状，生于上部叶腋，被伏毛和螫毛；雌花序在果期常下垂；花被片 4，雄花被片椭圆形，外面有短毛和螫毛；外面 2 雌花花被片狭椭圆形，背面有短毛，内面 2 花被片花后增大，宽椭圆形，背面有短毛，通常无螫毛，宿存，比外面花被片长 2 ~ 3 倍。瘦果卵形或宽椭圆形，稍扁，光滑。花期 6 ~ 7 月，果期 7 ~ 8 月。

| 生境分布 | 生于海拔 670 ~ 2 400 m 的河谷水边、山坡林缘、阴湿的石隙中。分布于新疆青河县、哈巴河县、奇台县、乌鲁木齐县、托里县、沙湾市、霍城县、尼勒克县、昭苏县等。新疆博乐市、霍城县、额敏县、巩留县等有栽培。

| 采收加工 | 夏、秋季采收，晒干。

| 功能主治 | 祛风湿，解痉和血。

荨麻科 Urticaceae 荨麻属 *Urtica*

高原荨麻 *Urtica hyperborea* Jacquem. ex Wedd.

| 药 材 名 | 荨麻（药用部位：全草）。

| 形态特征 | 多年生草本。根茎粗壮，木质化。茎多数，丛生，直立，上部钝四棱形，有螫毛和柔毛。叶对生，卵形，先端渐尖，基部心形，沿缘具锯齿，表面深绿色，叶脉凹陷，背面淡绿色，叶脉明显凸起，基出脉 3（～ 5），两面有螫毛和柔毛及颗粒状的钟乳体；叶柄短；托叶小，长圆形，离生，向下反折。花单性，雌雄同株或异株；雄花序生于下部叶腋，花序短穗状；花被片 4，雄花具细长梗，内面 2 雌花花被片花后增大，近圆形或扁圆形，宿存，干膜质，比果实大 1 倍以上，外面有毛，常在中肋上有 1 ～ 2 螫毛，外面 2 花被片小，卵形，比内面花被片短 8 ～ 10 倍。瘦果卵形，苍白色或灰白色，两侧压扁，光滑，有光泽。花期 6 ～ 7 月，果期 8 ～ 9 月。

| **生境分布** | 生于海拔 4 200 ~ 5 200 m 的高山石砾地、岩缝或山坡草地。新疆策勒县有栽培。

| **采收加工** | 夏、秋季采收，晒干。

| **功能主治** | 祛风湿，解痉和血。

檀香科 Santalaceae 百蕊草属 *Thesium*

阿拉套百蕊草 *Thesium alatavicum* Kar. et Kir.

| 药 材 名 | 绿珊瑚（药用部位：全草）。

| 形态特征 | 多年生草本。直根细。茎通常 3 ~ 4，单一或分枝，具棱槽，粗糙，茎地下部分淡黄色，具少数淡黄色鳞片状的叶。地上的叶绿色，线形，稀线状披针形，先端钝，渐尖，基部渐狭，光滑或有时沿缘粗糙，背面具 3 脉，中脉凸起。花序总状或圆锥状；花梗斜生，常和叶一起侧向 1 面；苞片 3，中间 1 苞片线状披针形，侧生小苞片与花等长或稍短；花两性；花被钟状，上半部 5 裂；花被片披针形，外面淡绿色，内面黄色，嫩时先端内曲，花被片的 1 边或 2 边具耳状的附属物。坚果宽椭圆形，通常表面有 6 凸起的纵脉，无毛，包被果实的剩余花被片比果实短 4 ~ 5 倍。花期 7 月，果期 8 月。

| 生境分布 | 生于海拔 2 100 ~ 2 500 m 的山地森林和亚高山草甸的砾石质山坡、林间空地、林缘。分布于新疆新源县、昭苏县等。新疆新源县等有栽培。

| 采收加工 | 夏、秋季采收，洗净，晒干。

| 功能主治 | 清热解痉，利湿消痞。